La Mémoire sous la glace

*Ce livre est également disponible
au format numérique*

Dana Stabenow

La Mémoire sous la glace

Une enquête de Kate Shugak – 1

Traduit de l'anglais (États-Unis) par Jean-Daniel Brèque

Direction d'ouvrage : Claire Deslandes

Titre original : *Though Not Dead*
© 2011 by Dana Stabenow

Published in agreement with the author, c/o BAROR INTERNATIONAL, INC., Armonk, New York, U.S.A.

© Éditions Delpierre, 2014
ISBN : 978-2-37072-003-0

Éditions Delpierre
60-62, rue d'Hauteville, 75010 Paris

info@editionsdelpierre.com

Remerciements

J'ai lu certains de ces livres pour la première fois alors que j'explorais, enfant, les étagères de la Bibliothèque publique de Seldovia, dirigée par Susan Bloch English.
Ce roman leur doit beaucoup, et il lui doit encore davantage.

Lord of Alaska, par Hector Chevigny
Klondike : The Last Great Gold Rush, par Pierre Berton
Old Yukon : Tales, Trails and Trials, par le juge James Wickersham
Confederate Raider in the North Pacific, par Murray Morgan
The Thousand-Mile War, par Brian Garfield
Many Battles, par Ernest Gruening
Bush Cop, par Joe Rychetnik
Alaska's Constitutional Convention, par Victor Fischer
The Flying North, par Jean Potter
Alaska : A History of the 49th State, par Naske & Slotnick
One Man's Wilderness, par Keith & Proenneke
Castner's Cutthroats, par Jim Rearden
et pratiquement tous les livres publiés par
l'Alaska Geographic Society.

Parmi mes autres ressources figurent l'édition en ligne de l'*Anchorage Daily News*, des journaux alaskiens comme le *Homer News* et le *Dutch Harbor Fisherman* (notamment la rubrique « Police et Justice ») et, plus récemment, AlaskaDispatch.com.

L'histoire de saint Juvenaly provient de plusieurs sources, dont la page *Outreach Alaska* sur le site web du Diocèse orthodoxe russe d'Alaska.

Et, encore une fois, Don Ryan, alias Der Plotmeister, a assuré. Merci.

À Josie et Gerry Ryan,
que je remercie pour leur coutume
d'adopter des animaux errants.

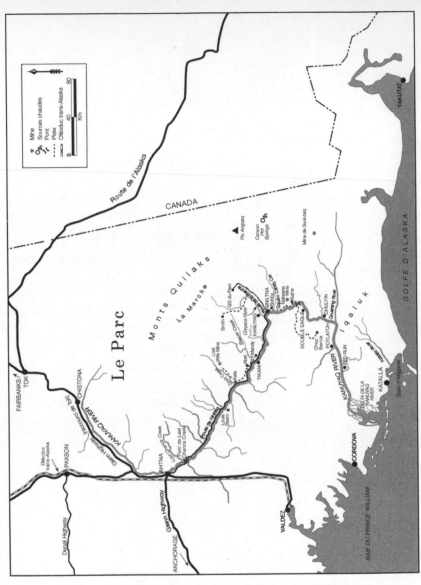

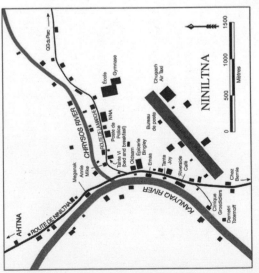

ARBRE GÉNÉALOGIQUE DES SHUGAK

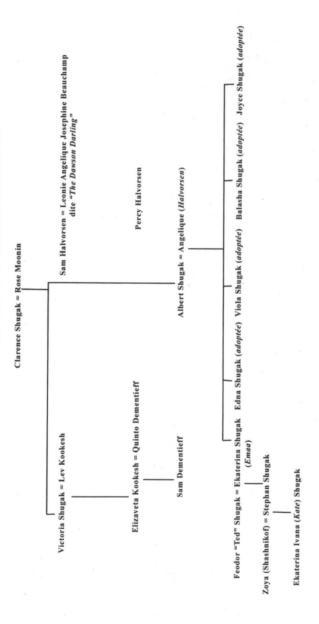

Clarence Shugak = Rose Moonin

Victoria Shugak = Lev Kookesh

Sam Halvorsen = Leonie Angelique Josephine Beauchamp
dite *"The Dawson Darling"*

Percy Halvorsen

Elizaveta Kookesh = Quinto Dementieff

Sam Dementieff

Albert Shugak = Angelique *(Halvorsen)*

Feodor "Ted" Shugak = Ekaterina Shugak   Edna Shugak *(adoptée)*   Viola Shugak *(adoptée)*   Balasha Shugak *(adoptée)*   Joyce Shugak *(adoptée)*
(Emaa)

Zoya (Shashnikof) = Stephan Shugak

Ekaterina Ivana *(Kate)* Shugak

1918

Niniltna

La mort noire n'atteignit l'Alaska qu'en novembre. Et frappa la quasi-totalité de la population.

Le gouverneur du Territoire imposa la quarantaine et limita les déplacements vers l'Intérieur, postant des marshals sur l'ensemble des ports, des départs de piste et des embouchures afin d'interdire les contacts entre communautés. Il promulgua une directive spéciale enjoignant aux Natifs de rester chez eux et d'éviter les rassemblements publics. On ferma des théâtres, on annula des messes, on renvoya des écoliers à leurs familles, mais, du fait des traditions communautaires en usage chez les Natifs, ceux-ci furent frappés dans de fortes proportions. À Brevig Mission, on compta huit survivants sur quatre-vingts habitants. Dans certains villages, il n'y eut même pas de rescapés. Le printemps suivant, lorsqu'arriva la seconde vague de la pandémie, les gens étaient trop faibles pour chercher de la nourriture et la faim en emporta un peu plus.

En mars 1919, à Niniltna, le Chef Lev Kookesh et sa femme Victoria moururent de froid car ils étaient trop malades pour se lever et attiser le feu dans leur poêle à bois. Six kilomètres plus loin, à la mine de Kanuyaq, le gérant Josiah Greenwood perdit sa femme, ses deux fils et le quart de ses mineurs.

Certains des rescapés eurent recours au vol et au crime. Harold Halvorsen fut battu à mort par un homme qui convoitait son dernier sac de farine. Bertha Anelon fut attaquée dans sa chambre à coucher et périt deux jours plus tard des suites de ses blessures, seule et abandonnée dans son lit. Des cambrioleurs visitèrent les bureaux de la mine de Kanuyaq à cinq ou six reprises, emportant la caisse, fracassant la vitrine qui abritait la célèbre pépite « Croix d'or », laquelle disparut définitivement, et mettant le feu aux archives de la compagnie. Des pillards emportèrent les réfrigérateurs et les toilettes des malades trop affaiblis pour se lever. Provisions, vêtements, photographies, archives personnelles, bijoux… la plupart des propriétaires ne devaient jamais retrouver ce qu'on leur avait dérobé.

Les maisons dont les occupants avaient péri furent vidées de leurs meubles et abandonnées. Les cimetières dépassèrent leur capacité. Après avoir porté en terre leurs derniers parents, nombre de survivants partirent pour Fairbanks, Anchorage et même pour l'Extérieur. Déjà réduite de moitié par l'épidémie, la population de certains villages fut encore diminuée d'autant par l'émigration.

Puis, comme c'était inévitable, les gens finirent par se ressaisir. À Niniltna, le potlatch organisé en mémoire du Chef Lev et de son épouse fut considéré par nombre d'habitants comme le premier pas sur la route de la guérison à l'issue de ce cauchemar de huit mois : le temps était venu pour les vivants de pleurer les morts, de régénérer leur âme et de reconstruire leurs maisons et leurs villages. Il fallait aller de l'avant si l'on voulait survivre, même si tous savaient au fond de leur cœur que la vie ne serait plus jamais la même.

La tâche d'organiser le potlatch échut au seul enfant du Chef Lev, sa fille Elizaveta, âgée de dix-sept ans. Elle aussi avait failli succomber, mais quelqu'un était entré chez eux : un homme, un jeune prospecteur miraculeusement épargné par la maladie, qui, à l'en croire, allait d'une maison à l'autre en quête de survivants. Il la trouva dans son lit, persuadée que ses parents étaient morts mais trop faible pour se lever et aller s'en assurer. À présent sur pied, pâle, amaigrie et endeuillée comme tous les autres rescapés, elle était résolue à faire honneur à sa tribu, à ses parents et à son chef. Les filles du *Northern Light* encore en vie l'aidèrent à laver et à habiller les dépouilles de leurs plus beaux atours. Le jeune prospecteur, Herbert Elmer McCullough, dit « Mac », alluma un feu de charbon au cimetière et profita de sa chaleur pour creuser des tombes dans le sol encore gelé.

Certains survivants étaient assez rétablis pour maugréer, et ils affirmèrent que c'était un scandale de laisser à une fille peu recommandable le soin d'inhumer des anciens de la tribu. Elizaveta avait toujours été indisciplinée, opinèrent-ils, encore que la faute en soit surtout revenue à Lev. C'était lui qui lui avait appris à chasser, à pêcher et à tendre des pièges, passant outre les objections de sa mère, de ses sœurs et des autres anciens. Dans leur tribu conservatrice et traditionnelle, on estimait que la place d'une femme était au foyer, que son rôle était de coudre des peaux et de faire des bébés. Lev avait même autorisé Elizaveta à passer l'été à sa concession des collines Quilaks, où elle avait cherché de l'or en compagnie de Quinto Dementieff. Chaperonnée par son père, certes, mais quand même…

L'été précédant la venue de la mort noire avait profité à tous. Lev avait même ouvert un compte en banque au nom d'Elizaveta. Victoria en avait été horrifiée, mais Lev avait tenu bon. « Elle l'a mérité », lui avait-il dit en tendant le chéquier à sa fille.

Elizaveta était tout excitée. Avec ce chéquier en sa possession, elle se sentait plus grande, plus substantielle en quelque sorte. Quand elle allait à Kanuyaq pour faire le ménage chez Angie Greenwood, elle considérait d'un œil différent les toilettes à chasse d'eau qu'elle récurait toutes les semaines. Soudain, un tel luxe lui semblait accessible à présent qu'elle avait un peu d'argent dans sa poche.

Tout cela avait changé, bien entendu. Elle avait consacré toutes ses économies à acheter des cadeaux pour les offrandes traditionnelles qui suivraient le potlatch : outils, couvertures, ustensiles de cuisine, bijoux, conserves… le tout commandé en gros au catalogue Sears, Roebuck & Co. Elle avait dû en outre payer les frais de port jusqu'à Cordova, après quoi la Kanuyaq River & Northwestern Railroad avait acheminé gratuitement la marchandise par autorisation spéciale de Monsieur Greenwood. Celui-ci, un homme foncièrement bon, avait toujours veillé à maintenir d'excellentes relations avec les habitants de Kanuyaq, les Blancs comme les Natifs, les amateurs comme les professionnels, et le deuil qui le frappait ne l'avait pas empêché de s'en souvenir. Le jour venu, les esprits de ses parents n'eurent aucune raison de se sentir honteux en découvrant les cadeaux que recevaient en leur nom leur famille et leurs amis. Ni en contemplant la grande salle de l'Alaska Native Brotherhood, qu'elle avait décorée de branches de pin ornées de rubans verts et rouges. On aurait dit une salle commune apprêtée en vue de la fête de Noël. Mac l'avait aidée à fixer les branches la veille au soir, et c'est alors que la chose s'était produite, un délicieux interlude riche en plaisir mutuel. Cela faisait longtemps qu'Elizaveta ne s'était pas sentie aussi heureuse.

Elle apporta la touche finale à la décoration en plaçant l'icône de la tribu au fond de la salle, sur un guéridon haut perché, à côté de la photographie sépia de ses parents. Elle avait fait agrandir celle-ci par un photographe de Seattle, obtenant un fac-similé grenu qui avait achevé d'épuiser son pécule. Son père était assis, l'air grave, en tenue d'apparat, et sa mère se tenait debout derrière lui, vêtue d'une robe en daim ornée de perles, une main sur son épaule, la mine tout aussi grave. Ils avaient l'air raide et un peu sévère, tout le contraire du souvenir qu'Elizaveta gardait d'eux. Le cadre en bois de pin, gravé de rosaces et de lianes, était doré à l'or fin, ce qui attestait de l'importance des sujets de la photographie.

L'icône était un triptyque de l'Église orthodoxe russe, connu sous le nom de Marie la Sainte. Elle était composée de trois panneaux dépeignant, de gauche à droite, Marie tenant l'Enfant Jésus dans une étable, Marie tenant Jésus supplicié au pied de la Croix et Jésus ressuscité se révélant à Marie devant la pierre roulée.

Marie la Sainte mesurait vingt centimètres de haut et l'ensemble des panneaux, quarante-cinq centimètres de large. L'artiste avait lui-même doré le bois qui lui avait servi de support. L'or était à présent terni et écaillé. Les illustrations étaient en métal percé et émaillé, les figures en bas-relief. Le cadre était criblé de gemmes aux couleurs ternes, dont deux avaient disparu.

L'icône était vieille, très vieille, mais tous ignoraient son âge. On savait qu'elle était arrivée avec les *gussuks*[1], à bord de leurs grands bateaux venus d'outre-mer, mais nul ne savait comment la tribu l'avait acquise, même si ceux qui comptaient des Tlingits parmi leurs ancêtres avaient leur petite idée.

Il était acquis que cette icône n'appartenait en propre à personne, que le chef la conservait au nom de la tribu. Elle avait des pouvoirs miraculeux, notamment celui de guérir. Peu de temps auparavant, Albert Shugak avait adressé une prière à Marie la Sainte et recouvré l'usage de ses jambes, qu'il croyait avoir définitivement perdu lors de la bataille de Verdun. Six mois plus tard, il avait épousé Angelique Halvorsen, qui attendait à présent leur premier enfant, et tous deux avaient en outre été épargnés par la mort noire. Marie la Sainte avait aussi le pouvoir d'exaucer les souhaits. Almira Mike avait prié pour avoir un fils et, avant la fin de l'année, Marie la Sainte lui avait fait don d'un petit William, un joyeux bébé à face de lune. Myron Hansen avait prié Marie la Sainte pour avoir un bateau neuf, et son grand-oncle de Seattle était mort en lui léguant une fortune.

Comme le Chef Lev n'avait pas de fils auquel il aurait pu transmettre l'icône, la question de sa garde revêtait une grande importance pour la tribu.

Pour cette raison et pour bien d'autres, la principale étant qu'après avoir vécu une année d'épreuves la tribu avait grand besoin de réaffirmer son identité, de célébrer dans la fierté une

---

1. Terme dérivé de « Cossack » (Cosaque), par lequel les Natifs désignaient les immigrants de type caucasien. (*Toutes les notes sont du traducteur.*)

histoire et des traditions dix fois millénaires, il était impératif d'élire un nouveau chef le plus vite possible.

Ce fut dans cet esprit que ses membres se rassemblèrent, les parents venus de Ketchikan, les amis de Sitka, les apparentés de Juneau, les cousins proches de Fairbanks, les cousins éloignés de Circle et ceux, plus éloignés encore, d'Ahtna. Il en vint de tous les villages bordant le fleuve, de Tikani à Chulyin, et de tous ceux bordant la route entre Ahtna et Valdez, une assemblée fort impressionnante compte tenu des pertes déplorées par tous. Mac McCullough aida Elizaveta à distribuer les cadeaux, mais nombre d'invités refusèrent de le regarder en face, offensés par l'intrusion de ce *gussuk* aux yeux ronds dans un rite tribal quasiment sacré. Au lieu de quoi ils adressèrent à Elizaveta des regards lourds de reproche, Elizaveta qui semblait rayonnante en dépit de la mort de ses parents.

Enfin. Tous savaient ce que ça signifiait. Ils acceptèrent leurs cadeaux comme leur étant dus, tout en manifestant leur vertueuse indignation, se gobergèrent du ragoût concocté avec la viande d'élan de l'année précédente et des miches de pain frais obtenues à partir des ultimes réserves de farine, puis regagnèrent leurs tentes après avoir pris congé de leur hôtesse avec le minimum de politesse.

Le lendemain matin, Marie la Sainte avait disparu.

Mac McCullough aussi.

– Ce n'est pas moi qui l'ai, dit Elizaveta, livide, les traits tirés, ayant cessé de rayonner.

Ils ne la crurent pas, et c'est sans le moindre respect qu'ils fouillèrent sa maison. Ils vidèrent le garde-manger en totalité et déballèrent les quelques paquets de viande d'élan pour s'assurer de leur contenu, vidèrent les quelques sacs de riz, de haricots, de sucre et de farine, et certains commençaient à envisager d'exhumer ses parents jusqu'à ce que l'un d'eux, plus raisonnable que les autres, fasse remarquer que Marie la Sainte avait été exposée bien après l'enterrement de Lev et de Victoria.

Lorsqu'enfin ils eurent la certitude qu'Elizaveta n'avait pas l'icône, leurs soupçons se portèrent naturellement sur le prospecteur. Il avait disparu. L'icône aussi. Il avait dû la voler pendant la nuit et partir avec elle. Il n'y avait pas d'autre explication. À quoi s'attendre de la part de ce type que les autres *gussuks* surnommaient « D'un-Seul-Seau », soi-disant parce qu'il était capable de retirer trois cents dollars d'orpaillage dans un seul seau ? Quelle honte qu'Elizaveta, et la tribu avec elle, aient été bernées par une telle crapule !

On recruta des messagers, nourris avec les restes du potlatch, que l'on envoya à Ahtna, à Cordova, à Fairbanks et même au-delà, pour transmettre la description du trésor volé et le signalement de son voleur, collecter des informations et offrir une récompense pour sa capture et pour le retour de Marie la Sainte à sa place légitime. Hélas ! une tempête de printemps souffla sur le golfe d'Alaska la deuxième nuit suivant le potlatch et il tomba quatre mètres de neige entre Katalla et Kanuyaq, ce qui rendit impraticables les routes et les pistes et impossible toute tentative de poursuite. On ne retrouva jamais ni l'icône ni D'un-Seul-Seau et, à mesure que passèrent les jours et les semaines, Elizaveta, mise à l'écart par sa famille comme par ses voisins, ne cessa de pâlir et de s'étioler.

Un mois après le potlatch, on frappa à sa porte. Elle avait peur de l'ouvrir. On frappa à nouveau, plus fort cette fois, et elle entendit une voix qu'elle connaissait bien.

– C'est moi, Elizaveta. Ouvre.

C'était Quinto Dementieff, qui étudiait, et souffrait, avec elle à l'école du Bureau des Affaires indiennes de Cordova. Ils se connaissaient depuis leur enfance et leur amitié avait été cimentée par l'été passé ensemble sur la concession de Lev.

Elle lui prépara du café, lui offrit des toasts cuits avec ses ultimes réserves de farine. Il n'y avait ni beurre ni confiture pour les toasts, ni sucre ni lait en conserve pour le café.

Il but et mangea sans rien dire et, lorsqu'il eut fini, écarta son bol et dit :

– Épouse-moi.

Elle se tenait assise devant lui, la tête baissée et les doigts noués. En l'entendant, elle leva la tête, stupéfaite.

— Épouse-moi, répéta-t-il. Comme ça, je saurai au moins que tu manges.

Les yeux mouillés de larmes, elle baissa la tête.

— Je ne peux pas.

— Bien sûr que si.

Elle posa une main sur son ventre.

— Tu ne comprends pas, Quinto. Je…

— Je comprends.

Il encaissa sans broncher son regard interrogateur.

— Épouse-moi.

La main toujours posée sur son ventre, elle balaya la pièce du regard.

— Il n'y a pas que cela, Quinto. Je ne peux pas rester ici. Nous ne pourrions pas rester ici. Tout le monde est tellement fâché, et…

— Nous ne resterons pas ici. Nous irons vivre à Cordova. Monsieur Greenwood est prêt à m'embaucher pour travailler sur les quais.

— Tu as parlé de ça avec Monsieur Greenwood?

— Je lui ai dit que j'allais me marier et que j'avais besoin de travailler pour faire vivre ma femme et ma famille. C'est un brave homme.

Quinto Dementieff était né d'un père aléoute et d'une mère philippine, dont les parents avaient fait partie de la vague d'immigrants venus travailler dans les conserveries de saumon pour un salaire moitié moindre de celui que les Alaskiens étaient prêts à accepter. Elizaveta souffrait d'ostracisme depuis le lendemain du potlatch. Quinto en avait été frappé dès le jour de sa naissance.

En outre, il était amoureux d'Elizaveta depuis leurs dix ans à tous deux. Il prit la main qu'elle avait posée sur son ventre et l'embrassa.

— Épouse-moi, Eliza. Nous aurons beaucoup d'enfants. Un de plus, quelle importance ?

Deux jours plus tard, le juge de paix d'Ahtna célébrait leur union. Le scandale qui en résulta faillit éclipser la perte de Marie la Sainte et alimenta la tribu en ragots pendant une dizaine d'années. De tous les hommes qu'aurait pu épouser une fille de chef, il fallait qu'elle ait choisi un Philippin ! Alors qu'il y avait tellement de jeunes Natifs à sa portée ! Ah ! cette Eliza, si têtue, si capricieuse ! Décidément, il n'y avait rien à en tirer. D'abord elle s'acoquine à un *gussuk* qui dérobe à la tribu son bien le plus précieux, et voilà qu'elle file à Cordova pour épouser un Philippin ! (On ignorait sans problème les ascendances aléoutes de Quinto.) Mais il fallait bien s'y attendre. Regardez son père, un brave homme à bien des égards, doublé d'un bon chef, mais totalement incapable d'élever une fille. Victoria avait tenté de le mettre en garde, ça oui, mais daignait-il seulement l'écouter ? Bien sûr que non, il était têtu comme une mule, il ne voulait rien entendre, et regardez ce que ça a donné, Elizaveta mariée à un étranger et Marie la Sainte à jamais perdue pour la tribu, volée par un homme blanc qui s'était prétendu leur ami à seule fin de dérober tout ce qui était à sa portée pour le revendre à l'Extérieur et faire fortune.

Elizaveta et Quinto s'établirent à Cordova, à trois cents kilomètres de là, suffisamment loin à cette époque pour qu'ils n'aient rien à craindre des ragots chuchotés, des regards furibonds et des index braqués sur eux.

— Vu la distance qui nous sépare, ils peuvent bien nous mettre à l'écart, s'était réjoui Quinto, et, pour la première fois depuis des mois, Elizaveta avait souri.

Sa grossesse se révéla difficile et en janvier suivant naquit leur premier fils, qui serait aussi le seul.

Ils le baptisèrent Samuel Leviticus Dementieff.

I

— Il avait quatre-vingt-neuf ans, dit Kate en levant les yeux.

— Eh bien, on savait tous qu'il était plus vieux que Mathusalem, répondit Jim.

Ils se trouvaient dans la cabane d'Old Sam, où Kate s'affairait à trier ses possessions. Les tantes et elle avaient décidé que le potlatch aurait lieu le 15 janvier, ce qui leur donnait un peu plus de trois mois pour étiqueter les objets personnels de Sam afin de les offrir aux participants, et permettait à ceux d'entre eux qui venaient de loin, en Alaska ou à l'Extérieur, de préparer leur voyage et de contacter un parent ou un ami vivant au Parc, et susceptible de les héberger.

Ce jour-là se tiendrait également la réunion annuelle des sociétaires de la *Niniltna Native Association*. Vu le prix de l'essence, l'aller-retour à Niniltna n'était pas donné, qu'on l'effectue en avion, en bateau, en pick-up, en 4x4 ou en motoneige. Et puis le coût de l'occupation du gymnase du lycée était le même, que la réunion dure quatre heures ou toute la journée. Kate Shugak était une femme frugale et pragmatique.

Au fond du carton qu'elle examinait se trouvait une chemise marquée « Dernières volontés ». Elle l'attrapa et l'ouvrit.

Jim l'observa un instant puis se tourna vers Mutt, qui était penchée contre son flanc. Chaque fois que Kate souffrait, Mutt se rapprochait d'elle le plus possible, sans toutefois oser lui sauter sur les genoux. Cette chienne, un croisement de loup et de husky, qui acceptait que Kate vive avec elle, lui rendait une bonne dizaine de kilos. La position penchée était donc la plus acceptable de ses options.

La cabane d'Old Sam était bâtie selon un plan commun à presque toutes les constructions du Parc datant de plus de vingt-cinq ans : un rez-de-chaussée de cinquante mètres carrés surmonté d'une chambre en mezzanine, avec une échelle pour y accéder. Les barreaux de cette échelle étaient polis par des décennies d'usage. Jim espérait qu'une fois parvenu à l'âge de quatre-vingt-neuf ans, ses genoux seraient toujours à même de le hisser sur deux mètres cinquante jusqu'à son lit.

Il se retourna vers Kate.

Si elle l'attendait dans ce lit, il trouverait un moyen.

Dans la pièce unique du rez-de-chaussée était installé un comptoir avec un vieil évier en porcelaine, devant un mur couvert d'étagères sur toute sa hauteur. L'évier était équipé d'un bec verseur à col de cygne à l'ancienne mode et de deux robinets classiques. Old Sam bénéficiait de l'eau courante depuis vingt ans, comme l'ensemble de Niniltna, mais ses toilettes se trouvaient toujours dehors. Quand on lui demandait pourquoi il n'en avait pas aménagé à l'intérieur, il répondait invariablement : « On ne chie pas dans son nid. »

Il y avait aussi un poêle à pétrole pour la cuisine, un poêle à bois pour le chauffage et un vieux Frigidaire qui devait dater des années 1960, époque où l'électricité était arrivée depuis Ahtna. Sous le plancher de la mezzanine, le mur du fond était couvert d'étagères. Une partie d'entre elles abritait les armes et les munitions, les autres étaient entièrement dévolues aux livres, des romans de Zane Grey à une édition en trois volumes reliés plein cuir du journal du capitaine Cook qui faisait toujours saliver Jim. Un fauteuil en vinyle marron portant l'empreinte du cul étroit de Sam occupait un coin de la pièce, à côté d'une lampe sur pied et d'une caisse Blazo[2] redressée à la verticale. Celle-ci était couverte de traces de mugs et remplie de magazines : *National Geographic, Alaska Magazine, Playboy*. À côté de la porte se trouvait un établi où Old Sam nettoyait ses armes et se livrait aux travaux d'ébénisterie qu'un ami ou voisin l'avait convaincu d'entreprendre : surtout des étagères et des placards, parfois des cadres de lit ou une table de salle à manger.

— Il a refait son testament le mois dernier.

Kate était assise sur l'une des trois chaises mal assorties entourant la table à pieds de chrome, au milieu de la pièce. En son centre était posé un plateau tournant occupé par une salière, une poivrière, un bol de sucre, une boîte d'une livre de beurre Darigold et un flacon de sauce de soja. Old Sam adorait le riz gluant, un goût hérité de son père à moitié philippin.

Avait adoré. Difficile d'admettre que le vieux était mort. Encore plus difficile d'imaginer la vie au Parc sans ses remarques acerbes, perspicaces et parfois prophétiques au point d'en être dérangeantes. Old Sam était un chœur antique à lui tout seul.

— Il avait plein de trucs chez lui, dit Jim. Tu veux un coup de main ?

On était lundi matin et il était déjà en retard pour le boulot.

Elle leva les yeux.

— Il y a moins de quinze jours.

— Pardon ?

— Il a refait son testament il y a moins de quinze jours.

— Une prémonition, peut-être.

Elle ricana.

— Il n'y a jamais eu moins mystique qu'Old Sam.

Jim repensa au vieil homme, tout en os et en nerfs, vif, intelligent, sarcastique. Indomptable, indestructible et, jusqu'à l'avant-veille, immortel. Kate avait raison. Si quelqu'un avait les

---

2. Caisse en bois contenant à l'origine deux bidons de kérosène Blazo. Les Alaskiens les recyclent pour en faire de petits meubles.

pieds sur terre, c'était bien le vieux Sam Dementieff. Jim se rendit compte qu'il allait sacrément lui manquer.

— Tu as besoin d'un coup de main ? insista-t-il. Je peux prendre ma journée.

— Non merci, ça ira.

Elle se passa une mèche de cheveux derrière l'oreille, révélant une pommette haute et plate, et un cou de taureau, zébré d'une longue cicatrice qui, en huit ans, s'était réduite à une fine ligne blanche. Des yeux noisette dans un écrin de peau bronzée par l'été qui venait de s'achever, une bouche aux lèvres sensuelles surmontant un menton volontaire. Un paquet de dynamite d'un mètre cinquante et cinquante-quatre kilos, en sweat-shirt noir, blue-jeans et tennis.

Son paquet de dynamite. L'adjectif possessif lui vint soudain à l'esprit et il s'avança vers elle pour agripper son pull.

— Viens par ici.

Il l'attrapa par les aisselles et se rassit, la posant sur ses cuisses.

Elle ne protesta pas. Elle posa la tête au creux de son épaule et, l'instant d'après, il sentit des larmes imprégner sa chemise.

— Hé ! fit-il en la prenant par le menton.

Elle reprit son souffle dans un frisson et s'efforça de sourire.

— S'il me voyait maintenant, il se moquerait de moi.

— Foutaises, dit Jim. Il serait fier de voir que tu l'aimais autant. Écoute, Kate. Il est parti comme on aimerait tous partir. Il a abattu son élan, il l'a rapporté chez lui, il l'a dépecé et il a invité à dîner tous les gens qu'il aimait. Et c'était rudement bon.

Le sourire de Kate était hésitant.

— Ouais, c'est vrai.

— Et puis il a coupé le moteur et fermé la boutique. (Jim eut un léger haussement d'épaules.) Comment vous dites, vous autres les Indiens ? C'était une bonne journée pour mourir.

Elle renifla et ravala un rire trop lourd de sanglots.

Il s'approcha, laissa courir ses lèvres sur sa peau, savoura ses larmes. Elle retint son souffle, une brise chaude sur sa joue, et se tourna vers lui pour rapprocher leurs lèvres. Il accepta l'invitation et tous deux se perdirent dans un lent et long baiser, tandis qu'il lui massait d'une main la hanche, de l'autre la nuque.

Ça l'effrayait de moins en moins, ce besoin qu'il éprouvait de réconforter, de consoler, d'exprimer une affection sans rapport avec le sexe. Quoique… si le lit le plus proche n'avait pas été celui d'un mort de fraîche date… Il releva la tête, et des yeux noisette échangèrent un regard avec ses yeux bleus.

– Ça va mieux ?

Elle avait légèrement rosi et ses lèvres pleines esquissaient un sourire.

– Ça, c'est de l'imposition des mains.

Il sourit et l'embrassa à nouveau, plus vivement, avec plus de force.

– Attends un peu, que je t'impose autre chose.

Elle éclata de rire.

C'est ce qu'aurait fait Old Sam.

Bien qu'attristé par le décès de Sam Dementieff, ce fut le cœur léger que Jim gagna le poste de police. Sans doute parce que Kate était aussi disposée à accepter ses consolations qu'il était décidé à les lui offrir. Ça faisait un bail qu'ils se tournaient autour, méfiants, soupçonneux et même, autant l'avouer, terrifiés par la cargaison que trimballait cette barge nommée liaison. Une barge, ça ne bouge pas tout seul, on a besoin d'un remorqueur. Avant Kate, les femmes dont il recherchait la compagnie ne duraient que le temps d'un raid Miami-La Havane en hors-bord. Parfois, il lui semblait avoir passé plus de temps avec Kate que Jacob avec Rachel.

Elle se demandait encore si elle devait lui faire confiance, il le savait. À cet égard, il n'était pas facile de marcher sur les brisées de Jack Morgan, un monogame de premier choix, garanti par le gouvernement. Et le fait qu'on ait donné à Chopper Jim Chopin le *nom d'amour*[3] de « Père du Parc », bien qu'il n'ait aucun rejeton à sa connaissance, n'arrangeait pas les choses. Et d'ailleurs, c'était Old Sam qui lui avait collé ce sobriquet. Juste après que Misty Lambert eut brûlé les fringues qu'il avait laissées chez elle, au cours de la réunion mensuelle de son club de lecture, en présence non seulement de tous ses membres mais de quiconque était intéressé par la célébration. À un moment ou à un autre, il avait couché avec la moitié de l'assemblée.

Ça les avait bien fait marrer sur le moment, cette immolation rituelle et le surnom inventé par Old Sam, mais, pour dire vrai, Jim Chopin était encore plus rapide pour sortir une capote que pour dégainer son arme. Vivre avec Johnny Morgan comblait amplement ses envies de paternité. En tant que seul policier d'un parc national de quatre-vingt mille kilomètres carrés, il était déjà responsable de huit mille enfants requérant des soins urgents.

Il se gara devant le poste, se promettant de faire un tour au lycée pour parler d'homme à homme avec Johnny Morgan et lui suggérer de passer la nuit en ville. Johnny était assez grand pour comprendre ses raisons et, vu la façon dont les choses évoluaient entre Van et lui, il ne tarderait pas à le prier de lui rendre la pareille. Jim avait gardé un souvenir très vif de ses seize ans. Lui qui aujourd'hui ne pouvait s'empêcher de peloter Kate, à l'époque, il ne lui aurait jamais laissé adopter la position verticale.

Il descendit de son pick-up en riant sous cape. Maggie, la standardiste, l'accueillit sur le seuil, une fiche rose à la main et le visage figé dans une expression qui chassa toute gaieté de son esprit.

– Quoi ? fit-il.

Il passa mentalement en revue les suspects habituels : Howie Katelnikof, Martin Shugak, Wade Roche et ce qui se passait peut-être chez lui, la dernière virée de Dulcey Kineen… Pourvu que, cette fois-ci, il n'ait pas pris la niveleuse !

---

3. En français dans le texte.

— Cindy a encore menacé de descendre Willard ?

— Non, Jim, dit-elle, et il comprit à la douceur de sa voix que c'était vraiment grave. Je viens d'avoir Nick au téléphone satellite.

Nick Luther dirigeait le poste de police de Tok, une fonction que Jim occupait deux ans plus tôt, lorsque Juneau, au vu de sa charge de travail, avait décidé d'en ouvrir un nouveau dans le Parc. Pour la première fois, il se demanda si quelqu'un à la capitale avait appris la découverte à Suulutaq de la deuxième mine d'or la plus importante du monde avant de prendre cette décision.

Il tendait à prendre la tangente chaque fois qu'il voulait éviter le malheur qui fonçait sur lui comme un rouleau compresseur. Il inspira à fond.

— Allez-y, dit-il. Servez-moi la nouvelle.

Voyant que Maggie hésitait, il ajouta :

— Quoi que ce soit, ce n'est pas en la laissant faisander que vous la rendrez plus appétissante.

— Il n'y a aucune façon de bien annoncer ça. Votre mère a appelé.

Il se raidit.

— Et ?

— Je suis navrée. Votre père est mort.

Assise sur le lit, Kate le regardait faire ses bagages, et placer des vêtements qu'elle ne l'avait jamais vu porter dans des valises qu'elle ne l'avait jamais vu utiliser. Quand il n'était pas en uniforme, il ne portait que des jeans et des T-shirts. Quand il se déplaçait en Alaska, il emportait un sac à dos. Son costume gris anthracite lui évoquait un homme d'affaires cossu d'Anchorage. Sa valise rigide à coque argentée semblait provenir du catalogue SkyMall, que Kate connaissait grâce à Alaska Airlines, qui le distribuait à tous ses passagers, et dans lequel on trouvait de tout, du ballon de basket dédicacé par Magic Johnson à la cave à vin à neuf cents dollars, autant d'articles dénués de toute utilité pour qui comptait prendre une correspondance pour Igiugig.

– Ouaouh ! fit-elle, on dirait que tu vas dîner en ville.

Il lui décocha un regard vif et elle se demanda si elle n'avait pas un peu forcé la dose.

– À nous deux, Californie, rétorqua-t-il.

En dépit de tous ses efforts, elle ne perçut aucune trace de joie dans sa voix.

Ils se trouvaient dans la chambre qu'il occupait au Bed&Breakfast de Tante Vi, qu'elle avait fini par vendre aux propriétaires de la mine de Suulutaq afin d'héberger leurs employés en transit. Désormais, elle n'en était plus que la gérante. L'une des clauses de la cession stipulait que Jim conserverait sa chambre, où il s'était installé dès son arrivée à la tête du nouveau poste. Vern Truax, le directeur de la mine, était ravi de bénéficier de la présence d'un représentant de la loi à quatre-vingts kilomètres de son exploitation.

– Retour à la case départ, dit Kate.

Cette fois, il se redressa pour la regarder les yeux dans les yeux.

– Ce ne sera pas long.

– Tu n'as ni frères ni sœurs.

– Non.

– Et ta mère a quel âge ?

– Soixante-dix-neuf ans.

– Dix ans de moins qu'Old Sam.

– Oui.

Elle repensa au vieil homme, qui avait toujours été en parfaite santé jusqu'au jour où il s'était assis sur son quai pour rendre l'âme.

– Elle garde la forme, ta mère ?

– Ça dépend de ce que tu entends par là. Je te parierais ma paie qu'elle a l'air splendide. En tout cas, elle dépense ce qu'il faut pour.

Il glissa son costume dans un sac que Kate identifia comme une housse protectrice, un accessoire qu'elle n'avait vu que sur catalogue, et logea celle-ci dans le couvercle de la valise en alu.

– Quel âge as-tu ? Quarante-deux ans, c'est ça ?

– Ouais.

– Elle en avait donc trente-sept quand tu es né.

Il ajouta à ses bagages deux chemises blanches impeccablement pliées. Puis des T-shirts, des caleçons, des chaussettes.

– Ils m'ont eu sur le tard, alors qu'ils étaient près de renoncer. Papa avait quarante-cinq ans.

– Tu ne parles jamais d'eux.

Il haussa les épaules.

– Pas grand-chose à dire. Ils étaient durs d'oreille avant que j'entre au lycée. C'était comme de grandir avec ses grands-parents.

Ouch ! se dit-elle. *Pas très affectueux, tout ça.*

En y repensant par la suite, elle devait se demander si ce n'était pas ce manque d'affection qui avait poussé Jim à s'établir dans le Nord.

Il attrapa une boîte à chaussures sous le lit et l'ajouta au contenu de la valise. Sa trousse de toilette alla dans un bagage cabine, en compagnie de la dernière enquête de Walt Longmire, par Craig Johnson, et de *La Victoire des aigles* de Naomi Novik. Ces livres l'attendaient dans sa boîte postale lorsqu'il l'avait vidée ce matin. Il espérait qu'ils lui permettraient de tenir jusqu'à Los Angeles, car le reste de sa pile à lire se trouvait chez Kate. Il mesurait un mètre quatre-vingt-dix et un bon bouquin se révélait nécessaire pour oublier qu'il était assis en classe économique, les genoux coincés contre le dossier du siège devant lui. Un jour, il avait fait le trajet Phoenix-Seattle en compagnie d'un polar de Steve Martini dont il avait deviné le coupable à peine achevé le décollage. Plus jamais ça.

– Où diable est passée ma… Ah ! la voilà, dit-il, attrapant une lampe de lecture et la glissant dans le bagage cabine. Les sièges sont si serrés dans ces nouveaux avions que mon plafonnier n'éclaire rien excepté le crâne du type assis devant moi. Surtout s'il a incliné son siège pour le coller sur mes cuisses.

– Jim ?

– Quoi ?

– Pourquoi es-tu venu en Alaska ?

Il ferma son bagage cabine.

– J'ai lu *En Alaska* de John McPhee quand j'étais jeune et influençable.

Toujours prêt à lancer une vanne. Très bien.

– Est-ce qu'on va envoyer un remplaçant pendant ton absence ?

Il ferma la valise et la posa par terre.

– Nick contactera Maggie tous les matins. Sinon, je m'en remets à toi, mon chou. Oh ! (Il marqua une pause et la fixa du regard.) Kenny m'a dit qu'Ahtna souffrait depuis un mois d'une vague de cambriolages et de vols avec effraction. D'après lui, c'est à cause de la crise : les gens cherchent des trucs à revendre pour se faire un peu de cash. Au cas où ça arriverait jusqu'ici, tu es au courant.

– Pigé.

Il semblait très loin d'elle, comme s'il avait déjà atterri à Los Angeles. Le royaume du surf, du sable et du soleil. Lorsqu'il se tourna vers elle, elle se rendit compte qu'elle avait exprimé ses craintes à haute voix.

– Je ne compte pas rester là-bas, Kate. Je travaille en Alaska. Je vis en Alaska.

« Tu es en Alaska », aurait-il pu ajouter, mais il n'en fit rien.

Au lieu de cela, il posa le bagage cabine à côté de la valise et la culbuta en douceur sur le lit. Prise de court, elle le regarda d'un air étonné.

– Laisse-moi marquer mon territoire, dit-il, et il chercha les boutons de son jean.

À une minute près, il aurait raté le départ du dernier vol de George à destination d'Anchorage. Plantée au bout de la piste en terre battue de quinze cents mètres de long, les joues rouges et les fringues froissées, elle regarda le De Havilland Otter à turbo propulsion s'élever dans les airs, virer à droite et filer vers l'ouest tandis que son geignement caractéristique s'amenuisait au-dessus de l'horizon.

Mutt émit un doux gémissement plaintif. Kate baissa les yeux vers elle et lui dit d'une voix sévère :

– Nous sommes des femmes belles et fortes. Nous sommes capables de tout.

Et Mutt le lui prouva pendant qu'elles regagnaient la Chevrolet Super Cab rouge en saisissant l'ourlet de son jean à pleines dents pour la faire tomber sur les fesses.

2

Johnny était déjà rentré du lycée et s'affairait à préparer sa spécialité, du ragoût d'élan. Il commençait par faire cuire tous les légumes du frigo dans du bouillon de bœuf, filtrait puis singeait la mixture obtenue avec de la farine sautée au beurre et finissait par l'arroser avec du vin rouge, une déplorable habitude qu'il avait prise de Jim. Encore que Kate, qui ne buvait jamais une goutte d'alcool, ait reconnu à quelques reprises que le vin conférait à ce brouet une certaine saveur qui n'avait rien de désagréable. Johnny ajoutait à l'ensemble des morceaux d'élan frits à cuisson rapide, afin qu'ils soient croustillants en surface et bien saignants à l'intérieur, deux gousses d'ail pilées, une bonne pincée de thym, des oignons et des patates.

Kate entendit son estomac gargouiller et se rappela qu'elle n'avait rien mangé depuis le petit déjeuner. Johnny leur servit des bols fumants avec des tranches du pain rustique que Kate avait préparé la veille, l'idéal pour saucer. Elle mangea de bon cœur et se sentit nettement mieux. Comme elle levait la tête, elle vit que Johnny la regardait.

– Ça va ? demanda-t-il d'une voix hésitante.

En le voyant aussi inquiet, elle sentit son cœur se serrer.

– Je suis triste. Il va me manquer.

Elle avait dit à Johnny que Jim venait de partir suite à la mort de son père, mais elle savait qu'il était ici question d'Old Sam.

– À moi aussi, dit Johnny, visiblement peiné.

Elle esquissa un sourire. Autant annoncer la nouvelle tout de suite, d'autant que la saison de l'élan n'était pas tout à fait finie.

– Il t'a laissé un souvenir.

D'un mouvement de menton, elle désigna l'étui à carabine posé près de la porte.

Johnny en resta bouche bée.

– C'est… c'est la Winchester ?

Sur la dernière syllabe, sa voix prit une tonalité aiguë qu'elle ne lui connaissait plus depuis ses douze ans.

– Ouaip.

Elle tendit la main vers le carton posé sur le siège voisin pour y attraper la liste d'objets qui accompagnait le testament.

– Voilà ce qu'il écrit : « Je lègue ma Winchester Model 70 à Johnny Morgan, un garçon bien plus sensé que la plupart de mes connaissances, et je me fie à lui pour loger ses cartouches dans un élan plutôt que dans son putain de gros orteil. Surtout, n'essaie pas de viser la tête : la cervelle est trop petite et le crâne trop épais. Vise les poumons et tout ira bien. Et rappelle-toi : l'endroit idéal pour tirer un élan, c'est à quinze mètres de ton pick-up, et après la carabine, ton meilleur ami, c'est un couteau bien affûté. »

Elle dut refouler ses larmes une fois achevée sa lecture. Ces conseils, elle les avait entendus mille fois, lors de parties de chasse automnales au fil des décennies, l'enseignement qu'Abel et Old Sam dispensaient à Ethan, à ses frères et à elle. « Ces sales bêtes se font un malin plaisir de crever dans les endroits les plus difficiles d'accès et elles se surpassent chaque fois. Leur cœur est dur et sec comme du vieux cuir, mais tu peux le manger tout de suite, ainsi que la langue et le foie. Procure-toi un baquet de graisse de bœuf, mélange-le avec les restes pour faire des burgers. Mieux vaut découper de petites portions. Si tu as du monde à dîner, tu en décongèles beaucoup, mais tout ce qui a été décongelé doit être consommé. »

Johnny avait déjà sorti la carabine de son étui bien fatigué. Il avait l'air de quelqu'un à qui on venait d'offrir le diamant Hope.

– Son numéro de série est inférieur à six cent mille[4], hein ?

– Regarde, tu verras bien, dit-elle.

Pendant qu'il communiait avec sa nouvelle muse, elle débarrassa la table et lava la vaisselle, et cela fait, elle constata qu'il berçait toujours la carabine comme si c'était son premier-né. Quelle idée horrible !

– Bon, ça suffit, dit-elle. Range-la au râtelier et fais tes devoirs.

– Je peux tester le viseur ?

Elle jeta un coup d'œil par la baie vitrée qui occupait la quasi-totalité de la façade.

– Il fait trop sombre. Demain.

– Demain matin ?

– Après l'école, répondit-elle, ajoutant avec malice : Tu voudras sûrement la montrer à Van.

Ce qui aurait été une moue chez un adolescent moins intelligent que lui se transforma en sourire. Van était sa petite copine. Évidemment qu'il voulait lui montrer la Winchester. Il la rangea avec révérence dans le râtelier près de la porte, resta un moment planté devant pour l'admirer, poussa un soupir enamouré puis alla chercher ses devoirs dans sa chambre.

Il s'assit d'un côté de la table pour attaquer un problème de maths et elle de l'autre pour décrypter le testament d'Old Sam, pendant que les premières notes de « Stand By Me », la fabuleuse chanson de Ben E. King, sortaient des haut-parleurs.

Old Sam avait opté pour la simplicité, léguant tout ce qu'il possédait à Kate hormis une sélection de biens dont il avait dressé la liste, en même temps que celle des légataires concernés. Cette liste était datée du lendemain du jour où il avait signé son testament, lequel avait été rédigé par un certain Pete P. Wheeler, avocat à Ahtna. Kate ne le connaissait pas. Quinze jours plus tôt, c'était la fin de la saison de la pêche et l'ouverture de celle de la

---

4. Modèle datant d'avant 1964, d'une qualité supérieure selon les spécialistes.

chasse, et elle se demanda comment l'un comme l'autre avaient trouvé le temps de s'occuper de ça.

La lettre accompagnant la liste était rédigée de la main d'Old Sam. On reconnaissait toujours les anciens à leur écriture : s'ils avaient fréquenté l'école, leur maîtrise de la plume aurait fait pâlir d'envie Laura Ingalls Wilder en personne, car les instituteurs qui les avaient formés avaient à cœur de leur faire oublier qu'ils étaient Natifs, et donc le langage qui était le leur. Longue de cinq pages, la lettre était apparemment rédigée sur du papier pour imprimante, à l'encre noire et sans doute avec un Bic à pointe moyenne.

La cabane de Niniltna revenait à Phyllis Lestinkof, ce qui était plutôt surprenant. Kate se redressa. Quoique, à la réflexion… « La pauvre fille n'a même pas de pot de chambre à elle, écrivait Old Sam, sans parler d'un logis, et ses parents indignes ne lèveront pas le petit doigt pour l'aider. Elle a besoin d'une maison pour élever son bébé. Garde le titre de propriété, dis-lui qu'elle peut y habiter aussi longtemps qu'elle le voudra et demande-lui un loyer annuel d'un dollar. »

Âgée de dix-sept ans, Phyllis Lestinkof était enceinte et ses parents l'avaient chassée du domicile familial. Le père du bébé à naître, un jeune mineur de Suulutaq hostile au préservatif, avait coupé les ponts avec la future mère de son fils. L'été précédent, Kate avait tanné Old Sam jusqu'à ce qu'il embauche Phyllis comme matelot sur son bateau, en compagnie de Peter Jeppsen, un autre Rat du Parc se débattant avec des problèmes familiaux parfois lourds. Phyllis avait été élevée sur le harenguier de son père et, comme l'écrivait Old Sam : « Au moins ne confond-elle pas un chien et un saumon à bosse. » Un compliment des plus laudateur. *Tiens, tiens.*

Certes, cela faisait de Kate une logeuse, ce qui ne l'enchantait guère, mais Old Sam avait parlé et elle devait s'exécuter, du moins pendant un certain temps. Il avait ajouté : « Quand l'enfant aura grandi, ou si Phyllis part en ville, fais-en un musée. Le Musée Samuel Leviticus Dementieff d'Art et d'Histoire de Niniltna.

Ça sonne bien, tu ne trouves pas, ma fille ? » Pour les habitants du Parc, « en ville » signifiait Anchorage, une destination bien trop fréquente pour les Niniltnans. Du moins, jusqu'à l'ouverture de la mine.

Jackie Wilson prit le relais de Ben E. King, avec une bonne dose de *shooby doo wop* pour noyer son chagrin. Kate se tourna vers Johnny, qui se flattait de ne jamais écouter de musique antérieure aux premiers enregistrements d'Usher. Le bout de son crayon tambourinait la table en suivant le rythme à la perfection. Elle se concentra sur le testament.

Old Sam souhaitait que Petey Jeppsen hérite du *Freya*. Elle n'en crut pas ses yeux et dut relire la phrase à deux reprises.

Le *Freya* était le bateau d'Old Sam, un chasse-marée de vingt-cinq mètres de long. Cette patache devait être aussi vieille que lui, sinon davantage, mais il repeignait sa coque chaque printemps, vernissait ses boiseries chaque hiver et révisait son moteur une fois par an, comme si le *Freya* allait se faire pousser des ailes et l'obliger à passer son brevet de pilote. À en croire Old Sam, qui avait pris la peine de reconstituer son histoire, le *Freya* avait débuté comme chasse-marée spécialisé dans le hareng, et son propriétaire, la conserverie Alaska Year Round de Seldovia, avait fini par le revendre quand la surpêche avait eu raison des harengs de la région. Durant les années 1920, il avait transporté des passagers et des marchandises de Cordova à Seattle, le plus souvent pour le compte de la Kanuyaq River & Northern Railroad et de la Kanuyaq Copper. Les années 1930 l'avaient vu ravitailler les bases de l'US Navy dans les Aléoutiennes, et quand était venue la Seconde Guerre mondiale, on l'avait affecté à l'entraînement des Égorgeurs de Castner.

Old Sam l'avait acheté en 1950, pour louer ses services à qui cherchait à transporter marchandises ou produits de la mer. Plus récemment, il s'était concentré sur ces derniers. Quel que soit le poisson ou le crustacé, s'il existait un marché pour lui, Old Sam avait le chic pour en remplir ses cales et en tirer le meilleur prix.

Kate pensait depuis longtemps que le *Freya* était le grand amour de sa vie, qu'il était encore plus attaché à ce rafiot qu'il ne l'avait été à Mary Balashoff. Qu'il l'ait légué à Petey Jeppsen dépassait son entendement.

Elle avait avisé Mary Balashoff sur son site de pêche d'Alaganik par l'intermédiaire de sa famille à Cordova. Elle s'en voulait encore de ne pas être allée sur place. Du plus loin qu'elle s'en souvienne, on avait toujours dit qu'il y avait quelque chose entre Mary et Old Sam.

« Je sais ce que tu penses, ma fille, écrivait Old Sam, et je sais ce que diront ces sacrées bonnes femmes. » Ce fut sans difficulté que Kate comprit qu'il parlait des quatre tantes. « Elles diront que j'aurais dû le léguer à un parent, ou au pire à un membre de la tribu. Elles seront furax parce que Petey est blanc et que sa famille n'est dans le Parc que depuis une génération. Eh bien, aucun de mes parents ne désirait mon bateau au point de bosser dessus tous les étés. J'ai envisagé de le léguer à Martin… »

Kate sentit son sang se glacer.

« … dans l'espoir de le secouer un bon coup et de lui faire renoncer à cette vie de bon à rien qui est la sienne depuis qu'il a quitté l'école, mais tu sais aussi bien que moi qu'il s'empressera de le fourguer au premier venu afin de se payer une concession à perpétuité au bar de la Cordova House. Et s'il n'arrive pas à le vendre, il le laissera pourrir à quai. Moi, je serai trop occupé pour hanter quiconque le maltraiterait, et toi, tu as d'autres chats à fouetter. Donc, va pour Petey. Cet été, il a appris à faire la différence entre la proue et la poupe, ce qui n'est déjà pas si mal, et il y a des chances pour qu'il en prenne soin. De là où je suis, je ne peux pas demander davantage. »

Elle l'entendait presque glousser.

Il avait ajouté un post-scriptum : « N'oublie pas de récupérer le compas sur la passerelle avant de remettre le *Freya* à Petey. Tu as appris à naviguer sur ce compas et je tiens à ce que tu en hérites. Petey n'aura qu'à s'acheter une de ces saloperies de GPS. »

Le compas d'Old Sam. Kate reposa le testament et se perdit dans ses pensées. Elle se revoyait encore, tenant le grand gouvernail en bois sur la passerelle du *Freya*, le tournant un cran à la fois, attendant que la proue réagisse à sa commande tout en regardant le cadran flottant du compas se déplacer lentement sous le verre. L'antique compas en cuivre était fixé sur des cardans à l'intérieur d'une boîte en teck. L'émule du capitaine Bligh qui se tenait auprès d'elle ne tolérait pas la moindre trace de vert-de-gris sur le cuivre et cirait régulièrement le bois. Nul autre que lui n'avait le droit d'y toucher.

Jackie Wilson céda la place à Ray Charles, qui menaçait de se noyer dans son chagrin. Décidément, les larmes étaient à l'ordre du jour. Kate battit des cils pour chasser les siennes. Demain, il faudrait qu'elle aille au village annoncer la bonne nouvelle à Petey. Ces derniers temps, il louait une chambre à Iris Meganack, car Laurel, la fille de celle-ci, s'était mise en ménage avec Matt Grosdidier. Mark, Luke et Peter, ses trois frères, étaient enchantés, ce qui n'avait rien d'étonnant vu les talents culinaires de Laurel. Iris était réputée pour sa radinerie et, probablement furieuse de voir sa fille vivre avec un homme sans l'avoir épousé, elle devait se venger sur Petey en exigeant l'équivalent de la location d'une chambre à la Kanuyaq River Princess Lodge d'Ahtna. Dans le pire des cas, il pourrait s'installer à bord du *Freya* et économiser un peu d'argent. Comme le bateau était amarré à Cordova, cela mettrait un peu de distance entre lui et ses parents, ce qui ne serait pas plus mal.

Kate se sentit immensément soulagée, et ce n'était pas parce que Petey avait des chances de voir s'améliorer son style de vie. Chaque fois qu'elle repensait au gaillard d'avant du *Freya*, où s'entassaient palettes de manutention, lignes de pêche, pièces détachées et outils variés, elle sentait le découragement l'envahir. En bon Alaskien, Old Sam ne jetait jamais rien et rangeait tout dans le gaillard d'avant. Ça durait depuis soixante ans et Kate était terrifiée à l'idée d'inventorier et de distribuer tout ce bazar. Désormais, elle n'avait plus à le faire.

Encore de bonnes nouvelles. «Les bouquins sont pour toi, ma fille, avait écrit Old Sam. Garde ceux qui te plaisent et refile les autres à la bibliothèque.» La bibliothèque de l'école, qui était aussi celle de toute la communauté, souffrait en permanence de pénurie de livres et de fonds pour en acquérir, mais elle avait proposé à la mine de Suulutaq de devenir son sponsor. Comme la compagnie Global Harvest avait donné carte blanche à Vern Truax, son directeur, pour entrer dans les bonnes grâces des Rats du Parc, ce qui l'avait déjà amené à équiper tous les écoliers d'un ordinateur portable et d'une antenne parabolique pour les connecter à Internet, Kate estimait que la demande de la bibliothèque avait de fortes chances d'aboutir.

«Tu convoites le journal du capitaine Cook depuis que tu as appris à lire ou quasiment, continuait Old Sam. C'est la seule chose qui me garantisse que je ne te manquerai pas tant que ça.»

Kate s'esclaffa et renifla.

– Ça va? demanda Johnny.

Elle se moucha dans une serviette en papier.

– Old Sam fait son petit numéro.

Rassuré, il retourna à son devoir de maths pendant qu'elle poursuivait sa lecture. Elle prenait tout son temps, savourant chaque paragraphe, chaque phrase. C'était son dernier échange avec Old Sam et elle voulait le faire durer le plus longtemps possible.

Il possédait quelques propriétés dont elle ignorait l'existence, un terrain à Ahtna qu'elle pensait localiser sur la 1re Rue, un autre à Niniltna, adjacent à la parcelle où était bâtie sa cabane, et s'étendant sur la quasi-totalité du rivage entre celle-ci et celle de Harvey et Iris Meganack, et un troisième uniquement identifié par une série de latitudes et de longitudes. Après avoir consulté la carte du Parc accrochée au séjour, elle jugea qu'il devait se trouver dans les Quilaks, non loin de la frontière avec le Canada, entre le QG du Parc et la mine de Suulutaq, ce qui couvrait pas mal de territoire. Probablement une concession revendiquée par Old Sam à l'époque où un Rat du Parc sur deux et un paquet de gars venus de l'Extérieur se précipitaient sur tous les rochers qui se trouvaient sur leur chemin.

Elle jeta un nouveau coup d'œil aux coordonnées du troisième terrain. Sa superficie paraissait importante. Elle ne connaissait pas grand-chose aux règles en matière de concession mais se rappelait vaguement que leur surface était limitée par la loi. Dan O'Brian, le ranger en chef du Parc, pourrait sûrement la renseigner. Elle irait le voir dès le lendemain. La carte dont il disposait était bien plus grande et bien plus détaillée question topographie.

Quant à savoir s'il y avait assez de minerai là-haut, de l'or ou autre chose, pour qu'il soit économiquement faisable de l'extraire, c'était une autre paire de manches. Les chances de succès n'étaient jamais très grandes, mais si Old Sam avait acheté cette concession, c'était pour une bonne raison. Dommage que Mac Devlin ne soit plus dans le coin. Elle ne l'avait jamais trouvé spécialement sympathique, mais il avait du nez pour juger de la viabilité d'une concession. Sauf quand il s'agissait des siennes.

Elle consulta la pendule. 21 h 30. Jim avait réservé une place dans l'avion de Los Angeles qui décollait à 1 heure du matin. Trois ou quatre heures d'attente à Seattle. Quand on prend un vol d'Alaska Airlines pour se rendre en enfer, il y a toujours une correspondance à Seattle. Il était censé arriver à Long Beach le lendemain matin à 10 h 30, heure locale. Soit dans douze heures, en tenant compte du décalage. Pour un vol combiné de trois mille deux cents kilomètres. En voiture, il fallait en parcourir cinq mille huit cents.

Wilson Pickett annonça minuit.

Johnny leva les yeux et la vit qui regardait fixement l'horloge.

— Si on avait un réseau portable dans le Parc, tu pourrais l'appeler, dit-il.

Elle sursauta. Il se fendit d'un sourire malicieux.

— Gros malin, lâcha-t-elle.

Il ricana.

– C'est bien moi.

Elle considéra ce grand échalas de seize ans, non, dix-sept, au visage presque laid, aux cheveux soigneusement coiffés et éclaircis par l'été passé. Son père était un géant, un grizzli à la voix grave, rocailleuse, aux yeux presque aussi clairs, presque aussi bleus que son fils, aux mâchoires presque aussi fermes. Son dernier acte en ce monde, ou quasiment, avait été de confier Johnny à Kate. Quatre ans plus tard, elle ne savait pas qui elle aimait le plus, l'homme d'hier ou le garçon d'aujourd'hui.

– Tu veux un chocolat chaud ? proposa-t-elle.

– Oui, à condition d'avoir de tes cookies sans cuisson avec.

– Chocolat, re-chocolat et beurre de cacahouète, que Dieu ait pitié de moi ! dit-elle en se levant.

Elle sortit sur le perron en attendant que le lait ait chauffé. Il faisait assez froid pour que son haleine soit visible, assez clair pour qu'elle trace une ligne de Merak à Dubhe et la prolonge jusqu'à l'étoile polaire, presque au-dessus de sa tête, et pour qu'il n'y ait plus de moustique et pas encore de neige. Une parfaite soirée de septembre. Le soleil se couchait un peu plus au sud chaque soir, après avoir brillé un peu moins longtemps chaque jour, et, en compensation, les étoiles étaient de retour, les Pléiades filant dans le ciel, poursuivies par Orion qui émergeait du profil fracturé des Quilaks. « À jamais ton amour et leur beauté vivront[5]. » Johnny sortirait son télescope dès qu'il aurait fini ses devoirs.

Un point lumineux se déplaçait du nord au sud dans le ciel. Un avion ? Plus probablement un satellite. Combien l'État en avait-il lancé, trois ? Elle n'avait pas suivi et, pour ce qu'elle en savait, il y en avait déjà cinq ou six. Tous ces téléphones portables.

Elle soupira. En tant que présidente du conseil d'administration de la *Niniltna Native Association*, elle avait déjà demandé à Annie Mike, la secrétaire, d'engager des pourparlers

---

5. Citation déformée de « Ode sur une urne grecque », de John Keats, traduction de Robert Ellrodt (Imprimerie nationale).

avec les deux principaux opérateurs de l'Alaska, tout en entamant des travaux d'approche avec tout autre opérateur susceptible de s'intéresser au marché. Dans le pire des cas, peut-être que Kate aurait droit à un iPhone gratuit.

Mais avant cela, peut-être même avant l'hiver, l'un d'eux aurait lancé la construction de leur première tour relais style Meccano en acier galvanisé, premier grain d'un chapelet qui longerait la Kanuyaq River d'Ahtna à Chulyin pour monter ensuite vers la mine de Suulutaq, où l'on avait découvert deux ans auparavant le deuxième plus important gisement d'or au monde. Cela fait, lui avait assuré Annie, la couverture mobile engloberait la moitié des huit millions d'hectares du Parc, seules les parties les plus éloignées demeurant non desservies. Si la NNA les aidait à obtenir l'autorisation de construire leurs tours sur les emplacements qui leur semblaient les plus appropriés, les opérateurs étaient prêts à faire un effort pour que les habitants les plus isolés du Parc ne soient pas lésés. Le marché les intéressait fortement, aucun doute n'était permis sur ce point. Et comme Ranger Dan tenait à ce que son QG soit desservi, il y aurait forcément un autre chapelet de tours relais qui grimperait jusqu'à la Marche.

Kate se demanda comment avaient réagi les anciens en 1900, lorsque la découverte d'un gisement de cuivre à Kanuyaq avait entraîné l'apparition de la première ligne téléphonique du Parc, lequel n'en deviendrait un que soixante-dix ans plus tard. Cette ligne n'avait pas survécu à la fermeture de la mine. Et aujourd'hui, plus d'un siècle plus tard, ils allaient de nouveau profiter des télécommunications sept jours sur sept et vingt-quatre heures sur vingt-quatre. Elle avait fait des recherches sur l'un des ordinateurs dont avait bénéficié l'école au début de l'année scolaire. En règle générale, un opérateur téléphonique louait de mille à trois mille dollars par mois l'emplacement d'une tour, dans le cadre d'un contrat de cinq ans sujet à tacite reconduction pour une durée totale n'excédant pas vingt-cinq ans. Le montant du loyer était proportionnel à la durée de la location demandée par le propriétaire. Si Tikani apparaissait comme un bon emplacement, par exemple, Vidar Johansen, son dernier occupant vivant (du moins le seul qui ne soit pas incarcéré), pourrait toucher jusqu'à cent soixante-quinze mille dollars.

Cela faisait bien longtemps que le Parc n'avait pas connu une telle manne financière, la mine de Suulutaq mise à part, et Kate imaginait l'excitation qui en accompagnerait l'annonce.

Elle détestait le téléphone. Quand elle décrochait et s'entendait dire « Salut, comment ça va ? », ça lui clouait systématiquement le bec. Elle tenait à voir son interlocuteur en face, à observer les changements de son expression, un sourcil qui se hausse, un regard qui se dérobe, car c'était ainsi qu'elle savait ce qu'il voulait vraiment dire. Il y avait une différence, comme le lui avait appris son expérience de cinq ans et demi au service des crimes sexuels du procureur d'Anchorage et de presque dix ans – bon Dieu, tant que ça ? – en tant que détective privé au Parc. Les mots, ça peut tout dire, tout. Mais un visage que l'on scrute raconte une tout autre histoire qu'une bouche qu'on écoute.

Cela dit… Le gamin avait raison. Si le Parc était couvert par un réseau de téléphonie mobile, Jim aurait pu l'appeler depuis l'aéroport. Celui d'Anchorage. Et de Seattle. Et de Newport Beach.

Une étoile filante peignit sur le ciel nocturne une traînée jaune qui s'estompa. Elle se tourna vers le nord pour voir si on avait allumé l'éclairage public, mais il était encore trop tôt. Une truffe froide lui toucha la main et elle découvrit en baissant les yeux que Mutt l'avait suivie.

– Ouais, ouais, je sais. Comme disait Billie Holiday : « Quelles longues heures de solitude apporte la tombée du soir quand ton amour est parti. »

Mutt leva vers elle ses yeux jaunes pleins de sagesse.

– Oh ! la ferme, dit Kate, et elle rentra préparer le chocolat chaud.

3

Le lendemain matin, Johnny partit à l'école au volant de son pick-up, suivi par Kate et Mutt une heure plus tard. Elle s'arrêta au *Riverside Café* le temps de boire l'excellent café américano préparé par Laurel Meganack et emporta un latte à la vanille allégé, celui que préférait Dan, suffisamment chaud pour qu'il soit encore tiède quand elle arriverait à la Marche. Heureusement qu'elle ne restait pas pour le petit déjeuner, car les tables, les box et les tabourets étaient envahis par des mineurs hirsutes et excités. Tous les Rats du Parc propriétaires de 4x4 les louaient à l'heure au premier mineur qui se présentait, et ils n'avaient pas perdu de temps pour dégager une piste dans le muskeg entre Suulutaq et Niniltna, après quoi ils avaient très vite découvert le bar *Chez Bernie*. Quand viendrait la neige, les Rats ne manqueraient pas de leur louer des motoneiges pour un tarif tout aussi exorbitant.

Lorsqu'elle ressortit, Luke Grosdidier arrivait au volant de son 4x4, auquel était attachée une remorque. Sur ses deux bancs métalliques flambant neufs avaient pris place trois passagers que Kate n'avait encore jamais vus. Ils descendirent, payèrent Luke et s'engouffrèrent dans le café.

Kate le fixa du regard. Il lui sourit.

— Niniltna Taxi, à votre service. Désolé, faut que j'y aille, j'ai une autre course.

Il mit les gaz, fit demi-tour et s'en fut.

Kate était de méchante humeur quand elle prit la direction de la Marche. Les caravanes et les bâtiments préfabriqués qui constituaient le quartier général du Parc étaient blottis les uns contre les autres sur un long et étroit plateau au pied d'une paroi quasi verticale, qui n'était autre que la face ouest d'un des sommets les plus inaccessibles des monts Quilaks. Une piste y courait sur cinq ou six cents mètres avant de disparaître au sein des hautes herbes et des aulnes, qui viraient à l'or automnal. Un hélicoptère qu'elle ne reconnut pas, flambant neuf, était parqué non loin de là. Kate se mit aussitôt à imaginer comment détourner à son profit le Service de transport des Parcs. George Perry, qui ne jurait que par ses avions, en serait sans doute contrarié, mais seulement si l'on jugeait bon de l'en informer. Jim avait laissé à Tok l'hélicoptère auquel il avait dû son surnom de Chopper quand il avait été affecté au Parc.

Dan était dans son bureau, occupé à remplir des formulaires.

– Si on n'en tartine pas sept exemplaires, le gouvernement fédéral ne veut rien entendre, déclara-t-il.

Il écarta sa paperasse, gratifia Mutt d'une tape affectueuse lorsqu'elle vint lui réclamer l'attention qui lui était due, puis s'inclina en arrière sur son siège, les mains sur la nuque.

– Alors, Shugak, ça va ?

Large d'épaules, doté d'yeux bleu azur, d'un visage rougeaud et de cheveux carotte coupés en brosse, Dan O'Brian était entré au Service des Parcs nationaux dès sa sortie de fac. Il avait travaillé un peu partout dans le pays avant d'arriver en Alaska et à son poste actuel, où il avait jusqu'ici résisté à toutes les propositions de mutation, de promotion et de mise à la retraite. Célibataire endurci et tombeur redoutable, dont le record n'était surpassé que par celui de Chopper Jim, Dan possédait un sens des rapports humains si développé qu'il était le seul ranger de l'Alaska à ne jamais essuyer de coups de feu, même lorsqu'il expulsait des squatters, arrêtait des braconniers et faisait respecter la législation sur la pêche. Un jour, *Chez Bernie*, Old Sam avait émis à son propos une sentence définitive : « Ranger Dan n'est pas un con, c'est son boulot qui l'est. »

Cette seule évocation de l'incarnation du vieil Alaskien bourru suffit à l'arrêter.

— Ça va, dit-elle en se ressaisissant. Ça va bien.

Il fit doucement osciller son siège, la regarda sans rien dire.

— Bon, d'accord, j'ai connu mieux, avoua-t-elle. Vous saviez qu'il avait quatre-vingt-neuf ans ?

— C'est tout ? Je lui en aurais donné cent trois, facile.

Elle ne put s'empêcher de sourire.

— Nouvel hélico, à ce que je vois.

— Un Star B3, dit-il en acquiesçant. Le Lama consommait trop de carburant. Celui-ci est plus puissant, transporte plus de charge et, à pleine capacité, atteint une vitesse de croisière de 260 km/h.

— Savez-vous seulement ce que ça veut dire ?

Il s'esclaffa.

— Non. Mais ça en jette.

— Pourquoi n'avez-vous jamais appris à piloter, Dan ?

Il haussa les épaules.

— J'ai toujours réussi à aller où je voulais. C'est bien d'être le roi, ajouta-t-il en souriant. Et je pourrais vous retourner la question.

Elle réfléchit quelques instants.

— Je ne sais pas si vous l'avez remarqué, mais chaque fois que quelqu'un décroche son brevet de pilote, il cesse d'être ce qu'il était une seconde plus tôt. Quand on lui demande ce qu'il fait, il répond toujours : « Oh ! je suis pilote. Et aussi docteur en physique nucléaire. »

— Quoi ? Kate Shugak aurait-elle peur de perdre son identité en prenant de la hauteur ?

— Je ne sais pas. Peut-être que j'ai le complexe d'Icare, tout simplement.

Nouvel éclat de rire.

— C'est cela, oui.

— Qui allez-vous choisir comme pilote ?

— Je n'ai pas encore décidé. Mais l'un des nouveaux as de George est qualifié comme instructeur. Quand les choses se seront calmées à la mine cet hiver, j'enverrai Ernie à Niniltna pour qu'il le forme. Que puis-je faire pour vous, Kate ?

— Old Sam m'a désignée comme exécutrice testamentaire. Il cite dans son testament une propriété qui n'est identifiée que par sa latitude et sa longitude. Pour ce que j'ai pu en déterminer avec la carte dont je dispose, elle se trouve quelque part entre ici et Yakutat.

— Ça fait une sacrée surface.

— Comme si je ne le savais pas.

Il se leva et se dirigea vers la carte qui, une fois déroulée, recouvrait la quasi-totalité du mur où elle était accrochée. Presque uniformément verte, elle représentait les huit millions d'hectares de terres appartenant à l'État et placée sous la responsabilité du Service des Parcs nationaux, juridictions de Niniltna, Ahtna et Cordova, ainsi que les villages les plus importants, symbolisés par des points rouges. Des polygones bleus signalaient les terrains concédés aux Natifs par l'ANCSA et l'ANILCA[6], pour la plupart des parcelles de choix au bord ou à proximité de la Kanuyaq River, la principale autoroute des Rats du Parc l'été après le dégel comme l'hiver après la neige, mais guère utilisée au printemps et en automne.

Des points jaunes, éparpillés un peu partout et minuscules par rapport aux autres éléments de la carte, signalaient les 9,8 % du Parc relevant de la propriété privée. La majorité d'entre eux dataient du *Homestead Act* de 1862, une loi signée par Abraham Lincoln en personne, qui accordait à chaque propriétaire une surface de soixante-cinq hectares au maximum, qu'il s'engageait

---

6. *Alaska Native Claims Settlement Act*: loi de 1971 attribuant des terres aux peuples autochtones ; *Alaska National Interest Lands Conservation Act*: loi de 1980 portant sur la création de Parcs nationaux et d'espaces protégés.

à aménager et à habiter durant cinq ans. Les familles qui possédaient encore leur parcelle en 1972 (« Étonnant le nombre de gens qui ont baissé les bras devant le boulot que ça représentait », commentait Dan) avaient vu confirmer leur droit en même temps que le Parc se créait autour d'elles. Les Natifs qui avaient loupé le coche avaient profité de l'ANILCA lors de sa mise en place en 1979. Aujourd'hui encore, nombre de ces parcelles étaient toujours occupées par les descendants de ceux qui les avaient achetées. Et la plupart d'entre eux, tout comme Kate, étaient des amis du Chef Ranger Dan O'Brian.

Ce qui n'empêchait pas ce dernier de gronder comme un grizzly chaque fois qu'il apercevait un point jaune sur sa carte. Par principe, il était hostile à la présence d'une propriété privée enclavée dans un Parc national, et en particulier dans le sien. En pratique, il s'entendait suffisamment bien avec les propriétaires pour éviter que les esprits s'échauffent.

On trouvait aussi sur cette carte quelques zones marron, correspondant à des espaces protégés où le Service des Parcs avait accordé à contrecœur des permis d'exploration à des compagnies spécialisées dans l'exploitation des ressources naturelles : le bois, le cuivre, le charbon, le pétrole…

Et l'or. Kate s'aperçut que Dan et elle avaient les yeux fixés sur la cible qu'il avait dessinée autour de la vallée abritant la mine de Suulutaq. Il s'en aperçut et fit tout un cinéma pour localiser le point dont elle lui avait donné la latitude et la longitude. Il resta un instant les yeux rivés à son index, les sourcils froncés.

— Ce n'est pas possible, dit-il.

— Quoi donc ?

— Un instant.

Il retourna à son bureau et attrapa un petit appareil rectangulaire. Puis il se fendit d'un sourire penaud.

— GPS, expliqua-t-il.

— Pourquoi vous n'avez pas commencé par là ? rétorqua-t-elle, exaspérée.

Il grimaça.

– J'oublie tout le temps que j'en ai un. Vous pouvez me répéter les chiffres ?

Elle s'exécuta. Il les entra et attendit le résultat. Mutt, qui les avait crus prêts à sortir, décida qu'elle ne s'était pas levée pour rien et se dirigea vers la cuisine dans l'espoir d'y recevoir une largesse gustative.

– Alors ? fit Kate, voyant que Dan fixait son appareil sans rien dire.

Il leva les yeux.

– Je ne le crois pas.

– Quoi donc ?

Il traversa la pièce et reposa l'index sur la carte. Kate se pencha en plissant les yeux.

Juste au-dessus de son ongle taillé court se trouvait un cercle noir légendé « Canyon Hot Springs ». Pas l'ombre d'un point jaune dans les parages, rien que du vert, signalant que ce bout de terre appartenait au Parc.

– C'est une blague ? fit Kate.

– Non.

Concentré au point d'en paraître sinistre, Dan reposa son GPS et se dirigea vers la porte, Kate sur les talons. Il gagna à grandes enjambées une pièce remplie d'armoires.

– On est en train de numériser les archives pour créer une base de données, mais ça nous prend un temps fou, dit-il sans se retourner. On a commencé par les documents les plus récents, vu que ce sont toujours les plus demandés, donc les plus anciens sont encore sur papier.

Il attrapa un gros volume d'aspect antique.

– Qu'est-ce que c'est ?

– Un registre de toutes les personnes ayant revendiqué une concession ou demandé un lot sur tout le territoire du Parc.

Il l'ouvrit. Les pages comme les feuilles volantes insérées entre elles étaient rédigées dans tous les styles d'écriture possibles.

— Bon Dieu, je ne savais pas qu'on avait autant de noms commençant par la lettre D.

Il parcourut du bout du doigt une première colonne, puis une deuxième.

— Dementieff, Dementieff…

Il tourna la page. Puis s'arrêta au milieu de la première colonne.

— Samuel… Leviticus ? dit-il en se tournant vers Kate.

— C'était son second prénom, dit Kate.

Comme Dan demeurait incrédule, elle ajouta :

— Il figure même dans son testament.

— Bon Dieu, répéta-t-il, quelle idée de donner un prénom pareil à un gamin ! Comme si les parents voulaient qu'il soit persécuté en maternelle. Bon, Samuel Leviticus Dementieff, célibataire, a acquis… (Sa voix se fit soudain plus tendue.) une parcelle de soixante-cinq hectares de terre en mars 1938.

On renvoyait à un numéro de dossier et, après avoir ouvert un certain nombre de tiroirs, poussé un certain nombre de jurons et enduré une coupure qui laissa une traînée de sang sur les années 1935 à 1939, il mit enfin la main sur un dossier, qu'il ouvrit sur la table devant eux.

Il contenait trois documents, tous rédigés de l'écriture typique d'une personne ayant suivi l'enseignement de l'école américaine avant que Leon Czolgosz assassine le président McKinley[7]. Chacun de ces documents portait une marque de tampon avec le mot « Copie ». Le premier était la demande proprement dite, deux paragraphes datés du 30 mars 1938. Le papier était jauni par les ans et l'encre avait pâli, mais le texte demeurait lisible.

Kate lut à haute voix :

— « Moi, Samuel Leviticus Dementieff, né à Cordova, dans le Territoire de l'Alaska, demande à bénéficier du *Homestead Act* de 1862 pour une parcelle de soixante-cinq hectares située au pied

---

7. William McKinley (1843-1901), assassiné par un anarchiste au début de son second mandat. On a donné son nom au plus haut sommet de l'Alaska.

du mont Quilak et située approximativement cent trente-cinq kilomètres à l'est du village de Niniltna… »

Suivaient les latitudes et longitudes des quatre coins de la parcelle, ainsi qu'une note rédigée trente-six ans plus tard et précisant son numéro de cadastre, attribué par ce qui était désormais l'État de l'Alaska.

— Comment a-t-il fait pour amener un géomètre là-haut ? demanda Dan. Il a dû le faire venir de Fairbanks, voire d'Anchorage. Ça lui a sûrement coûté un paquet.

Kate secoua la tête.

— Vous oubliez la mine de Kanuyaq.

— Mais elle était fermée, à l'époque, non ? dit Dan en plissant le front.

— Elle a fermé cette année-là, mais il y avait encore un géomètre sur place, je le parierais. Il a suffi de l'encourager un peu pour qu'il fasse un petit extra.

— J'espère qu'il a fait raquer Old Sam. Doux Jésus, imaginez le cirque que ça a dû être d'aller dans ce trou, sans parler du théodolite, du trépied et du reste. Plus une tente, un fusil et des provisions. Je suis sûr qu'on ne capte même pas le GPS par là-bas.

Le deuxième paragraphe débutait par ces mots : « Office des terres de la ville d'Ahtna, Territoire de l'Alaska ». Cette fois-ci, ce fut Dan qui le lut à haute voix.

— « Moi, Frederick Cyril McQueen, receveur de l'Office des terres, certifie par la présente que la demande ci-dessus porte sur une parcelle identifiée, que le demandeur est en droit de se voir appliquer le *Homestead Act* de 1862… » Satané Lincoln ! « … et qu'il n'existe aucune demande antérieure portant sur ladite parcelle. »

— Ce genre de recherche, ça devrait être si facile de nos jours, dit Kate. Et à la portée de tous. Par ailleurs, il me semble que Lincoln s'appelait Abraham, pas Satané.

Dan la foudroya du regard et elle ajouta :

— Enfin, je crois.

Ils revinrent au dossier. Le deuxième document était un imprimé intitulé « Preuve requise pour l'application du *Homestead Act* de 1862 » et rempli par la même personne qui avait rédigé l'application.

— « Nous, Peter Everard Heiman… », commença Dan.

— Hé ! ça doit être le père de Pete Heiman.

— Plus probablement son grand-père. « Nous, Peter Everard Heiman et Chester Arthur Wheeler, jurons solennellement que nous connaissons Samuel Leviticus Dementieff depuis cinq ans, qu'il est chef de famille… » (Il se tourna vers Kate.) J'ignorais qu'Old Sam avait été marié.

— Moi aussi.

— « …qu'il est chef de famille… » D'accord, aucune mention de femme ni d'enfants. « … citoyen des États-Unis, demeure à… » Bon, les chiffres, on les connaît déjà. « … et qu'aucune autre personne ne réside sur la parcelle concernée ni ne peut prétendre à revendiquer l'application du *Homestead Act* ni un quelconque droit de préemption. »

— L'idée qu'on puisse user d'un droit de préemption à l'encontre du gouvernement fédéral, voilà qui m'enchante.

— Ça ne m'étonne pas de vous. « Ledit Samuel Leviticus Dementieff occupe cette parcelle depuis le 31 mars 1938 et y a bâti une demeure. »

Suivait une description de la demeure en question. Muette, Kate s'efforça de concilier « des murs en rondins, deux portes, deux fenêtres, un toit en bardeaux » et les ruines qu'elle avait remarquées l'hiver précédent, lorsque Mutt et elle avaient appréhendé aux sources chaudes trois bandits sévissant sur la Kanuyaq River.

— J'ignorais que les Canyon Hot Springs appartenaient à Old Sam, dit-elle. Et personne ne m'en a jamais parlé, ni les tantes, ni Emaa, ni Old Sam… Personne. Pourquoi ?

Dan poursuivit sa lecture.

— « … et il a occupé cette demeure et en a fait son domicile depuis le 30 mars 1938 jusqu'à ce jour. » (Il leva les yeux.) Kate, ces deux types n'ont pas pu se rendre sur place pour vérifier ce qu'ils prétendent. Il n'y avait pas de piste, encore moins de route, pour traverser cette étendue bourbeuse et broussailleuse.

Mais les deux témoins avaient signé l'attestation, avec moult fioritures, ainsi que Frederick Cyril McQueen, receveur de l'Office des terres. Ce document était daté du 3 octobre 1945.

– Au moment où il revenait de la guerre, dit Kate.

– La Seconde Guerre mondiale ?

Elle acquiesça.

– Il s'est battu dans les Aléoutiennes. C'était un des Égorgeurs de Castner.

– Ouaouh ! fit-il, impressionné malgré lui. Il aurait pu en raconter, des histoires.

– Je n'en doute pas, mais il ne l'a jamais fait. Et ensuite ?

Le troisième document était l'attribution de propriété d'Old Sam, datée du même jour que la preuve requise. Là aussi, il s'agissait d'un formulaire dûment rempli.

– « Je déclare que, sur présentation de ce certificat au commissaire de l'Office des terres, le dénommé Samuel Leviticus Dementieff se voit attribuer le titre de propriété de la parcelle de terre décrite ci-dessus. »

Et la signature était de nouveau celle de Frederick Cyril McQueen, receveur.

Kate et Dan fixèrent les documents sans rien dire jusqu'à ce que retentisse un aboiement qui leur fit lever les yeux. Sur le seuil, Mutt les observait d'un œil intrigué, la tête inclinée sur le côté.

Kate se tourna vers Dan.

– Je peux avoir des copies de cela, s'il vous plaît ?

Il hésita quelques instants avant de répondre, le visage indéchiffrable.

– Il devrait avoir les originaux chez lui, dit-il finalement.

– Je ne les ai pas trouvés, du moins pas encore. (Elle fronça les sourcils.) C'est étrange, d'ailleurs. J'aurais cru qu'il les rangerait au même endroit que son testament et le reste de la paperasse.

(Elle secoua la tête.) Il les a probablement glissés entre les pages d'un livre. Donc, en attendant que je les retrouve, je pourrais en avoir des copies ?

Il hésita un peu plus longtemps puis répondit :

– Bien sûr.

Puis, comme s'il prenait une décision, il remit les documents dans le dossier.

– Bien sûr, vous pouvez avoir des copies. Mais il ne s'agira pas de documents officiels, sachez-le. Si c'est tout ce dont vous disposez pour revendiquer la propriété de cette parcelle, il y aura des difficultés.

Elle le regarda sans bien comprendre.

– Espérons que je retrouverai les originaux, alors. Quel est le problème, Dan ?

Il inspira à fond et souffla lentement.

– Je peux vous faire une suggestion ?

– Qui pourrait vous en empêcher ?

Kate était surprise de cette soudaine déférence. Dan O'Brian était plutôt du genre à pratiquer l'attaque frontale, une des raisons pour lesquelles les Rats du Parc l'appréciaient autant.

Elle eut l'impression qu'il choisissait soigneusement ses mots, comme s'il avançait sur la pointe des pieds en terrain dangereux et craignait qu'une mine explose sans même qu'il l'ait touchée.

– Vous pourriez envisager la possibilité de faire don des Canyon Hot Springs au Service des Parcs nationaux.

Elle ouvrit de grands yeux surpris. Les qualifier d'exorbités n'aurait pas été exagéré.

– Nous avons les moyens de les entretenir, reprit Dan. Peut-être même d'en faire un refuge pour randonneurs.

Kate partit d'un rire aussi bruyant que spontané, qui tourna court lorsqu'elle comprit qu'il parlait sérieusement. Elle cessa alors de sourire pour se redresser et pointer le menton vers lui.

– Old Sam m'a légué cette parcelle. Pourquoi vous la céderais-je ? Le Service des Parcs s'est fait une spécialité de séquestrer des millions d'hectares d'un domaine public qui ne l'est que dans la mesure où le public peut y accéder. Si je conserve la propriété des sources chaudes, je peux au moins annoncer qu'elles sont ouvertes à tous.

Dan eut un sourire en coin.

— Ouais, et vous croyez que les membres de la *Niniltna Native Association* vont apprécier ?

— Qu'est-ce que vous racontez ?

— J'ai ouï dire que Tante Joy voulait faire payer aux gens le droit de cueillir des baies sur les terres natives du Parc.

— Les Canyon Hot Springs sont à moi, pas à la NNA.

Dan contempla le dossier qu'il tenait à la main et ne dit rien.

Elle se rappela que les sources chaudes étaient colorées en vert sur sa fameuse carte.

— Dan ? Est-ce que vous m'auriez parlé un jour du titre de propriété d'Old Sam s'il n'en avait pas fait mention dans son testament ?

Pas de réponse.

Elle parcourut la pièce du regard, s'attarda sur chacune des armoires qui l'occupaient.

— Combien de concessions prétendument en déshérence sont enfouies dans vos archives, Dan ? Avez-vous jamais essayé de retrouver les descendants de leurs titulaires ? Ou bien les laissez-vous dormir ici dans l'espoir que les gens finiront par les oublier ?

Toujours pas de réponse.

Elle l'agrippa par le bras.

— Dan ? Le titre de propriété est-il rétrocédé au gouvernement si la parcelle demeure inoccupée ?

Il se dégagea.

— Je vous ferai ces copies, dit-il en s'enfuyant dans le couloir.

Kate était considérablement perturbée lorsqu'elle quitta la Marche.

On ne pouvait pas dire qu'elle tenait tant que ça à posséder les Canyon Hot Springs. Ni qu'elle y passait beaucoup de temps. En hiver, il était impossible de faire l'aller-retour dans la journée, et, en été, les broussailles encombrant la piste étaient si denses que le randonneur devait s'armer d'une machette et de la persévérance de Gengis Khan. Sans parler du camouflage naturel à base d'éperons rocheux et de contreforts. L'année précédente, elle s'était perdue deux ou trois fois dans le coin.

Les sources chaudes se trouvaient dans un étroit cañon où la verticale régnait en maître. Jamais on ne pourrait y aménager une piste d'atterrissage, c'était tout bonnement impossible. Même l'hélico tout neuf de Dan ne parviendrait sans doute pas à s'y poser. Et un parachutiste y regarderait à deux fois avant de tenter l'exploit. Les broussailles étaient trop denses en été pour laisser passer un 4x4. Non, pour accéder au lieu, on avait besoin d'une motoneige ou d'un matériel d'alpiniste : pitons, piolet et corde de rappel.

Les deux tiers de la superficie du Parc étaient occupés par un relief plissé descendant vers l'ouest à partir des contreforts des Quilaks et parcouru de glaciers, de moraines, de rivières, de ruisseaux et de torrents, avec çà et là quelques collines et montagnes isolées. Le troisième se répartissait entre les Quilaks à l'est et les monts Chugachs sur la côte sud-ouest. Ces deux chaînes étaient séparées par la Kanuyaq River, dont le cours sinueux traversait le Parc d'Ahtna à la baie du Prince-William. L'Oléoduc trans-Alaska marquait la bordure occidentale du Parc, tout comme la Glenn Highway qui, avec la Kanuyaq River, permettait d'accéder assez facilement aux terres avoisinantes.

La bordure orientale correspondait à la frontière canadienne, derrière laquelle on trouvait encore des montagnes, des gorges et des glaciers, aussi infranchissables que leurs équivalents alaskiens et également peuplés d'animaux plus forts qu'un être humain et affamés en permanence.

Il n'existait aucun accès facile aux Canyon Hot Springs et il pouvait être aussi délicat d'en repartir que d'y arriver. Pourquoi diable Old Sam avait-il choisi les soixante-cinq hectares les plus isolés, les plus inaccessibles du Parc, voire de l'Alaska tout entier, pour y construire son foyer ?

Elle ne l'avait jamais considéré comme un asocial, mais, d'un autre côté, elle n'était pas encore née lorsqu'il avait déposé sa demande de concession, aussi ne savait-elle rien de l'homme qu'il avait été.

Mais elle savait qui pourrait l'instruire sur ce point.

4

Tante Joy vivait dans une de ces omniprésentes cabanes en rondins, dont l'agencement semblait être le seul proposé aux habitants du Parc avant le tremblement de terre du Vendredi saint de 1964. La première cabane d'Emaa, la grand-mère de Kate, celle d'Old Sam, celle des parents de Kate, toutes avaient une grande pièce unique au rez-de-chaussée et une chambre en mezzanine. La cabane de Tante Joy était sise à Niniltna, sur la berge du fleuve, à égale distance de celles d'Emaa et de Tante Edna, celle de Tante Vi se trouvant un peu plus loin, une configuration idéale pour aller papoter les unes chez les autres autour d'une tasse de thé.

Les fenêtres carrées découpées dans les murs étaient occultées par des rideaux en dentelle et, comme chaque fois que Tante Joy ouvrait la porte pour la gratifier d'un sourire rayonnant et l'attirer à l'intérieur, Kate se sentit transformée en éléphant claustrophobe piégé dans un magasin de porcelaine.

– Mutt, lança-t-elle, couchée!

Elle eut le temps de désigner un carré d'herbe près de la porte avant que celle-ci ne se referme derrière elle.

À l'intérieur, toutes les surfaces verticales étaient couvertes de photos encadrées datant du siècle dernier, des tirages sépia à cadre en or aux photos noir et blanc aux bordures non massicotées, en passant par les Polaroid aux couleurs passées, sans compter un trombinoscope des diplômés de l'année. Quant aux surfaces horizontales, elles présentaient tout d'abord une première couche constituée d'une nappe, d'un chemin de table ou d'un napperon, voire d'un mélange des trois. La deuxième couche était toujours un carré de dentelle, le plus souvent œuvre de Tante Joy en personne. La troisième et dernière couche était purement décorative : statuettes d'ivoire représentant des phoques, des ours et des plongeons, animaux en verre tenant des chandelles votives, paniers d'osier dont la taille allait du dé à coudre au berceau. D'antiques bouteilles se disputaient l'espace disponible avec des lampes à huile dignes d'Aladin et une douzaine de services à thé.

Les surfaces horizontales ne manquaient pas, Tante Joy n'ayant jamais résisté à la tentation d'acheter un meuble, surtout antique, et son salon était encombré de chaises et de guéridons, sans parler d'une desserte perchée sur des pieds délicatement sculptés, de sorte qu'on distinguait à peine le sol de linoléum usé mais impeccablement nettoyé. Kate n'était jamais montée dans la mezzanine, mais elle aurait parié que Tante Joy y avait fait tendre une toile de tulle pour dissimuler le plafond.

On remarquait également une surabondance de rose : volants roses, dentelle rose, napperons roses, couverture tricotée de plusieurs nuances de rose, patchwork assemblé à partir d'un plaid rose et de tissu blanc à pois roses. Kate se demanda si Tante Joy avait jamais lu Christina Rossetti.

Il devait y avoir un poêle quelque part dans ce capharnaüm, car Tante Joy déclara :

— Assieds-toi, Katya. Je vais préparer du thé.

Elle lui donna une petite tape, et Kate faillit trébucher sur une paire de chiens en porcelaine gardant une haute table ronde aux pieds élancés couverte de figurines vêtues comme les personnages d'*Angélique, marquise des anges*. Elle retrouva l'équilibre, rentra le ventre et s'insinua entre les chiens et un fauteuil inclinable rouge vif. C'était de loin le meuble le plus récent de la maison et elle s'y laissa plus ou moins choir.

Tante Joy commença à s'activer, si tant est qu'on puisse y parvenir sans rien casser dans un espace aussi confiné, et Kate ne tarda pas à avoir droit à une tasse de thé posée sur une soucoupe, l'une comme l'autre décorées de feuilles, de vigne vierge et de roses roses, et dont elle espérait qu'elles ne se casseraient pas entre ses mains, ainsi qu'à un plat assorti contenant des cookies croustillants qui fondaient contre le palais.

— Il me faut la recette, tantine, dit-elle, la bouche pleine.

Sourire radieux de Tante Joy.

— Je la mettrai par écrit avant que tu repartes.

Elle s'installa dans un élégant fauteuil taillé dans un bois sombre et incrusté de nacre, reprit son ouvrage et laissa ses doigts travailler sur le motif complexe tout en fixant Kate d'un regard interrogateur.

Passons aux affaires sérieuses. Kate posa la soucoupe sur les quelques centimètres carrés disponibles au sommet d'une bobine drapée dans une sorte de velours rose, puis vida sa tasse et, avec un luxe de précautions, la posa sur la soucoupe. Elle examina ensuite l'ensemble de cet échafaudage pour s'assurer de sa solidité. Une fois satisfaite, elle se tourna vers Tante Joy.

— Je suis… Old Sam m'a désignée comme exécutrice testamentaire.

C'était comme si on avait actionné un interrupteur. Les doigts se figèrent, le sourire s'estompa puis s'effaça tout à fait et, pour la première fois depuis longtemps, Tante Joy lui apparut comme une vieille femme.

— C'est ce qu'il avait dit, déclara-t-elle d'une voix dénuée de toute émotion.

La façon dont elle avait perdu toute vivacité d'une phrase à l'autre était saisissante.

— Quand? interrogea Kate. Quand est-ce qu'il t'a dit ça?

Tante Joy fit un geste machinal.

— Il y a un moment. Il nous l'a dit à toutes.

Kate devina qu'Old Sam avait parlé aux quatre tantes de ses dispositions testamentaires.

— Oui, il y a un long moment.

— Eh bien, j'aurais aimé en être informée. Être prévenue un peu en avance, pour ainsi dire.

Tante Joy lui décocha un regard de tante à nièce, et elle eut aussitôt honte d'avoir pleurniché.

— Pardon, tantine. Mais quand j'ai vu la quantité de propriétés qu'il possédait, ça m'a un peu secouée.

Elle remarqua que son interlocutrice se raidissait sur son siège.

— Par exemple, reprit-elle, j'ignorais qu'il avait une concession sur les Canyon Hot Springs.

À sa grande surprise, Tante Joy, qui avait déjà pâli, devint carrément livide.

— Oui, il a fait cela, dit-elle dans un murmure. Il y a très, très longtemps. (Elle leva la tête.) Il te l'a laissée ?

Kate acquiesça.

— Il m'a légué l'ensemble de ses biens, avec une lettre détaillant leur répartition.

Elle envisagea de lui dire à qui revenaient la cabane de Sam et le *Freya* mais se ravisa. Dans le cas présent, distiller les informations au compte-gouttes pouvait se révéler dangereux, surtout pour elle. Si les quatre tantes devaient exploser d'indignation en découvrant les dispositions testamentaires d'Old Sam, mieux valait qu'elle les leur communique en même temps. Le cataclysme se déroulerait dans un lieu sécurisé, loin des femmes et des enfants.

Elle envisagea aussi de lui parler de la proposition de Dan O'Brian, à savoir faire don au Service des Parcs du site des sources chaudes. Là encore, elle se ravisa. La relation d'amour-haine entre les Rats du Parc et le Service des Parcs évoquait un fil tendu à l'extrême, qui risquait à tout moment de se briser et d'envoyer sur le cul le malheureux funambule qui avait cru bon de le défier. Les Rats du Parc jouissaient d'une culture vivrière dont la qualité devait beaucoup aux efforts de gestion du Chef Ranger O'Brian et de sa maigre équipe de défenseurs de la nature. Si un grizzly se baladait dans la cour d'un habitant du Parc, c'était en grande partie grâce à Dan, qui avait dissuadé un braconnier de traquer les ours pour revendre leurs vessies sur le marché noir asiatique, où elles valaient leur pesant d'or. Si vous arriviez à tuer un élan cette année, c'était probablement parce que Dan avait si bien veillé à réguler leur population que les organisateurs de parties de chasse illégales sévissaient désormais dans d'autres Parcs, le Gates of the Arctic voire le Wood-Tikchick.

À l'instar d'une moitié des Rats du Parc, Kate devait une bonne part de sa qualité de vie à Ranger Dan et à son équipe. Et contrairement à l'immense majorité d'entre eux, elle en avait conscience. Elle ne souhaitait pas déclencher un conflit entre Rats du Parc et Service des Parcs si elle pouvait l'éviter. Et puis, ce qui l'intéressait pour le moment, c'était surtout la réaction de Tante Joy.

Elle patienta en silence et Tante Joy finit par demander, d'une voix douce et dénuée de substance :

— Il t'a dit quoi faire des sources chaudes ?

Kate secoua la tête.

— Non, tantine. Il m'a donné des instructions pour plein d'autres legs, mais pas pour celui-ci.

La petite femme dodue au visage pâle et ridé baissa les yeux sur son ouvrage.

— Tantine ? fit Kate en se penchant, la main tendue. Qu'y a-t-il ? Qu'est-ce qui ne va pas ?

Tante Joy leva les yeux, des yeux emplis de larmes qui coulaient sur ses joues. Son sourire était fragile.

— Rien, Katya. Ah ! qui aurait cru qu'il nous manquerait autant, ce vieux sacripant ?

Et, avec une fermeté qui n'admettait aucune contestation, elle changea de sujet, évoquant Laurel Meganack et Matt Grosdidier, puis le restaurant de plus en plus florissant de Tante Edna et, pour finir, la saison qui s'annonçait exceptionnelle pour les Kanuyaq Kings. La petite meneuse de l'équipe féminine de basket, la fille d'Anushka Tuktoyuktuk: avait-on vu joueuse suivre le mouvement avec autant d'aisance à l'issue d'un rebond? Mais cette fille était aussi féroce qu'un glouton! Si elle tient la distance, l'équipe n'aura plus à s'inquiéter des ballons perdus comme l'an dernier, tu n'es pas d'accord?

En prenant congé de Tante Joy, Kate était encore plus perturbée que lorsqu'elle avait quitté la Marche.

Qu'Old Sam lui manque, cela n'avait rien d'étonnant. Il manquait aussi à Kate. Il lui manquerait toujours. Il avait un talent inné pour aller à l'essentiel qu'elle admirait et s'efforçait de cultiver. Si elle possédait un détecteur à conneries, c'était entièrement du fait de Sam, et sa proximité lui avait permis de l'affiner encore. Un de ses outils les plus utiles, du temps où elle appartenait à la police d'Anchorage, et même ici, pour son job d'enquêtrice privée. Personne ne pouvait mentir à Old Sam, même pas elle. Le printemps dernier, il l'avait pelée comme un oignon, disséquant les causes de l'insatisfaction qu'elle éprouvait à se retrouver coincée entre Charybde et Scylla, autrement dit la mine de Suulutaq et le conseil d'administration de la *Niniltna Native Association*. Tout le monde cherchait à se l'approprier. Persuadée que les barbares étaient aux portes du royaume, elle avait l'impression d'être la seule à défendre ces portes, sans être sûre de pouvoir survivre au siège, sans parler du sort de l'Association et du Parc en général.

Ce jour-là, Old Sam n'avait pas agité une baguette magique pour la guérir de tous ses maux, mais, en quelques mots et grâce à une surprenante citation, il avait éclairé son problème d'un jour nouveau, l'avait édifiée et lui avait remonté le moral. Elle ne connaissait personne d'autre qui soit capable d'une telle prouesse.

Jim, peut-être.

Mais Jim était en Californie.

Elle refoula dans les profondeurs de sa psyché son ressentiment instinctif et se dirigea vers l'une des six maisons identiques occupant six parcelles identiques. Elles se trouvaient en aval du fleuve, à mi-chemin de Squaw Candy Creek et de la route menant chez Bobby et Dinah. Aménagé cinq ans plus tôt, ce petit lotissement avait été financé grâce à des fonds du Département du logement et du développement urbain administrés par la NNA. La crise du logement était endémique dans le Bush[8] et ce projet était la dernière initiative d'Emaa, la grand-mère de Kate, avant son décès : une demi-douzaine de maisons transportées par modules sur la Kanuyaq River et assemblées par des Rats du Parc ravis de ne pas devoir aller chercher du boulot à Anchorage. Deux chambres, une salle de bains, chauffage par poêle à biomasse, cuisine au gaz butane, eau courante provenant d'un puits communal et électricité fournie par la ligne à haute tension venue d'Ahtna. Le nec plus ultra en matière de résidence dans le contexte du Parc : tout le confort moderne et des remboursements mensuels relativement modiques. D'ailleurs, songea Kate, c'étaient peut-être les premières maisons bâties à Niniltna depuis que Harvey et Tante Vi avaient construit la leur vingt ans auparavant, quand ils avaient reçu leur parcelle dans le cadre de l'ANCSA.

Elle gara son pick-up près d'une vieille Ford Ranger toute cabossée qui devait avoir parcouru plus de kilomètres que la navette spatiale, coupa le moteur et descendit, Mutt sur les talons. La porte de la maison s'ouvrit et Virginia Anahonak passa la tête au-dehors.

— Salut, Kate. Je vous ai entendue arriver.

— Salut, Virginia. On m'a dit que vous louiez une chambre à Phyllis Lestinkof.

— C'est exact.

— Elle est là ?

— Oui. Vous voulez lui parler ?

---

8. Terme désignant les parties de l'Alaska coupées des liaisons routières et maritimes.

— S'il vous plaît.

— Entrez, je vais vous servir une tasse de café.

— Ne vous dérangez pas. Je vais l'attendre ici.

Virginia haussa les sourcils d'un air appuyé mais regagna son intérieur. Kate tenait à annoncer la nouvelle à Phyllis sans que quiconque les écoute. Elle n'avait aucune idée de l'épaisseur des murs dans ces maisons mais savait que Virginia possédait une réputation de pipelette qui n'avait rien d'usurpé.

La porte s'ouvrit sur une Phyllis à la mine un peu étonnée.

— Vous vouliez me voir, Kate ?

La jeune femme semblait amaigrie depuis leur précédente rencontre, en mai dernier, lorsque Kate l'avait vue supplier le père de son enfant de lui venir en aide. À peine plus grande qu'elle, Phyllis avait de courts cheveux noirs, des yeux noirs et une peau basanée. Elle portait un tee-shirt trop grand et un jean dont elle avait laissé ouvert le premier bouton. De dix-huit ans sa cadette, elle était apparentée à Kate de par ses liens avec Tante Barasha, si sa mémoire était bonne. Les Lestinkof étaient originaires de Tatitlek et s'étaient établis dans le Parc après l'anéantissement de ce village par le raz de marée qui avait suivi le séisme de 1964. La famille en avait été si durement éprouvée que Madame Lestinkof, la grand-mère de Phyllis, ne supportait pas l'idée d'accompagner les autres villageois sur un nouveau site à l'intérieur des terres. Le père de Phyllis avait épousé une fille du Parc, une des sœurs Anahonak, ce qui faisait d'elle la nièce par alliance de Virginia. Ulanie Anahonak était également sa tante, à cette différence près qu'Ulanie était une bigote ayant une opinion bien tranchée sur les enfants nés hors mariage suite aux turpitudes de leurs mères immorales. Virginia était nettement plus tolérante.

Ladite Virginia les épiait derrière le rideau de son séjour.

— Faisons quelques pas, proposa Kate.

Phyllis se mit à marcher à ses côtés. Mutt partit en avant-garde, reniflant troncs d'arbres et touffes d'herbes, s'arrêtant parfois pour les oindre en chemin.

– Cet été, vous avez bossé pour Old Sam à bord du *Freya*, commença Kate.

– Oui.

– Il pensait que vous aviez fait du bon boulot.

Elles arrivèrent sur la route du fleuve et tournèrent à gauche. Kate avançait d'un pas lent, les mains enfouies dans les poches de son blouson. Il ne faisait pas vraiment froid, mais il ne faisait plus tout à fait chaud. Le fleuve coulait sur leur droite, la masse des Quilaks se dressait sur leur gauche. Un trio de corbeaux suivait un aigle qui survolait les eaux, en quête d'un poisson à rapporter au nid.

– Il vous l'a dit ? demanda Phyllis.

– Il me l'a écrit. Dans une lettre à lire après sa mort. C'est ce qu'il pensait.

– Oh.

Deux ou trois pas en silence.

– C'est ça que vous vouliez me dire ? reprit Phyllis.

Elles étaient suffisamment loin de la maison maintenant. Kate s'arrêta.

– Non. J'ai de bonnes nouvelles pour vous. Du moins, j'espère qu'elles vous combleront. Old Sam m'a légué sa cabane au bord du fleuve, mais il souhaitait que vous y viviez après sa mort.

Phyllis pila net.

– Quoi ?

Kate dut répéter sa phrase, puis la répéter encore, avant que Phyllis se décide à la croire. Elle se mit à pleurer.

– S'il vous plaît, dites-moi que ce n'est pas une blague. S'il vous plaît, je vous en prie, dites-moi que vous ne plaisantez pas.

– Je ne plaisante pas. C'est à moi qu'appartient la cabane, mais Old Sam m'a dit de vous en laisser l'usage tant que vous en aurez besoin. Avec le bébé en route, il savait qu'il vous faudrait un logis et que celui de vos parents vous était interdit.

Phyllis était si bouleversée qu'elle dut s'asseoir sur un tronc d'arbre rejeté sur le rivage. Kate s'assit à côté d'elle.

— Ce vieux bonhomme, répétait la jeune femme, les bras serrés autour de son torse, se balançant doucement. Ce vieux bonhomme.

Elle s'essuya le nez du revers de la main et se tourna vers Kate.

— Virginia est adorable, mais elle n'a pas la place de m'accueillir avec tous ses gamins, et ça ne s'arrangera pas quand j'aurai le mien. Vous parlez sérieusement, Kate ? Ce n'est pas une blague ?

Kate fixa son visage anxieux et strié de larmes.

— Ce n'est pas une blague, Phyllis. La cabane d'Old Sam est à vous. Mais Old Sam souhaite que vous payiez un loyer.

— Oh. Un loyer. Ouais. (Phyllis se mordit la lèvre.) Combien ?

— Un dollar l'année.

Phyllis la regarda sans rien dire, et Kate afficha enfin le large sourire qu'elle réprimait depuis un moment.

— Oui, c'est bien ce que j'ai dit : un dollar l'année, payable chaque année. Et si nous décidions du 1er octobre comme date d'échéance ?

— Pourquoi pas, fit une Phyllis toujours incrédule. D'accord. Je… je ne possède rien, ni draps ni vaisselle, mais ça n'a pas d'importance, je me débrouillerai. J'ai économisé tout ce que j'ai gagné à bord du *Freya*, je peux aller en stop à Ahtna, pour acheter des trucs à l'Armée du salut, et…

— Ce ne sera pas nécessaire, la coupa Kate. Je laisserai sur place toutes les affaires de Sam, le linge, la vaisselle et le reste. Oui, oui, je sais, il n'y a pas de quoi. Donnez-moi un jour ou deux pour évacuer les livres, les armes et quelques objets personnels. Maintenant, écoutez-moi, Phyllis.

La jeune femme quittait ce monde pour entrer lentement dans un autre, un monde où il y aurait un toit pour elle et pour son bébé.

— Il reste un peu plus de trois stères de bois de chauffage, ils sont à vous. Vous devrez payer l'électricité et, si vous cassez quelque chose, ce sera à vous de le faire réparer. D'accord ?

– D'accord. Oui, d'accord, Kate.

Lorsqu'elle se leva, ce n'était plus la même personne qui s'était assise sur le tronc dix minutes plus tôt.

– Je vais annoncer ça à Virginia. Elle sera sans doute aussi ravie que moi.

Kate remarqua qu'elle n'avait pas dit «Tante Virginia».

Elle se demanda si c'était un changement de plus chez la nouvelle génération, un parmi le maelström de changements qui avait englouti le Parc depuis qu'on avait découvert un gisement d'or à quelque quatre-vingts kilomètres de là.

5

Le pick-up rouge s'arrêta dans la voie d'accès à la cabane d'Old Sam, qui était équipée d'une toiture végétale et d'une allée de planches menant à un quai flottant. Sur celui-ci se trouvait un banc en aulne tressé. Katy ne pouvait pas le voir sans repenser à Old Sam affalé dessus, devant le fleuve au cours serein, sous le ciel nocturne piqueté d'étoiles.

Elle serra les dents et gagna le bout du quai. Les nuages avaient envahi le ciel pendant la nuit, un blocage d'air froid selon la météo, ce qui signifiait que la première tempête de l'automne ne tarderait pas à se manifester. Elle huma l'atmosphère. À côté d'elle, Mutt leva la truffe et l'imita. La brise n'était pas encore trop fraîche et sentait l'humidité. Il faisait trop froid pour la pluie, pas assez pour la neige, mais il y aurait des précipitations au cours de la semaine, quelle que soit leur nature.

Sur l'autre berge, les arbres à feuilles caduques n'avaient pas encore perdu leur parure et formaient une glorieuse haie d'honneur au fleuve, parant la surface des eaux d'une teinte dorée en dépit de la grisaille du ciel. Derrière eux, çà et là, un immense épicéa se découpait en ombre chinoise sur le ciel. Les dix dernières années avaient vu leur population se réduire sous les assauts de scolytes insatiables. L'eau en coulant faisait des rides et des plis au contact des quais flottants de l'autre rive.

Elle entendit un moteur d'avion, identifia ce geignement suraigu comme provenant de l'unique Otter à turbo propulsion de Chugach Air Taxi bien avant de suivre sa course dans le ciel. Elle agita la main et George battit des ailes en réponse. Il disparut derrière les arbres qui bordaient la piste d'atterrissage, à l'écart de la ville. L'avion qui avait emporté Jim la veille au soir revenait avec une cargaison de mineurs pour le changement d'équipe du mardi. Les intérimaires payés à l'heure se relayaient cinq fois par semaine, à raison de dix ou douze chaque jour. Les salariés travaillaient un peu plus souvent. Parmi eux figurait Vern Truax, le directeur. Kate se demanda combien de temps il allait garder son poste, vu que trois de ses subordonnées avaient été condamnés pour espionnage industriel, l'un d'eux étant allé jusqu'au meurtre pour se protéger. Sans doute se faisait-il remonter les bretelles par le conseil d'administration de Global Harvest, et si sa libido n'avait pas été en grande partie responsable de ses problèmes, Kate aurait presque eu de la peine pour lui. Car, pour un type qui se laissait mener par le bout de la bite, il était plutôt malin et extrêmement doué pour extraire du minerai du sol.

Quatre jours à peine avaient passé depuis l'arrestation du meurtrier.

Kate avait l'impression que c'était toute une année.

Elle quitta le quai pour entrer dans la cabane.

Pensant à Phyllis, elle grimpa l'échelle et jeta un coup d'œil dans la mezzanine. Un lit gigantesque, dans lequel Old Sam aurait pu s'allonger en diagonale, mobilisait le plus gros de la surface disponible. Une lampe était placée sur une caisse Blazo près du lit et d'autres caisses, sous la soupente, servaient de tiroirs ou d'étagères abritant des vêtements pliés avec soin. Elle sourit. Old Sam les avait arrangées d'une façon plutôt décorative, les posant tantôt sur leur grande face, tantôt sur la petite, et les avait peintes du même beige clair que les murs et le plafond. Il n'y avait pas de fenêtres à l'étage, on devait se contenter des quatre du rez-de-chaussée, et cette couleur était des plus agréable, celle d'un nid douillet propice à un sommeil paisible.

Kate redescendit et se planta devant le mur du fond. Old Sam n'avait pas ménagé ses efforts et plusieurs hivers lui avaient sans doute été nécessaires pour achever son travail. Les étagères étaient toutes faites main, à partir de planches de bouleau qu'il avait découpées et poncées lui-même, avec amour et avec soin. Les têtes des clous étaient dissimulées par de la pâte à bois, les coins arrondis au papier de verre. D'une hauteur variable, les rayonnages ne faisaient jamais plus d'un mètre de long, afin de ne pas ployer sous le poids des objets qui y étaient posés, et le bois des tablettes luisait d'un chaud éclat dû à la cire. Chaque hiver, il devait passer plusieurs jours à les vider de leur contenu pour les cirer puis les remplir à nouveau.

Et toutes étaient pleines, mais pas tout à fait à ras bord. En les voyant, on avait l'impression qu'il y aurait toujours un peu de place pour une boîte de soupe à la tomate Campbell, une boîte de cartouches 458 Winchester Magnum et, bien entendu, un autre livre.

Si Kate avait pris son temps pour visiter les lieux, c'était parce qu'elle ne voulait pas foncer droit sur les livres, n'osait pas s'avouer qu'elle était honteusement impatiente de mettre la main sur le contenu de la bibliothèque d'Old Sam. Elle contempla le fauteuil inclinable et le visualisa assis dessus, les talons calés sur le repose-pieds, une lueur sardonique dans les yeux. « Arrête de tourner autour du pot et mets-toi au boulot, ma fille. »

Elle se mit au boulot.

Old Sam n'était pas un collectionneur, chacun de ses livres était fait pour être lu. Elle pensait que c'était de lui qu'elle tenait cette manie de prendre des notes dans les marges, aussi ne fut-elle pas étonnée de découvrir des passages soulignés, des griffonnages au crayon et même des paragraphes balisés au Stabilo. À dire vrai, cela rendait ces livres encore plus précieux à ses yeux. La voix d'Old Sam montait de ces notes et de ces gribouillis, comme issue de la sépulture où on l'avait inhumé dimanche, creusée en toute hâte avant que le sol ne gèle, ce qui les aurait obligés à le mettre dans une chambre froide en attendant le printemps.

Il avait des centres d'intérêt bien précis, mais aux frontières plutôt floues. Comme il adorait le western, on trouvait ici en abondance Zane Grey, Louis L'Amour, Rex Beach, Steward Edward White, Owen Wister et Jack Schaefer. Et même Wallace Stegner.

– Beurk! fit-elle. Mon oncle. Comment as-tu pu?

C'était un chasseur qui aimait les récits de chasse, aussi trouva-t-elle des œuvres de Robert Ruark, de Peter Capstick et de l'inévitable Hemingway, ce qui lui arracha un nouveau grognement. Elle attrapa l'édition Capstick de *Mes chasses africaines* de Theodore Roosevelt et l'ouvrit au hasard.

«Après l'escale de Suez, le type ordinaire du passager-touriste se fit plus rare. À sa place, il y avait des officiers italiens se rendant à une ville désolée de la côte du Somaliland; des missionnaires allemands, anglais ou américains; des fonctionnaires portugais; des commerçants de différentes nationalités; et des planteurs, des gradés et administrateurs à destination de l'Afrique Orientale germanique ou britannique. Les Anglais comprenaient des colons, des magistrats, des inspecteurs des forêts, des officiers de l'Inde en congé et d'autres officiers allant prendre le commandement de recrues nègres, dans des régions perdues où le pavillon britannique symbolise tout le bon côté de la vie[9]. »

Elle éclata de rire à cette dernière phrase et rangea la machine à voyager dans le temps sur son étagère. Mais sa main s'attarda dessus. Elle gardait une certaine affection pour Teddy et son gros bâton. Après tout, c'était en partie à lui qu'on devait la création du Service des Parcs nationaux et du tout premier

---

9. Traduction de Norbert Sevestre, Hachette & Cie, 1910.

d'entre eux, celui de Yellowstone. C'était en partie grâce à lui qu'il subsistait des étendues sauvages sur le territoire américain. Compte tenu du milieu de chevaliers d'industrie dont il était issu, cela relevait de l'exploit.

Et puis zut. Elle reprit le volume et le feuilleta. En 1909, Teddy Roosevelt avait emmené son fils Kermit faire un safari en Afrique, trois semaines jour pour jour après avoir quitté la Maison-Blanche et onze ans à peine avant la naissance d'Old Sam. Ce dernier semblait bien ancré dans le présent, mais il est impossible d'oublier l'époque où on est né. En 1920, les femmes n'avaient pas encore le droit de vote. Orville Wright était toujours en vie. Une génération de femmes n'avait pu se marier, parce qu'une génération d'hommes avait péri au champ d'honneur à Ypres, à Verdun et dans la Somme.

Elle releva la tête, soudain intriguée. Pourquoi Old Sam ne s'était-il jamais marié? Ses relations avec Mary Balashoff attestaient de son hétérosexualité, ce qui écartait d'emblée l'étiquette qu'on collait à nombre de vieux célibataires ronchons. Les femmes de sa génération ne manquaient pas et il aurait fait un compagnon fidèle et sérieux. Toutes les femmes à cent kilomètres à la ronde auraient été ravies de lui passer la bague au doigt. Y compris les tantes, d'ailleurs. Trois d'entre elles avaient été mariées plusieurs fois et, pour ce que Kate avait pu glaner en les écoutant évoquer des souvenirs, elles n'avaient jamais cessé de guetter les apollons. Tante Joy était la seule à ne pas s'être remariée après le décès de son époux. Comme si…

Kate se figea alors qu'elle replaçait le livre sur son étagère.

– Merde alors!

«Ah! qui aurait cru qu'il nous manquerait autant, ce vieux sacripant?»

Tante Joy. Tante Joy et Old Sam. Tante Joy et Old Sam?

Old Sam avait-il décidé de bâtir une cabane à Canyon Hot Springs pour y vivre avec sa promise?

Mais si le chagrin de Tante Joy était celui d'une vieille amante, que s'était-il passé? Pourquoi ne s'étaient-ils pas mariés?

Un souvenir lui vint soudain : une douzaine d'œufs mimosa, pas plus, pas moins, servis par Tante Joy sur son précieux plateau rose, avec la dose exacte de mayonnaise dans la préparation du jaune, un saupoudrage précis de paprika par-dessus, le tout reposant sur un lit de feuilles de laitue. Du plus loin que Kate s'en souvienne, c'était toujours ce plat qu'elle apportait lors du barbecue estival d'Old Sam. Et personne ne cherchait à le disputer à ce dernier, qui se précipitait dessus comme s'il n'avait rien mangé depuis un mois.

Peut-être que ces œufs mimosa étaient avant tout un symbole.

Elle repensa à tous les services qu'Old Sam avait rendus aux quatre tantes. Il avait chassé pour remplir leurs garde-manger, coupé du bois pour les approvisionner, entretenu leurs véhicules, installé la plomberie de leurs salles de bains. Il était toujours là quand il y avait une fuite à réparer, un luminaire à installer. Et, si sa mémoire était bonne, Tante Joy était toujours prioritaire.

Old Sam se montrait peut-être serviable avec les trois autres afin d'endormir les soupçons.

Jusque-là, personne n'avait évoqué en sa présence la possibilité d'une liaison entre Tante Joy et Old Sam, mais elle savait par expérience que cela ne signifiait rien. Les membres de cette génération, une génération victorienne représentée par Emaa, les tantes et Old Sam, ne parlaient jamais aux enfants de leur vie personnelle, sauf absolue nécessité.

Un geignement lui parvint de l'entrée. Elle se retourna et vit Mutt poussant la porte qu'elle avait laissée entrouverte pour avoir de la lumière.

– Non, dit Kate. Si tu veux manger, débrouille-toi toute seule.

Mutt s'en fut. Kate fit de nouveau face aux étagères. Les livres, les outils et les autres objets personnels, sans compter les munitions, devraient être évacués chez elle avant que Phyllis et le bébé ne puissent emménager. Les provisions de bouche, la vaisselle et le linge de maison resteraient sur place. C'était généreux de sa part, et Old Sam l'aurait sûrement approuvée. Et ça lui faisait ça de moins à transbahuter.

Elle alla chercher les cartons qu'elle avait stockés dans un coin de son garage en cas de besoin (jamais un Rat du Parc n'aurait l'idée de jeter un objet aussi précieux) et se mit à l'ouvrage. Elle remplit le premier carton avec les armes, les munitions et le matériel d'entretien, plus une collection de photos noir et blanc remontant jusqu'aux années 1940. Elle appliqua du ruban adhésif, attrapa un marqueur et écrivit sur le couvercle « Armes, munitions, photos ». C'était un début.

Elle attrapa ensuite deux cartons, le premier pour les livres qu'elle souhaitait garder, le second pour ceux qu'elle donnerait à la bibliothèque. Il y avait cinq étagères avec cinq tablettes chacune. Volumes reliés et brochés s'y mélangeaient.

Le premier qu'elle attrapa, à l'extrémité gauche du rayonnage supérieur, n'était pas un livre mais un carnet à spirale comme en utilisaient les écoliers avant les ordinateurs. Kate en feuilleta les pages, qui étaient recouvertes de l'écriture d'Old Sam. C'était un recueil de citations, rangées par ordre alphabétique d'auteur. Il y avait là des poèmes, des chansons dont tous les couplets étaient recopiés avec soin, et des aphorismes plutôt acerbes dus à des penseurs dont certains lui étaient inconnus. « Lorsque votre chien aboie en voyant passer un étranger devant votre clôture, en quoi son mobile diffère-t-il de celui qui vous a poussé à la construire ? » Robert Ardrey. Qui diable était Robert Ardrey[10] ? « … l'instinct humain de tuer sur-le-champ toute créature appartenant à une autre espèce. » Cette fois-ci, Kate reconnut le nom de l'auteur, Elspeth Huxley[11], qui avait commis quelques livres de souvenirs sur sa vie en Afrique, dont deux parmi les meilleurs dans ce genre

---

10. Dramaturge, scénariste et éthologue américain (1908-1980). Citation extraite de *L'Impératif territorial*, traduction de Marie-Alyx Revellat, Stock, 1967.
11. Journaliste et écrivaine britannique (1907-1997). Citation extraite de *The Motley Lizard* (1962), inédit en français.

un peu surfait. Les exemplaires de Kate avaient brûlé avec sa cabane, près de trois ans auparavant. Était-ce Old Sam qui les lui avait offerts ? Elle ne se le rappelait plus.

« J'ai conscience de ce que sait bien toute personne célibataire : le monde est toujours un peu décalé quand nul ne se soucie de savoir si vous êtes mort ou vivant. » John D. MacDonald, s'exprimant par la voix de Travis McGee, elle l'aurait parié[12]. Un passage des plus inconfortable, vu ses interrogations à propos d'Old Sam et de Tante Joy. Rien à voir avec Jim et elle, bien entendu.

Une autre citation la fit sursauter. « Tout changement est un mal en lui-même, et on ne devrait l'entreprendre que pour en tirer un bénéfice évident. » Samuel Johnson[13].

Old Sam lui avait cité cette phrase le printemps dernier, dans une clairière où, peu après, ils avaient été attaqués par un grizzly furibond.

Elle battit des cils à plusieurs reprises et considéra le carnet. Pas question de le laisser ici, encore moins de le donner à la bibliothèque.

Elle le mit dans son carton.

Le deuxième livre s'intitulait *The Voyagers : Being Legends and Romances of Atlantic Discovery*, de Padraic Colum[14], une édition de 1925 illustrée par Wilfred Jones[15]. Il s'ouvrit sur un chapitre consacré à Éric le Rouge, illustré par l'image d'un navire que l'on aurait plutôt vu commandé par Sir Francis Drake.

Le tri des livres lui prit presque toute la journée, non seulement parce qu'elle était tentée d'en feuilleter un sur trois, mais aussi parce qu'un Rat du Parc venait la déranger toutes les cinq minutes. Après lui avoir présenté leurs condoléances, nombre d'entre eux se demandaient d'un air distrait ce qu'elle comptait

---

12. Citation extraite de *L'Œil jaune de la peur* (Presses de la Cité, 1967), une enquête de Travis McGee par John D. Mac Donald (1916-1986).
13. Homme de lettres anglais (1709-1784). Citation extraite de *Plan for an English Dictionary*.
14. Poète et folkloriste irlandais (1881-1972).
15. Peintre et illustrateur anglais (1888-1968).

faire de ce trousseau de clés de serrage, ou encore de ce sac de farine, et, au fait, Old Sam avait-il évoqué le sort du *Freya*, qui donc le commanderait l'année prochaine, parce que, l'été venu, on aura besoin d'un homme responsable à Alaganik, on ne peut pas se fier à Ringo Rogers, qui risque d'échouer son *Reckless* comme cet été, de quoi perdre toute la pêche d'une année. Kate répondait invariablement par quelques phrases polies suivies d'un « Je n'ai encore rien décidé ». Cela ne contentait personne, mais au moins les importuns consentaient-ils à s'en aller quand ils avaient compris que c'était tout ce qu'ils obtiendraient d'elle.

Ces visites se raréfièrent à mesure que la lumière s'estompait dans le ciel. Mutt n'était toujours pas rentrée, ce qui prouvait que le gibier était au rendez-vous ou qu'elle s'amusait comme une folle. La plupart des livres étaient triés et rangés lorsque Kate tomba sur un grand registre relié de cuir, dont le titre sur le dos était rendu illisible par l'âge. Elle l'ouvrit et découvrit qu'il s'agissait d'un journal intime, rédigé dans une écriture qui rappelait fortement celle des documents que Dan et elle avaient consultés le matin même.

Elle alluma la lampe sur pied près du fauteuil inclinable et en approcha le registre, plissant les yeux pour mieux déchiffrer le texte dont l'encre avait bien pâli.

Paie enfin arrivée, à peine trois mois de retard cette fois.
Louée soit l'Alaska Commercial Company,
et dans le courrier, enfin, enfin
un chèque de 12 000,00 $ pour construire le tribunal.
Monsieur McQueen a fort aimablement trouvé deux lots voisins
et désaffectés sur Copper Way, un très bon emplacement
en plein centre de la ville,
si on peut parler de ville.
Deux parcelles de terre publique, de trente mètres sur douze,
la première pour le tribunal, la seconde pour la prison.
Je crois que M. McQueen guigne le poste de receveur,
et je suis tout prêt à le lui concéder

et même à le recommander chaudement
s'il continue à se montrer aussi obligeant.

Monsieur McQueen. Monsieur Frederick Cyril McQueen, peut-être ? Kate feuilleta le volume en quête d'une date ou d'une signature. Elle trouva les deux. Ce journal intime était celui d'un juge nommé Albert Arthur Anglebrandt, patronyme ronflant s'il en fut. Et l'entrée était datée du 10 juillet 1937, ville d'Ahtna, Territoire de l'Alaska.

Elle leva les yeux. Bon. Et alors ?

Et alors, primo, pourquoi Ahtna ? Pourquoi pas Niniltna ? Ahtna avait débuté en tant que boui-boui, à l'époque où seul un sentier à mules reliait l'Intérieur à la côte. Ajoutées l'une à l'autre, les populations de Kanuyaq, la ville minière, et de Niniltna, la ville des plaisirs distante de six ou sept kilomètres, représentaient le centuple de celle d'Ahtna. Elle considéra de nouveau la date.

La voilà, l'explication. La mine était sur le point de fermer, et les ouvriers démonteraient la voie ferrée pour repartir vers Cordova et, de là, vers l'Extérieur. Kanuyaq et Niniltna étaient sis à quatre-vingts kilomètres du principal axe routier nord-sud alors qu'Ahtna se trouvait précisément dessus, à peu près à mi-chemin entre Fairbanks et Valdez. À cette époque, Anchorage était encore un village de toile ou quasiment. Dans un Territoire aussi vaste que l'Alaska, avec une population aussi dispersée, la durée des déplacements était un facteur crucial, cela n'avait d'ailleurs pas changé, et Ahtna avait dû apparaître comme l'emplacement idéal pour un tribunal.

Si Monsieur McQueen était bien le Frederick Cyril McQueen qui avait validé la demande d'Old Sam ainsi que les deux autres documents, Kate comprenait pourquoi Old Sam avait tenu à posséder ce journal intime. Mais comment diable se l'était-il procuré ? En fait, en tant qu'ancien officier assermenté, elle devrait plutôt se demander pourquoi il n'était pas archivé dans une chambre forte de Juneau, car il appartenait au patrimoine historique et législatif de l'État d'Alaska.

Elle le rouvrit et y trouva une liste de sommes en dollars, qui se révélèrent correspondre aux licences de divers commerces établis à Ahtna, bien plus nombreux qu'elle ne l'aurait cru. Les fonds fédéraux brillaient par leur absence. Si les indigènes voulaient la loi, c'était à eux de la payer. Une banque, deux quincailleries, trois saloons, une boutique de nouveautés, un magasin de tissus, un garage et deux hôtels, chacun redevable d'une cotisation trimestrielle apparemment proportionnelle à leur chiffre d'affaires. Sans compter « *Mrs. Beatrice Beaton's Boardinghouse* », une raison sociale à l'allitération trop euphonique pour être vraie. Vu le montant de la licence, Kate soupçonna les chambres de la pension d'être louées à l'heure et leurs lits d'être occupés en permanence.

Elle était sous le charme. En une seule page, on lui brossait le portrait de toute une communauté, et elle était si fascinée par cet instantané de ce qui était essentiellement une ville-frontière qu'elle ne remarqua pas le froid qui s'insinuait dans la cabane par la porte restée ouverte. Le froissement d'une manche de nylon sur ladite porte, le bruit des semelles en caoutchouc sur le plancher, elle enregistra bien tout cela, mais trop tard, et, pour une fois, ses célèbres réflexes lui firent défaut.

Elle leva la tête et se tourna vers l'entrée, et c'est à ce moment-là qu'une bûche de quarante centimètres de long brandie par deux mains robustes s'écrasa sur sa tempe.

Elle ne se rappellerait même pas sa chute.

6

L'avion atterrit avec un quart d'heure d'avance et ils durent attendre qu'une porte se libère. En termes de taille comme de trafic, l'aéroport John Wayne n'avait plus rien de commun avec le modeste aérodrome que Jim avait connu. Il se leva dès qu'il put déboucler sa ceinture, soulagé de constater que ses jambes répondaient correctement. Il gagna la réception des bagages en suivant les flèches, attendit un quart d'heure supplémentaire que sa valise apparaisse sur le tapis roulant, juste avant le panonceau annonçant qu'elle était la dernière, puis sauta dans un taxi et donna au chauffeur l'adresse de la maison où il avait grandi.

Les palmiers... non, il n'avait pas oublié les palmiers. Les centres commerciaux, ça, c'était nouveau, et le ciel semblait beaucoup moins bleu qu'avant. Il contempla les collines terre de Sienne à l'horizon, ridicules comparées aux Quilaks. Comment s'appelaient-elles? Les collines de San Gabriel? de Santa Monica? Impossible de s'en souvenir.

La circulation aussi lui fut un choc: une cacophonie de véhicules en tout genre, dont un sur dix était un cabriolet et le onzième, un Hummer. Ils avançaient quasiment au pas, et les feux rouges n'aidaient pas. Il aurait cru faire le trajet en vingt minutes, mais il lui en faudrait bien le double. Où diable allaient tous ces gens? Pourquoi n'étaient-ils pas en train de bosser à cette heure? Une sirène retentit derrière eux et les voitures s'écartèrent à contrecœur pour laisser passer un véhicule de patrouille, qui fonça vers la sortie la plus proche.

Il revit en esprit les pistes du Parc bordant le lit tumultueux de la Kanuyaq River, la masse impressionnante des Quilaks dominant l'horizon est, baignés par les feux rose et or de l'aurore. Il repensa au calme, au silence presque pur qui accompagnaient cette vue. Jamais il n'actionnait la sirène de son véhicule. Il ne se rappelait pas quand il avait entendu un avertisseur dans le Parc pour la dernière fois. Les Rats ne s'énervaient jamais sur la route, parce que même si quelqu'un vous faisait une queue-de-poisson, ce qui était impossible vu la largeur de la chaussée, vous le connaissiez forcément et vous n'alliez pas vous fâcher avec quelqu'un qui risquait de vous payer un verre ce soir *Chez Bernie*.

Il ravala une forte envie de demander au chauffeur de le reconduire à l'aéroport.

De l'autoradio monta un glapissement qui lui rappela la dernière répétition générale des danseuses du ventre *Chez Bernie*. Le chauffeur le regardait dans le rétroviseur.

– D'où vous arrivez? demanda-t-il.

– D'Alaska.

– Ouaouh, sans déconner? Il fait froid là-haut?

– Pas tellement.

– C'est vrai qu'il fait tout le temps nuit chez vous?

– À moitié.

– Et votre gouverneur si sexy, qu'est-ce qu'elle mijote en ce moment?

– Elle a démissionné.

Le chauffeur renonça.

Lorsqu'ils arrivèrent enfin à destination, Jim constata que le quartier n'avait guère changé. De grands arbres feuillus décoraient de taches vertes les larges rues tranquilles. Les trottoirs étaient bordés de pelouses manucurées. Toutes les maisons nécessitaient l'emploi d'au moins deux domestiques. On avait redécoré certaines d'entre elles, ici un faux temple grec, là un ersatz de villa toscane, mais lorsque le taxi s'arrêta devant la maison de son enfance, il reconnut le style pseudo-mexicain choisi par le constructeur d'origine : murs en stuc, toiture en tuiles rouges, draperies de bougainvillées rouge vif dissimulant les portes à l'espagnole.

Il paya sa course, récupéra sa valise et son sac, puis se dirigea vers la porte, où il hésita une bonne minute avant de presser la sonnette. Les jours où il entrait sans frapper appartenaient au passé.

Le lourd battant pivota sur ses gonds.

— Bonjour, maman.

— James.

Une joue fraîche se présenta à ses lèvres.

— Entre donc.

Il s'avança dans le vestibule carrelé.

— Maria, dit sa mère, voici mon fils James. Veuillez porter ses bagages dans la chambre d'ami puis nous servir de la citronnade sur la terrasse.

— *Si, señora.*

La femme de chambre hispanique esquissa une courbette puis s'éclipsa avec valise et sac.

— Par ici, James.

Il traversa la maison sur ses talons pour déboucher sur une terrasse inondée de soleil, aux larges dalles de pierre entre lesquelles poussait une mousse d'un vert vif parsemée de petites fleurs blanches. On avait planté là d'autres bougainvillées, ainsi que des arbres et des buissons fleuris artistement arrangés autour d'une allée dallée sinuant jusqu'au mur en pierre sèche de deux mètres cinquante de haut qui protégeait le jardin de la rue. L'endroit était splendide. Comparé au Parc, il semblait parfaitement domestiqué.

Il considéra sa mère. Un mètre soixante-quinze, cinquante kilos et quelques, c'était l'incarnation même de l'aphorisme de la duchesse de Windsor, selon lequel on n'est jamais ni trop mince ni trop riche. Tous les plis disgracieux dont sa peau pouvait se rendre coupable étaient dissimulés sous un ensemble chemisier-pantalon en soie couleur crème, taillé sur mesure pour ses bras grêles et ses longues jambes, ses pieds étant gainés dans des sandales de cuir marron, consistant surtout en lanières, et dont même l'œil non exercé de Jim pouvait deviner le prix prohibitif. Ses cheveux étaient du même blond cendré qu'il lui avait toujours connu, mais ils étaient désormais coiffés à la garçonne, ce qui adoucissait les mâchoires carrées dont il avait hérité. Elle arborait un maquillage subtil et des bijoux – bagues, montre et boucles d'oreille – aussi coûteux qu'élégants. Ses ongles, dont l'ovale atteignait la perfection, étaient recouverts d'un vernis discret et dénués du moindre défaut. Les rides au coin de ses yeux et de ses lèvres étaient quasi imperceptibles, la peau de sa gorge lisse et ferme. Elle s'était fait lifter, évidemment, mais elle demeurait dans la capitale mondiale de la chirurgie plastique. Sans doute qu'une loi locale rendait de telles opérations obligatoires. Elle avait soixante-dix-neuf ans. À peine si elle en faisait soixante.

– Tu as l'air en pleine forme, maman, dit-il, parce qu'il fallait bien que l'un d'eux dise quelque chose.

Elle regarda son tee-shirt et son jean, s'attarda sur ses bottes élimées.

– Merci, fit-elle.

– J'ai un costume dans ma valise, dit-il.

Elle arqua ses splendides sourcils.

– J'espère bien.

Il dut desserrer les mâchoires pour poser la question suivante.

– Quand a lieu la cérémonie ?

– Après-demain. Il y aura un service religieux ouvert à tous, puis une inhumation pour la famille.

– Rien que toi et moi, donc.

– Suivie par une réception au club.

Au club. Évidemment.

Maria apporta une carafe de citronnade et deux grands verres.

— Ce sera tout, Maria, merci, dit sa mère.

Maria évacua la terrasse après avoir esquissé une génuflexion. Sa mère fit le service.

— Monsieur Abernathy viendra lundi pour la lecture du testament.

Il s'étonna de ce délai de quatre jours entre les funérailles et la venue de l'homme de loi.

— Pourquoi ? Nous en connaissons tous les deux la teneur.

Elle l'ignora. Elle faisait ça très bien.

— Parle-moi de papa, reprit-il.

Elle inspira à fond et expira lentement, très lentement. Quoi qu'il puisse penser d'elle, il savait qu'elle avait toujours aimé son père.

— Il y a un an, il a commencé à ne plus maîtriser ses mains. Il laissait choir des objets. Je lui ai dit d'aller voir son médecin. Il n'a rien voulu entendre, il disait que ce n'était rien, que cela passerait.

Il observait son visage de profil, l'absence de sourire sur ses lèvres, son air sévère.

— Puis il a commencé à se fatiguer lors de nos promenades en soirée. C'est moi qui ai pris rendez-vous pour lui et qui l'ai conduit au cabinet médical. Ils ont fait les examens d'usage. Sans rien trouver de concluant. S'il fallait émettre une hypothèse, le Dr Mortimer m'a dit qu'il pencherait pour une sclérose latérale amyotrophique.

— La maladie de Charcot ?

— Oui.

— L'année dernière ?

Elle se tourna pour lui faire face et répondre à sa question sous-entendue.

— Il m'a interdit de t'en parler. Crois-le ou non, cela m'est égal, mais c'est la vérité.

Elle marqua une pause, comme pour se demander si elle allait poursuivre. Au bout du compte, ce fut son sens des convenances qui l'emporta.

— Je ne pense pas qu'il aurait supporté que tu le voies dans cet état. (Elle détourna de nouveau les yeux : mission accomplie.) Il est resté raisonnablement actif jusque… eh bien, jusqu'à la semaine dernière : il pouvait encore marcher, même lentement. Parler. Respirer.

Elle déglutit, le premier signe de détresse de sa part.

— Et puis je crois bien qu'il a… qu'il a décidé d'arrêter. Il s'est retrouvé infecté par un staphylocoque, bien qu'il n'ait aucune plaie ouverte et n'ait pas mis les pieds à l'hôpital ou chez son médecin depuis au moins quinze jours. Je serais prête à dire qu'il l'a fait exprès, mais je ne vois pas comment il s'y est pris. Ils ont essayé les antibiotiques, mais l'infection leur a résisté et ses organes ont commencé à dysfonctionner. À partir de là, tout est allé très vite. On l'a hospitalisé vendredi soir. Il est mort dimanche après-midi. J'étais avec lui.

Jim vit que sa main s'était crispée sur la table. Il l'obligea à se détendre.

— J'aurais aimé être près de lui pour lui dire adieu.

— Si j'avais su qu'il était mourant, je t'aurais appelé plus tôt.

C'était la seule excuse à laquelle il aurait droit.

— Il m'a dit de te dire, reprit-elle, juste avant de…

Elle se tut.

— De me dire quoi ?

Elle avait du mal à poursuivre, et ça se voyait.

— Il tenait à ce que tu saches qu'il était fier de toi.

Sa bouche se tordit un instant, puis retrouva le pli ferme qui lui était coutumier.

C'était peu, mais il devrait s'en contenter.

— Merci de me l'avoir dit.

Il se leva et fit quelques pas sur la terrasse pour qu'elle ne voie pas ses larmes.

Une voiture discrète au moteur ronronnant passa de l'autre côté du mur. Quelque part, une porte s'ouvrit et se referma, sans hâte ni brutalité. La brise faisait frémir les feuilles. Un oiseau échoué dans ce petit paradis, loin de la pollution environnante, se mit à gazouiller. Le soleil couchant déversait sur les pierres moussues de l'allée des rayons de plus en plus obliques, de plus en plus trompeurs.

– Combien de temps la piscine a-t-elle survécu à mon départ ? demanda-t-il.

– Trois semaines, répondit-elle, et il se retourna assez vite pour entrevoir son sourire crispé.

Maria refit son apparition.

– Le dîner est servi, *señora*.

Cette interruption était négligeable. Ils se comprenaient parfaitement.

Ils s'étaient toujours compris.

7

Elle sombrait au sein d'une mer noire, épaisse, sans fond. Jamais elle ne pourrait remonter à la surface, lui semblait-il. Mais lorsqu'elle y parvint, à l'issue d'une longue et pénible ascension qui lui crispa les muscles et lui vida les poumons, des vagues lui giflèrent le visage, brutales, empressées, abrasives. Elle gémit.

Une sirène dans le lointain. Elle gémit à nouveau.

Les vagues la giflèrent plus fort. La sirène devint assourdissante.

— Assez, dit-elle, je vous en prie, assez.

Elle ouvrit les yeux, ou du moins s'y efforça. L'un était poché, le second en voie de l'être, leurs paupières recouvertes d'une substance poisseuse, que la langue de Mutt s'activait à lécher.

Bien campée sur ses quatre pattes, les antérieures au niveau de la tête de Kate et les postérieures à celui de ses hanches, Mutt s'employait à lui nettoyer le visage sans ménagements. Entre deux coups de langue, elle levait la tête et adressait à la porte un grondement menaçant, conçu pour terroriser toute personne postée sur le seuil, y compris les plus lourdement armées.

Le volume de la sirène décrut pour se réduire à celui d'un gémissement effrayé qu'émettait Mutt entre deux grondements.

Kate leva un bras pour tenter de l'écarter.

— C'est bien, ma fille, dit-elle, ou plutôt tenta-t-elle d'articuler.

Elle avait l'impression d'avoir la bouche pleine de sciure.

– Arrête, Mutt, arrête.

Mutt continua de la lécher, sans oublier de geindre, ni de gronder, ni de claquer de ses crocs pointus et redoutables.

Une idée vint à Kate : avec tous ces coups de langue, au moins son visage serait-il débarrassé de toute trace de sang.

De sang. Quel sang ? Pourquoi du sang ?

Elle y réfléchit quelque temps, mais on ne cessait de lui crier aux oreilles. C'était agaçant.

– Fermez-la, dit-elle, mais peut-être ne fit-elle qu'imaginer qu'elle parlait.

Elle entendit son nom.

– Kate ?

– Euh.

Là, elle était sûre d'avoir prononcé ce mot.

– Kate, aidez-nous. Mettez-la au pied. Elle refuse de nous laisser entrer.

– Euh, répéta-t-elle.

– Allez, Kate, réveillez-vous. (Une voix familière, qui monta en intensité.) Kate. Ressaisissez-vous, nom de Dieu !

Les grondements de Mutt faisaient sûrement réagir les sismographes de l'Observatoire de vulcanologie alaskien. Plus tard, Matt Grosdidier jurerait avoir senti vibrer la porte de la cabane sous sa main.

– Mutt, dit Kate, qui réussit à lever une main rassurante. C'est bon, ma fille. Ça ira.

Sa main passa à quinze centimètres de la tête de Mutt. Un petit geignement, et celle-ci se remit à gronder.

Kate fit une nouvelle tentative et, cette fois-ci, sa main atterrit sur la nuque de Mutt. Elle empoigna ses poils gris et la secoua avec une force pitoyable.

– Mutt.

Elle tenta de se redresser, mais Mutt l'en empêcha en refusant de s'écarter. Au prix d'un violent effort, Kate retrouva la capacité de composer des phrases cohérentes.

– Mutt, mon bébé, détends-toi. Je suis toujours là.

Comme Mutt faisait la sourde oreille, Kate lui passa le bras autour du cou et, prenant appui sur elle, réussit à se mettre en position assise. Il lui fallut environ un an pour y parvenir. Une seconde année lui fut nécessaire pour s'interposer entre Mutt et la porte. Déplacer soixante kilos d'hybride de loup et de husky n'est jamais facile, et quand l'hybride en question est résolu à venger son humaine meurtrie en attaquant le premier quidam qui se présente, les difficultés augmentent de façon exponentielle. À force de cajoleries, de menaces et de bourrades, Kate finit par lui faire entendre raison, mais Mutt refusa de bouger plus de quinze centimètres et resta dressée sur ses pattes roidies, le poil hérissé, sans cesser d'émettre un grondement sourd et continu.

Épuisée, Kate s'appuya contre sa chienne, un bras toujours passé autour de son cou, et tenta de rassembler l'énergie nécessaire pour se relever. Si tant est que ce soit encore possible. Son crâne l'élançait tellement qu'il était peut-être risqué de lui faire gagner un mètre cinquante d'altitude. Peut-être ferait-elle mieux de s'étendre. Elle n'arrivait pas à se rappeler pourquoi elle avait eu l'idée de se redresser.

Elle perçut du coin de l'œil un mouvement près de la porte. Au prix d'une douleur qui la déchira du haut en bas de l'échine, et que suivit une vague de nausée, elle tourna la tête et découvrit Matt Grosdidier pointant un nez inquiet à l'intérieur de la cabane.

– Kate ? fit-il d'une voix hésitante.

Ah ! oui. Voilà pourquoi.

– C'est bon, lui dit-elle. Vous pouvez entrer.

On entendit un bruit de pas précautionneux. Mutt aboya bruyamment et exhiba tous ses crocs.

Un pas en arrière, et Matt regagna le bon côté de la porte. Suivirent des murmures inquiets. Apparemment, il y avait plein de monde dehors, mais Kate ne distinguait rien dans l'obscurité.

Quand le soleil s'était-il couché ? Aux dernières nouvelles, il faisait encore jour.

– Kate ? lança Matt.

– Mutt, dit Kate d'une voix lasse. Ça suffit. Couchée.

Suivit une longue pause durant laquelle rien ne bougea. Kate ouvrit son œil valide et foudroya Mutt du regard.

– Couchée, répéta-t-elle, avec assez de force cette fois.

Mutt plissa ses yeux jaunes mais lui obéit. Elle prit son temps, toutefois, et nul n'aurait pu croire qu'elle avait relâché sa vigilance.

Au prix d'un nouvel effort, qui déclencha de nouvelles souffrances et de nouvelles nausées, Kate se tourna vers Matt et le vit qui entrait, porteur d'une trousse de premiers secours frappée d'une croix rouge. Derrière lui, elle apercevait Mark, Luke et Peter Grosdidier, ainsi que Harvey Meganack. Peut-être y avait-il d'autres personnes. Elle referma les yeux.

– Kate, restez avec nous. Si vous retombez dans les pommes, votre chienne va encore se mettre en rogne.

Elle arrivait à ouvrir les yeux chaque matin, alors aucune raison pour qu'elle n'y arrive pas maintenant. N'est-ce pas ? Elle bloqua ses paupières en position ouverte.

– Okay, fit-elle.

Matt s'avança. Mutt gronda plus fort.

– Tu me connais, Mutt. C'est moi, Matt. Je ne vais pas lui faire de mal, tu le sais bien.

Le pied de Matt glissa sur quelque chose, il perdit l'équilibre et poussa un juron. Le grondement s'amplifia.

– Allez, t'énerve pas comme ça. Tout va bien. Je vais soigner Kate, et ensuite elle sera tout à toi, je te le promets.

Puis Matt s'agenouilla auprès de Kate et, à porter à son crédit, il ne broncha pas lorsque Mutt pointa la truffe vers lui, émettant un grondement qui évoquait désormais celui d'une scie circulaire s'attaquant à du métal rouillé. Il avait ouvert la trousse avant d'entrer pour gagner du temps et les compresses de désinfectant étaient déjà prêtes.

— Tu l'as bien nettoyée, Mutt, brave fille, gentille fille, ne m'arrache pas la gueule, s'il te plaît, gentille fille, je veux seulement fignoler sa toilette, brave fille.

Mutt recula d'une fraction de centimètre et, sans changer de ton, Matt demanda :

— Bon Dieu, Kate, que s'est-il passé ?

— Je n'en sais rien. (L'odeur d'alcool lui piqua les narines et elle sursauta lorsque Matt la toucha.) On m'a frappée.

— Sans déconner. Vous avez une bosse grosse comme une pastèque. Et des coquards qui vont sûrement luire dans le noir.

Kate gémit. Mutt gronda et claqua des crocs. Matt réussit à ne pas sursauter, ce qui en disait long sur son sang-froid.

— Mutt, tu es un fauve furieux, j'avais pigé. Mais ce n'est pas moi qui ai frappé Kate et je veux la soigner, alors laisse-moi la place de manœuvrer, d'accord ?

Il examina les pupilles de Kate et lui demanda de lui serrer les mains, puis de bouger les pieds. Il lui posa une minerve autour du cou.

— Si on vous allonge sur une civière, elle nous laissera faire ?

— Pas besoin d'une civière. Aidez-moi à me lever.

— Kate…

— Aidez. Moi.

Matt secoua la tête et maugréa en signe de protestation. Il lui passa un bras autour de la taille et la hissa sur pied. La pièce se mit à tourner autour d'elle comme si elle était montée sur un manège et elle faillit vomir.

— Respirez à fond, conseilla Matt.

Elle obtempéra. La sensation de tournis s'atténua et Matt l'aida à s'asseoir sur le fauteuil inclinable d'Old Sam. Il chercha aussitôt un récipient quelconque, trouva un seau ayant contenu du dissolvant et le posa auprès d'elle. Les vapeurs faillirent l'achever et Matt se hâta de remplacer le seau par un conteneur Tupperware où Old Sam mettait jadis ses vis, ses écrous et ses boulons de rechange. Comme cela ne lui semblait pas assez grand, il finit par jeter son dévolu sur un antique seau à charbon où Old Sam rangeait les accessoires du poêle.

Mutt sembla rassurée de voir Kate en position plus ou moins verticale, et son poil cessa de se hérisser. Elle lui donna sur le genou un coup de museau si violent que Kate faillit basculer sur l'accoudoir.

– Ça va, ma fille, vraiment, ça va, dit Kate, qui n'en était pourtant pas très sûre.

Elle battit des cils et, pour la première fois depuis qu'elle avait repris connaissance, découvrit la pièce autour d'elle.

– Qu'est-ce que ça veut dire?

Elle comprenait maintenant pourquoi Matt avait trébuché. L'intérieur de la cabane était totalement ravagé. Tous les livres qu'elle avait soigneusement empaquetés jonchaient le sol. Tous les livres qui restaient encore à trier les avaient rejoints, ainsi que tous les objets qui s'étaient trouvés sur les étagères et sur les deux tables. Les boîtes de conserve avaient roulé sous la table. Les boîtes de munitions avaient explosé en atterrissant, on voyait un peu partout briller les cartouches éparses. Les casseroles, les poêles, les assiettes, les couteaux, les fourchettes, les cuillères… toute la vaisselle était réduite à un monceau de débris. Les vis, les écrous, les boulons, les clous, les tournevis: il y en avait partout. Et sans parler des vêtements: jeans, salopettes, chemises à carreaux, tee-shirts mangés aux mites, shorts. Celui qui avait saccagé le rez-de-chaussée n'avait pas épargné l'étage.

– Vous vous souvenez de ce qui s'est passé? demanda Matt.

Kate s'efforça de réfléchir.

– J'étais en train de trier ses livres. Je n'avais pas refermé la porte. Je crois que… que quelqu'un m'a frappée.

– Sans déconner, répéta Matt. Avec ça. (Il souleva une bûche.) Vous voyez les traces de sang? Je parie que c'est le vôtre.

Il se tourna vers Mutt.

– Et toi, où t'étais?

Mutt baissa la tête et émit un geignement totalement différent de ceux qui avaient pu précéder. Au coin de sa gueule pendait ce qui ressemblait à une touffe de poils de lapin.

– Vous avez vu qui a fait le coup ? reprit Matt.

Kate voulut faire « non » de la tête mais se ravisa.

– Non. J'ai entendu un bruit, un bruit de pas sans doute. Puis la bûche m'a défoncé le crâne.

La pièce se remit à tourner et elle ferma les yeux.

– Okay. (Matt se redressa.) Pas question de vous laisser rentrer en voiture. Ne discutez pas. Vous allez passer la nuit dans notre clinique, en observation. Comme elle tenterait sans doute de m'arracher le bras si je cherchais à l'éloigner, votre louve-garou est aussi la bienvenue.

Kate sentit toute velléité de résistance la déserter.

– D'accord. Il faut fermer la porte à clé.

– Il n'y a pas de serrure.

– Alors Mutt et moi, on reste ici.

– Kate…

– Regardez dans quel état est la cabane. (Elle avait du mal à parler, mais tenait à ce que ce soit dit.) Ça fait à peine trois jours qu'Old Sam est mort et quelqu'un fout tout en l'air chez lui. Pourquoi ? Qu'est-ce qu'on cherchait ici ? Et à votre avis, est-ce qu'on l'a trouvé ?

– Kate.

Levant les yeux, elle découvrit Harvey Meganack, qui se tenait sur le seuil sans toutefois oser entrer.

– J'ai un moraillon de rechange, avec un cadenas, dit-il. Je vais le chercher et le monter sur la porte. Je ne donnerai la clé à personne sauf à vous. D'accord ?

– Qu'est-ce que vous fichez ici ?

– C'est Harvey qui vous a trouvée, expliqua Matt. Ensuite, il nous a alertés.

Elle se tourna vers Harvey. Elle n'y voyait pas clair, elle avait mal au crâne, la nausée la guettait, mais elle n'avait pas oublié leur vieil antagonisme, et la méfiance et le soupçon l'envahirent.

– Comment saviez-vous qu'il m'était arrivé quelque chose ?

— Vous voulez rire ? lança Matt. On a dû entendre hurler Mutt même à Anchorage. Harvey est arrivé le premier, c'est tout.

Le lendemain matin, la bosse avait disparu mais les coquards annoncés étaient là et bien là. Les frères Grosdidier firent autour d'elle un cercle admiratif.

— On dirait Joan Collins à la cérémonie des Oscar, dit Peter.

— Scorpius dans *Farscape*, proposa Luke.

— Je pencherais plutôt pour un panda, dit Mark.

Mutt fixa Kate de ses yeux jaunes et solennels. Au moins sa chienne la reconnaissait-elle.

Matt lui tendit un miroir. Les frangins n'exagéraient pas.

— J'en ai pour combien de temps ? demanda-t-elle.

Bref conciliabule fraternel.

— Dix jours, décréta Matt. Quinze à tout casser.

— Génial.

Elle lui rendit le miroir en poussant un soupir.

— Des lunettes noires suffiront à vous rendre présentable, ajouta Mark.

— Ouais. Je peux y aller maintenant ?

— Bien sûr. Aucune trace de commotion. Vous avez la tête dure, c'est ce qui vous a sauvée. Vous pouvez filer.

— Faut-il que j'informe Nick Luther ?

La question venait de Maggie Montgomery, la standardiste de Jim, ce qui se rapprochait le plus d'un représentant de la loi à présent que celui-ci était parti pour l'Extérieur.

Kate répondit par un haussement d'épaules, soulagée de n'en ressentir aucune douleur. Son front l'élançait encore, ainsi que son omoplate, qui avait amorti sa chute, mais c'était tout.

— Si vous voulez, répondit-elle, mais comme je n'ai aucun suspect, il n'y a pas de raison qu'il se dérange. Dites-lui que je vais bien et que je n'ai pas la moindre idée sur l'identité du coupable ni sur son mobile.

– Okay, fit Maggie, qui semblait néanmoins dubitative.

– Vous pouvez me ramener chez Old Sam ?

Kate n'avait pas envie de traverser le village à pied, non seulement à cause de ses coquards mais surtout parce qu'elle redoutait de devoir raconter deux cents fois sa mésaventure. Une idée lui vint soudain et elle se tourna vers ses sauveteurs.

– Vous n'avez rien dit aux tantes, j'espère ? Dites-moi que vous n'avez rien dit aux tantes.

Johnny était passé à la clinique ce matin avant ses cours. Une fois assuré qu'elle n'avait rien de grave, il était plus enclin à rire de ses yeux au beurre noir que de s'inquiéter de l'agression qu'elle avait subie. Mais c'était un homme. Avec les tantes, il en irait tout autrement.

Les frères échangèrent un regard.

– Non, on ne leur a rien dit, déclara Matt.

Kate était parfaitement capable d'achever sa phrase. Elle se leva.

– Mais elles ne tarderont pas à savoir. Faites-moi sortir d'ici, Maggie.

Maggie déposa Kate et Mutt devant la cabane d'Old Sam après un bref passage chez Harvey pour récupérer la clé du cadenas qui fermait désormais la porte. Le désordre régnant à l'intérieur semblait pire encore que dans son souvenir, mais elle n'était pas en état la veille de mesurer l'étendue des dégâts.

La plupart des cartons avaient survécu et les autres pouvaient être réparés avec du ruban adhésif. Elle poussa un soupir et se mit au travail.

En fin d'après-midi, tous les livres d'Old Sam étaient empaquetés et chargés dans le pick-up, et tous les autres objets rangés à leur place. Mutt insistait pour ne pas s'éloigner d'elle de plus de trente centimètres, ce qui affectait sa liberté de mouvement. Elle était allée jusqu'à gronder lorsque Kate avait voulu fermer la porte des toilettes.

Plantée au centre de la pièce, les mains sur les hanches, Kate s'adressa au plafond :

– Que s'est-il passé ici hier soir ?

Pourquoi l'avait-on agressée ? Elle ne connaissait pas la liste complète des possessions d'Old Sam, mais il restait encore suffisamment d'objets précieux pour écarter l'hypothèse d'un banal cambriolage, un crime d'opportuniste venu piller la demeure d'Old Sam après avoir appris son décès. On n'avait volé aucune cartouche, les conserves se trouvaient toutes dans le carton de velouté de champignons Campbell, jusqu'à la petite monnaie planquée dans la boîte de beurre Darigold qui n'avait pas bougé, quoique le récipient lui-même se soit retrouvé par terre. Si ce capharnaüm avait été l'œuvre d'un cambrioleur, elle aurait tout de suite soupçonné cette fouine de Howie Katelnikof, mais il était suffisamment malin pour attendre le départ de Kate. Pourquoi diable l'avait-on assommée avec une bûche alors qu'elle…

Elle se figea. Puis elle se précipita vers le pick-up et ouvrit tous les cartons de bouquins qui s'y trouvaient afin d'en vérifier le contenu.

Le journal intime du juge Albert Arthur Anglebrandt avait disparu.

8

Kate fit un détour par l'école pour dire à Johnny qu'il passerait la nuit chez Annie Mike, puis un autre chez cette dernière pour lui apprendre qu'elle aurait un pensionnaire, et finalement rentra à la maison, où elle déchargea les cartons dans l'atelier dont, pour la première fois à sa connaissance, elle cadenassa la porte. Elle envisagea de laisser Mutt garder les lieux, mais Mutt devina ses intentions grâce à un don pour la télépathie jusque-là insoupçonné et refusa catégoriquement de descendre du pick-up. Après l'avoir copieusement injuriée, Kate rentra le temps de remplir un sac de voyage puis passa dix minutes riches en jurons à chercher en vain son téléphone mobile, qui tomba du pare-soleil à mi-chemin d'Ahtna, après qu'elle eut roulé sur un nid-de-poule particulièrement gratiné. Elle passa une bonne partie du trajet à jeter au ciel gris des regards inquiets. S'il neigeait avant son retour, son pick-up resterait coincé à Ahtna le temps que les chasse-neige et les 4x4 aient suffisamment tassé la neige pour lui permettre de rouler. Soit en décembre prochain si la neige tombait vite et laissait une épaisse couche.

Pas un flocon n'était encore apparu lorsqu'elle arriva au pont de la Lost Chance Creek, un ancien ouvrage des chemins de fer de deux cents mètres de long qui enjambait une gorge située trois cents mètres en contrebas, fichtrement difficile à négocier quand la visibilité était réduite. Une fois l'obstacle franchi, Kate mit les gaz et arriva sur le bitume en un temps record. Elle fonça droit sur le tribunal, un bâtiment massif à un étage construit au bord du fleuve, dont la double porte s'ornait d'une saisissante sculpture métallique dépeignant Corbeau en train de voler le soleil, la lune et les étoiles. La porte s'ouvrit comme elle montait les marches, et elle vit Ben Gunn qui la tenait pour Roberta Singh.

— Votre honneur, dit Kate en faisant halte.

Elle échangea un signe de tête avec Ben.

— Kate, quel plaisir de vous voir !

Le juge Singh ressemblait à une ballerine doublée d'une princesse des *Mille et Une Nuits* : grande, élancée, dotée d'yeux de biche et d'une masse de cheveux noirs réunis en chignon sur sa nuque pour dégager son large front. Elle possédait une dignité telle qu'elle semblait toujours vêtue de sa tenue d'apparat, alors qu'aujourd'hui, elle avait opté pour un manteau de tweed à col de fourrure, des bottes à talons hauts et des gants de cuir noir. En présence du juge Singh, Kate se faisait toujours l'effet d'un laideron, mais tel était le cas de toutes les femmes du Parc. L'arbitre des élégances les mettait toutes hors-jeu.

— J'ai été navrée d'apprendre le décès d'Old Sam, dit le juge Singh.

— Moi aussi, répliqua Kate. Mais je vous remercie.

— Plus jamais nous n'en verrons des comme lui.

Sourire de Kate.

— Non, en effet.

Singh désigna le tribunal d'un signe de tête.

— Vous êtes venue régler ses affaires ?

— Oui. Je suis son exécutrice testamentaire. J'espère que Jane Silver pourra m'aider à mettre de l'ordre dans ses actifs.

— Je n'en doute pas. Eh bien, si je peux faire quelque chose pour vous...

Un sourire, une poignée de main, et le juge descendit d'un pas majestueux, le journaliste sur les talons.

— Madame le juge, je dois savoir si…

— Monsieur Gunn, vous savez bien que je ne peux discuter de…

La porte en se refermant empêcha Kate d'en apprendre davantage.

Le juge n'avait fait aucun commentaire sur ses coquards, même pas en arquant un sourcil. Décidément, elle avait de la classe.

L'Office des terres se dissimulait dans un coin du rez-de-chaussée et consistait en une pièce minuscule contenant un bureau et une rangée d'armoires grises coincées derrière lui.

Au bureau se tenait Jane Silver, que l'on aurait davantage imaginée penchée sur un chaudron et chantant en chœur avec les deux autres sorcières de *Macbeth*. Une tête assez volumineuse renfoncée entre des épaules proéminentes, des cheveux gris et clairsemés coupés courts dans une absence totale de style, un nez qui aurait pu servir à pêcher le flétan, de longues dents jaunes… elle avait même des nævus géants. Il manquait un bouton à son tailleur écossais en polyester usé et ses chaussures orthopédiques couinaient même lorsqu'elle restait assise.

Elle leva les yeux en entendant la porte s'ouvrir et gratifia Kate d'un regard perçant.

— Kate Shugak, dit-elle d'une chaude voix de soprano qui jurait totalement avec son physique. C'est bien vous, n'est-ce pas ?

— Oui, c'est bien moi, dit Kate en entrant, suivie par son ombre à quatre pattes.

— Que diable vous est-il arrivé ?

Exactement la question que Kate s'était posée la veille.

— Quelqu'un m'a assommée avec une bûche.

Jane l'examina.

— Eh bien, il n'a pas fait les choses à moitié, je le concède.

Sourire de Kate.

— Mettez les femmes et les enfants à l'abri quand vous me verrez passer dans la rue.

Mutt fit le tour du comptoir pour poser la tête sur le bureau de Jane.

— Toi, on ne risque pas de t'oublier, lui dit celle-ci, qui ouvrit un tiroir et en sortit un stick de saucisson.

Elle le dépiauta et le tendit. Mutt le cueillit délicatement entre ses crocs et n'en fit qu'une bouchée. Puis elle se retira sur le seuil, le bureau étant trop petit et son occupante trop décrépite (en plus d'être disposée à lui rendre l'hommage qu'elle méritait) pour qu'elle redoute de voir son humaine s'y faire assommer une nouvelle fois. Mais elle garda un œil sur toute personne arpentant le couloir, effrayant l'une des assistantes de Bobby Singh qui laissa choir un carton sur le sol, le jonchant de documents sur plusieurs mètres. Bien que Mutt n'ait accordé à la scène qu'un vague intérêt, l'assistante monta implorer le soutien du défenseur public, qui jouait au chef de traîneau durant ses vacances et avait sûrement la trempe nécessaire pour affronter un loup lâché dans le tribunal.

Plus âgée encore que Mathusalem, Jane Silver était responsable de l'Office des terres bien avant la naissance de Kate. C'était une dure de dure, dotée d'une langue bien pendue et d'une mémoire encyclopédique, détentrice du plus grand nombre de premiers prix de confiture à la Foire nationale de l'Alaska. Sa spécialité était la compote de rhubarbe, dont le simple souvenir amena Kate à saliver et à sentir des picotements sur le palais.

— Navrée pour Old Sam, dit-elle.

— Merci, fit Kate, moi aussi. (Et dire que ça ne faisait que cinq jours !) Moi aussi, répéta-t-elle, et elle s'éclaircit la gorge pour retrouver sa voix. C'est à cause de ça que je suis là. Je suis son exécutrice testamentaire, en même temps que sa principale légataire.

— Je m'en doutais. Que se passe-t-il ?

Kate sortit le testament.

— Il s'avère que le vieux schnoque possédait des terres dont personne ne savait rien.

— La concession des Canyon Hot Springs ?

Kate ramassa sa mâchoire et la remit en place.

— Eh bien, oui, en effet. Personne ne savait qu'il avait revendiqué une concession dans ce coin.

Jane récita une série de longitudes et de latitudes et Kate, en consultant le testament, constata que c'étaient les bonnes.

— Bon Dieu, Jane, y a-t-il un numéro de parcelle ou de propriétaire que vous n'ayez pas mémorisé ?

— Non, dit Jane, d'un ton laissant entendre qu'il s'agissait d'une vérité absolue, ce qui était sans doute le cas.

Elle tapota le clavier devant elle et scruta l'écran. On entendit un « bip » et la lueur de l'écran changea de couleur. Jane se leva, faisant couiner ses chaussures, alla vers une armoire, ouvrit un tiroir et en sortit un dossier.

— Hum, oui, dit-elle. Rien d'extraordinaire. Conditions remplies, qualités du requérant attestées par de respectables membres de la communauté.

— Il était encore mineur, fit remarquer Kate, et il n'était pas marié. Et pas davantage père de famille.

Jane balaya cette objection d'une main qui ressemblait à une serre, impression encore renforcée par la longueur de ses ongles rouges. Kate se demanda comment elle arrivait à taper sur un clavier.

— Le gouvernement voulait accorder le plus de parcelles possible, donc les officiels fermaient les yeux sur les détails de ce genre. Le seul obstacle insurmontable, c'était d'avoir pris les armes contre les États-Unis. Sam était un gars solide, réputé pour toujours payer ses factures.

Jane marqua une pause, son visage était indéchiffrable.

— On supposait qu'il finirait par se marier, reprit-elle. La plupart des gens le faisaient à l'époque.

— Vous vous rappelez tout ça ? demanda Kate.

Jane leva les yeux et lui sourit, exhibant de longues dents jaunes un rien inquiétantes.

— C'est difficile à croire, je sais, mais oui, j'étais déjà née.

— Vous viviez à Ahtna ?

Jane acquiesça, revenant au dossier.

— Je suis arrivée ici avec Madame Beaton.

Kate dut une nouvelle fois remettre sa mâchoire en position.

— Madame Beatrice Beaton ? De *Mrs. Beaton's Boardinghouse* ?

Jane lui décocha un regard acéré.

— Oui. Comment connaissez-vous ce nom ?

— Euh… je l'ai vu dans un vieux registre que possédait Old Sam. Le journal intime du premier juge d'Ahtna.

— Albie Anglebrandt, je présume.

Ce n'était pas tout à fait une question.

Albie ? Kate opina.

— Il avait dressé la liste des licences accordées à chaque commerce. *Mrs. Beaton's Boardinghouse* en faisait partie.

Elle regarda une carte du Parc punaisée au mur derrière le bureau et ajouta :

— Une pension, ça nécessite beaucoup de personnel, je présume. Cuisinières, serveuses, femmes de chambre, *et cætera*.

Si elle n'avait pas guetté une réaction du coin de l'œil, elle n'aurait pas remarqué que les muscles de Jane se décrispaient d'un rien à la commissure de ses lèvres. En dépit de la curiosité qui la dévorait, et du caractère sans doute croustillant des réponses que recevraient ses questions, elle décida que le moment était mal choisi pour s'enquérir de la nature exacte de l'activité de Madame Beatrice Beaton à la grande époque d'Ahtna. Toutefois, elle ne pouvait s'empêcher de voir Jane Silver avec un œil neuf. Une belle de nuit, elle ? Certes, elle aurait eu une tout autre allure en ce temps-là. Et comme les femmes étaient encore plus rares qu'aujourd'hui dans le Bush, les clients n'avaient sûrement pas tendance à faire la fine bouche. Elle se rappela des photos montrant des femmes des anciens quartiers chauds de Fairbanks. Une Jane jeune n'y aurait pas paru déplacée. Pas plus qu'une Jane âgée, d'ailleurs.

– Peut-on mettre en doute les droits d'Old Sam sur les sources chaudes ? demanda-t-elle.

– Non, fit Jane en secouant la tête.

– Vous en êtes sûre ? Si je vous pose la question, ajouta Kate en la voyant se renfrogner, c'est parce que les bénéficiaires avaient un délai de cinq ans pour faire valoir leurs droits et il en a attendu huit. Vous connaissez Dan O'Brian ? Il m'a montré des copies des documents officiels. La demande a été émise en 1937. Elle n'a été accordée qu'en 1945.

Jane plissa les yeux.

– L'administration s'est montrée assez indulgente avec les colons alaskiens entre décembre 1941 et août 1945. Surtout avec ceux qui s'étaient distingués durant les combats.

Elle prononça cette sentence sur un ton tel que Kate se sentit obligée de lui dire qu'elle avait entendu parler de la Seconde Guerre mondiale.

– Et je sais qu'il était dans les Égorgeurs. Mais je pense… enfin, j'ai l'impression que Dan soupçonne ce titre de propriété d'être invalide du fait de ces irrégularités.

Jane eut un reniflement de mépris.

– Des irrégularités ! Je lui en ficherais, moi, des irrégularités, à ce balbuzard chapardeur de terres et bardé de paperasse. Que Sam quitte sa demeure pour défendre sa patrie, ça n'avait rien d'irrégulier. Et que son gouvernement veille sur ses intérêts, pas davantage.

– Je ne saurais mieux dire.

– Sacrée guerre qu'ils ont livrée là-bas. Il vous en a parlé ?

Kate fit « non » de la tête.

– Il changeait de sujet chaque fois qu'il en était question.

Jane hocha la tête d'un air pensif.

– La plupart des vétérans tournent la page et passent à autre chose, sauf les plus cinglés d'entre eux. C'était le cas de Sam.

Remarquant qu'elle avait omis le « Old », Kate se demanda depuis combien de temps elle connaissait l'intéressé. Jane vit qu'elle avait l'air intrigué et, avec un haussement d'épaules que Kate jugea peu convaincant, précisa :

— Je le croisais à l'Ahtna Lodge de temps en temps. Je me rappelle un truc qu'il m'a raconté à l'époque. Vous saviez qu'il avait rencontré Dashiell Hammett ?

Kate sentait que l'autre cherchait à la distraire, mais la tentation était trop forte.

— Sans blague ! C'est vrai ?

— Oui. Hammett avait été mobilisé et affecté à Adak. Sam... Old Sam m'a dit qu'il dirigeait le journal de l'armée.

— Ouaouh.

Kate digéra cette information en silence. Elle n'avait jamais lu Hammett mais, comme tout le monde, elle avait vu le film.

— « Les ennuis ne me dérangent pas tant qu'ils restent dans les limites du raisonnable », dit-elle.

Sourire de Jane.

— On peut jouer à deux à ce petit jeu-là, dit-elle. « Vous croyez savoir ce que vous faites, mais vous êtes trop finaud pour que ça ne vous attire pas des ennuis, et un jour ça va vous retomber dessus[16]. »

Bizarrement, leur échange tomba à plat. À l'issue d'un bref silence gêné, Kate reprit :

— Euh... il y a autre chose, Jane. Je ne retrouve pas les documents originaux attestant de la propriété des sources chaudes. Est-ce que ça risque de poser un problème ?

Jane resta sans bouger, se concentrant sur sa mine indéchiffrable. Au bout d'un long moment, elle sursauta et lâcha d'un ton brusque :

— C'est vous l'héritière, avez-vous dit ? Vous comptez payer les taxes ?

— Jusqu'à preuve du contraire, oui.

---

16. Citations extraites du *Faucon maltais*, traduction de Pierre Bondil et Natalie Beunat (Gallimard, 2009).

– Bien, alors remplissez ce formulaire. Nous pouvons entamer la procédure de mutation foncière.

– Ça prendra combien de temps ?

Regard noir de Jane.

– Ce sera fait demain matin.

– Oui. Je vous demande pardon. L'espace d'une minute, j'avais oublié à qui je m'adressais. Heureusement que je passe la nuit ici.

– Revenez à l'ouverture des bureaux, je vous aurai tout préparé. Et nous modifierons aussi le rôle des taxes foncières.

– Merci, Jane.

Kate s'attarda sur le seuil.

– Quoi encore ? fit Jane. J'ai du travail.

Jamais Kate ne trouverait source mieux informée sur l'époque.

– Le juge Anglebrandt tenait un journal intime.

L'expression de Jane ne changea pas d'un iota, mais on sentit baisser la température de la pièce.

– Comment le savez-vous ?

– Old Sam en possédait un volume, le premier pour ce que j'ai pu en voir. J'étais en train de le lire lorsqu'un inconnu m'a cogné sur le crâne.

– Vraiment.

Jane prit un air méditatif, que seule l'imagination de Kate, sans doute, interpréta comme un signe de chagrin, comme si elle repensait à une tragédie survenue loin d'ici, dans un passé révolu, mais qu'elle n'était cependant pas parvenue à oublier.

– Savez-vous si le juge Anglebrandt a tenu ce journal durant la totalité de son exercice ?

– Oui.

Jane avait répondu bien trop vite et elle le comprit.

– Pour ce que j'en sais, ajouta-t-elle.

Le mal était fait, mais Kate n'avait pas le cœur à l'interroger sur ses relations avec le magistrat, du moins pas tout de suite.

– Y parlait-il uniquement de son activité ? C'est l'impression que j'ai eue en en lisant quelques pages.

– Pour ce que j'en sais, c'était un compte rendu des audiences du tribunal.

– Ce que je ne comprends pas, c'est comment il s'est retrouvé chez Old Sam. Un tel document ne fait-il pas partie des archives officielles ?

– Pas nécessairement. Il y avait un greffier qui se chargeait de cela.

Jane hésita. Kate attendit qu'elle décide de lui faire confiance.

– Écoutez, dit finalement Jane. Revenez demain matin pour récupérer votre titre de propriété et mettre le rôle à jour. Peut-être que j'aurai autre chose à vous montrer.

– Quoi donc ?

Sourire de Jane.

– Les jeunes d'aujourd'hui, ils veulent tout en cinq minutes, sinon ils s'en vont. Il faut que je fasse des recherches et cela me prendra un certain temps. Revenez demain matin.

Kate poussa un soupir de martyre, en grande partie pour la forme.

– Les anciens d'aujourd'hui, ils rendent les jeunes cinglés en quatre minutes, de peur d'avoir perdu leur journée.

Toutes deux s'esclaffèrent, puis Kate récupéra Mutt et partit en quête d'un lit pour la nuit.

9

Elle alla louer une chambre à l'Ahtna Lodge où Tony, après l'avoir bien regardée, la pria de signer le registre d'une voix trahissant un vif amusement. Stan, son associé et compagnon, ne chercha même pas à retenir un rire homérique lorsqu'elle entra dans le restaurant.

— Bon Dieu, Shugak, dit-il en manquant s'étouffer, dites-moi au moins que l'autre est encore plus amoché.

— Je n'ai même pas eu le temps de le voir.

— Eh bien, le jour où vous le verrez, il sera à plaindre. Comme d'habitude?

Il la plaça à une table près de la fenêtre et, cinq minutes plus tard, lui servit une papaye fraîche, coupée en deux et débarrassée de ses graines. Stan l'arrosa d'un demi-citron pressé.

Kate fixa son assiette en grimaçant.

— Je n'ai pas commandé ce truc.

— La papaye contient un enzyme favorisant la résorption des hématomes, c'est exactement ce qu'il vous faut. L'ananas est tout aussi bénéfique, mais je n'en ai pas de frais en ce moment. Mangez. Vous en aurez une autre au petit déjeuner. Oh! et prenez ça.

Kate accepta machinalement le comprimé qu'il lui donnait.

— Qu'est-ce que c'est?

– De la vitamine C. Ça vous fera du bien.

D'ordinaire, Kate ne prenait jamais de vitamines, mais comme Stan ne faisait pas mine de bouger, elle avala le comprimé avec une gorgée d'eau puis mangea sa papaye, sans grand enthousiasme toutefois. Elle en fut récompensée en voyant arriver son sandwich au steak tartare, spécialité de la maison justement réputée, accompagné par un œuf et assaisonné avec les doses idéales de sel comme de poivre. Mutt eut droit à un autre steak dans une assiette.

– Tu es trop gâtée, la morigéna Kate.

Tout en engloutissant son tartare avec l'air de celle qui ne fait que recevoir son dû, Mutt lui lança un regard signifiant : « Tu peux parler. »

Tony s'assit en face d'elle.

– J'ai laissé une note à la réception pour venir vous tenir compagnie pendant le repas. Écoutez, Kate, Stan et moi on tient à ce que vous sachiez qu'on a été très peinés d'apprendre la mort d'Old Sam.

Kate avala une bouchée qui menaçait de lui bloquer le gosier.

– Merci. Sincèrement, merci.

– Il nous appelait les Deux Folles, reprit Tony.

Kate s'esclaffa sous l'effet de la surprise.

– Vous rigolez !

Large sourire de Tony.

– Non. Mais il le faisait uniquement quand il n'y avait pas de monde. Il cherchait à nous provoquer, je crois bien.

– Il était doué pour ça.

– Il allait fermer le bar pour passer du temps avec nous, et aussi avec Mary Balashoff quand elle venait le retrouver pour le week-end.

– De quoi vous parliez ?

Tony rit à son tour.

– De quoi on ne parlait pas ? Aucun sujet n'était tabou. Old Sam avait une opinion sur tout, en matière de politique comme de religion. Quant à l'histoire de l'Alaska, je n'en parle même pas. Bon sang, il l'a plus ou moins vécue, cette histoire. Et il savait tout ou presque sur le capitaine Cook. Quand il était lancé sur le sujet, ça devenait fascinant. On avait parfois l'impression d'écouter Schéhérazade, on ne rendait pas les armes avant trois ou quatre heures du matin. Vous saviez que Cook avait été élevé par des Quakers ?

Kate fit « non » de la tête.

– Moi non plus. Et à en croire Old Sam, il était né dans une porcherie. J'ai toujours pensé que c'était… je ne sais pas… le fils illégitime d'un prince dont l'héritier n'était qu'un bon à rien, de sorte qu'il s'est senti obligé de trouver à son bâtard une occupation qui l'amènerait à quitter le pays.

Kate marqua une pause.

– Soit vous avez une imagination débordante, soit vous avez trop lu Frances Hodgson Burnett quand vous étiez petit.

Tony haussa les épaules d'un air modeste.

– Pourquoi pas les deux ?

Kate sauça les derniers centilitres de jus dans son assiette avec la dernière bouchée de pain et savoura le résultat pendant quelques instants.

– Old Sam avait un exemplaire du journal de bord de Cook. Trois volumes, un pour chaque voyage.

– Ouaouh. J'aimerais bien les voir.

– Il m'a légué ses livres, précisa Kate en fixant son assiette d'un air entendu. Si vous vous débrouillez bien, je vous laisserai y jeter un coup d'œil la prochaine fois que vous viendrez faire un tour.

– Vous me laisseriez les emprunter ?

Elle sourit.

– Droit de visite strictement limité, sous supervision.

Elle écarta son assiette et se carra dans son siège. Le fleuve coulait derrière la fenêtre. Ses eaux étaient plus basses, son cours plus lent que la semaine précédente. À mesure qu'on se rapprochait de l'hiver, la température diminuait de plus en plus, et c'était encore plus sensible à haute altitude, dans le domaine des glaciers et des neiges éternelles. Le dégel était fini et la neige était en route.

Elle se tourna vers le restaurant, qui n'était qu'à moitié plein. Les touristes fuyaient l'État à mesure que la neige descendait des montagnes.

– Il vous aimait.

Comme elle se retournait vers lui, Tony ajouta :

– Oh ! non, il ne l'a jamais dit comme ça, mais vu la façon dont il parlait de vous, c'était évident. Il était tellement fier de vous.

– Il parlait de moi ?

Kate parcourut du regard la salle de restaurant, le bar à une extrémité, la porte de la cuisine à l'autre, les tables et les chaises entre les deux. Bizarre d'imaginer Old Sam perché sur un de ces tabourets, entouré d'un public captivé tandis qu'il chantait les louanges de sa nièce.

– Tout le monde parle de vous, rétorqua Tony. Il était ici il y a quinze jours à peine. Oui, je crois bien que c'est la dernière fois que je l'ai vu.

Ce devait être à ce moment-là qu'il avait révisé son testament, se dit Kate.

– Et de quoi a-t-il parlé ce soir-là ?

Tony plissa le front.

– En partie de la saison de la pêche. (Sourire.) Il a évoqué les deux marins d'eau douce que vous lui aviez refilés. Et puis…

– Oui ?

– Eh bien… (Tony ouvrit les bras.) Il a parlé de la guerre.

– Ah bon ? fit Kate, surprise.

– Ouais.

– Eh bien, il a combattu dans les Aléoutiennes.

– C'est ce qu'il nous a dit. Je ne le savais pas. (Grimace de Tony.) Maintenant, je me sens obligé d'acheter ce bouquin sur les Égorgeurs de Castner.

Kate se fendit d'un sourire sardonique.

– Ouais. Ça arrivait souvent quand on bavardait avec Old Sam. Il suffit de rencontrer quelqu'un qui a vécu tel événement pour avoir envie de fouiller dans la littérature.

Tony se leva et ramassa l'assiette de Kate.

– Un dessert?

– Qu'est-ce que vous proposez?

Il la gratifia du sourire maléfique de celui qui se prépare à vous servir trois mille calories à avaler en trois bouchées.

– Du chocolat.

– Adjugé, vendu!

Il s'esclaffa, fit mine de partir, se ravisa.

– Oh! on a parlé d'autre chose ce soir-là.

– De quoi?

Tony reposa l'assiette sur la table. Il souriait.

– Il nous a parlé de Dashiell Hammett. Soi-disant qu'ils étaient tous les deux postés à Adak durant une partie de la guerre.

Jane lui avait dit la même chose une heure auparavant, et ce fut seulement à ce moment-là que Kate se rappela avoir vu les œuvres complètes de Dashiell Hammett sur les étagères d'Old Sam, les seuls ouvrages policiers qu'il ait possédés. Ceci expliquait donc cela.

– Il ne m'a jamais parlé de Hammett, avoua-t-elle.

Elle s'efforçait de ne pas sembler aigrie, sans trop de succès toutefois, mais Tony, tout à son récit, ne releva pas.

– Ouais. C'est drôle. Il disait que Hammett lui avait écrit après la guerre. Oh! et aussi qu'il travaillait sur un bouquin.

– Ça n'a rien de surprenant, dit Kate. Après tout, il était écrivain.

Tony rit.

– Ça sonnait comme une exclusivité quand Old Sam le racontait. Il nous tenait au creux de sa main jusqu'à ce qu'il nous sorte que le manuscrit avait disparu, après quoi il s'est fâché tout rouge quand on s'est mis à rire. C'était un conteur fascinant.

(Tony récupéra l'assiette.) Et un type adorable. Il va vraiment me manquer.

– Comme à nous tous, dit Kate, qui cessa d'avoir envie de rire.

Tony lui posa sa main libre sur l'épaule, rien qu'un instant, puis disparut derrière les portes battantes de la cuisine.

Kate consulta son téléphone portable, qu'elle avait laissé à recharger dans sa chambre avant le dîner. Il n'y avait qu'un décalage d'une heure entre l'Alaska et la Californie. Le numéro de Jim figurait en tête de son répertoire. En fait, c'était le seul numéro de son répertoire.

Elle hésitait sans savoir pourquoi.

Le téléphone vibra dans sa main. Surprise, elle le lâcha. Il rebondit sur le lit et tomba hors de portée, ce qui l'obligea à lui courir après, et elle ne le ramassa sur le plancher que juste après qu'il eut cessé de sonner.

L'écran affichait le numéro de Jim. Elle fit une fausse manœuvre en voulant répondre et ne réussit qu'à interrompre l'appel.

– Eh merde !

Pendant qu'elle cherchait comment le rappeler, le téléphone se remit à vibrer. Cette fois-ci, elle prit son temps, localisa la bonne touche (celle avec un téléphone vert dessus) et la pressa.

– Allô ?

Il y eut un bref silence, et elle redouta d'avoir encore gaffé.

– Kate ?

– Oui, c'est moi.

– Je ne m'attendais pas à ce que tu décroches.

– Pourquoi as-tu appelé, dans ce cas ?

Elle entendit le sourire dans sa voix.

– Je voulais te laisser un message pour que tu l'écoutes lors de ton prochain passage en ville. Un truc que tu aurais été gênée de découvrir en public.

Elle partit d'un rire rauque.

— Désolée d'avoir décroché, alors.

— Pas grave. Ça sera pour une prochaine fois. Où es-tu ?

— J'ai dû faire un tour à Ahtna. J'y passe la nuit.

— Tu y es pour affaires ?

Kate leva la tête et découvrit son reflet dans la glace de la coiffeuse. Ses coquards avaient à présent un éclat quasi fluorescent, comme des prunes au néon.

— La neige n'est toujours pas tombée, alors j'en ai profité pour venir voir l'avocat d'Old Sam. Comment vas-tu ?

Un soupir.

— Ça peut aller.

— Et ta mère ?

Elle entendait presque ses maxillaires se crisper.

— Elle aussi, ça peut aller.

Bref silence.

— Parle-moi, dit-elle, d'une voix aussi douce que le permettait la cicatrice sur sa gorge.

— On pense que c'était une sclérose latérale amyotrophique.

Elle grimaça.

— La maladie de Charcot ?

— Oui.

— Tu m'as dit qu'il était plutôt actif.

— Oui. Enfin, pour un habitant de Los Angeles. Il n'avait pas de coach en aérobic ou assimilé, mais il faisait un tour au golf chaque week-end et il jouait aussi au tennis. C'est lui qui m'a appris le surf et la natation. Sa planche est toujours rangée au garage, ce qui prouve sans doute qu'il pratiquait encore.

Elle resta silencieuse quelques instants.

— Tu devrais la sortir, cette planche.

— Pardon ?

— Va faire un peu de surf. Pour honorer sa mémoire.

Ils s'écoutèrent respirer pendant quelques minutes. Le plus étonnant, c'était que ni l'un ni l'autre ne trouvait ça gênant.

— Il y aura un enterrement ?

Nouveau soupir.

— Les funérailles auront lieu dans deux jours. Une cérémonie à leur église, une autre au cimetière et une réception à leur club. La lecture du testament sera lundi.

Kate s'interdit de proférer la première réplique qui lui vint à l'esprit, à savoir : « Tu vas rester là-bas pendant cinq jours ? » Au lieu de cela, elle dit :

— On dirait le prélude à un meurtre à la campagne dans un roman d'Agatha Christie.

Il éclata de rire, ce qui parut le surprendre.

— C'est exactement ça. Bonnes manières et planning au cordeau. Le beurre ne pourrait fondre en notre bouche.

— C'est quoi, l'histoire entre toi et ta mère ?

Elle crut un instant qu'il refuserait de répondre.

— Je ne sais pas, dit-il finalement. Une question de chimie, peut-être ? Sans parler d'un désaccord fondamental sur l'orientation à donner à ma vie. Quand j'avais huit ans, mon meilleur copain s'appelait Enrique : c'était le fils du jardinier, alors elle a viré le jardinier. Je n'ai pas tenu un mois dans l'école préparatoire où elle m'avait inscrit. Je refusais d'étudier l'art et la littérature. Je penchais plutôt pour le droit et la sociologie, et puis j'ai refusé de devenir avocat, ce qui était à ses yeux la seule carrière possible pour le titulaire d'un BA en justice pénale. Elle insistait pour que j'aille travailler dans la boîte de papa et accède au statut d'associé avant l'âge de trente-cinq ans.

Elle l'entendit faire craquer ses articulations.

— Et, naturellement, j'ai refusé d'épouser toutes les filles de ses amies. Quand j'ai amené Sylvia à la maison pour la leur présenter, ce qui n'était pas la plus brillante de mes idées, je l'admets, j'ai cru que l'air allait se congeler.

— Mouais. C'était qui, cette Sylvia ?

Suivit un silence éloquent, durant lequel il devait se demander s'il était sage d'en dire davantage.

— Peu importe, reprit Kate. Ça ne me regarde pas, c'était avant qu'on se connaisse. Je ne voulais pas être indiscrète, je...

— Sylvia Hernandez, dit-il en prononçant ce patronyme à l'espagnole, était la fille du shérif de LA qui m'avait pris sous son aile quand je m'étais décidé à devenir flic. Jesus m'a invité à dîner chez lui et j'ai fait la connaissance de Sylvia, l'aînée de ses filles. On est sortis ensemble pendant un an.

— Un an, répéta Kate, fière de conserver son sang-froid.

Avant le début de leur liaison, Chopper Jim Chopin était connu pour la rapidité avec laquelle il larguait ses nombreuses conquêtes féminines.

— C'était du sérieux, on dirait.

Il lui dit toute la vérité et elle l'en remercia dans son for intérieur.

— Jusqu'à quel point, je ne sais pas, mais c'est alors que j'ai été reçu à l'Académie de police de l'Alaska. (Rire fragile.) Un fils policier et une belle-fille hispanique. À ce jour, je ne sais pas ce qui était le plus grave aux yeux de ma mère.

Kate se demanda comment sa mère réagirait à une belle-fille aléoute.

— On serait peut-être devenues copines, dit-elle. Quoi qu'il en soit, tu es venu en Alaska.

Nouveau sourire au bout du fil.

— J'ai toujours voulu connaître l'Alaska, Kate. Toi, je t'ai connue en bonus.

Ce fut bien plus tard que Kate se rendit compte que, si elle avait décidé de faire un tour à Ahtna, c'était en partie parce que son téléphone portable pouvait y capter quelque chose.

Kate fit la grasse matinée le lendemain, et elle arriva au restaurant juste avant que Stan ne monte la virer afin de pouvoir nettoyer le grill entre le petit déjeuner et le déjeuner. Elle eut droit à sa papaye, avec pour la faire passer des gaufres au bacon et du sirop d'érable fait maison qu'on lui servit fumant dans un bol de soupe. Le café était excellent, un poison noir qui lui aurait détartré les dents si on l'avait laissé mijoter une seconde de plus, et la crème était servie dans un pichet, pour que chacun puisse la doser à sa convenance. Kate nettoya soigneusement son assiette, indifférente aux regards de biais que lui jetaient les autres convives, un couple de touristes que trahissaient leurs fringues achetées en solde chez REI. De toute sa vie, elle n'avait jamais vu autant de fermetures à glissière sur un vêtement. Ces braves gens ne savaient pas ce qui était le plus fascinant, les coquards de Kate ou le fauve assis à ses pieds. Lorsqu'elle se leva pour prendre congé, ils échangèrent un regard et l'homme s'éclaircit la gorge pour demander d'une voix un peu inquiète :

– Excusez-moi ?

– Oui ?

– C'est… euh… c'est un loup ?

– À moitié seulement.

Mutt, qui s'ennuyait ferme, retroussa les lèvres pour exhiber ses crocs, et le malheureux en renversa son café. Comme flèche du Parthe, ce n'était pas si mal, aussi sortirent-elles sans demander leur reste.

Après avoir dit au revoir à Tony et à Stan, elles remontèrent dans le pick-up. Il faisait plutôt frisquet. Kate démarra, alluma le chauffage, pour la première fois cette année, et le régla au maximum. Peu lui importait de brûler du carburant. Les prix étaient nettement moins élevés à Ahtna qu'à Niniltna, même lorsqu'elle faisait des provisions de bidons, et elle voulait être quasiment à sec quand elle s'arrêterait à la station-service avant de prendre la route.

Elle attrapa l'annuaire téléphonique d'Ahtna planqué sous le siège. Ce fut Pete Wheeler lui-même qui décrocha. Elle se présenta et il lui donna les indications nécessaires pour se rendre à son cabinet, précisant qu'elle pouvait passer avant midi à l'heure de sa convenance mais qu'il partirait chasser après la pause déjeuner.

Kate raccrocha et passa la tête dehors pour examiner le ciel avec attention. Il était toujours gris, sentait toujours la neige, mais le temps restait calme pour l'instant. Elle se rendit dans un supermarché Cotsco et chargea son pick-up de conserves et de légumes secs, qu'elle protégea au moyen d'une toile goudronnée. Puis, repensant aux conseils de Stan pour soigner ses coquards, elle acheta un ananas frais qui eut le temps de parfumer l'habitacle sur le trajet jusqu'au tribunal.

Jane Silver n'était pas dans son bureau. Kate retourna à la réception et la demanda, pour découvrir que Jane n'était pas venue travailler ce matin.

– Elle s'est fait porter pâle ?

La réceptionniste secoua la tête.

– Elle n'est pas venue, c'est tout.

Kate sentit un frisson la parcourir.

– Vous pouvez me donner son adresse ?

Les murs de la maison de Quartz Street étaient pourvus de vieux bardeaux en bois récemment repeints en bleu ciel, avec des liserés blancs. Les ardoises d'amiante gris semblaient elles aussi flambant neuves. Comparée aux maisons voisines, celle de Jane était petite, quatre-vingt-dix mètres carrés environ, entourée d'une parcelle en grande partie dévolue au jardinage. À l'intérieur de la clôture grillagée, tout le sol disponible était divisé en massifs carrés séparés par d'étroites allées rectilignes. Des framboisiers, il ne restait plus que les troncs, les plants de rhubarbe étaient tous coupés, les fraisiers étaient taillés et désherbés, et une épaisse couche de paillis recouvrait l'ensemble. Une plante grimpante, effeuillée donc non identifiable, s'entortillait sur la clôture.

Kate examina la maison. Les rideaux étaient tirés. La vieille Pinto bleue de Jane, toute de dignité rouillée, était parquée dans l'étroite allée latérale, à mi-chemin entre porte et trottoir. Comme cela lui semblait bizarre, elle s'en approcha et découvrit que la portière côté conducteur était mal fermée. Elle se pencha pour examiner l'habitacle et vit que la veilleuse était toujours allumée. Un sac à main de cuir noir fatigué était posé sur le siège passager.

Un signal d'alarme retentit dans son crâne. La Pinto n'était pas restée ainsi durant toute la nuit, car sinon la batterie serait à plat. Elle se tourna vers Mutt et la vit dressée sur la pointe des pattes, les oreilles raidies, le museau frémissant. Mutt la regarda en émettant un son qui tenait du gémissement et du grondement.

– Ouais, fit Kate. Je sais.

Elle s'avança jusqu'au perron et toqua à la porte.

– Jane ? Jane, c'est Kate Shugak. Vous êtes là ?

Un bruit de mouvement, mais pas de réponse.

– Jane ?

Kate posa une main sur le loquet.

Mutt poussa un aboiement : une mise en garde, aucun doute là-dessus.

On entendit un cri étouffé derrière la porte, suivi par un bruit de bottes s'éloignant à vive allure. Les oreilles rabattues sur le crâne, Mutt se mit à gronder. Kate tourna le loquet et poussa le battant d'un coup d'épaule. La porte n'était pas fermée à clé, et elle faillit s'effondrer en entrant.

Jane Silver gisait sur le sol de son séjour, entourée de livres arrachés aux étagères recouvrant le mur. Cette scène lui rappelait tellement son réveil dans la cabane d'Old Sam deux jours plus tôt qu'elle en resta paralysée, pour se ressaisir en moins d'une seconde.

– Jane, dit-elle en tombant à genoux près de la vieille femme. Jane, c'est Kate Shugak. Est-ce que vous m'entendez ?

Jane gémit. Une bosse virant au violet ornait sa joue gauche et, juste au-dessus, une plaie à sa tempe déversait sur son visage et ses cheveux une cascade rouge vif. Sous sa tête, une mare écarlate se répandait sur le sol.

– Jane, restez avec moi. Je vais appeler une ambulance, on va vous conduire à l'hôpital.

Elle chercha son portable à tâtons.

Au fond de la maison, une porte s'ouvrit à grand fracas, et un bruit de pas précipités lui parvint de l'arrière-cour. Elle se tourna dans cette direction, revint à Jane, puis regarda Mutt, qui frissonnait tout près d'elle, les pattes prêtes à bondir, n'attendant que son ordre.

Kate ne le donna pas.

Jane poussa un gémissement étouffé, un bruit de détresse, et Kate en se baissant vit qu'elle la fixait de ses yeux bleus. Jane ouvrit la bouche et voulut dire quelque chose. Kate se pencha sur elle, toujours en quête de son portable mais ne trouvant que les clés de son pick-up, des bonbons à la menthe, une pièce de vingt-cinq *cents*, des saletés diverses, mais toujours pas cette saloperie de téléphone.

– Restez avec moi, Jane. J'appelle à l'aide tout de suite.

Jane leva la main, comme pour attraper quelque chose, et Kate la saisit. Elle sentit la plus infime des tractions.

– Jane, laissez-moi téléphoner.

Se débarrassant de son blouson d'un haussement d'épaules, elle le plaça sur le torse de Jane, lui coinçant le col sous le menton. Puis elle ôta son tee-shirt et l'appliqua sur la tempe de Jane. Le tissu blanc vira au rose puis au rouge à une vitesse inquiétante.

Mutt geignit. Jane tira de nouveau sur sa main, tenta de nouveau de prononcer un mot.

– Dites-moi qui a fait ça, Jane. (Kate se pencha un peu plus, la regarda droit dans les yeux.) Un nom, rien qu'un nom, Jane, et, je vous le jure, on retrouvera ce salaud, Mutt et moi, et quand on en aura fini avec lui, il ne sera pas beau à voir, encore moins beau que vous.

Ça paraissait impossible, mais Jane retroussa les lèvres, comme si elle essayait de sourire. Puis elle lui tira de nouveau la main, si faiblement que Kate le sentit à peine, mais elle le sentit bien. Cette fois-ci, elle colla son oreille à la bouche de Jane.

– D'accord, dites ce que vous avez à dire, et ensuite on appellera une ambulance pour vous conduire à l'hôpital.

Un mot flotta sur un souffle d'air.

– Quoi ?

Kate cherchait du regard le téléphone fixe de Jane.

Le torse de celle-ci se souleva faiblement. En exhalant, elle réussit à articuler quelques mots, mais Kate ne put en déchiffrer qu'un seul.

– Papier ? répéta-t-elle. Quel genre de papier ?

Le visage de Jane était déformé par l'effort. C'était horrible à voir.

– D'accord, Jane. J'ai entendu, j'ai compris. Calmez-vous. Je vais appeler à l'aide.

Elle finit par repérer le téléphone fixe, qui gisait par terre près d'une table basse renversée. Pressant toujours son tee-shirt sur la blessure, elle enjamba le corps de Jane ainsi que quelques livres épars, attrapa l'appareil de sa main libre et composa le 911. Fort heureusement, la standardiste se révéla aussi calme qu'efficace et il ne s'écoula même pas cinq minutes avant qu'elle entende une sirène.

Mais Jane Silver avait eu le temps de rendre son dernier souffle.

La Chevrolet Blazer de Kenny Hazen se gara derrière le pick-up de Kate. Costaud et corpulent, Hazen avait toujours les joues noires, même quand il se rasait plusieurs fois par jour. Il portait une chemise kaki, avec un insigne fixé à sa poche de poitrine, un jean délavé et des bottes de randonneur qui semblaient avoir tout juste franchi le col de Chilkoot.

Il s'avança sur le trottoir d'un pas décidé.

– Kate.

– Kenny.

Elle était assise sur la plus haute marche du perron. Mutt était collée contre son flanc et elle avait repassé son blouson, en remontant la fermeture à glissière jusqu'au col, mais elle frissonnait encore.

Il examina son visage quelques secondes.

– Je croyais qu'il n'y avait pas de ratons laveurs en Alaska, dit-il. Au temps pour moi.

– J'aurai vraiment tout entendu.

– Que vous est-il arrivé ?

Elle lança un regard vers l'intérieur de la maison de Jane.

– Aussi improbable que cela paraisse, plus ou moins la même chose qu'à Jane ce matin. Sauf que je m'en suis mieux tirée.

Poussant un soupir, du moins le semblait-il, il franchit le seuil. Kate resta où elle était, sa main empoignant la fourrure de Mutt, mais elle ne put s'empêcher de le suivre en imagination.

La porte s'ouvrait sur le séjour, qui occupait le devant de la maison sur toute sa largeur. La chambre se trouvait au fond à gauche, la cuisine au fond à droite et la salle de bains entre les deux. À côté de la communication entre cuisine et séjour étaient installées une petite table et deux chaises. Une porte dans la cuisine donnait sur un minuscule perron et, de là, sur l'arrière-jardin, aussi cultivé que le jardin sur le devant, la même clôture grillagée ceignant l'ensemble. Kenny allait découvrir les traces de pas que Kate avait déjà repérées, des empreintes de lourdes bottes dessinant une course précipitée vers la clôture à l'arrière.

Dans le séjour, trois étagères se dressaient entre les deux fenêtres du mur du fond, croulant sous les vieux livres, les vieilles photos encadrées d'argent terni et une collection de figurines de porcelaine, des jeunes femmes coiffées à la garçonne et vêtues dans le style des années folles. Le mobilier se composait d'un fauteuil inclinable, en imitation cuir et armature d'acier, avec repose-pieds assorti, d'aspect usé mais confortable. On avait renversé la lampe sur pied et la table de desserte, et une bonne moitié des livres jonchaient le sol.

En baissant les yeux, Kate s'aperçut qu'elle tenait toujours le téléphone de Jane. Les genoux de son jean étaient imbibés de sang.

Kenny ressortit et referma la porte derrière lui. Il s'assit sur la plus haute marche du perron, à côté de Kate et de Mutt.

— Merde, alors, fit-il.

— Il y a du sang sur le coin de l'étagère la plus proche de la porte, dit Kate.

— J'ai vu.

— Sa voiture n'est pas verrouillée, les clés sont à l'intérieur. La portière côté conducteur est mal fermée. Son sac à main se trouve sur le siège passager.

Cela n'aurait rien eu d'étrange dans le Parc, mais Ahtna était un important point de passage entre Fairbanks et Anchorage. Ici, on fermait toujours sa voiture, à la maison comme au travail.

Ils méditèrent un moment en contemplant le petit jardin que Jane avait cultivé durant tant d'années avec amour et intelligence.

— Vous pensez qu'elle avait oublié quelque chose, dit Kenny, qu'elle s'en est souvenue au moment de partir, qu'elle est revenue le chercher et qu'elle a surpris un cambrioleur en pleine action ?

Kate acquiesça.

— Que faisiez-vous ici ? demanda-t-il.

L'air se rafraîchissait alors que le soleil en montant dans le ciel aurait dû le réchauffer. Kate frissonna une nouvelle fois. Elle désigna ses coquards.

— J'étais en train d'emballer les affaires d'Old Sam. Quelqu'un m'a assommée avec une bûche pendant que je lisais le journal intime rédigé en 1938 par le premier juge d'Ahtna.

— Le juge Anglebrandt ?

— Vous avez entendu parler de lui ?

— Oh ! oui. (Il désigna du pouce la maison derrière lui.) Jane travaillait bénévolement à la bibliothèque, où elle avait organisé un club de lecture. J'y allais de temps à autre. Un jour, elle avait choisi un livre intitulé *The Irish RM*[17]. D'après elle, c'était quasiment l'histoire des premières années d'Anglebrandt en Alaska. Étranger en terre étrangère et tout ça. Très, très drôle.

---

17. Chronique signée « Ross Martin », pseudonyme d'Edith Somerville (1858-1949) et de sa cousine Violet Martin (1862-1915), et dépeignant la vie quotidienne d'un magistrat dans l'Irlande du XIXe siècle.

— Jane animait un club de lecture à la bibliothèque ?

Il haussa les sourcils.

— Oui.

— Qui d'autre le fréquentait ?

— Ceux qui en avaient envie, répondit-il en haussant les épaules. Les gens qui aimaient lire. Personne n'assistait à toutes les séances. Venaient ceux qui s'intéressaient au livre qu'elle avait choisi ce mois-là. Parfois, ça attirait même des touristes de passage, y compris s'ils n'avaient pas lu le livre en question. Pourquoi ?

— C'est seulement… (Soupir.) Je n'en savais rien. Apparemment, je ne savais pas grand-chose sur Jane Silver. Bref. Quand j'ai repris connaissance chez Old Sam, le journal intime avait disparu.

— Que contenait-il ?

Kate se passa les bras autour du torse.

— Une description des activités du juge durant sa première année à Ahtna.

— Donc, vous êtes venue à Ahtna… pour quoi faire, au juste ?

— Jane Silver est… était chargée de l'enregistrement des mutations foncières du Parc depuis bien avant ma naissance. Il n'y a personne au gouvernement qui ait plus d'expérience qu'elle, du moins dans cette ville. Elle sait… elle savait où sont enfouis tous les cadavres. Je pensais qu'elle connaîtrait le contenu du journal du juge. Pourquoi quelqu'un était prêt à commettre une agression à seule fin de s'en emparer. Pourquoi Old Sam le conservait dans sa bibliothèque.

— Et ?

— Elle savait quelque chose. (Kate sentit son cœur se serrer et poussa un nouveau soupir.) Mais elle ne m'a rien dit. Elle a entamé les démarches pour me transférer les titres de propriété d'Old Sam et m'a dit de repasser ce matin.

— Pourquoi ?

— Peut-être qu'elle aurait quelque chose à me montrer.

– Ça nous aide beaucoup.

– Ouais. Je suis allée à son bureau. Elle n'y était pas et elle n'avait pas signalé son absence. Je ne sais pas pourquoi, mais j'ai pris peur. J'ai décidé de venir ici pour voir si tout allait bien. Je suis arrivée à temps pour entendre l'agresseur s'enfuir par la porte de derrière.

Kate leva les yeux.

– Pas besoin de faire figurer ça dans votre rapport. Jim m'a dit que vous aviez eu une série de vols avec effraction. Mais si ce n'était pas ça, si c'était à cause de ce que je lui avais dit…

– Arrêtez avec ça. Ce n'est pas vous qui l'avez attaquée. Ne vous rendez pas responsable.

Mais elle ne pouvait s'en empêcher.

10

Le cabinet de Pete Wheeler se dissimulait dans un coin du centre commercial proche du tribunal. Il consistait en une pièce abritant un bureau, un ordinateur et un téléphone, plus une collection de boîtes de classement en carton blanc occupant l'un des murs du sol au plafond. Derrière le bureau étaient accrochés quantité de diplômes encadrés : *Bachelor of Arts* en droit pénal obtenu à l'université d'Anchorage, Département de la Santé et des Sciences sociales, *Master of Arts* en histoire à l'université du Washington, *Juris Doctor* à l'université de l'Oregon, faculté de Droit. Le troisième mur s'ornait d'affiches, également encadrées, notamment une vieille pub d'Alaska Airlines montrant un prospecteur buriné se livrant à l'orpaillage.

Au quatrième mur étaient punaisées trois cartes de l'Alaska, identiques en taille et en échelle, traçant l'évolution historique de l'État. La première, datée de 1864, soit trois ans avant l'achat du Territoire, montrait ce qu'on appelait alors l'« Amérique russe ». La deuxième, estampillée 1915, représentait le Territoire de l'Alaska. La troisième, à la fois topographique et politique, était suffisamment récente pour que le nom de Nanwalek se soit substitué à celui d'English Bay. Au-dessus de ces cartes étaient accrochées deux batées rouillées, qui avaient visiblement servi, placées de part et d'autre d'une pelle-pioche également usagée.

Wheeler s'affairait à ranger des documents dans une mallette bien usée. Il leva la tête et son regard alla de Kate à Mutt, pour revenir à Kate.

– Kate Shugak ?

– Oui, fit-elle en s'avançant. Désolée d'être en retard.

– Pete Wheeler. Vous arrivez juste à temps.

Jeune, le crâne dégarni, un peu grassouillet, il était pourvu d'un visage rond et d'oreilles décollées perpendiculaires à ses tempes. Ses yeux malicieux avaient quelque chose de séduisant.

– Je vous remercie de me recevoir, reprit Kate. Le mois dernier, vous avez rédigé le testament de Samuel Leviticus Dementieff, de Niniltna.

– C'est exact.

C'était toujours aussi dur de dire ce qui allait suivre. Encore plus dur, même, après ce qui s'était passé ce matin dans Quartz Street.

– Il est mort samedi.

– Oui, je suis au courant, dit Wheeler en fermant sa mallette et en la posant près de son bureau. J'ai entendu parler de vous et… (Bref coup d'œil à Mutt.) votre chien confirme qui vous êtes, mais afin de respecter les formes, puis-je voir une pièce d'identité, je vous prie ?

Elle attrapa son portefeuille, y pêcha son permis de conduire et le lui donna. Il confronta son visage à la photo qui y figurait et le lui rendit.

– Merci.

Puis il regarda les taches de sang sur ses genoux, mais, comme elle ne disait rien, il se rassit, croisa les doigts sur la bedaine qui tendait le tissu de sa chemise bleue et la considéra avec une compassion toute professionnelle.

– Il m'a dit que vous viendriez, lâcha-t-il.

– Je vous demande pardon ?

Il l'invita à s'asseoir.

– Quand il est venu signer son testament, c'était il y a deux… trois semaines ? Il m'a dit que lorsqu'il aurait passé l'arme à gauche – je le cite –, vous ne tarderiez pas à débarquer dans mon cabinet, madame Shugak.

Kate s'assit, Mutt se postant à sa gauche.

– Il n'a pas… est-ce qu'il se sentait sur le point de mourir ?

– Ce type avait près de quatre-vingt-dix ans, et même quand on a de beaux restes, c'est un âge canonique.

Sur le bureau de Wheeler se trouvait une batée miniature contenant quelques cailloux. Kate concentra son attention sur eux afin de ne pas voir son regard compatissant.

– Il ne m'a… il n'en parlait jamais. De la mort.

– Je ne l'ai rencontré que trois fois, madame Shugak, mais il m'a fait l'effet d'un homme vivant dans le présent.

Ce n'étaient pas des cailloux. C'étaient des pépites d'or, dont la taille allait de la gomme à la pièce de vingt-cinq *cents*.

Elle leva les yeux et découvrit le sourire de Wheeler, encadré par de charmantes fossettes.

– Comme je viens de le dire, je ne l'ai rencontré que trois fois, mais il est facile de voir qu'un homme tel que lui aurait détesté être malade.

– Même atteint de quadriplégie, il aurait refusé de passer la porte d'un hôpital, renchérit Kate. Il haïssait les hôpitaux encore plus que les médecins.

– C'est l'impression que j'ai eue quand je lui ai suggéré de signer une directive anticipée. Il s'est montré… euh… plutôt ferme dans son refus d'avoir affaire au corps médical, quel que soit son état. (Wheeler jeta un coup d'œil à son horloge.) Donc, vous avez trouvé son exemplaire du testament.

– Oui.

– Il vous a laissé une note.

– Je sais, je l'ai également trouvée, mais je parlerais plutôt de lettre. Cinq pages pour m'expliquer en détail ce que je dois faire de ses possessions.

Il secoua la tête.

– Je ne parlais pas de cela. Je parlais de la note qu'il m'a confiée pour que je vous la transmette.

– Quelle note ? demanda Kate, agacée.

Il était à peine midi et la journée était déjà riche en péripéties, ce qui expliquait sans doute son humeur.

Wheeler plongea une main dans un tiroir et en sortit une enveloppe grand format. Outre la signature d'Old Sam, elle portait celle d'un témoin ainsi qu'un cachet notarial. Old Sam y avait écrit : « Pour Pete Wheeler, baveux à Ahtna. Après ma mort, quand Kate Shugak, mon exécutrice testamentaire et principale légataire, débarquera chez vous, donnez-lui ceci. Samuel Leviticus Dementieff. » Suivait la date de son testament.

Ce ne fut pas la signature d'Old Sam mais celle du témoin qui lui donna l'impression que tout tournait autour d'elle.

– C'est Jane Silver qui a servi de témoin ?

– Ouais. Old Sam lui avait demandé de venir à mon cabinet. Elle a également officié pour le testament.

Kate attrapa son exemplaire et, pour la première fois, regarda la dernière page. Oui, c'était bien sa signature, et le cachet était le même. Elle dit la première chose qui lui passa par la tête :

– Il ne devrait pas être en relief, ce cachet ?

– Plus maintenant. On se sert d'un adhésif ou d'un tampon encreur.

Kate examina l'enveloppe. Était-ce ce papier qu'avait évoqué Jane ? Mais pourquoi n'avait-elle pas dit « lettre » ? Et pourquoi alerter Kate sur ce point alors qu'elle savait qu'on allait la lui remettre ? Elle leva les yeux.

– Vous connaissez la teneur de cette note ?

Il fit « non » de la tête.

– Old Sam l'a rédigée lui-même, il l'a scellée lui-même et ensuite il l'a passée à Jane pour qu'elle la signe en notre présence. Le contenu, c'est rien que pour vos yeux, a-t-il dit.

Il jeta un nouveau regard à l'horloge et se leva.

Elle en fit autant et, obéissant à une impulsion, lui dit :

— Vous savez, la concession qu'il m'a léguée ?

— Oui ? fit-il en enfilant un blouson.

— Le Service des Parcs pourrait conclure qu'elle lui appartient.

Il haussa les sourcils.

— Ce serait une erreur. J'ai vérifié la validité du titre de propriété avant que votre oncle signe son testament.

— Ah bon ?

— Évidemment, dit-il, un peu agacé.

— Il vous a montré les documents d'origine ?

— Bien sûr.

— Vous les avez gardés ?

Voyant qu'il fronçait les sourcils, elle précisa :

— Je n'arrive pas à les retrouver. Il rangeait tous ses papiers dans un carton… (du moins l'espérait-elle) mais ceux-là n'y étaient pas.

— Tiens donc. Bizarre.

— J'ai vu Jane Silver hier, elle a fait le nécessaire pour inscrire mon nom au registre du cadastre et sur le rôle des taxes foncières, et elle m'a assuré que je n'aurais aucun problème, mais si le Service des Parcs persistait dans son erreur…

Il sourit.

— Serais-je disposé à vous défendre ? Bien sûr. Mais il ne se passera rien. Les avocats du Service des Parcs n'aiment pas dépenser de l'argent pour une cause perdue d'avance.

En repensant au visage buté de Dan, Kate se permit de douter de cette affirmation.

Wheeler jeta un nouveau coup d'œil à l'horloge et fit le tour de son bureau.

— Désolé, madame Shugak, mais si je ne pars pas tout de suite, je vais être en retard, et aujourd'hui je n'y tiens absolument pas.

La porte s'ouvrit et apparut alors la raison de sa hâte. Son visage s'illumina.

– Ma chérie ! Tu n'étais pas obligée de venir ici.

– Je passe tout mon temps assise. Un peu d'exercice ne me fait pas de mal.

Sabine Rafferty était l'une des nouvelles recrues de George Perry, que l'ouverture de la mine de Suulutaq obligeait à effectuer des rotations supplémentaires. Un peu plus âgée que Kate, elle avait des cheveux bruns méchés et se maquillait avec le plus grand soin. Elle était vêtue d'un blouson d'aviatrice doublé de peau de mouton, d'un col roulé couleur crème et d'un blue-jean. Si elle avait plutôt opté pour des jodhpurs, elle aurait été le portrait craché d'Amelia Earhart. Son corps était sculptural et ses habits semblaient moulés sur ses galbes.

– Sabine, dit Kate.

– Bonjour, Kate, dit Sabine, qui n'avait d'yeux que pour Wheeler.

Par pure provocation, Kate demanda :

– Vous allez à la chasse ?

– Hein ? À la chasse ? Oh. Oui, hier, en revenant d'Anchorage, j'ai repéré une petite harde aux environs de Blowout Creek. Prêt ? demanda-t-elle à Wheeler.

– Absolument, dit-il avec enthousiasme. Madame Shugak ? Si vous avez d'autres questions, n'hésitez pas à me recontacter, mais, pour le moment, j'entends l'appel du caribou qui résonne.

Kate le soupçonnait d'entendre aussi autre chose, mais, interprétant comme une invitation la porte restée ouverte, elle sortit en compagnie de Mutt.

Une fois au volant de son pick-up, elle vit Rafferty et Wheeler s'éloigner d'un pas pressé et disparaître au coin de la rue, en route vers l'aéroport d'Ahtna. Ou vers la maison de l'avocat, au choix. Elle examina le ciel. Toujours bas, toujours gris sombre, toujours avare de neige, mais elle sentait presque tomber le premier flocon de ce qui donnerait un beau tapis de plus d'un mètre de haut. Sabine ne risquait pas de décoller de sitôt. D'un autre côté, ce n'était sûrement pas ainsi que Wheeler et elle comptaient s'envoyer en l'air.

L'*Ahtna Adit* était publié toutes les semaines depuis 1910, date de sa fondation par George Washington Gunn, un chercheur d'or arrivé lors de la vague de 1898 qui avait décidé de rester en Alaska. Il avait épousé une femme du pays, qui lui avait donné un fils, John Adams Gunn, lequel avait imité son père et avait à son tour engendré un fils, Benjamin Franklin Gunn.

À ses débuts, l'hebdomadaire n'était qu'une feuille de chou, financée par de nombreuses réclames et publiant des articles sur le Territoire en général et la région en particulier, qui auraient valu à son propriétaire quantité de procès en diffamation s'il avait existé des tribunaux. Le grand-père, le père et le fils avaient tour à tour occupé les postes d'éditeur, de rédacteur en chef et de localier, jusqu'à ce jour, cinq ans plus tôt, où Benjamin Franklin Gunn avait cédé aux avances d'un conglomérat de communication californien qui avait entrepris d'acquérir tous les journaux, toutes les stations de radio et toutes les chaînes de télévision de l'Alaska. Désormais, la direction de l'hebdomadaire se trouvait dans un immeuble d'Anchorage, où officiaient un gestionnaire chargé des relations avec les annonceurs et une petite rédaction chargée de noircir du papier, afin que les mêmes reportages paraissent chaque semaine dans l'*Ahtna Adit*, le *Bering Beat* et le *Newenham Seiner*. La seule rubrique locale que tout le monde suivait avec assiduité s'intitulait « Police et Justice » et consistait en une recension des arrestations effectuées par les services de police, local et national, et des inculpations, procès et condamnations relevant de la compétence du tribunal d'Ahtna.

L'avantage, pour Ben Gunn, c'était qu'il avait pu achever de rembourser son prêt immobilier et payer les études universitaires de son fils, Alexander Hamilton Gunn. Ses nouveaux maîtres lui avaient attribué un salaire correct au cas, bien improbable, où une information d'intérêt national viendrait à sortir du Parc afin qu'il puisse la couvrir en tant que localier. Initiative bien inspirée ou simple coup de chance, la découverte d'un gisement d'or à Suulutaq et l'ouverture subséquente d'une mine constituaient de toute évidence une information d'intérêt national, voire mondial, et Ben passait à Niniltna au moins une fois par mois depuis que *Global Harvest* avait publié son premier communiqué.

Les bureaux de l'*Adit* étaient sis dans un autre centre commercial, à un autre coin de rue, environ quinze cents mètres plus loin. Kate se gara à côté d'un gros pick-up blanc, équipé de pneus neige suffisamment volumineux pour franchir une petite éminence sans broncher, et entra. Derrière le comptoir qui lui faisait face se trouvaient deux bureaux et plusieurs rangées d'étagères bancales où s'entassaient de vieux journaux jaunis. Assis devant un ordinateur, les yeux rivés à l'écran, Ben pianotait sur son clavier, visiblement de mauvaise humeur.

Comme elle refermait la porte derrière elle, il s'écria soudain :

– Merde !

Et il pressa la touche « Effacer », gardant l'index collé dessus.

– Vous préférez que je repasse plus tard ?

Il leva la tête.

– Oh ! salut, Kate, fit-il en lâchant sa touche.

– Ça ne vient pas ?

Il revint à l'écran et partit d'un reniflement de dégoût.

– Un reportage et un roman, ce n'est pas la même chose, et je commence à m'en rendre compte.

Kate passa en revue les commentaires qu'aurait pu lui inspirer la vraisemblance de certains de ses articles. Mais elle se contenta de dire :

– Un roman ?

Il parut soudain gêné.

– Oui, je suis en train d'en écrire un… enfin, j'essaie.

– Sans blague ? (Elle ravala une nouvelle fois la remarque qui lui brûlait les lèvres.) Ça parle de quoi ?

— De la vie de mon grand-père. Vous connaissez le topo. Prospecteur lors de la ruée vers l'or sur le Klondike, puis journaliste, puis délégué à l'assemblée constituante de l'État. Cinquante ans de l'histoire de l'Alaska vue par les yeux d'une personne qui l'a vécue.

— Ça a l'air intéressant.

— Pas de la façon dont je m'y prends, dit-il en jetant un regard noir vers l'écran.

Elle examina les livres posés autour de lui, tantôt ouverts, tantôt fermés, tous festonnés de Post-it jaunes.

— Vos recherches ?

Il acquiesça d'un air lugubre.

— Personne n'est venu en Alaska sans avoir essayé d'écrire un bouquin sur le sujet, je le jure devant Dieu. J'irai même jusqu'à dire que la moitié de nos visiteurs ont déjà cette idée en tête quand ils débarquent. (Il tapa sur une pile de livres, qui vacilla d'inquiétante façon.) Mon grand-père a tenu un journal intime, lui aussi, mais il a eu le bon sens de ne pas le faire publier.

— Peut-être devriez-vous vous concentrer sur sa biographie.

Il secoua la tête.

— Personne n'y croirait. À côté de notre Grand Nord, le Far West, c'était de la rigolade, vous pouvez me croire. Soapy Smith[18] était un amateur comparé à certains des bandits qui sévissaient dans le coin et exploitaient les mineurs. Bon Dieu, si le dixième de ce que raconte Grand-pa est exact, la moitié de l'or extrait de l'Alaska était volé avant même d'être évalué par l'essayeur. Sans parler de tous les meurtres qu'il a causés.

— Ça devrait faire un bouquin palpitant.

Elle regrettait qu'Old Sam n'ait pas tenu un journal. La lettre que lui avait donnée Wheeler, et qu'elle n'avait pas encore ouverte, pesait lourdement dans la poche intérieure de son blouson.

---

18. Jefferson Randolph Smith II (1860-1898), célèbre bandit de l'Ouest, qui termina sa carrière au Klondike lors de la ruée vers l'or.

– Un peu. Mais vous ne le lirez pas de sitôt. Grand-pa écrivait comme un cochon. (Il lui sourit.) Que puis-je faire pour vous, Kate ? Oh.

Il se redressa et haussa les sourcils.

– Vous êtes venue pour enregistrer cette interview que je ne cesse de quémander ? Le chef de la *Niniltna Native Association* révèle tout !

– Je ne suis pas le chef.

– C'est tout comme. Alors ?

– Non.

Kate fixa ses mains, qu'elle avait jointes sur le comptoir.

– Pouvez-vous m'aider à rédiger une notice nécrologique ?

Le sourire de Ben s'effaça.

– Old Sam ?

– Oui.

Il se leva et lui ouvrit la petite porte battante au bout du comptoir.

– Asseyez-vous.

Elle prit place près de son bureau. Puis il pianota sous sa dictée. Il leur fallut une heure, car Kate ne cessait de se rappeler de nouveaux détails, et il imprima le résultat dès qu'elle se déclara satisfaite.

– Sacrée vie qu'il a eue là, dit-il. J'ignorais que c'était le petit-fils du Chef Lev. Ça remonte à loin, tout ça. (Il compta sur ses doigts et siffla.) Près d'un siècle maintenant.

– Vous connaissez l'histoire du Chef Lev ?

– Mon grand-père l'a rencontré. Il l'évoque dans son journal intime, ainsi que sa tribu. Il s'est passé de drôles de choses au moment de l'épidémie de grippe espagnole. Lev et son épouse faisaient partie des victimes. (Il plissa le front.) Et il y a eu une sorte de drame au moment du potlatch…

– Votre grand-père a écrit des trucs sur les Natifs de ma région ?

Ben acquiesça.

– J'aimerais bien lire ça.

– Bien sûr, quand vous voulez. Mais je vous avertis, il vous faudra déchiffrer ses pattes de mouche.

– De quoi m'occuper pendant les longues soirées d'hiver.

– Ouais, n'oubliez pas la loupe et l'ampoule de cent cinquante watts.

Il se pencha pour récupérer la notice nécrologique d'Old Sam dans l'imprimante.

– Vous souhaitez des copies, je présume.

– Il m'en faut mille.

Voyant son air interloqué, elle ajouta :

– Le potlatch est prévu pour janvier. Tous les participants souhaiteront avoir un exemplaire pour rectifier mes nombreuses erreurs.

Il s'esclaffa.

– Je vous envoie un colis à Niniltna dès que ce sera sorti des presses ?

– Oui.

– Vous voulez que je le publie aussi ?

Elle fit « oui » de la tête.

– Ça me fait de la peine de le reconnaître, mais c'est devenu un service payant.

– Je m'en doutais. Combien ?

Quand il lui donna la somme, elle se contenta de serrer les dents et de sortir les billets qu'elle avait retirés à la banque la veille, en arrivant en ville.

– Vous souhaitez une diffusion dans tout l'État ?

Elle hésita. L'*Ahtna Adit* était un journal local. Old Sam était surtout un personnage local. Pour ce qu'elle en savait, il n'était jamais allé plus loin que les Aléoutiennes, pendant la guerre. Toutefois, il était assez bien connu dans la communauté native à l'échelon de l'État. Il avait succédé à Emaa au conseil d'administration de la NNA, jouant le rôle du vieux ronchon de service sans redouter ni favoriser personne. Plus d'une fois il avait détendu l'atmosphère d'une réunion en lâchant un commentaire acide qui cassait le sociétaire assez stupide pour proposer un projet qu'Old Sam considérait comme trop coûteux à mettre en œuvre ou tout simplement trop délirant. Elle sourit à ce souvenir, puis grimaça en se rappelant qu'il ne l'avait pas plus épargnée que les autres.

Old Sam était le chœur antique du conseil d'administration de la NNA. Qui était de taille à le remplacer ?

Elle se redressa dans un sursaut. Ô mon Dieu, non.

En voyant l'expression de Ben, elle comprit qu'elle avait pensé à voix haute.

– Pardon. Je viens d'avoir une idée.

Comme il la fixait avec une curiosité toute journalistique, elle reprit :

– Combien coûterait une insertion simultanée dans tous les journaux de votre groupe ?

Une nouvelle somme d'argent changea de mains. Ben se connecta à son serveur afin de diffuser la nécro d'Old Sam à tous ses collègues, tandis qu'elle s'interrogeait avec anxiété sur ses éventuels successeurs au conseil d'administration. Comment avait-elle pu oublier que son siège était désormais inoccupé ?

Le navire NNA s'aventurait dans des eaux parfois périlleuses depuis que le Park était agité par une guerre culturelle, avec d'un côté une Ulanie Anahonak toujours prête à donner du canon, et de l'autre un Harvey Meganack disposé à céder au chant des sirènes des exploiteurs de ressources naturelles. Old Sam se faisait la voix de la raison, toujours volontaire pour démolir les arguments qu'il jugeait stupides, égoïstes ou rapaces. Le mélange idéal de sarcasme et de bon sens, ainsi que l'indomptable courage de celui qui dit toujours ce qu'il pense, encore accru par son statut de vieux sage, lui qui avait vécu dans le Parc plus longtemps que tous les autres.

Old Sam était assis à sa gauche, Tante Joy à sa droite. En actes comme en paroles, ils apparaissaient comme ce qu'ils étaient, des cousins et rien de plus. Lors de la dernière réunion, Old Sam n'avait pas ménagé Tante Joy lorsqu'elle avait proposé de taxer la cueillette des baies sur les terres appartenant aux Natifs. Ce jour-là, il ne s'était certes pas comporté comme un amant, ni comme un ex-amant.

Mais quel était leur degré de parenté, au fait? Cousins germains, cousins issus de germains ou petits-cousins? Peut-être était-ce à cause de cela que leur relation, si relation il y avait, avait tourné court.

– Quand est mort votre grand-père? demanda-t-elle à Ben.

Il leva les yeux de son clavier.

– Grand-pa? Euh… en octobre 1945. Il a tenu bon pendant la guerre. Il a attendu que Pa revienne des Aléoutiennes. Il est mort deux jours plus tard, je crois bien.

Octobre 1945. Le mois même où Old Sam avait fait valoir ses droits sur sa concession. Kate ne voyait pour l'instant aucun rapport. Quantité de vétérans étaient rentrés à la même époque.

– Votre père s'est battu dans les Aléoutiennes?

– Il faisait partie des Égorgeurs de Castner. Comme Old Sam. Vous savez quel type d'hommes recrutait Castner. La guerre dans les Aléoutiennes, ce n'était pas pour les femmelettes. (Il frissonna.) Vous avez lu les récits de la bataille d'Attu. Quinze jours de combats sanglants, une des plus grandes boucheries de la Seconde Guerre mondiale, Europe et Pacifique Sud compris. Quand on considère les pertes en pourcentage, seule la bataille d'Iwo Jima a été plus meurtrière. Et je ne parle que du camp américain. À la fin des hostilités, on ne compta que vingt-huit prisonniers japonais, et pas un seul officier parmi eux. Six cents hommes de troupe japonais se sont suicidés en pressant une grenade dégoupillée contre leur torse.

– Old Sam ne parlait jamais de ça.

– Mon père non plus. J'ai appris ce que je sais de la guerre de la même façon que tout le monde.

Kate hocha la tête d'un air penaud.

– *The Thousand-Mile War* de Brian Garfield[19]. Qui dirigeait le journal pendant l'absence de votre père ?

– Maman et Grand-pa. Maman rédigeait les articles et Grand-pa les imprimait. Le journal paraissait toujours le jour dit. Même si c'était surtout du réchauffé.

Devant l'air intrigué de Kate, il précisa :

– Du recyclage de dépêches de l'Associated Press, Reuters et autres. Mais comme le disait Grand-pa, tout ce qui intéressait les gens, c'étaient les nouvelles du front, et les dépêches ne parlaient que de ça.

Obéissant à une impulsion, Kate demanda :

– Votre père vous a-t-il jamais dit qu'il avait rencontré Dashiell Hammett dans les Aléoutiennes ?

– Dashiell Hammett ?

Ben haussa un sourcil et Kate supposa qu'il lui tendait une perche.

– L'auteur du *Faucon maltais*, précisa-t-elle.

– Je le sais, Kate. Je sais aussi qu'il a écrit *L'Introuvable*.

– Oui, et…

– Et *La Moisson rouge*, *Sang maudit*, *La Clé de verre*…

– Oui, Ben, d'accord…

– Et tout un tas de nouvelles avec le « Continental Op », dont ma préférée s'intitule « Rats de Siam ». Son officier commandant aux Aléoutiennes était un de ses fans et il l'a bombardé rédac-chef de la feuille de chou de la base locale. On dit que l'*Adakian* était le journal le mieux écrit et le mieux dirigé de l'armée américaine.

Kate attendit quelques instants avant de reprendre :

– C'est tout ?

– Pour l'instant, fit-il, un peu vexé. Pourquoi me parlez-vous de Dashiell Hammett ?

– Hier, Jane Silver m'a appris qu'Old Sam l'avait connu.

---

19. Écrivain américain né en 1939, surtout connu pour ses romans policiers, mais également auteur d'ouvrages historiques.

Ce que Tony lui avait confirmé, sans compter tous ceux qu'elle allait encore rencontrer en réglant les diverses affaires d'Old Sam.

– Old Sam a connu Dashiell Hammett? dit Ben en se renfrognant.

– C'est ce que m'a dit Jane. Quand ils étaient dans les Aléoutiennes. (Un temps.) Votre père ne vous en a rien dit?

Il fit «non» de la tête.

– Pas un mot. Il va falloir que je fasse un tour au tribunal pour interviewer cette chère Jane.

– Jane Silver est morte.

Il la regarda d'un air interloqué.

– C'est une blague?

– Non. Elle est morte chez elle ce matin.

Le sang qui maculait son jean avait en séchant viré au marron foncé.

– Je... je ne savais pas.

Kate crut voir ses yeux se mouiller. Mais il s'éclaircit la voix et se redressa.

– Au fond, ça ne devrait pas me surprendre. Elle devait bien avoir six cents ans. Je ferais mieux de rédiger sa nécro.

Kate ouvrit la bouche et la referma. Kenny Hazen n'apprécierait pas qu'elle crie la nouvelle sur les toits.

Mais Ben avait reniflé un scoop.

– Qu'est-ce que vous me cachez, Kate?

Elle se leva.

– Merci pour votre aide. Jamais je n'aurais pu rédiger cette notice toute seule.

– Kate?

Elle ouvrit la porte et lança sans se retourner:

– Ça regarde le chef Hazen à présent, Ben. Allez le voir.

Mutt se leva et s'ébroua avec vigueur. Elle se tourna vers Kate comme pour lui dire: «On rentre à la maison maintenant?»

Au moins avaient-elles passé le pont de Lost Chance Creek lorsque la neige se mit à tomber. Les flocons arrivaient vite et fort. À un instant donné, elles roulaient sous un ciel gris-noir et bas, et celui d'après elles fonçaient dans un impénétrable rideau blanc, si épais que Kate avait peine à distinguer les balises fluorescentes, qu'elle jugeait beaucoup trop espacées. Elle ralentit, ralentit le plus possible, allant d'une balise à l'autre en se maintenant à 30 km/h. Un autre véhicule les dépassa, à une vitesse telle que Kate dut freiner tant la nuée qu'il laissa dans son sillage était opaque. Le moteur cala et le pick-up tressauta et glissa, manquant effectuer un tête-à-queue, jusqu'à ce que la cargaison se rappelle au bon souvenir des roues arrière et interrompe le mouvement. Mutt perdit toute prise sur son siège et s'écrasa sur le tableau de bord en pédalant des pattes, poussant un couinement qui ne lui ressemblait pas. Puis elle se redressa et adressa à Kate un regard lourd de reproche.

– Pardon, ma belle.

Kate inspira à fond, souffla lentement, et réussit à relâcher l'emprise de ses mains sur le volant.

– Quelle espèce de crétin s'amuse à doubler par un temps pareil ?

Grondement de Mutt.

– Avec du pot, on va le retrouver dans le fossé et tu pourras lui enseigner les bonnes manières.

Le moteur redémarra au premier tour de clé et Kate reprit la route, une balise à la fois, aussi lentement que possible tout en évitant de caler. L'ananas coincé derrière son siège émettait un parfum tropical des plus incongru étant donné les circonstances. Comme les vitres commençaient à s'embuer, elle poussa le ventilateur au maximum et alluma le lecteur de CD, où elle avait glissé un disque récemment gravé par Johnny à son intention. Jimmy Buffett lui conseilla d'emprunter une autre route pour atteindre le sommet. Ou était-ce le soleil ? L'un comme l'autre auraient été les bienvenus. Mais elle rentrait chez elle, après tout, et c'était une bonne chose, aussi se mit-elle à chanter en chœur.

Mutt supporta dignement cet affront, s'abstenant également de réagir lorsqu'elle interpréta «Child of the Wild Blue Yonder» en duo avec John Hiatt, mais quand Tommy Tucker évoqua des chaussures de sport à talons hauts, elle finit par craquer. La truffe levée au ciel, elle se mit à hurler.

Kate fut prise d'une crise de fou rire et elles continuèrent leur petit bonhomme de chemin, riant, hurlant et chantant pour mieux traverser le blizzard, une balise à la fois. Ces balises, des potelets de deux mètres de haut en plastique recyclé blanc, légèrement incurvés, étaient recouverts sur trente centimètres d'une substance rétroréfléchissante haute intensité d'un jaune éblouissant. Leur nom officiel était «Délinéateur de circulation standard». Kate était bien placée pour le savoir, car c'était sur son initiative que la NNA les avait achetées et avait embauché en août dernier tous les terminales du lycée pour les installer sur la route entre Niniltna et Ahtna. Un excellent investissement. Elle tua quelques kilomètres en composant mentalement la lettre qu'elle aurait pu écrire au ministère des Transports de l'Alaska. Ce n'était pas parce que l'État n'entretenait pas cette route que les gens ne l'utilisaient pas.

Même lorsqu'ils auraient dû s'en abstenir.

Michelle Branch, «Sweet Misery». Kate s'identifiait, quoique des vers comme «reste encore un peu avec moi» lui fassent un peu d'effet, d'autant que Jim Chopin ne serait pas là à son arrivée.

– Et alors? dit-elle, irritée.

Si elle avait osé, elle aurait pressé une touche pour passer à la chanson suivante, mais elle avait trop peur de quitter la route des yeux. La route ou plutôt les balises, car ses phares ne perçaient la nuée blanche que sur un mètre environ. Elle ne distinguait que la lueur jaune des délinéateurs. C'était même étonnant qu'elle y parvienne. Le pick-up fit une légère embardée. Génial, voilà que le vent se renforçait, ce qui allait entraîner la formation de congères. Elle consulta le compteur. Encore quarante kilomètres. *Zut.*

Les essuie-glaces battaient au rythme de la musique. Marc Cohn, « Walking in Memphis ». Elle n'était jamais allée à Memphis. Elle ne connaissait que Quantico, en Virginie, le centre de formation du FBI, et l'Arizona et le Nouveau-Mexique, où elle avait passé des vacances avec Jack. L'Alaska était assez grand pour elle. « Si varié, si beau, si plein de nouveauté[20]. » De qui était ce vers ? Matthew Arnold. Lyrisme lugubre à l'anglaise. Elle préférait Robert Frost, et de loin. Si grincheux soit-il, ce vieux salopard avait gardé le sens de l'humour.

— Je préférerais vivre dans le Vermont[21], dit-elle.

Mutt s'étira mais ne fit pas un bruit. Elle était aussi tendue que Kate, telle la corde d'un arc, et regardait fixement le pare-brise comme si elle pouvait voir à travers la cataracte de neige par la seule force de sa volonté.

— Si quelqu'un en est capable, c'est bien toi, ma fille, lui dit Kate.

Comme pour réagir à cette remarque, l'averse diminua d'intensité l'espace d'un instant, révélant deux gigantesques peupliers de l'Ouest de part et d'autre de la route, pourvus d'immenses troncs cannelés et de branches semblables à des éclairs, que la neige ne tarda pas à occulter de nouveau.

Les Deux Tours, à quinze cents mètres du virage de l'Homme mort, un endroit dangereux où la route d'Ahtna se confondait avec l'ancienne voie de chemin de fer reliant Kanuyaq à Cordova. Elle ralentit jusqu'à adopter une vitesse d'escargot.

Revoilà John Hiatt. « Drive South ». C'était ce qu'elle faisait. Enfin, elle avait plutôt le cap sur le sud-est. Et elle était en compagnie d'un être cher.

— Pas vrai ? lança-t-elle à Mutt.

Elle ne devait pas en vouloir à Jim de son absence. Son père était mort. Il ne pouvait rien y faire. Et, à en juger par son

---

20. « Sur la plage de Douvres », traduction de L. Cazamian, Stock.
21. Allusion au dernier vers d'un poème de Robert Frost, « New Hampshire ».

coup de fil, ce n'était pas la joie en Californie. Sa mère devait être un sacré boulet. Enfin, au moins en avait-il une, lui. Peut-être qu'elle se dégèlerait à son contact. Peut-être qu'elle inviterait Sylvia Hernandez à dîner.

« Easy », par Barenaked Ladies. « Je me suis déjà brûlée… »

– Sans déconner, fit Kate.

Mais Jack ne l'avait jamais brûlée. Pas une seule fois.

Et Jim non plus.

Pas encore.

Elle attendait qu'il le fasse, toujours sur le qui-vive, sachant que ce n'était qu'une question de temps. Cet homme était un coureur, il l'était avant d'être entré dans sa vie, il le redeviendrait une fois ressorti.

Mais il ne semblait pas vouloir en sortir. Sauf pour prendre l'avion à destination de la Californie.

– Bordel de merde, dit-elle en détachant ses mots. J'ai d'autres chats à fouetter que Jim Chopin. Qui m'a assommée ? Qui a volé le journal intime du juge ? Qu'est-ce qu'il cherchait ? Jane Silver a-t-elle surpris un cambrioleur en pleine action, qui l'aurait tuée en prenant la fuite ? Ou bien est-elle morte parce qu'elle voulait me montrer quelque chose ? Un quelque chose ayant trait à Old Sam, qui a poussé mon agresseur à l'agresser à son tour ?

Bo Diddley, « Up Your House and Gone Again ».

Elle consulta le compteur kilométrique. Virage de l'Homme mort droit devant. Elle ralentit à 15 km/h. Les balises défilaient à gauche. Elle les suivait avec attention.

Mutt s'assit et aboya vivement.

– Quoi ? fit Kate.

Soudain, des phares devant eux.

– Qu'est-ce que… dégage, connard !

Des phares à hauteur de ses yeux, si brillants qu'elle sentit ses rétines se racornir. Elle tiqua et comprit qu'elle ne pouvait pas détourner le regard, car ces phares se trouvaient de son côté de la route. Elle actionna en même temps les freins et le klaxon.

Les phares fonçaient toujours. Les freins se bloquèrent et le pick-up fit mine de tourner sur lui-même. C'était un vieux modèle, sans ABS, et elle relâcha la pression.

Les phares fonçaient toujours. Durant les quelques secondes dont elle disposait pour réfléchir, elle s'efforça de se rappeler la configuration du bas-côté, à droite comme à gauche. Un fossé ? Un pré ? Une pente raide débouchant sur le torrent ? Des arbres ? Des rochers ?

Les phares fonçaient toujours et, en fin de compte, elle vira à gauche et mit les gaz, espérant faire pivoter le pick-up, effectuer une glissade contrôlée qui l'amènerait sur l'autre voie, dans l'autre direction, n'importe quoi pour éviter le malade qui se précipitait sur elle.

Elle faillit réussir. L'arrière de la Chevrolet décrivit un arc de cercle autour de la masse du moteur, et elles se retrouvèrent face à la direction d'où elles venaient.

Ce qui n'était pas plus mal, car on devait établir par la suite que l'autre véhicule les percuta à une vitesse de 45 km/h. Compte tenu de ce chiffre, le choc n'était pas violent.

Mais ce fut l'impression que ça lui fit, et ça suffit pour faire quitter la route à sa roue avant droite, qui se coinça dans le fossé et fit faire un tonneau au pick-up.

La dernière chose dont elle se souvint, ce fut sa main tournant la clé pour couper le contact.

Elles atterrirent sur le toit et toutes les lumières s'éteignirent.

Mai 1943

Longtemps avant Pearl Harbor, et donc longtemps avant l'invasion japonaise des Aléoutiennes, le général Simon Bolivar Buckner Jr. appela à lui des hommes rompus au Bush alaskien et passés maîtres dans l'art de survivre, pour former un peloton de combattants que l'on chargea le moment venu de missions de reconnaissance, dans le but notamment de localiser des zones de débarquement proches des installations ennemies. Il y avait parmi eux des chasseurs et des trappeurs, des mineurs et des ingénieurs, des médecins et des anthropologues, des Blancs, des Aléoutes, des Esquimaux et des Indiens. Ils ne disposaient que d'un armement léger, dont ils décidaient eux-mêmes, et le colonel Castner ne chercha pas à leur imposer la discipline militaire, les dispensant de se raser et de saluer leurs supérieurs.

Sam Dementieff s'engagea dès que l'unité eut été formée. Âgé de vingt et un ans, c'était un tireur d'élite, un redoutable manieur de couteau et une boule d'énergie apparemment iné-puisable. Il encaissa tous les sévices que Castner lui fit subir lors de l'entraînement, ainsi que les inévitables blagues et moqueries que lui dispensèrent ses camarades plus vieux et plus aguerris, pourvus de surnoms tels que Vif-Argent, Pete l'Aléoute et Meule-de-Foin, et alla même jusqu'à en redemander. Au bout d'un temps, comme pour reconnaître ses qualités, on lui conféra son propre sobriquet, Old Sam, inspiré par sa jeunesse.

Ça n'avait aucun sens, mais on était en guerre.

Le 11 mai 1943, premier jour de la bataille d'Attu, il fit partie des soldats qui se retrouvèrent accrochés par les pieds au bastingage d'une barge de débarquement pour aider celle-ci à accoster le rivage de Beach Red en dépit d'un épais brouillard et de dangereux récifs.

Les Japonais occupaient les hauteurs et ils avaient eu tout le temps de s'y retrancher. Perdus dans la brume, coincés dans la boue, les Américains ne tardèrent pas à souffrir d'engelures. Ils durent attendre vingt-quatre heures avant de recevoir de la nourriture et restèrent constamment sous le feu de l'artillerie ennemie. En dix-neuf jours, on compta cinq cent quarante-neuf morts chez les Américains et deux mille trois cent cinquante et un chez les Japonais.

Sam fit partie des soldats qui restèrent sur place pour nettoyer les lieux, traquant les Japs planqués dans les collines. L'un d'eux l'aurait abattu si son pote Mac le Surineur ne l'avait pas plaqué au sol après avoir repéré un tireur embusqué. Mais la balle qui lui était destinée se logea dans la hanche de Mac. Il était salement amoché et Old Sam le chargea sur son dos pour l'amener à bord d'un destroyer en partance pour Adak où se trouvait l'hôpital militaire 179.

Un mois plus tard, Sam gagnait Adak à bord d'un C-47 pour rendre visite à Mac, et il le trouva dans son dortoir au centre d'une nuée d'infirmières en kaki. Il avait une jambe dans le plâtre, surélevée de surcroît, mais cela ne semblait pas le gêner outre mesure.

Il leva la tête et aperçut Sam sur le seuil.

– Hé ! voilà mon pote. Mesdemoiselles, je vous présente mon équipier, Old Sam.

– Old Sam ? répéta une infirmière d'un air sceptique.

Sam s'était révélé incapable de faire pousser sa barbe, signe distinctif des Égorgeurs.

– Ce grand échalas est assez vieux pour savoir de quoi il retourne, déclara Mac en souriant, mais bien trop jeune pour mourir.

Il tendit une main à Sam, et les infirmières s'égaillèrent lorsqu'il vint la serrer et s'assit près du lit.

— Pas besoin de te demander si tu te sens bien.

Mac s'esclaffa.

— Ah! ça ira, mon garçon. J'aurai bientôt le droit de me lever pour réapprendre à marcher. Quand je serai suffisamment en forme, on m'expédiera à l'Extérieur, dans un hôpital pour vétérans, afin que les spécialistes s'occupent de mon cas. Et toi?

— Faut bien que certains d'entre nous restent ici pour finir la guerre. Tu comptes revenir après?

— Il n'y a qu'ici qu'on veut de moi.

Mac partit d'un rire qui vira à la quinte de toux.

Sam lui trouvait mauvaise mine. Mac avait perdu du poids et ses joues avaient un lustre malsain.

— Tu faisais quoi dans la vie civile? lui demanda-t-il.

C'était délibérément qu'il restait vague. Il est impoli d'interroger un Alaskien sur son passé et, en dépit des liens qui s'étaient tissés entre les deux hommes durant l'entraînement, Sam hésitait encore à lui poser des questions directes.

Mais Mac lui répondit sans se hérisser, en haussant une épaule.

— Pêcheur, chasseur, prospecteur parfois. J'ai bossé comme docker à Juneau et à Kodiak. Et comme bûcheron à Ketchikan. Pourquoi?

Sam se pencha, les mains sur les genoux, et le regarda droit dans les yeux.

— Je t'ai jamais entendu parler d'une famille, ni même d'une maison. Il t'en faudra bien une quand tout ça sera fini, je te propose la mienne.

Mac haussa les sourcils. C'était un homme de haute taille, presque aussi grand que Sam, avec des cheveux châtains, des yeux bleus et un sourire ravageur qui, de toute évidence, avait charmé les infirmières. Il changeait de sujet quand on lui demandait son âge, mais il était de ces hommes sur qui les années n'ont pas de prise et il pouvait avoir entre trente et cinquante ans, même si ses récentes épreuves avaient creusé ses rides.

— Et où se trouve-t-elle ?

— Au nord-est de Cordova, sur la Kanuyaq River. Un village du nom de Niniltna. À six kilomètres de la mine de cuivre.

Suivit un silence. Sam baissa les yeux. Il ne voulait pas voir le regard de gratitude qu'on allait lui adresser – du moins le pensait-il.

Mac s'étira et, en relevant la tête, Sam vit qu'il avait croisé les doigts sur sa nuque et contemplait le plafond.

— J'ai cru entendre qu'elle avait fermé, cette mine.

— En effet. Mais le gibier abonde dans le coin et un homme peut s'y bâtir une maison sur une parcelle de soixante-cinq hectares. (Sam attrapa son portefeuille.) Regarde, j'ai des photos.

Mac prit le portefeuille et regarda sans rien dire les images en noir et blanc. Il s'arrêta sur l'une d'elles, qui représentait un couple de Natifs, ou plutôt une Native et un métis. Il la contempla durant un long moment, le visage indéchiffrable.

— Tes parents ? dit-il enfin.

Sam fit « oui » de la tête.

— Ils vivent à Cordova. La concession que je vais revendiquer se trouve à l'est de Niniltna. (Il sourit.) J'ai déjà fait une demande. Tiens.

Il reprit son portefeuille et sélectionna une autre photo. C'était celle d'une fille, une Native aux joues rouges et aux formes dodues, aux yeux et aux cheveux noirs. Elle baissait la tête, comme intimidée, et regardait l'objectif du coin de l'œil, mais son sourire était éblouissant.

— Ta bonne amie ?

Sam acquiesça.

— On doit se marier quand la guerre sera finie.

Il contempla la photo puis, conscient du regard de Mac posé sur lui, referma le portefeuille et le rangea dans sa poche.

— Le moment venu, reprit-il, écris-moi à Ahtna, en poste restante. Je te retrouverai là-bas pour te mettre le pied à l'étrier.

Un homme qui n'a pas peur du travail a toutes les chances de bien gagner sa vie.

— Voilà qui fait envie.

Sam allait lui tendre la main pour toper lorsqu'un soldat plutôt maigre se planta au pied du lit.

— Sergent Hammett, vous revenez me tourmenter, si je ne m'abuse, dit Mac. Vous êtes pire que les infirmières : incapable de me laisser tranquille une minute.

— Que voulez-vous, Mac ? Vous êtes le type le plus baratineur de la base. Ça ne peut que m'attirer.

Hammett était aussi grand que les deux hommes, avec une masse de cheveux blancs ébouriffés et des tempes rasées de près. Les valises sous ses yeux et son épaisse moustache blanche étaient les seuls traits saillants d'un visage long comme un jour sans pain, aux joues caverneuses. Il portait des lunettes à verres ronds, perchées sur un nez fin et pointu, et tenait un carnet de notes à la main.

— Pop, je vous présente mon pote, Old Sam Dementieff. Sam, voici le rédac-chef du journal de la base, alors fais attention à ce que tu dis.

Hammett fixa Sam du regard et arqua un sourcil.

— Old Sam ?

— Ce n'est qu'un sobriquet, dit Sam, un peu agacé.

Hammett le regarda un moment, puis se tourna vers Mac, qu'il observa un peu plus longtemps.

— Vous êtes frères ?

— Que non, fit Mac.

Sam l'observa lorsqu'il répondit à Hammett, et il remarqua l'avertissement qu'il lui lança du regard.

Au bout de quelques instants, Hammett reprit :

— J'avais encore quelques questions à vous poser sur ces opérations de nettoyage.

Mac leva les yeux au ciel, mais Sam sentit qu'il était soulagé. Il se leva.

— Il faut que je file : j'ai persuadé un pilote de me ramener à mon unité. Comme tu le sais, Mac, ces gars-là n'aiment pas attendre.

Mac lui serra la main dans une poigne d'acier.

— Sam.

— Merci, Mac.

Sam contempla la jambe emprisonnée dans le plâtre, accrochée par une corde à tout un système de poids et de poulies.

— Oui, merci pour tout, ajouta-t-il.

Mac haussa les épaules.

— Si je me souviens bien, tu m'as sauvé la mise deux ou trois fois sur cette saleté de montagne. Disons qu'on est quittes.

Il finit par lâcher la main de Sam. Celui-ci se dirigea vers la porte, mais se retourna une dernière fois avant de partir, et il vit que Hammett et Mac avaient les yeux fixés sur lui. Il leva la main pour les saluer et s'en fut.

Sam regagna son unité à temps pour embarquer sur un navire à destination de la base de Kodiak. Ce fut là qu'il passa le reste de la guerre, à s'ennuyer entre deux missions de reconnaissance dans les îles, mais les Japonais les avaient évacuées avant l'invasion de Kiska et ils n'y revinrent pas. On pouvait de nouveau transporter en toute sécurité du matériel militaire de l'Alaska à la Russie, dans le cadre du programme Prêt-Bail.

Six mois après la bataille d'Attu, Sam apprit que Joyce avait épousé Davy Moonin. Il savait que ses parents lui étaient hostiles, mais le coup était quand même dur à encaisser. Durant l'année suivante, il fit son devoir de façon purement mécanique, jusqu'à ce qu'il apprenne fin 1944 que Davy était mort et que Joyce était devenue une jeune veuve. Désormais, il lui tardait que la guerre prenne fin.

La bombe tomba sur Hiroshima en août 1945, mettant un terme à la guerre du Pacifique. En septembre, il fut démobilisé et se hâta de rentrer chez lui, prenant le bateau pour Valdez puis gagnant Ahtna en auto-stop, quand il ne se contentait pas de marcher.

Il écrivait à Mac une fois par mois, bien qu'il ait toujours du mal à prendre la plume. Mac ne lui répondait que selon son humeur, et le plus souvent en quelques phrases gribouillées au dos d'une carte postale.

Mac n'était pas à Ahtna lorsqu'il y arriva, mais cela ne le surprit guère.

Un colis l'attendait à la poste. L'adresse de l'expéditeur était rédigée dans une écriture qui lui était inconnue. Il l'ouvrit et découvrit une boîte scellée avec soin, ainsi que les quatre dernières lettres qu'il avait envoyées à Mac.

La note qui les accompagnait disait ceci: «Le soldat McCullough a succombé à la tuberculose juste avant d'être transféré sur le continent. Il m'a demandé de vous transmettre ceci quand vous rentreriez chez vous.»

Elle était signée Sgt D. Hammett.

II

Elle commença par constater qu'elle avait la tête en bas. Ensuite, qu'elle avait froid. Très froid.

Elle battit des cils, reconnut l'habitacle du pick-up. Elle était suspendue à sa ceinture de sécurité et son premier réflexe fut de chercher à la déboucler.

— Non, dit-elle à haute voix, ne fais pas ça.

Le bruit la rassura. Ses cordes vocales étaient en état de marche, c'était déjà ça.

Elle examina le tableau de bord. Le moteur était coupé. Bonne nouvelle. Elle huma l'air. Pas d'odeur d'essence. Bonne nouvelle itou. Elle agita les mains, remua les pieds, s'étira l'échine dans la mesure de ses possibilités. Le reste de son corps semblait aussi en état de marche. Que de bonnes nouvelles ! Toutefois, elle avait un peu mal au crâne, là où il avait violemment heurté la lunette arrière, présumait-elle.

— Cette semaine, quand ce n'est pas une bûche, c'est une vitre, déclara-t-elle.

Mais c'était aussi une bonne nouvelle, dans un certain sens un peu incongru. Avec un coup sur le crâne, elle ne risquait pas d'avoir de nouveaux coquards. Peut-être.

Elle tendit l'oreille. Rien à entendre hormis le vent. Le pare-brise, craquelé mais intact, était enfoui sous la neige. La vitre côté conducteur était intacte, encore un miracle. Elle se tourna vers la droite.

La vitre côté passager avait disparu. Et Mutt aussi.

Mauvaise nouvelle, ce coup-ci.

Elle prit appui d'une main sur le plafond, déboucla sa ceinture de l'autre et se laissa choir en contrôlant sa cabriole. Son genou heurta un objet pointu et elle le chercha à tâtons. L'ananas.

Elle remarqua que ses mains étaient quasiment engourdies par le froid. Et maintenant qu'elle y pensait, ses pieds ne valaient guère mieux. Encore une mauvaise nouvelle. Elle fouilla sous son siège en quête de sa mallette de premiers secours, qui contenait une boîte en métal blanc de trente centimètres sur quarante-cinq ainsi que sa parka. Elle s'insinua dans celle-ci et ouvrit la boîte.

Il s'y trouvait une lampe de lecture fixée au couvercle par du ruban adhésif. Elle la clipsa à l'un des pare-soleil et l'alluma.

Elle trouva les chaufferettes et en glissa deux à l'intérieur des gants rangés dans la poche droite de la parka. Tournant le dos à la vitre ouverte, elle ôta ses bottes le temps d'en glisser deux autres dans ses chaussettes. Puis elle se rechaussa, ferma sa parka et enfila ses gants. Une bienheureuse chaleur envahit peu à peu toutes les extrémités de son corps.

Elle était suffisamment avisée pour savoir qu'elle n'avait pas recouvré toute sa lucidité et que, une fois qu'elle aurait cessé de s'activer, de nouvelles douleurs ne manqueraient pas de se faire sentir. Elle devait rester dans l'habitacle, c'était entendu, mais une brève reconnaissance n'en était pas moins nécessaire. Même si elle avait pu ouvrir une portière pour sortir, elle n'aurait pas osé le faire de crainte de ne pas pouvoir la refermer. La neige s'insinuait déjà par la vitre cassée. Elle passa par celle-ci sans ôter sa parka et, en se redressant, reçut un paquet de neige dans les narines, cadeau du vent qui soufflait avec violence tout autour d'elle.

Courbant le dos pour lui résister, elle fit le tour du pick-up en gardant la main droite posée sur la carrosserie. Il était bel et bien retourné, impossible de le remettre d'aplomb sans un appareil de levage. La toile goudronnée s'était gonflée sous le poids de ses provisions, mais, pour ce qu'elle pouvait en dire, les nœuds tenaient bon et les cordes ne risquaient pas de lâcher. Il y avait un couteau suisse avec ouvre-boîtes dans la poche gauche de la parka, un autre dans la boîte à gants et un troisième dans la mallette de premiers secours. Elle ne mourrait pas de faim.

Elle ôta un gant et posa la main sur le capot. Le moteur était froid, ce qui signifiait qu'elle avait passé un bout de temps dans les pommes. Sauf qu'avec ce vent, ce n'était pas sûr. Elle n'avait pas de montre et celle du tableau de bord ne pouvait pas fonctionner quand le moteur était coupé. Elle s'efforça de se rappeler à quelle heure le soleil se levait en cette saison. Sept heures? Sept heures et demie?

Elle refit le tour du pick-up en criant:

– Mutt! Mutt! Viens ici, ma fille!

Aucune réponse. Si elle s'éloignait de deux pas, elle ne voyait plus la lampe à travers les vitres. Trois pas, et elle ne voyait plus le pick-up. Pas question d'aller plus loin.

Elle regagna l'habitacle et poursuivit son inventaire. Sous le siège se trouvait une couverture de l'armée, mangée aux mites, qu'elle ne se rappelait pas avoir rangée là, et la mallette de premiers secours contenait un rouleau de bande adhésive. Elle ressortit avec et confectionna un paravent pour suppléer à la vitre cassée. Puis elle rentra à nouveau et entreprit de dégager le siège de la banquette afin de ne pas passer la nuit assise sur le plafond métallique, inventant ce faisant tout un catalogue de jurons.

Le siège finit par céder, déclenchant une averse d'emballages de bonbons, de vis et de cailloux introduits en douce dans l'habitacle. Elle le nettoya en le frappant, attrapa le sac de couchage qui complétait le contenu de la mallette, l'ouvrit, y glissa deux ou trois chaufferettes et rampa à l'intérieur, sans ôter ni bottes, ni gants, ni parka. Ça faisait des années que ce duvet se trouvait dans la mallette et il sentait le renfermé, mais, pour autant qu'elle le sache, il n'abritait aucune bestiole à part elle-même.

Elle n'avait pas faim mais se força à manger une barre chocolatée et à boire un peu d'eau. Comme celle-ci risquait de geler dans sa bouteille en plastique, elle la prit avec elle dans le sac de couchage.

Elle ignorait si la batterie de la lampe tiendrait longtemps, tout comme elle ignorait si la tempête allait se prolonger, aussi éteignit-elle la lumière. Elle palpa son paravent de fortune. Le poids de la congère en formation poussait la couverture vers l'intérieur de l'habitacle, mais elle était suffisamment grande pour tenir en place.

Elle rabattit sur sa tête la capuche de la parka, s'enfonça le plus possible dans le duvet en remontant la fermeture à glissière, puis écouta le vent hurler et les arbres émettre des craquements inquiétants. Elle se maudit d'être repartie d'Ahtna alors que le premier crétin venu aurait perçu l'imminence d'une tempête. Quand l'image d'une Mutt blessée et impuissante quelque part dans ce maelström de blancheur lui apparut en esprit, elle s'ordonna de penser à autre chose.

Elle se demanda quel temps il faisait à LA.

La cérémonie religieuse fut un modèle de dignité et de retenue. L'inhumation fut un exemple de brièveté et de décorum. Ensuite, une limousine noire à rallonge conduisit Jim et sa mère au club, et le chauffeur, tout en politesse discrète, les déposa devant la porte, où un factotum tout aussi poli et discret les prit en charge pour les mener à la salle de réception.

C'était une pièce gigantesque, avec un mur tout en fenêtres donnant sur le premier trou du terrain de golf et, au second plan, sur l'océan Pacifique. Il y avait une file d'attente devant le bar et une imposante table croulant sous les petits-fours. Debout sur le seuil, Jim vit sa mère traverser la salle d'un pas lent, bien droite dans sa robe de soie noire, la tête haute avec ses cheveux impeccablement coiffés, et s'affairer à serrer des mains, à accepter des condoléances et à tendre la joue aux personnes suffisamment audacieuses pour lui offrir un peu d'affection. Si c'en était bien.

On aurait dit une gravure de mode tout droit sortie d'un magazine pour seniors, chic, élégante, le dernier cri. Pour être honnête, toutes les personnes présentes semblaient habillées par le même tailleur, les femmes en robe couleur pastel à col haut, les hommes en costume sombre et cravate également pastel, le tout sans un faux pli et obéissant aux tendances les plus récentes de *Vogue* et de *GQ*.

Il étouffa un ricanement. Suivre la mode, pour Kate, c'était passer des jeans simples en été aux jeans doublés en hiver. Lui, ce qui l'intéressait le plus, c'était les boutons, un système qu'il avait toujours préféré à la fermeture à glissière. Avec la fermeture, ça va beaucoup trop vite. Avec les boutons, on peut prendre son temps.

Il cessa d'examiner les vêtements pour examiner les visages. Il lui fallut quelque temps pour les repérer, mais certains d'entre eux lui semblaient familiers, dans le genre « vingt ans après ». Avant de les approcher, il décida qu'il avait besoin d'une dose de courage et rejoignit la file d'attente du bar. Les conversations qu'il capta étaient conformes à son attente.

— Quel dommage. Il n'était pas tellement vieux.

L'homme qui prononça ces mots ressemblait à Mathusalem.

— Je ne savais même pas qu'il était malade. Et vous ?

Sa compagne, qui avait renoncé à garder la ligne, se servait double dose de crevettes.

— De toute façon, Beverly n'aurait *rien* dit à *personne*. Elle est tellement réservée.

— C'est comme ça qu'on dit ?

La femme qui venait de s'exprimer, l'âge de sa mère mais plus maigre et bien plus apprêtée, semblait faire exprès de parler en feulant.

— Personnellement, conclut-elle, je l'ai toujours considérée comme un iceberg.

— Une femme très bien conservée, dit l'homme près d'elle. Saviez-vous qu'il était propriétaire du building où se trouve son cabinet d'avocats? Même compte tenu de la crise, ça doit valoir un paquet de fric.

— Elle n'en a pas besoin: son agent de change a dit à une amie de ma sœur que James lui a légué un joli portefeuille.

— Ah bon. (Jim avait l'impression que Mathusalem faisait tourner une calculatrice dans sa tête.) Ils n'avaient pas un fils?

Jim et sa mère étaient arrivés tôt à l'église et Jim, redoutant de devoir se montrer poli avec tant d'inconnus et troublé à l'idée qu'ils puissent lui apprendre sur son père des choses qu'il n'avait jamais sues, avait attendu que tous ou presque soient sortis pour en faire autant. Sa mère ne l'avait présenté à personne et rares étaient les membres de l'assistance à pouvoir l'identifier. Une chance qu'il puisse ainsi échapper à leurs radars.

Malheureusement, en faisant la queue pour boire une bière, il s'exposait à eux.

On servait à la pression une excellente blonde un rien amère et il se sentit mieux rien qu'à la voir couler dans son verre. Du coin de l'œil, il aperçut sa mère qui se tournait dans sa direction pour lui lancer un ordre du regard. Il s'enfuit sur la terrasse.

Il y soufflait une brise tiède et odorante, où perçait à peine le parfum de gaz d'échappement imprégnant toute la région de Los Angeles. Pour sentir une telle odeur dans le Parc, il fallait se coller au pare-chocs arrière d'un pick-up Ford F-150.

Il se demanda quel temps il faisait à Niniltna.

— Salut.

Il se retourna. Il lui fallut une bonne minute pour réagir, pas parce qu'il ne la reconnaissait pas mais parce qu'il n'arrivait pas à croire qu'elle soit là.

— Sylvia?

Elle sourit.

— Planquez-vous, voilà la Police montée.

— Sylvia, répéta-t-il, et ce fut le plus naturellement du monde qu'il se jeta sur elle et la serra dans ses bras.

Elle en émergea hilare et les joues rouges.

— Ça fait un bail, Chopin. Comment ça va ?

Il la toisa de l'occiput à la pointe des pieds. Elle mesurait 1 m 65 et pesait 60 kg, rien que du muscle ou quasiment, et portait une courte robe noire à manches longues et bien décolletée. Ses boucles d'oreilles et la croix qui pendait à son cou, quoique de style très simple, étaient en or, et ses talons hauts devaient l'empêcher de courir. Elle était bronzée, les rides au coin de ses yeux marron trahissaient sa gaieté et ses cheveux presque noirs, artistement désordonnés, étaient striés de mèches claires qui paraissaient naturelles. Mais tout le monde avait de beaux cheveux à L.A. Et des dents splendides. Sans doute était-ce une obligation légale.

— Tu as l'air en pleine forme, Hernandez.

— Ni plus ni moins que toi, Chopin. (Son sourire s'effaça.) Désolée pour ton papa.

— Ouais. (Il la relâcha.) Moi aussi.

Derrière la porte vitrée, il vit un vieillard en costume trois-pièces – l'un des associés de son père ? Henderson ? Harrigan ? Non, Haverman – prendre la main de sa mère dans les siennes et s'incliner devant elle. Il se retourna vers Sylvia.

— Elle ne m'avait même pas dit qu'il était malade.

Elle grimaça mais ne fit aucun commentaire. Sylvia Hernandez n'avait plus rien à apprendre sur Beverly Chopin.

— Et à part ça, comment ça va ? demanda-t-elle en souriant. Comment c'est, le pays des glaces ?

— Génial. Plus agréable chaque jour.

— Tu es toujours flic ?

— Ouais. Sergent et responsable de poste.

Elle arqua un sourcil.

— Pressé de monter dans la hiérarchie ?

Il frissonna.

— Jamais de la vie. Ils persistent à vouloir me promouvoir. Je persiste à refuser.

— Parle-moi de ton poste.

Il lui décrivit Niniltna et le Parc, abrégeant son discours lorsqu'il le sentit virer au lyrisme nostalgique.

— Et toi?

— Tel père, telle fille. Shérif du comté. Service des enquêtes.

Ce fut à son tour d'arquer un sourcil.

— Homicides?

Elle fit « non » de la tête.

— Grande criminalité.

— Impressionnant.

— Je n'en suis pas encore à aller au boulot en avion.

Il sourit.

— Comment va ton père?

— Bien. Il a pris sa retraite. Maman et lui sont partis vivre à Shasta. Il a suivi des cours d'ébénisterie et toute la famille se fait offrir des étagères pour Noël.

Il s'esclaffa.

— Des étagères bien solides, je le parierais.

— Je veux. (Elle se fendit d'un sourire malicieux.) Okay, c'est moi qui pose la question. Tu es marié?

— Non.

Il hésita quelques instants, se demandant comment décrire sa relation avec Kate. Bon sang, Kate elle-même restait indescriptible si on la sortait du contexte alaskien. Personne ne croirait ses propos, surtout dans cette Californie du sud ultra-civilisée.

— Mais il y a quelqu'un dans ma vie, ajouta-t-il. Et toi?

— Il y avait.

— Ah. C'était sûrement sa faute. Il est toujours vivant?

Elle éclata de rire.

— Pour ce que j'en sais, oui. Mais il est parti. C'est ce que font la plupart des hommes de ma vie.

– Oui, bon. (À son tour de se fendre d'un sourire malicieux.) Tu pourrais mieux les choisir.

Elle lui donna une bourrade sur le bras, suffisamment fort pour lui faire mal.

– Brutalité policière, dit-il.

– James.

Ils se retournèrent et découvrirent sa mère sur le seuil. Jim s'efforça de ne pas lui montrer qu'il avait un peu honte de s'amuser lors d'une cérémonie donnée en l'honneur de son père. Puis il se révolta à l'idée que sa mère puisse condamner sa conduite, quelle que soit l'occasion. Serrant les mâchoires, il lui rendit son regard glacial.

Beverly fut la première à détourner les yeux.

– Je suis ravie que vous ayez pu venir, Sylvia. Mon époux parlait souvent de vous.

C'était pour Jim une petite révélation.

– Je vous remercie de m'avoir invitée, madame Chopin.

Beverly avait invité Sylvia à la réception ? Jim sentit la terre trembler sous ses pieds, et la faille de San Andreas n'y était pour rien.

Sa mère se tourna vers lui.

– Il y a certaines personnes qui aimeraient renouer leurs liens avec toi, James.

Jim vida son verre de bière d'un trait.

– À plus tard ? dit-il à Sylvia.

Elle porta un toast avec son verre de vin.

– À plus tard.

12

À Niniltna, les premiers flocons tombèrent à la sortie des cours.

– Tu peux rester une autre nuit, dit Van. Tu sais bien qu'Annie sera d'accord.

Mince et élancée, avec des cheveux d'un noir luisant, une peau couleur crème et de grands yeux marron, elle se tenait à côté de Johnny devant la porte de l'école, le visage tourné vers le ciel pour laisser les flocons se poser sur ses joues.

Qui ne l'aurait pas embrassée en un pareil moment ? C'est donc ce qu'il fit, salué par un chœur de bravos et de lazzi de tous les élèves qui sortaient en courant, des sixièmes aux terminales. Il releva la tête et sourit à Van.

– Je sais qu'Annie comprendrait, mais Kate doit être rentrée d'Ahtna. Je veux m'assurer que tout va bien. Mais je vais te reconduire chez toi.

Se retrouver à deux dans son pick-up, ne serait-ce que quelques instants, c'était une perspective bien séduisante.

Ils se dirigèrent vers le véhicule.

– Est-ce que la mort d'Old Sam l'a affectée ?

– Oh que oui.

Une bourrasque les enveloppa dans un voile de neige.

– C'était le dernier Rat du Parc de sa génération, à l'exception des tantes, et ils étaient très proches.

— Quel est leur lien de parenté, exactement ?

— Je crois que c'était son grand-oncle, ou bien son arrière-grand-oncle.

Van réfléchit quelques instants.

— L'oncle de sa grand-mère, tu veux dire ?

— Ou le frère de sa grand-mère ? Je n'en sais rien, je n'ai jamais posé la question. Annie le saura peut-être.

— Mais elle ne le dira pas.

Voyant l'air interloqué de Johnny, Van ajouta :

— Tu n'as pas remarqué ? Aucune des tantes ne parle famille en présence des enfants. Même des leurs.

Il fit le gros dos pour se protéger d'une nouvelle bourrasque.

— Peu importe qu'ils aient été liés par le sang. Le père de Kate est mort alors qu'elle était encore très jeune. Old Sam était volontaire pour prendre sa place, je crois bien. Quoi qu'il en soit, quand il l'engueulait, il se comportait comme son paternel.

Ils montèrent dans le pick-up et passèrent le quart d'heure suivant à se témoigner leur affection mutuelle. Puis Van se recula et dit :

— Okay, ça suffit pour aujourd'hui.

Le cœur de Johnny battait contre ses côtes et son souffle était court, mais il la laissa regagner le siège passager. Il lui fallut une minute pour se rappeler où se trouvait le démarreur. Il tourna la clé de contact et jeta un dernier regard à Van avant de passer en prise.

— Je te mets pas la pression. Quand tu seras prête, fais-moi signe.

Elle acquiesça, et le voile de ses cheveux dissimula son expression.

De toute façon, ça ne se passera sûrement pas dans mon pick-up, songea-t-il, et il passa le trajet bien trop bref à se demander quel serait son lieu d'élection.

Il trouva la maison plongée dans l'obscurité. La neige s'amoncelait à grande vitesse, et il gara son pick-up entre l'atelier et les anciennes toilettes, car il savait par expérience que le coin était à l'abri des congères. Il vérifia que la pelle à neige était rangée à côté de la porte, tapa des pieds pour chasser la neige de ses bottes et entra.

Connaissant le prix du fuel, il fit du feu dans la cheminée plutôt que de monter le thermostat, mais il s'empressa ensuite de s'écarter du droit chemin en se confectionnant un sandwich gargantuesque, achevant de remplir son assiette avec des chips, et lança *Le Transporteur 3* sur le lecteur de DVD en poussant le son à fond. Quand la maison est vide, il faut en profiter.

Il se réveilla durant le générique de fin et alla jeter un coup d'œil dehors, constatant que trente centimètres de neige étaient apparus sur le perron. Kate, douée pour anticiper les changements de temps, avait dû rester à Ahtna en attendant que ça se calme.

— Je parie qu'elle déguste un sandwich au steak chez Stan, dit-il aux éléments déchaînés, et il s'empressa de refermer la porte avant que la neige n'envahisse la maison.

Si Kate était rentrée, elle l'aurait houspillé pour qu'il fasse ses devoirs, ce qui lui aurait permis de râler, de protester, de gémir et de se plaindre avant de se mettre au boulot. Comme il aurait été lâche de profiter de son absence, il s'assit à la table du dîner en poussant un soupir de martyr que nul public ne pouvait hélas apprécier. Ça aurait pu être pire, une leçon d'instruction civique, par exemple. Mais ce soir, il avait à rendre un devoir d'histoire, d'histoire américaine contemporaine, pour être précis, un cours animé par Monsieur Tyler, un nouveau prof plutôt cool. Il n'était guère plus grand que Kate, guère plus vieux que ses élèves, et il crépitait d'énergie pédagogique. Chacun de ses cours était une performance artistique. Personne ne somnolait quand Monsieur Tyler était aux commandes.

Et sa liste de lecture était intéressante. Elle consistait surtout en romans, et les élèves devaient en lire un par semaine : des vieux bouquins comme *Gatsby le Magnifique*, *Les Fous du roi*, *Le cœur est un chasseur solitaire*, *Un enfant du pays*… En ce moment, ils lisaient *La Splendeur des Amberson*, mais on murmurait qu'un type en avait tiré un film, un vieux film en noir et blanc, que Jessica Totemoff avait soi-disant commandé sur Netflix.

Ils étaient censés rédiger un rapport sur chaque bouquin et mettre en corrélation ses péripéties avec des événements réels. Leur unique support de cours contenait une chronologie du XXe siècle. Monsieur Tyler s'était révélé être un maniaque de l'orthographe et de la grammaire – au début du semestre, il avait menacé de faire redoubler tous ceux qui confondraient *est* et *ait* –, aussi Johnny alla-t-il chercher le *Manuel pratique de l'art d'écrire* sur l'étagère du salon, puis il se mit au travail.

Une heure plus tard, il jugea que son rapport était satisfaisant. Et le livre s'était révélé moins barbant que prévu. Pourtant, il était presque aussi vieux que Niniltna. Il jeta un coup d'œil au copyright de son édition de poche. 1918. Deux ans avant la naissance d'Old Sam. Il se demanda si ce dernier l'avait lu. Il aurait bien aimé lui demander ce qu'il en avait pensé.

Il reposa le livre et revit en esprit ce vieillard sec comme une trique qui lui avait mené la vie dure lors de son premier été à bord du *Freya*. Charger les poissons, nettoyer le pont, récurer les seaux… Old Sam lui trouvait toujours quelque chose à faire quand il ne dormait pas, et il le virait de sa couchette chaque matin aux aurores. Pas une fois il n'avait osé se plaindre.

Il sourit. La première fois qu'Old Sam l'avait laissé faire une livraison, il n'avait jamais été aussi fier de sa vie. Il se rappelait son premier bateau comme s'il l'avait abordé la veille : Hank Carlson, de l'*Annie C.*, onze saumons royaux et cent dix-sept saumons rouges, pour un poids moyen de 3,6 kg.

Il contempla la Winchester Model 70 dans le râtelier. Encore un instant de fierté. Jamais Old Sam ne lui aurait légué la prunelle de ses yeux s'il l'avait jugé incapable d'en prendre soin. Il se jura de ne jamais s'en servir sans la nettoyer aussitôt après. Et de faire de son mieux pour tirer juste et bien, attendre le moment propice, ne jamais se précipiter, de crainte de n'atteindre ni le cœur ni les poumons, ce qui ferait honte à son arme autant qu'à lui-même.

Ce vieux bonhomme allait lui manquer, mais cela ne l'empêchait pas d'être tout excité à l'idée d'abattre son premier élan avec cette arme de légende. *Old Sam aurait compris*, songea-t-il.

Il consulta l'horloge. Elle affichait 10 h 30, il se leva et s'étira.

À cet instant précis, la porte s'ouvrit, laissant entrer un paquet de neige et une Mutt tout essoufflée.

– Mutt! s'écria-t-il. Où est Kate? (Il se précipita sur le seuil pour regarder au-dehors.) Kate? Kate!

Agrippant la lampe torche accrochée près de la porte, il l'alluma et balaya la clairière de son rayon. Comme il ne voyait rien, il s'aventura sur le perron, piétinant une épaisse couche de neige.

– Kate!

Toujours rien: ni pick-up parqué au milieu des congères, ni phares perçant le rideau de neige et de ténèbres. Il rentra.

– Mutt, où est Kate?

Mutt geignit et, pour la première fois, il vit dans quel état elle était. Ses pattes étaient gainées de glace et elle semblait épuisée. De toute sa vie, jamais il ne l'avait vue fatiguée. Il attrapa une serviette et s'agenouilla pour lui nettoyer les pattes. Lorsqu'il eut terminé, elle fonça vers la porte puis braqua sur lui ses yeux jaunes et impatients.

– Kate a des ennuis?

Mutt geignit plus fort en l'entendant prononcer le nom de Kate.

– Merde, fit Johnny, et il resta les bras ballants, la serviette à la main.

Kate avait dû quitter la route quelque part entre Ahtna et Niniltna. Et elle était blessée, car sinon jamais Mutt ne l'aurait abandonnée pour venir chercher de l'aide ici.

Mutt allait le conduire à Kate.

Il considéra Mutt, les yeux luisant d'impatience, qui cessait peu à peu de geindre pour aboyer de plus en plus fort. Il considéra l'extérieur. À peine s'il distinguait la rambarde du perron derrière le rideau de neige.

— On ne peut pas sortir par ce temps, ma fille. On ne ferait que se perdre dans la tempête. Il faut attendre demain, attendre que ça se calme.

Mutt comprit au ton de sa voix qu'ils n'iraient nulle part pour le moment, et cela ne lui plut pas. Elle retroussa les babines et se mit à gronder.

Il eut une réaction tout aussi instinctive.

— Arrête tes conneries! ordonna-t-il en élevant la voix.

À leur grande surprise à tous deux, elle lui obéit.

Il mit un genou à terre et lui passa un bras autour du cou.

— On se mettra en route dès l'aube, Mutt, dit-il, espérant qu'elle saisirait qu'il comptait agir dès que possible. On prendra la motoneige et la remorque. Tu me conduiras à elle, je le sais.

Usant de caresses comme de bourrades, il l'amena sur la couverture placée devant la cheminée et raviva le feu qu'il avait prévu de laisser mourir. Il trouva de la viande d'élan au congélateur, la réchauffa au micro-ondes, la débita et la lui donna, ainsi qu'un grand bol d'eau qu'elle aspira d'un trait. Ensuite, il lui restait à peine assez d'énergie pour ajuster la couverture à sa convenance, en faire trois fois le tour et s'effondrer dessus. Une minute plus tard, elle ronflait.

Johnny s'obligea à se coucher, sachant qu'il aurait de meilleures chances de retrouver Kate s'il était reposé. Avant de gagner sa chambre, il jeta un coup d'œil au thermomètre placé dehors, près de la fenêtre. −3 °C. Il se rappela la mallette de premiers secours que Kate l'avait obligé à placer dans son pick-up — un peu de nourriture, de l'eau en bouteille, une parka, un sac de couchage, un couteau — et en déduisit qu'elle avait le même attirail que lui. Encore fallait-il qu'elle soit en état de s'en servir.

Sa nuit fut agitée et, dès les premières lueurs de l'aube, Mutt vint gémir devant sa porte. Le vent ne soufflait plus et la neige tombait avec moins de force. S'il n'était pas vraiment dégagé, le ciel avait l'air moins sombre, moins menaçant que la veille. La température avait baissé d'un degré.

Mutt ne cessait de le harceler, et elle tenta de l'amener jusqu'à la porte en tirant sur l'ourlet de son pantalon, puis sur celui de son sweat-shirt. Quoiqu'aussi impatient qu'elle de se mettre en route, il refusa de se laisser bousculer. Il mangea un petit déjeuner copieux, en servit un à Mutt, prépara de la soupe instantanée qu'il versa dans une thermos, enfila un pull et une parka, chaussa ses bottes, sortit la motoneige du garage, vérifia les niveaux d'huile et d'essence, y accrocha la remorque, s'assura que la mallette de secours était complète et fixa à la remorque un bidon d'essence de rechange. Puis il recouvrit sa cargaison d'une toile goudronnée et alla chercher la Model 70 et la chargea. Il bloqua le cran de sûreté et glissa l'arme dans l'étui de la motoneige.

Puis il considéra son attelage d'un œil critique. Il devait penser à lui tout autant qu'à Kate. Avait-il oublié quelque chose ? Un accessoire indispensable à la survie dont l'absence pouvait se révéler meurtrière ? La semaine passée, ils avaient procédé ensemble à la révision des motoneiges. Restait à espérer qu'ils avaient fait le nécessaire pour qu'il puisse retrouver Kate et revenir avec elle.

– On y va, ma fille, dit-il en montant en selle.

Le moteur démarra du premier coup. Mutt bondit derrière lui, posant le museau sur son épaule, et ils s'en furent. Une fois sur la route, il suivit les balises jaune fluo, maintenant une vitesse de 60 km/h. Il savait que Mutt quitterait son siège d'un bond dès qu'ils approcheraient de Kate et ne voulait pas rouler trop vite à ce moment-là. Même si Kate était blessée, il ne voulait pas courir le risque d'amocher Mutt lors de cette expédition.

Pas un véhicule ne circulait et la route enneigée était vierge de toute trace. En dépit de son inquiétude et de l'urgence de la situation, il se sentait presque joyeux : un aventurier compétent et bien équipé en mission de sauvetage, seul au sein de la nature sauvage, ne pouvant compter que sur lui-même. Tout juste s'il n'entendait pas l'ouverture de *Guillaume Tell* en fond musical.

Il ralentit à proximité du virage de l'Homme mort, à 38 km de la maison, un passage périlleux même lorsque la neige adoucissait ses aspérités.

Mutt poussa un aboiement, un seul, qui résonna dans son oreille.

Il grimaça et décéléra.

– Okay.

Il ralentit l'allure jusqu'à rouler quasiment au pas, mais Mutt avait déjà décollé et courait devant lui, ses grandes pattes s'enfonçant à peine dans la neige. Il négocia le virage derrière elle, puis la suivit en bord de route jusqu'à un bosquet d'aulnes, dont les branches se délestèrent de leur neige à son passage. Ce fut là qu'il découvrit une éminence enneigée. Mutt trépignait dessus en geignant de plus belle.

La neige avait accompli de telles prouesses en matière de camouflage qu'il mit du temps à identifier un pick-up retourné sur le toit.

– Nom de Dieu! s'exclama-t-il.

La pression de ses mains sur les poignées se relâcha et la motoneige pila net, manquant le catapulter par-dessus le pare-brise. Elle avait fait un tonneau. L'espace de deux ou trois secondes d'horreur, il passa en revue toutes les façons qu'elle avait eues de finir blessée, assommée, impuissante à se protéger de la tempête. Et si elle était morte d'hypothermie pendant qu'il dormait bien au chaud dans son lit?

Puis, avant qu'il ait pu mettre pied à terre pour aller aider Mutt dans ses travaux d'excavation, la neige se souleva. Son cœur cessa de battre un instant et il se demanda si ses yeux ne l'avaient pas trahi, si c'était bien le pick-up, si Mutt n'avait pas levé un ours. Puis une Kate engoncée dans sa parka émergea de ce qui ressemblait à une couverture maculée de neige, pour se retrouver aussitôt renversée sur le dos. Elle atterrit en douceur sur l'épaisse couche de neige et Mutt, les deux pattes antérieures plantées sur son torse, entreprit de la lécher avec enthousiasme.

Kate riait aux éclats tout en s'efforçant de la chasser.

– Ça va, ma fille. Ça va, je te dis. Mutt ! Arrête !

Elle se releva, retomba à genoux et rabattit en arrière la capuche de sa parka, révélant un visage souriant que Johnny trouva d'une insurpassable beauté, en dépit des deux coquards, qui avaient viré du pourpre au vert bilieux.

– Je t'ai entendu arriver, dit-elle. Tu as mis le temps.

Il coupa le moteur, ce qui lui donna une seconde pour ravaler des larmes bien peu viriles. Ce n'était que maintenant qu'il prenait conscience de la terreur qui l'avait habité.

– Ouais, bon. Je voulais pas que tu croies que je m'inquiétais.

Il l'examina d'un œil critique et vit les taches de sang sur les genoux de son jean. Contrairement à Gunn, il identifia tout de suite leur nature.

– Bon Dieu, Kate, qu'est-ce que c'est ? Tu es blessée ?

Elle cessa de sourire.

– Ce sang n'est pas le mien. J'ai encore reçu un coup sur la tête, c'est tout. Je suis restée un moment dans les pommes. Quand je me suis réveillée, Mutt avait disparu. Je suis sortie à sa recherche, mais il neigeait tellement que je n'y voyais pas à un mètre, alors je me suis dit que je ferais mieux de me réfugier dans le pick-up en espérant qu'elle soit allée chercher de l'aide.

Elle se tourna vers Mutt, dont la langue pendait sur le côté, sourire béat de chien, et dont la queue battait si fort qu'elle soulevait des petites bouffées de neige derrière elle.

– Ouais, ouais, je te dois une fière chandelle. Une de plus. (Elle se laissa choir pour la serrer dans ses bras.) Ma fille. Le soleil de mes jours sombres.

– Un coup sur la tête ? répéta Johnny. Est-ce que tu vois double ?

– J'ai un peu mal, mais je pense que ce n'est pas grave. J'ai même réussi à dormir.

– Je t'ai apporté de la soupe chaude.

Un arôme incongru parvint à ses narines. Il plissa le front et huma l'atmosphère.

– C'est quoi, cette odeur?

Elle partit d'un nouveau rire, étouffé par la fourrure de Mutt, et se tourna vers lui.

– C'est l'ananas.

– L'ananas.

– Ouais, c'est bon pour les coquards, à en croire Stan.

Il la regarda sans rien dire.

– Et la papaye aussi, ajouta-t-elle.

– Bon. Que diable s'est-il passé à Ahtna?

– Plus tard. Profitons de ce qu'il fait jour pour nettoyer ce qui peut l'être.

Elle regarda en direction de l'horizon sud, qui virait à un noir franchement menaçant.

– Et ne traînons pas. Une nouvelle tempête approche.

13

Johnny ramena Kate à la maison, où elle enfourcha sa propre motoneige et attrapa un cric, et tous deux passèrent le reste de la journée à rapatrier les provisions chargées dans le pick-up. À la tombée du soir, le contenu de la dernière remorque était à l'abri. Kate, Johnny et Mutt s'empressèrent de gagner la maison. Kate fonça dans sa chambre sans s'arrêter, laissant derrière elle un sillage de bottes, de gants et de parka.

— Prépare le dîner. Je vais prendre un bain.

— Toujours prêt à rendre service, lui cria-t-il en réponse. Merci de l'avoir demandé gentiment.

Ravi de sa réplique, il se déshabilla, pendit leurs vêtements où ils ne risquaient pas de déclencher une inondation en égouttant et entreprit de préparer un dîner à base de corned-beef, d'œufs, de galettes de pomme de terre et de toasts.

— Un ananas, marmonna-t-il. Ah !

Peut-être leur servirait-il de dessert.

L'eau coula dans les conduites alors qu'il faisait du feu, et il mettait la table lorsque Kate redescendit, toute rouge et toute mouillée, vêtue d'un survêtement bleu marine frappé de l'emblème de l'université de Fairbanks et chaussée d'épaisses chaussettes de laine.

— Je t'aime, dit-elle, et elle attaqua son assiette.

Ensuite, il lui ordonna de gagner le sofa, où il lui apporta un mug de chocolat chaud, après quoi il débarrassa la table et lava la vaisselle. Puis il la rejoignit dans le séjour.

– Bon. Que diable s'est-il passé ?

– Je me suis fait éjecter de la route.

Il prit un air sévère, ce qui n'était pas évident pour un garçon de dix-sept ans. Sa dernière poussée de croissance l'avait transformé en un grand échalas d'un mètre quatre-vingt, tout en coudes, en genoux et en épaules. Ses cheveux bruns étaient aussi drus que ceux de son père mais bien mieux entretenus. Ses yeux bleus, d'une franchise absolue, faisaient plus vieux qu'ils ne l'auraient dû, et son visage aux traits irréguliers, bec d'aigle et mâchoire carrée, rappelait tellement celui de Jack que Kate en avait le cœur serré.

Il était encore enfant quand on lui avait enlevé son père, il avait été abandonné par sa mère, laquelle ne l'avait conçu que pour en faire une arme contre Jack, et, à douze ans à peine, il avait survécu à une fugue qui l'avait conduit de l'Arizona à l'Alaska. Kate avait des frissons chaque fois qu'elle y repensait, et notamment lorsqu'elle se rappelait qui l'avait suivi.

Mais il était en sécurité maintenant, il était ici, et ses expériences lui avaient conféré une certaine maturité. C'était un garçon courageux et intelligent, doué d'un sens du ridicule parfois plus développé que le sien et d'une lucidité digne d'un quadragénaire.

Johnny était un cadeau, le dernier que lui ait offert son père avant de mourir, mais ce n'était pas la seule raison qu'elle avait de le chérir, ni même la plus importante. Le cadeau, c'était Johnny lui-même, plus précieux que le don que lui en avait fait Jack. Cela n'avait pas toujours été vrai. Kate n'avait pas la fibre maternelle, comme elle l'avait jadis confié à Jack. Mais ce qui avait commencé comme une obligation, une responsabilité, une dette à honorer, était devenu une partie essentielle de sa vie. Elle résisterait avec la dernière énergie à toute tentative pour extraire Johnny de sa sphère d'influence.

Fort heureusement, sa mère ne posait plus de problème. Kate sourit en contemplant son chocolat. En levant les yeux, elle le vit qui la regardait depuis l'autre bout du sofa, un sourcil haussé en signe d'interrogation.

– Que diable s'est-il passé ? répéta-t-il.

Un regard neuf sur les récents événements serait le bienvenu, et pas qu'un peu. Donc : la vérité, toute la vérité, rien que la vérité.

– Je me suis fait éjecter de la route.

– Tu l'as déjà dit. Tu as vu qui a fait ça ?

Elle secoua la tête.

– La tempête faisait rage et c'est arrivé trop vite.

Il se pencha vers elle, l'air concentré.

– Que s'est-il passé exactement ?

– Nous approchions du virage de l'Homme mort, là où tu m'as retrouvée. (Sa main se posa un instant sur la tête de Mutt.) J'ai aperçu les Deux Tours et ça m'a permis de me repérer. Je faisais à peine 30 km/h, voire 20. C'est sans doute ça qui nous a sauvées. Soudain, j'ai vu des phares de mon côté de la route. Oui, j'avais allumé les miens, et j'ai aussi donné du klaxon, mais l'autre a continué de rouler. Et il roulait vite.

– Pas moyen d'identifier le véhicule ?

Elle secoua la tête une nouvelle fois.

– Tout ce que je peux te dire, c'est qu'il était gros. Il chassait pas mal de neige devant lui. J'aurais tendance à dire qu'il était de couleur sombre. Bleu marine ou noir.

Elle réfléchit un instant et ajouta :

– Et j'ai l'impression que c'était un modèle récent. Quelque chose dans son profilage, peut-être. Mais je ne suis sûre de rien. Il y avait trop de neige.

– Bon, tu ne sais pas qui c'était. Qui soupçonnes-tu ?

– Je n'en sais rien.

Johnny frissonna en voyant le pli dur que formaient ses lèvres.

– Tout comme j'ignore qui a tenté de me fracasser le crâne dans la cabane d'Old Sam, reprit-elle. Je vais te raconter toute l'histoire, d'accord ? Y compris les épisodes que tu connais déjà, ça m'aidera à y voir plus clair.

Il s'était assis par terre, les jambes étendues, les pieds frôlant le dos de Mutt. Le feu crépita. Il vida son mug et dit :

— Okay, vas-y.

— Donc, Old Sam vient de mourir…

Kate parla pendant vingt minutes, relatant les événements dans leur ordre chronologique et s'abstenant de les commenter dans la mesure du possible.

À un moment donné, Johnny l'interrompit pour déclarer :

— Je n'arrête pas de me dire que je n'aurais pas dû aller bosser à la mine. J'aurais dû aller l'aider sur le bateau, comme chaque été.

— J'aurais bien voulu pouvoir, moi aussi. Nous sommes restés séparés six à huit semaines et je ne pourrai jamais les récupérer. Mais il nous passerait un sacré savon s'il nous entendait, alors laisse tomber. (Un temps.) Enfin, essaie.

À un autre moment, il dit :

— Pourquoi ? Ton agresseur t'a assommée parce qu'il voulait ce journal intime et qu'il t'avait vue en train de le lire par la porte ouverte. Mais pourquoi a-t-il saccagé la cabane ? Que cherchait-il d'autre ?

Elle l'observa quelques instants.

— Tu ne te contentes pas d'être mignon, dit-elle.

Il se fendit d'un sourire suffisant.

— Mais je serais parvenue à la même conclusion.

Son sourire s'élargit.

Lorsqu'elle évoqua Jane, il plissa le front.

— Une vieille femme vraiment laide, toute petite, avec des allures de saumon éreinté par le frai ?

Elle ne put s'empêcher de s'esclaffer.

— C'est son portrait tout craché. En fait, elle était au moins aussi âgée qu'Old Sam, sinon davantage, et je suis sûr qu'elle savait où étaient enfouis tous les cadavres du Parc, plus encore qu'Old Sam, Emaa et les tantes réunis. Son emploi lui permettait de suivre l'argent à la trace. (Un temps.) Il n'est pas impossible, par ailleurs, qu'elle ait été fille de joie dans le lupanar d'Ahtna, ce qui lui aurait permis de recueillir les histoires les plus juteuses.

Johnny en resta bouche bée.

– Gueule-de-Saumon, une pute ?

Elle lui adressa un regard lourd de reproche.

– Cette remarque est diffamatoire et salit l'honneur des mères fondatrices de l'État d'Alaska, jeune homme. (Sourire.) Parmi lesquelles figurait une de mes ancêtres.

Un peu plus tard, il demanda :

– Tu as lâché Mutt sur lui ? Sur le mec que tu as entendu sortir de la maison de Jane ?

– Non.

Elle avait répondu d'une voix plus ferme qu'elle ne l'aurait souhaité. En voyant la tête de Johnny, elle reprit avec plus de modération :

– Non. Jane… Jane se mourait. Je n'avais le temps de rien faire, hormis continuer à lui parler et chercher mon putain de portable pour appeler le 911.

Il ouvrit la bouche, regarda Mutt somnolant sur sa couverture et ravala ce qu'il était sur le point de remarquer.

– Que voulait-elle dire ? Quand elle a dit « papier » ?

– Je ne sais pas. Elle était responsable de l'Office des terres pour le Parc. Peut-être faisait-elle allusion à un titre de propriété, ou à un autre document concernant Old Sam. Elle le connaissait. Et je commence à croire qu'elle le connaissait très bien.

– Tu l'as trouvé, ce papier ?

– Elle avait plein de livres chez elle, la plupart ayant trait à l'Alaska. On est arrivées juste avant qu'ils n'aient tous été éparpillés.

– Comme chez Old Sam.

– Oui.

– Y avait des journaux intimes ?

– Oui.

– Y compris de la main de ce juge, de ce…

– Juge Albert Arthur Anglebrandt.

Il parut surpris un instant, puis répondit :

– Tu as trouvé un journal intime de ce juge ?

– Non.

Soudain, elle s'écria :

– Oh ! quelle idiote je fais !

– Quoi ?

– Je viens seulement de me rappeler. (Elle se leva et fonça sur la patère où il avait accroché son blouson.) Comment ai-je pu oublier ça ?

– Quoi ?

Elle pêcha dans la poche intérieure une grande enveloppe marron.

– C'est l'avocat qui me l'a donnée. Old Sam la lui avait confiée quand il avait mis son testament à jour, il y a deux ou trois semaines. Il était censé me la remettre quand je viendrais le voir.

– Et tu ne l'as pas ouverte tout de suite ? Tu es malade ou quoi ?

– Je savais que son contenu ne m'aiderait pas à rentrer avant la neige. Alors, autant attendre d'être à la maison.

Elle contempla l'enveloppe dans ses mains.

– Alors ? lança Johnny, impatient. Vas-y, ouvre-la.

Elle tourna et retourna l'enveloppe.

– Je croyais que la lettre accompagnant son testament serait la dernière que je recevrais de lui. (Elle adressa à Johnny un sourire penaud.) Le vieux renard m'a bernée, comme d'habitude. Ce que j'ai entre mes mains, ce sont ses dernières paroles. La vérité, c'est que je voulais attendre le plus longtemps possible avant de les découvrir.

– Tu t'es fait agresser deux fois en trois jours, dit-il d'une voix lourdement sarcastique. Tu aurais pu te faire tuer deux fois. Sans parler de Mutt.

En entendant son nom, cette dernière leva la tête et poussa un petit jappement.

— Quoi que ce soit, reprit Johnny, il ne voulait pas que tu l'apprennes avant sa mort.

Pour être sûr qu'elle comprenne, il insista :

— Il ne voulait pas que tu l'apprennes de son vivant. C'est forcément important, Kate. Ouvre cette enveloppe.

Concédant la défaite dans un soupir, elle glissa un ongle sous le rabat et déchira l'enveloppe. Celle-ci ne contenait qu'une feuille de papier où figuraient trois mots, rédigés d'une écriture qui lui était familière :

Trouve mon père.

Et c'était tout. Old Sam n'avait même pas pris la peine de signer.

Elle resta sans réaction jusqu'à ce que Johnny s'écrie :

— Quoi ? Quoi ? Qu'est-ce qu'il a dit ?

Elle lui tendit la feuille et retourna s'asseoir.

— Du diable si je le sais.

Il la lut une première fois, le front plissé, puis une seconde. Il leva les yeux et dit :

— Qui était son père ?

— Il s'appelait Quinto Dementieff.

— Quinto ? C'est quoi, ce prénom ?

— Un prénom philippin. Sa grand-mère était originaire des Philippines. Des immigrants sont venus travailler pour une misère dans les conserveries, au tournant du siècle, et certains sont restés.

— Qu'est-ce qu'il est devenu, ce Quinto ?

— J'essaie de me rappeler. Il travaillait à Cordova, si mes souvenirs sont bons. Docker ou marin sur un ferry. Il faudra que je me renseigne. L'une des tantes le saura sûrement.

— Il y a un mystère attaché à lui ?

Elle le fixa du regard.

— Aucune idée. Pour ce que j'en sais, les parents d'Old Sam étaient des gens sans histoires. Ils vivaient à Cordova et c'est là qu'Old Sam est né.

— Bon, d'accord, et il est mort, son père, non ?

— Évidemment.

— Et tu es censée trouver quelqu'un qui est mort ?

Elle jeta un nouveau coup d'œil à la lettre d'Old Sam. Son contenu n'avait pas changé : *Trouve mon père.*

— Je ne sais pas. Peut-être que je dois retrouver sa tombe.

Elle repensa à une autre sépulture, plusieurs centaines de kilomètres au nord, et à la plaque de bois gravée qui avait répondu aux questions qu'elle se posait sur sa famille. L'envoyait-on dans une quête similaire ?

Il lui reprit la lettre et la relut. Comme elle n'avait changé en rien, il la lui rendit.

— Je ne pige pas.

— Moi non plus.

— Pourquoi veut-il que tu trouves son père ?

— Je n'en sais rien.

— Pourquoi a-t-il choisi de parler par énigmes ?

Johnny commençait à s'irriter. Pas grave : Kate aussi.

— Je n'en sais rien, répéta-t-elle.

Elle se leva, récupéra les archives d'Old Sam et fouilla à l'intérieur.

— Aucun certificat de naissance, ni pour son père, ni pour sa mère, mais ça n'a rien de surprenant. À l'époque, il n'y avait quasiment pas de médecins en Alaska. Oh !

— Quoi ?

Elle attrapa une feuille de papier jauni, un formulaire composé en caractères alambiqués.

— C'est leur certificat de mariage.

Il regarda par-dessus son épaule.

— Juin 1919. Quoi encore ? dit-il en la voyant se renfrogner.

— Il y avait une rumeur…

Elle laissa sa phrase inachevée, le regard perdu dans le lointain. Mutt, qui l'avait suivie du sofa à la patère et retour, lui posa le mufle sur le genou.

Johnny attendit puis perdit patience.

– Une rumeur ? Quel genre de rumeur ? À propos de qui ?

– On disait que Quinto n'était peut-être pas le père d'Old Sam.

Il tiqua.

– Ouaouh. Sans rire ? À l'époque, on ne rigolait pas avec ça, non ? ajouta-t-il après un instant de réflexion.

Elle secoua la tête.

– Tu n'as pas idée, et tu ne sais même pas pourquoi. Quinto était un métis de Philippin, et à cette époque il y avait un afflux d'immigrants dans le Territoire. Nombre d'entre eux étaient des aventuriers, des hommes en quête de profits faciles, prêts à s'emparer de tout ce qui passait à leur portée.

– Ah… et qui était la mère d'Old Sam ?

– Elizaveta Kookesh. (Kate se laissa retomber sur le dossier du sofa et ferma les yeux un instant.) C'est surtout ça qui a dû mettre les gens en pétard. C'était la fille d'un chef.

Repensant à la conversation qu'elle avait eue avec Ben dans les bureaux de l'*Ahtna Adit*, elle songea qu'elle avait de plus en plus envie de lire le journal intime de son grand-père.

– Ouaouh.

Johnny, qui était pourtant blanc, n'en était pas moins initié aux subtilités hiérarchiques des Natifs, de sorte qu'il ne pouvait manquer d'être impressionné.

– Donc, c'était encore plus grave pour elle d'épouser un étranger, dit-il.

– Exact.

– Grave à quel point ?

– Pas de quoi lui valoir le goudron et les plumes. (Kate marqua une pause.) Enfin, je crois. Mais on a dû lui rendre la vie difficile. (Soudain, elle claqua des doigts.) C'est pour ça qu'Old Sam est né à Cordova. C'est marqué sur son certificat de naissance.

Elle retourna fouiller dans les archives et en revint avec le document recherché.

– Tiens, regarde.

Il s'exécuta.

– En effet. Et tu as noté sa date de naissance ?

– Il est né en janvier 1920, et alors ?

– Ses parents s'étaient mariés en juin 1919.

– Ça ne prouve rien. Même à l'époque, les gens couchaient parfois avant le mariage.

– Ça n'empêche pas qu'elle était obligée de se marier. Monsieur Tyler nous fait lire tout un tas de vieux livres pour son cours d'histoire. En ce temps-là, les bâtards n'étaient pas bien vus.

– Je préfère le terme « enfant illégitime ».

– Pourquoi ?

– « Bâtard », c'est trop dur. C'est même devenu une injure.

– Il t'arrive d'ailleurs de l'employer.

– Je préfère « fils de pute ».

– Peu importe. Ce qui compte, c'est qu'Elizaveta a pu épouser le premier homme qui a voulu d'elle, même si ce n'était pas le père de son enfant.

Kate examina de nouveau le certificat de naissance d'Old Sam. Le nom de son père y était clairement indiqué : Quinto Sergei Dementieff.

– Je me demande s'il était au courant, dit-elle.

– Old Sam ou Quinto ?

– Quinto. Old Sam savait à tout le moins qu'il avait été conçu avant mariage. Il avait tous ces papiers et il savait lire aussi bien que toi et moi.

– Est-ce qu'il avait des frères et des sœurs ?

Kate fit « non » de la tête.

– Donc, son père a hérité d'un fils, si j'ose dire. Peut-être qu'il en était ravi. (Johnny haussa les épaules.) Je veux dire,

Old Sam ne semblait pas traumatisé comme on peut l'être quand on a été élevé par un beau-père tyrannique. Ça lui arrivait de te parler de son père ?

– Quelquefois.

– Qui serait son père biologique, à en croire la rumeur ?

– Hein ? Oh. (Kate secoua la tête.) Je ne connais qu'un vague surnom. Un jour, je suis allé voir Tante Vi alors qu'elle recevait les autres chez elle. Elles ne m'ont pas entendue arriver et je les ai surprises en train de parler d'Old Sam. Elles ont évoqué la fille du Chef Lev et un certain type. Mais elles n'ont mentionné que son surnom. Quelque chose à voir avec un seau. Seau-d'Or ? … Non, ce n'est pas ça, mais c'est un truc de ce genre.

– Tu pourrais leur poser la question.

Elle ricana.

– C'est cela, oui. Quant à savoir si elles y répondraient, c'est une autre histoire.

– Je croyais qu'elles te disaient tout.

– Oh ! elles me disent tout, pour sûr. Elles me disent comment je dois faire tourner l'association, comment m'y prendre avec cet adolescent débile qui vit sous mon toit, pourquoi je dois quitter cette maison et déménager au village…

– Quoi ?

– … pourquoi je dois me trouver un petit ami natif…

– Quoi !

– … mais pour ce qui est de l'histoire de la famille, motus et bouche cousue. D'ailleurs, j'ai l'impression qu'il vaut mieux ne pas la regarder de trop près. (Elle marqua un temps, se rappelant une précédente enquête.) Enfin, c'est du moins ce qu'elles pensent, semble-t-il. Quand on a leur âge, un scandale de jadis, c'est comme si ça datait d'hier.

Elle revit la tête qu'avait faite Tante Joy lors de sa dernière visite à Niniltna.

– Voire de ce matin, conclut-elle.

Pas question qu'elle confie à Johnny son hypothèse sur une liaison entre Old Sam et Tante Joy. Primo, parce qu'elle n'avait aucune certitude. Secundo, parce que cette histoire n'était pas la sienne et que l'un de ses protagonistes était encore de ce monde.

— Qu'est-ce que tu vas faire maintenant?

Soudain, elle se mit à bâiller.

— Aller au lit.

Il bâilla à son tour, comme si c'était contagieux.

— Quelle heure est-il?

— L'heure d'aller au lit.

Elle retourna aux archives pour ranger les documents, Mutt sur les talons. Jim avait beau être absent, elle ne dormirait pas seule cette nuit.

— Hé! fit Johnny, tu as eu des nouvelles de Jim?

— Ouais. Je lui ai parlé au téléphone depuis Ahtna… avant-hier soir, je crois.

— Il va bien?

— Aussi bien que possible pour quelqu'un qui vient de perdre son père.

Et dont la mère semble tout droit sortie de l'enfer.

— Tu viens de perdre le tien, dit Johnny. Comment te sens-tu?

Elle se tourna vers lui et tous deux furent horrifiés de constater qu'elle pleurait. Elle battit furieusement des paupières et dut s'y reprendre à deux fois avant de pouvoir articuler.

— Il me manque. Il me manquera toujours.

— À moi aussi.

Elle le gratifia d'un sourire torve.

— Je sais, dit-elle, puis elle monta l'escalier. Je suis crevée. Au lit, tout le monde!

— Ouais, fit-il en bâillant à s'en décrocher la mâchoire. Hé, Kate?

Elle lui jeta un regard par-dessus son épaule.

— Quoi?

– Il faudra que tu me fasses un mot d'excuse suite à mon absence d'aujourd'hui.

Elle lui sourit.

– Je crois que j'y arriverai.

Elle avait l'air vannée, mais ses coquards étaient passés du néon au pastel et son sourire était un authentique sourire à la Kate Shugak, large, joyeux et malicieux, le sourire d'une femme bien décidée à mordre la vie à pleines dents.

On aurait dit le sourire d'Old Sam, en fait.

Johnny songea qu'il était ravi de s'endormir sur pareille pensée.

Après tout, Old Sam avait été indestructible, ou quasiment, durant toute sa vie en ce bas monde.

14

Durant la nuit, il tomba trente centimètres de neige supplémentaires. Ils parquèrent le pick-up de Johnny dans le garage puis gagnèrent le village sur leurs motoneiges, pour se séparer une fois atteinte la fourche : Johnny se rendait à l'école, Kate au domicile de Demetri Totemoff. Le pick-up de celui-ci était équipé d'un bras articulé et, avec de la chance, il aurait déjà remplacé ses pneus d'été par ses pneus « Vil Coyote ».

Grâce à ces fameux pneus, que Kate avait affublés de ce sobriquet la première fois qu'elle les avait vus, le pick-up de Demetri était rehaussé d'un bon mètre. Comme il les laissait un peu sous-gonflés et disposait d'un moteur V8 de 300 CV, il était en mesure d'accomplir tous les travaux de levage nécessaires durant un hiver dans le Parc.

Et aussi de rouler cent kilomètres sur de la neige fraîche sans s'y embourber et de redresser le pick-up de Kate sans actionner son frein moteur.

Ce fut son épouse Edna, la fille aînée de Tante Edna, qui lui ouvrit la porte. En voyant sa visiteuse, elle afficha une expression qui accentuait encore sa ressemblance avec sa mère. Kate se demanda si Demetri avait observé Tante Edna de près et redoutait déjà l'avenir qui l'attendait. Comme il lui était sympathique, elle espérait que non.

Elle gratifia Edna d'un sourire avenant.

– Bonjour, Edna. Demetri est là ?

Edna hésita assez longtemps pour être taxée de grossièreté. Mutt, qui serrait Kate de près, retroussa les babines.

Sans changer d'expression, Edna recula d'un pas et fit signe à Kate d'entrer se mettre à l'abri du froid.

– Je vais le chercher, dit-elle.

Kate remarqua au passage qu'elle ne lui offrit ni à boire ni à manger, et à Mutt pas davantage, mais Demetri arriva sans tarder, un type costaud de taille moyenne, encore en chaussettes. Âgé d'une cinquantaine d'années, il avait les yeux noirs, les cheveux noirs et les pommettes saillantes d'un Aléoute, ainsi qu'une peau que le soleil estival avait bien dorée, tout comme celle de Kate. Durant l'été, il aidait les chasseurs et les pêcheurs venus de l'Extérieur à collectionner les trophées. Son gîte de luxe dans les Quilaks attirait les amateurs éclairés depuis l'Allemagne et même le Japon. Une fois arrivés à Anchorage dans leur jet privé, ils étaient acheminés au gîte par hydravion. Ces dernières années, Kate avait parfois travaillé pour lui, l'assistant en grande partie pour veiller à ce que ses clients ne se tirent pas une balle dans le pied et n'envoient pas leur hameçon dans l'œil d'un compagnon de pêche.

Elle songea que cela faisait quatre ans qu'elle avait arrêté. Depuis la mort de Jack.

Elle perçut dans les yeux de Demetri une lueur de méfiance qui l'intrigua, mais elle n'avait pas le temps de s'y attarder pour le moment. Elle lui expliqua ce qu'elle souhaitait et il reprit un air amène.

– D'accord, pas de problème, j'ai changé les pneus la semaine dernière, dit-il, puis, alors qu'il attrapait sa parka et chaussait ses bottes, il lança : Edna, je vais aider Kate à sortir son pick-up du fossé. Je reviens dans deux heures.

Il en fallut quatre, mais le matériel de Demetri se montra à la hauteur de sa réputation. Le pick-up de Kate fut remis d'aplomb aussi vite qu'il avait été transformé en tortue renversée, et le bras articulé eut tôt fait de le hisser sur la chaussée enneigée. Demetri aida Kate à remettre la banquette en place.

Elle lui adressa un large sourire.

— Et maintenant, l'épreuve du feu.

Elle se mit au volant, débarrassa de leur gangue de glace les clés qui étaient restées sur le tableau de bord et mit le contact.

Le moteur crachota deux ou trois fois, puis il se mit à tourner. Kate poussa un cri de joie et cogna sur le toit défoncé. Demetri recula d'un pas, et Mutt sauta d'un bond par la vitre brisée, atterrissant sur la couverture que Kate avait posée sur le siège passager.

— Je vais quand même vous prendre en remorque, dit Demetri. Ça sera plus facile si jamais vous vous embourbez en chemin.

Cela se produisit à l'approche de la maison, et les pneus Vil Coyote la tirèrent d'affaire en un clin d'œil. Une fois dans la clairière, Demetri l'aida à parquer le pick-up dans le garage, à côté de celui de Johnny. Les deux véhicules resteraient là jusqu'à ce que la neige soit suffisamment tassée sur la route, ou jusqu'au dégel si la neige devait tomber en telle abondance qu'elle ne se tasserait pas de tout l'hiver.

— Bon sang, fit Demetri.

Il avait fait une pause pour contempler le pick-up rouge, jadis si pimpant, dont le toit enfoncé faisait ressortir tous les dégâts que Kate lui avait infligés au fil des ans.

— Il est sacrément amoché, dit-il.

— Vieille coutume familiale, repartit Kate en refermant les portes du garage. Café ?

Elle vit ses yeux se faire à nouveau méfiants, mais cela fut trop bref pour qu'elle ait le temps de réagir.

— Oui, merci.

Mutt avait disparu dans les fourrés, sans doute pour piller son garde-manger de lièvres arctiques, sur l'autre rive du torrent.

Demetri entra dans la maison sur les talons de Kate. Elle fit chauffer la bouilloire.

– Sandwich ?

– Je veux bien.

Elle attrapa un bocal de viande d'élan hachée et cuite, qu'elle mélangea avec des oignons, des cornichons doux et de la mayonnaise, et servit entre deux tranches de pain, accompagnées d'une feuille de laitue. Chacun des sandwichs ainsi obtenus faisait bien dix centimètres d'épaisseur. Ils furent prêts en même temps que le café et elle apporta un plateau sur la table. Le silence régna tandis qu'ils les savouraient, puis, une fois rassasiés, tous deux virent le monde sous un jour meilleur. Qui mange bien se sent bien.

– Il est bon, votre pain, dit-il. Edna ne sait pas le faire.

– Pourquoi ?

– Il refuse de lever.

– Elle a tué la levure ? Il paraît que ça arrive parfois.

– Peut-être. On l'achète au magasin. (Il frissonna et parcourut la pièce du regard.) C'est bien arrangé, dans votre maison.

Elle suivit son regard d'un air satisfait.

– Oui.

Il se tourna vers elle.

– Vous avez fini par nous pardonner de vous l'avoir donnée ?

Surprise, elle partit d'un petit rire.

– Je crois, oui. C'est juste que…

Il ne la laissa pas finir.

– Je sais. Vous avez plus l'habitude de donner que de recevoir.

– Eh bien, oui, admit-elle en haussant les épaules.

La voix de Demetri prit un ton acerbe.

– Eh bien, accepter un cadeau dans l'esprit avec lequel on l'offre est parfois aussi important que d'en offrir un soi-même. Et même plus dans certains cas.

Cette déclaration inattendue les laissa tous deux un peu confus.

— Demetri, dit Kate, je ne savais pas que cela vous tenait à cœur.

Il marmonna quelques mots indistincts et changea de sujet.

— Il paraît que vous avez enchaîné des gars dans la mine de Suulutaq pour les neutraliser, Jim et vous.

— Ils ne portaient pas de chaînes, protesta-t-elle.

Puis elle vit à son sourire qu'elle s'était fait avoir. Résignée, elle le mit au fait des dernières affaires criminelles, mais il lui semblait que toutes les péripéties qu'elle lui racontait dataient d'un an et non d'une semaine. La mort d'Old Sam et les événements qui l'avaient suivie avaient éclipsé tout le passé récent.

Demetri hocha la tête d'un air plein de sagesse.

— Vous pensez que certains vont y perdre leur boulot? interrogea-t-il.

— Ça, ce n'est pas de mon ressort, Dieu merci. Tout ce que je peux dire, c'est que cette enquête a tourné d'une façon qui me permet d'envoyer la facture à l'État. Que les cadres et les dirigeants de Suulutaq règlent leurs problèmes entre eux.

Il regarda son mug d'un air renfrogné.

— Quoi? fit-elle.

Il leva les yeux.

— Leurs problèmes deviendront les nôtres, que ça nous plaise ou non.

Suivit un bref silence.

— Je sais, dit-elle enfin. Mais que pouvons-nous y faire, Demetri? On ne peut pas oublier que l'or est là. Quand une substance se négocie à un prix atteignant… quelle est la cote ce mois-ci? onze cents dollars l'once? … il se trouvera toujours quelqu'un pour l'extraire et la vendre. D'ailleurs, ça résume bien l'histoire de l'Alaska : on extrait des trucs du sol. On les extrait du sol, on les extrait de l'eau, et on les vend au plus offrant. Et je vais vous dire autre chose. Ça ne sert à rien de diaboliser ces exploitants, c'est en toute légalité qu'ils ont obtenu leurs permis.

Si on continue à les dénigrer comme on le fait, ils vont commencer à se dire qu'ils ne nous doivent rien.

— Vous pensez qu'il vaut mieux baisser pantalon devant eux?

Le mépris qui perçait dans la voix de Demetri la fit sursauter.

— Non, dit-elle d'un ton posé. Ce n'est pas du tout ce que je pense. Ce pays est le nôtre, et nous avons le droit… et même la responsabilité, bon Dieu, d'en contrôler l'accès et les activités dont il est le théâtre. Nous le devons à nos enfants. (Elle fixa sur lui un œil scrutateur.) Jusqu'ici, vous ne vous êtes guère exprimé sur la mine de Suulutaq, Demetri. Dois-je conclure de vos propos que vous lui êtes opposé?

Il se carra dans son siège et contempla le plafond en quête d'inspiration.

— Au stade où nous en sommes, peut-on encore être pour ou contre? (Il se tourna vers elle.) Comptez-vous prendre une position officielle? La présidente du conseil d'administration de la NNA va-t-elle se déclarer pour ou contre la mine? Va-t-elle se battre ou rendre les armes?

— Seigneur, Demetri! On croirait entendre George W. Bush. « Êtes-vous avec moi ou contre moi? » C'est cela que vous me demandez?

— Ce n'est pas ce que je voulais dire, protesta-t-il, sans grande conviction.

— Et si je répondais « ni l'un, ni l'autre »? dit-elle, mais il n'était pas d'humeur à plaisanter. Je n'aime aucune de ces deux options, enchaîna-t-elle. Affronter Suulutaq, ce serait aussi utile que de pisser dans un violon. Au bout du compte, ils finiront par creuser ce putain de trou et par produire ce putain d'or, et nous, on finira dans la dèche. Mais si on s'aplatit devant Global Harvest, ils feront tout ce qu'ils voudront, ce qui ne peut manquer d'inquiéter quiconque y réfléchit plus de cinq minutes. Il existe forcément un juste milieu.

– Ce trou fera trois mille mètres de long sur quinze cent de large. Pile au centre du Parc. Certains n'arriveront jamais à trouver un juste milieu avec ça.

– À vous entendre, vous êtes du nombre, lâcha-t-elle. Je me trompe ?

Il haussa les épaules et s'abîma à nouveau dans la contemplation du plafond.

– Je dis seulement que ça mérite réflexion.

Elle repensa à son gîte, sis au bord d'un splendide lac à l'extrémité sud des monts Quilaks. Par temps clair, la vue s'étendait jusqu'à la baie du Prince-William.

Puis elle repensa à Old Sam, né dans un Parc abritant une mine de cuivre en activité.

– Ce n'est pas comme si c'était une première, dit-elle. Nos grands-parents ont travaillé à la mine de Kanuyaq. Ils ont survécu. Le Parc a survécu. Et à cette époque, personne n'était là pour surveiller les opérations. Les Carnegie, les Mellon, les Rockefeller avaient la bride sur le cou : salaires de misère, syndicats inexistants, couverture maladie idem et achats obligatoires à l'économat. Cette fois-ci, tous les regards sont tournés vers la mine et Global Harvest le sait. Ils préparent une étude d'impact environnemental qui leur prendra deux ans et leur coûtera plusieurs millions de dollars. Ils ont lancé un programme d'aide à la formation pour tout habitant du Parc prêt à travailler à la mine et ayant besoin des cours adéquats. Ils ont fait don d'une antenne parabolique à l'école et d'un ordinateur à chaque écolier. Jusque-là, ils ont donné pas mal de gages de leur bonne foi.

Il resta silencieux un moment avant de reprendre la parole.

– Ils disent que la durée d'exploitation sera de vingt ans, voire davantage.

– Et ça aussi, c'est un problème ? Des emplois bien payés pour nos enfants, qui n'auront pas besoin d'aller les chercher à Anchorage ou à l'Extérieur ?

Il soupira et dénoua les bras.

— Eh merde, Kate. Vous avez sans doute raison. On doit les contrôler au maximum et veiller à ce que la mine soit aussi payante pour nous. À part ça, il n'y a pas grand-chose à faire.

Ce revirement était bien trop rapide, mais elle laissa passer pour le moment. Et puis, elle avait d'autres soucis en tête.

— Demetri, vous ne descendez pas du Chef Lev, par hasard ?

— Le Chef Lev Kookesh ? (Il parut surpris, mais il était plus que ravi de changer de sujet.) Oui, c'était mon arrière-grand-oncle. (Un temps.) Enfin, faut peut-être un « arrière » de plus. Pourquoi ?

— Vous saviez qu'Old Sam était son petit-fils ?

— Aucune idée. Je ne sais pas. Peut-être. (Il plissa le front.) Il n'y avait pas une sorte de scandale autour du Chef Lev ? Non. Sa fille, je crois.

— La mère d'Old Sam ?

— Oui. Le Chef Lev et sa femme sont morts lors de l'épidémie de grippe à la fin de la Première Guerre mondiale. C'est leur fille qui a organisé leur potlatch et un artefact tribal a disparu.

Kate tiqua.

— Un artefact tribal ?

— Un objet relevant de l'histoire de la tribu, à tout le moins. Une icône russe. Vous savez, les images pieuses qu'on trouve dans les églises orthodoxes russes ?

— Je ne savais pas qu'il y avait eu une église orthodoxe russe à Niniltna. Ni qu'il y avait eu une église tout court. (Elle réfléchit.) Excepté la yourte pentecôtiste, bien entendu.

Demetri se leva et enfila sa parka.

— Avec un nom comme Kookesh, ses ancêtres venaient sûrement du Sud-est. Peut-être qu'ils ont apporté cette icône de Klukwan, de Huna ou d'ailleurs. Bref, on raconte que la tribu possédait jadis une icône russe et qu'elle était censée avoir le pouvoir de guérir.

— Vous voulez dire, comme Notre-Dame de Lourdes ? C'est une blague ?

— Non. Le Chef Lev la montrait chaque fois que se tenait un potlatch ou une assemblée. Les malades, les aveugles, les boiteux et les autres la priaient de les guérir. Et c'est ce qu'elle faisait.

— Oui, bien sûr.

— Hé, je n'y suis pour rien. Je ne fais que vous rapporter ce que j'ai entendu.

— Un instant, fit Kate. Si c'était un bien familial, quelqu'un devrait encore l'avoir en sa possession, non ? Vous ou alors… je ne sais pas… Old Sam ?

— Justement. Quelqu'un l'a volée durant le potlatch. Elle a disparu du jour au lendemain. Pas mal de gens ont dit que c'était un coup de la fille du Chef Lev, qui craignait qu'on la lui confisque.

— Pourquoi ?

— Parce que c'était une femme et qu'elle ne pouvait pas être le chef.

Kate aussi, en ce temps-là, aurait été exemptée de cette charge. L'espace d'un instant, elle eut la nostalgie de cette époque révolue.

— Alors ? C'est elle qui a fait le coup ?

— L'histoire conclut que non. On parle d'un prospecteur qui lui aurait fait du charme puis aurait filé avec le trésor.

Kate se raidit.

— Il a un nom, ce prospecteur ?

— Comme si je le savais ! Un surnom, quelque chose à voir avec un seau. Seau-de-Sang ? Saute-Seau ? (Il haussa les épaules.) Je n'en sais rien. Pourquoi vous ne posez pas la question à Ruthe ?

— Ruthe Bauman ?

— Ouais.

— Pourquoi connaîtrait-elle son nom ?

Il la regarda comme on regarde une demeurée.

— Vous n'êtes pas au courant ? Dan O'Brian lui a demandé d'écrire un texte sur l'histoire du Parc, pour le site Web du

Service des Parcs. Old Sam a passé pas mal de temps avec elle et lui a raconté plein de choses. (Un temps.) Faites attention où vous mettez les pieds, cependant. Les tantes sont furieuses que ce soit une femme blanche qui écrive ce truc.

— Elles sont furieuses contre Ruthe?

La voix de Kate monta si haut dans les aigus que Mutt se leva d'un bond.

— Non, contre Dan.

Demetri tapa des pieds pour les caler dans ses bottes et marqua une pause, la main sur le loquet, pour dire l'air de rien :

— Je ne veux pas vous bousculer, mais qui proposez-vous pour remplacer Old Sam au conseil d'administration?

— Il est irremplaçable, répondit Kate d'une voix neutre. On peut donner son siège à quelqu'un, mais c'est à peu près tout.

Demetri n'était pas décidé à renoncer.

— Alors, à qui proposez-vous de donner son siège?

Il avait raison, songea-t-elle. Plus vite on aurait réglé ce problème, plus on aurait de temps pour initier le nouveau venu aux affaires courantes et à la politique générale de l'Association.

— Je pensais qu'on devrait choisir quelqu'un d'Anchorage. Un des sociétaires qui vivent hors du Parc. Pour bénéficier d'un point de vue extérieur sur la situation.

— Qui ça?

— Je ne sais pas encore, mentit Kate. Et si on faisait un tour de table le mois prochain, qu'en dites-vous?

— Mouais. Ce serait bien si on avait une liste de candidats potentiels. Comme ça, on pourrait voter tout de suite et notre choix serait entériné par l'assemblée générale de janvier.

— Vous avez déjà une idée?

Il acquiesça.

— Tout comme vous.

— Demetri? Merci.

Il la salua d'un geste de la main et elle regarda la porte se refermer derrière lui, écouta le bruit de ses pas qui s'éloignaient, puis celui de son moteur qui démarrait, et se demanda si elle ne s'était pas trompée sur son compte depuis des années.

Seau-de-Sang? Saute-Seau?

15

Ruthe Bauman ouvrit la porte et déclara :

— Vous ressemblez trait pour trait à un eider à lunettes.

— J'aurai vraiment, vraiment tout entendu, dit Kate. Mais celle-ci, c'est la première fois, bravo. Inutile de la répéter, donc. Il faut que je vous parle d'Old Sam.

— Entrez.

Ruthe s'écarta et ouvrit la porte en grand. Galadriel était couchée devant le poêle à bois. Elle feula en direction de Mutt mais ne daigna pas bouger. Mutt gronda sans exhiber ses dents. L'honneur étant sauf de part et d'autre, Mutt se coucha de l'autre côté du poêle et glissa la truffe sous sa queue, et chienne et chatte s'ignorèrent mutuellement à partir de cet instant.

— Je vais faire un peu de café pendant que vous vous déshabillez, dit Ruthe en fonçant vers la cuisine.

Proche des quatre-vingts ans, Ruthe était encore mince et alerte, dotée d'yeux noisette et d'une crinière indisciplinée de cheveux blanc et or. Elle avait des rides au coin des paupières et sur ses joues creuses, mais, à l'instar d'Old Sam, elle paraissait sans âge. Sauf cas de blessure ou de maladie, la longévité était le privilège des gens qui venaient vivre dans le Parc. Quand son heure viendrait, Ruthe s'éteindrait probablement comme l'avait fait Old Sam, en s'asseyant pour ne plus se relever.

Elle était arrivée en Alaska avec son amie Dina Willner, deux WASP démobilisées qui n'arrivaient pas à trouver du travail comme aviatrices à l'Extérieur et étaient venues en chercher en Alaska. Elles s'étaient associées durant les années 1950, puis avaient recruté à Fairbanks un guide spécialiste du gros gibier et créé Camp Teddy, un des premiers établissements ciblant les écotouristes, qui occupait trente-deux hectares à quarante kilomètres au sud de Niniltna. Ruthe s'était par ailleurs bombardée responsable de la protection de la nature pour le Parc. Elle effectuait en toute indépendance un décompte des diverses espèces présentes, dont les chiffres différaient souvent de ceux auxquels parvenait Dan O'Brian, ce qu'elle n'hésitait pas à proclamer haut et fort quand c'était nécessaire. Lorsque Dan autorisait une chasse à l'élan à Nugget Creek, il avait intérêt à consulter Ruthe au préalable, car elle n'hésitait pas à affirmer le cas échéant que la population d'élans risquait de ne pas se remettre de ces prélèvements.

— Comment vous sentez-vous ?

Ruthe s'affaira à poser sur la table deux mugs, du pain fait maison coupé en tranches et une barquette d'une livre de beurre Darigold. Par extraordinaire, cette dernière contenait du beurre et non des bouchons d'oreille ou des clous. Ou encore de la monnaie.

— Ça peut aller, dit Kate. Mais il me manque déjà, ce fils de pute.

Ruthe sourit, une lueur de nostalgie dans le regard.

— À moi aussi.

— Minute ! Je croyais que c'était Mary Balashoff qui…

Ruthe agita la main.

— Pas de souci. C'est de l'histoire ancienne. Très ancienne, du temps où Dina et moi sommes arrivées ici. Sam a transporté pas mal de matériau de construction sur le *Freya* quand Camp Teddy était en chantier. Nous… nous avons fait connaissance.

Doux Jésus, y a-t-il un habitant du Parc avec qui tu n'aies pas couché, Ruthe ? Ruthe et Jim avaient eu une brève et discrète liaison à l'époque où Kate était revenue au pays. Elle ne put s'empêcher de jeter un regard sur le plancher de cette même cabane, où s'était déroulée une certaine scène juste après que Kate eut appris ce détail. Et maintenant, Old Sam ?

Ruthe lut dans ses pensées sans la moindre difficulté et partit d'un petit gloussement.

– Difficile d'imaginer un couple de vieux débris comme nous en train de…

Kate leva la main.

– Stop. Plus un mot. Je vous en supplie.

Ruthe éclata de rire.

– Ne vous inquiétez pas, Kate. Je plaisantais. Old Sam et moi étions des amis, de bons amis. Moi aussi, il va me manquer. (Elle marqua une pause.) Vous arrive-t-il d'envisager un moment où vous n'aurez plus envie de coucher avec Jim ?

Peut-être que Kate avait trop d'imagination, mais il lui sembla que Ruthe jetait au plancher de sa cabane un regard qui en disait long. Elle ne pouvait pas savoir. Ô mon Dieu, faites qu'elle ne sache rien !

Puis les paroles de Ruthe s'insinuèrent dans sa conscience. Elle repensa à la nuit précédente, lorsqu'elle s'était réveillée bien avant l'aube à la recherche d'un homme qui n'était pas là, dans un lit glacial et solitaire.

– Ce serait inutile, répondit-elle. Tout le monde connaît Jim. Quand je me poserai la question, il sera déjà parti.

Ruthe lui adressa un regard amusé.

– C'est cela.

– Il est en Californie en ce moment, déclara Kate, d'une voix peut-être un peu trop crispée.

– Pourquoi donc ?

– Son père vient de mourir.

– Oh ! je vois. (Ruthe s'assit en face de Kate, mit du sucre dans son café et le remua.) Il vous a abandonnée pour une raison des plus futile. Fichez-le dehors, allez-y.

– Ce n'est pas ce que je voulais dire.

– Ah bon ? fit Ruthe en lui décochant un regard glacial.

Vaincue, Kate repartit :

– Vous savez, Ruthe, je ne suis pas venue ici pour parler de ma vie amoureuse.

Ruthe haussa les sourcils.

– Parce que c'est de l'amour ?

– Ruthe !

La vénérable chipie éclata de rire.

– Pardon, Kate, je n'ai pas pu résister. Qu'est-ce qui vous amène ?

– C'est à propos d'Old Sam.

– Vous l'avez déjà dit. (Ruthe redevint sérieuse.) Mais encore ?

– Demetri m'a dit…

– Demetri ?

– Demetri Totemoff, oui.

Il y avait dans le ton de Ruthe quelque chose que Kate ne pouvait identifier.

– Qu'est-ce que vous reprochez à Demetri ? demanda-t-elle.

Ruthe balaya cette question d'un revers de la main.

– Plus tard. Que vous a-t-il dit ?

– Il m'a dit que Dan O'Brian vous avait chargée de rédiger un article sur l'histoire du Parc.

– C'est exact, il sera posté sur le site Web du Service des Parcs. Tout finit sur un site Web de nos jours. C'est surtout une chronologie : qui est venu ici et à quel moment. Histoire d'avoir une perspective globale, vous voyez ? Genre : entre mars 1918 et juin 1920, la grippe espagnole a fait cinquante millions de victimes dans le monde, elle en a fait treize mille en Alaska entre novembre 1918 et juin 1919, le Chef Lev Kookesh et son épouse Victoria sont morts lors de la pandémie, en 1919 à Niniltna.

– Contexte, dit Kate, un instant distraite.

Ruthe acquiesça.

— Mais il faudra que je me connecte pour voir ça.

— Exact.

Soupir de Kate.

— Bon. Demetri m'a dit que vous saviez peut-être des choses sur le Chef Lev, sur sa fille et sur son petit-fils, lequel n'est autre qu'Old Sam, imaginez ma surprise.

— Vous n'étiez pas au courant ?

Kate fit « non » de la tête.

— Il ne me l'a jamais dit. Du plus loin que je le connaisse, je ne crois pas qu'il m'ait jamais parlé de ses grands-parents. D'ailleurs, il ne parlait pas davantage de ses parents.

— Ah.

— Ce « ah » a-t-il un rapport avec l'hypothèse selon laquelle Quinto Dementieff n'était pas le père biologique d'Old Sam ?

Ruthe plissa les yeux.

— Parce que ça, vous le savez ?

— Pas exactement. Un jour, j'ai entendu les tantes en parler à demi-mot et, d'après Demetri, le bruit courait qu'Elizaveta, la mère d'Old Sam, fréquentait un prospecteur juste avant d'épouser Quinto.

Ruthe hocha la tête et parut prendre une décision. Elle commença par une mise en garde.

— Comprenez tout d'abord que je n'ai aucune certitude.

— Oui, mais vous avez été intime avec Old Sam, si j'ai bien compris.

Ruthe sourit de toutes ses dents.

— Un peu, dit-elle, et elle se remit à rire en voyant Kate former une croix avec ses deux index et la brandir devant elle. Un jour, je lui ai fait remarquer qu'il était beaucoup plus grand que la moyenne des Natifs, et il m'a répondu que son père mesurait un mètre quatre-vingt-cinq.

Old Sam était grand, en effet. Pourquoi Kate n'avait-elle jamais fait le rapprochement ?

— Quinto Dementieff avait un père aléoute et une mère philippine, dit-elle. Il ne devait pas faire plus d'un mètre cinquante.

— Les Philippins non plus ne passent pas pour des géants.

Ruthe observa Kate, comme dans l'attente de quelque chose. Mais de quoi ?

— Vous connaissez le nom de ce prospecteur ? reprit-elle. Demetri m'a parlé d'un surnom bizarre genre « Seau-de-Sang ».

Ruthe se fendit d'un sourire approbateur, comme si Kate venait de dire quelque chose d'intelligent.

— « D'un-Seul-Seau », dit-elle. McCullough de son vrai nom.

Nombre des prospecteurs attirés au Klondike par la fièvre de l'or avaient un sobriquet pittoresque, le plus souvent lié à une histoire qui ne l'était pas moins.

— Pourquoi D'un-Seul-Seau ?

— Je me suis posé la question, moi aussi, alors j'ai fait des recherches dans les journaux de l'époque.

— L'*Ahtna Adit* ?

— Entre autres, dit Ruthe en opinant du chef. Mais il est également cité dans deux ou trois livres écrits par d'autres prospecteurs.

Kate se rappela la remarque de Ben, selon qui tous les prospecteurs du Klondike avaient écrit leurs mémoires.

— Apparemment, reprit Ruthe, McCullough était réputé dans certains milieux pour son habileté à tomber sur la concession la plus riche de n'importe quelle rivière, qu'il revendait au premier venu après en avoir extrait un seau de pépites en un seul jour.

Kate réfléchit quelques instants.

— Ça a l'air trop beau pour être vrai. Où est le gag ?

— Eh bien, à en croire les témoignages de ses acheteurs, qui ont pu constater que leur concession était incapable de leur fournir la quantité d'or espérée, il n'était pas impossible qu'il ait utilisé le même seau de pépites à plusieurs reprises.

— Oh.

Kate se mit à rire et Ruthe en fit autant.

— Et c'était le père d'Old Sam ? reprit Kate.

— Peut-être, fit Ruthe en haussant les épaules. Old Sam ne me l'a jamais dit franchement. Pourquoi cela vous intéresse-t-il ?

– Old Sam m'a laissé cette note.

Kate sortit la fameuse note de sa poche et la tendit à Ruthe.

– Hum, fit celle-ci en la lisant. Ce n'est guère explicite.

– Non, en effet, dit Kate d'une voix agacée.

Ruthe la gratifia d'un regard intrigué.

– Est-ce que ça a un rapport avec l'agression que vous avez subie chez Old Sam ?

– Je ne sais pas. J'étais en train d'emballer ses livres et j'ai été distraite par un journal intime, rédigé par le premier juge en poste à Ahtna avant la Seconde Guerre mondiale. Quand j'ai repris mes esprits, je me retenais de vomir sur le pantalon de Matt Grosdidier. Et vous ne connaissez pas la dernière.

Elle relata à Ruthe son séjour mouvementé à Ahtna et son retour qui ne l'était pas moins.

– Jane Silver est morte ?

Kate acquiesça.

– Vous la connaissiez ?

– Qui ne la connaissait pas ? Elle était aux premières loges de l'histoire de l'Alaska pendant soixante-dix ans. J'ai essayé de la cuisiner pour construire ma chronologie, mais elle ne voulait rien savoir.

Kate s'éclaircit la voix avec délicatesse.

– Si elle ne souhaitait pas qu'on s'intéresse de trop près à elle, c'était peut-être pour une bonne raison.

Ruthe eut un reniflement des plus grossier.

– Je sais tout de Beatrice Beaton et de ses pensionnaires.

– Oh. Bon. C'est donc moins secret que Jane ne le pensait.

– Et vous dites qu'elle est morte ?

– C'est arrivé avant-hier.

– Dans quelles circonstances ?

Kate soupira.

– Il semble qu'elle ait surpris un cambrioleur. Ils se sont battus et elle s'est brisé le crâne en tombant.

– Un cambrioleur, hein ?

— Oui. Sa maison était sens dessus dessous ou en passe de l'être. J'ai entendu le type filer par la porte de derrière alors qu'on entrait par celle de devant.

Ruthe se tourna vers Mutt, qui ronflait paisiblement devant le poêle.

— Mutt était avec vous ?

— Oui.

— Vous ne l'avez pas lâchée sur ce type ?

— Non.

Ruthe arqua un sourcil.

— Il fut un temps où vous n'auriez pas hésité.

Kate se tourna vers Mutt à son tour. Il fut un temps où elle n'avait pas encore vu Mutt à l'article de la mort après avoir reçu une balle qui visait son humaine.

Mutt ouvrit tout grand les yeux et leva la tête pour regarder Kate bien en face.

Kate fut la première à se détourner.

— Il y a eu une vague de cambriolages à Ahtna ces derniers temps, reprit-elle. C'est peut-être aussi simple que ça. Ou alors…

— Ou alors quoi ?

Kate haussa les épaules.

— Je présume que les pensionnaires de Madame Beaton connaissaient tous les ragots et pouvaient même deviner ce qu'ils cachaient. Pour un flic, la meilleure donneuse est une travailleuse.

— Vous pensez qu'elle savait quelque chose en rapport avec Old Sam ? Et que c'est pour ça qu'on l'a tuée ?

— Ça pourrait être une histoire compliquée comme ça. (Kate vida son mug et se leva.) Johnny en est presque sûr.

Large sourire de Ruthe.

— Comment est-il, ce grand gaillard ?

Sans en avoir conscience, Kate laissa paraître l'amour et la fierté qu'elle ressentait.

— Quasiment parfait.

Ruthe opina d'un air sage, comme si elle n'était pas surprise.

— Vous avez beaucoup de chance, dit-elle.

— Je sais.

Un bon mètre de neige bloquait la porte de la cabane d'Old Sam, qui était entourée de traces de pas relativement fraîches. Apparemment, le visiteur avait jeté un coup d'œil par toutes les fenêtres. Kate s'accroupit pour examiner ses empreintes de plus près.

— De petits pieds, dit-elle à Mutt, qui regardait par-dessus son épaule. Un adolescent ou une jeune femme. Je parie que c'était Phyllis. Peut-être qu'elle reviendra faire un tour.

Mutt émit un bruit qui pouvait passer pour un assentiment, mais, une fois que Kate eut ouvert le cadenas, elle se planta sur le seuil et ne relâcha pas sa vigilance jusqu'à leur départ. Mutt n'avait pas la mémoire courte et son honneur lui interdisait de laisser son humaine sans défense une seconde fois.

Pour les livres, c'était déjà réglé. Comme promis, Kate laissa sur place le linge de toilette et de maison, l'argenterie et les provisions de bouche. Elle emballa les vêtements et les objets personnels d'Old Sam, marquant soigneusement au feutre noir le contenu de chaque carton. Quand vint la fin de la journée, elle en avait marre de trimer. Qui aurait pu se douter que le vieux bonhomme conservait autant de saletés ? Mike Doogan, l'auteur de polars alaskien, aurait sûrement préféré le terme d'attirail. Elle en était au point où elle entassait dans le même carton boîtes de cartouches, sous-vêtements usagés et décorations de Noël. Où diable Old Sam s'était-il procuré tout ça ?

Phyllis, si c'était bien elle, ne se remontra pas. Sur le chemin du retour, Kate laissa les fringues d'Old Sam chez Tante Balasha, qui avait aménagé une friperie dans son garage. Cet après-midi-là, quand Johnny rentra de l'école, il trouva Kate occupée à décharger les derniers cartons de la remorque attachée à la motoneige. Il lui donna un coup de main et ils purent fermer le garage avant que se déclenche une nouvelle chute de neige qui risquait de laisser des traces le matin venu.

Kate prépara le dîner pendant que Johnny, accoudé au comptoir, lui dispensait ses encouragements. Les côtes de porc étaient dans le four et elle recyclait des pommes en piteux état pour en faire une sauce lorsqu'il acheva de lui relater sa journée de lycéen.

— On a parlé de la grippe espagnole en cours d'histoire, dit-il. D'après Monsieur Tyler, elle a frappé avec plus de violence en Alaska qu'ailleurs, étant donné le style de vie communautaire des Natifs.

Kate hocha la tête tout en faisant chauffer du riz.

— On estime que la moitié de la population native a succombé. Les anciens appelaient ça la mort noire. Et ce nom est resté.

— Ouaouh, fit Johnny, impressionné. Comme cette épidémie au Moyen Âge.

— La peste bubonique.

— Ouais. Sauf que les rats n'étaient pas en cause.

— Non. (Elle se pencha au-dessus de l'évier.) Essaie d'imaginer, Johnny. La moitié de tes amis et de tes proches qui meurent. Moi, Jim, toi, Van, les tantes, Ruthe, Annie. Fais le compte.

Jim semblait atterré.

— Je n'avais pas vu les choses sous cet angle.

— C'est exactement comme ça qu'elles se sont passées. Et ceux qui ne sont pas morts sur le coup étaient trop faibles, trop diminués pour résister aux charognards, et ceux qui n'étaient pas malades avaient trop à faire pour songer à les traquer.

— Donc, tu penses que ce D'un-Seul-Seau McCullough a séduit la maman d'Old Sam pour lui voler cette icône ?

— C'est l'impression que ça donne.

— Et ensuite, elle a épousé Quinto Dementieff. (Il réfléchit quelques instants.) Tu crois que Quinto le savait ?

— S'il l'ignorait sur le moment, il a forcément été fixé en voyant Old Sam devenir aussi grand qu'il l'est. Qu'il l'était.

— J'espère qu'il n'a…

Johnny laissa sa phrase inachevée.

– Ouais, fit Kate. Moi aussi.

– Et Old Sam, tu crois qu'il savait?

– Oui. (Kate plia un torchon et le plaça sur la poignée du four.) Peut-être pas tout de suite, mais il a fini par le savoir. C'est la seule façon d'expliquer sa note.

– Tu penses donc qu'il voulait que tu retrouves ce D'un-Seul-Seau McCullough?

– Ouais.

– Pourquoi?

Le rire de Kate ressemblait un peu à un sanglot.

– Je n'en ai pas la moindre idée. (Un temps.) Mais il faut savoir une chose à propos d'Old Sam.

– Laquelle?

– Une information ne l'intéressait que dans la mesure où elle avait une application pratique. Quelle que soit la drôle de route qu'il veut me voir prendre…

– Il y a quelque chose d'important au bout.

– Je le pense. Bon Dieu, je l'espère.

Elle commença à servir le dîner, et rien ne vint interrompre celui-ci, même pas les édits d'outre-tombe émanant d'Old Sam. Mais après le dessert, Johnny demanda:

– Que comptes-tu faire à présent?

– J'y ai réfléchi.

C'était au tour de Kate de s'accouder au comptoir et d'encourager Johnny pendant qu'il faisait la vaisselle. La nuit au-dehors était d'un noir d'encre et la maison tremblait sous les assauts d'une nouvelle tempête.

– Si ça s'est calmé demain matin, reprit-elle, je crois que je vais sortir la motoneige et pousser jusqu'à Canyon Hot Springs.

– Pourquoi?

Kate eut un rire étouffé.

– J'aimerais bien pouvoir te répondre. (Elle s'ébroua, comme pour chasser une mouche qui l'agaçait.) J'ai l'impression que c'est ce que je dois faire. J'ignorais que les sources chaudes appartenaient à Old Sam avant qu'il me les lègue par testament. Et voilà qu'arrive cette histoire de paternité, et aussi… j'ai peine à croire que je dis ça… cette histoire de trésor disparu.

— L'icône.

— Ouais.

— Monsieur Tyler nous a parlé de la révolution russe et du massacre du tsar et de sa famille. Tu savais que l'Église orthodoxe russe en avait fait des saints ?

— Ah bon ?

— Oui, il nous a montré des photos d'icônes qui les représentaient. Ornées d'or et de joyaux. Elle était comme ça, ton icône disparue ?

— Aucune idée. Je ne l'ai jamais vue. Pas plus que les autres membres de ma génération.

Peut-être qu'il n'était pas exagéré de parler de « trésor ».

— Est-ce que les tantes savent quelque chose ?

— Sans doute. Elles étaient toutes les quatre contemporaines d'Old Sam. Plus ou moins.

Elle repensa à Tante Joy. Elle ne voulait pas ajouter à ses souffrances, mais elle savait comment réagiraient les trois autres si elle commençait à les interroger. Tante Edna lui lancerait un rictus et refuserait de répondre par principe, Tante Vi la gronderait et refuserait de répondre sous prétexte que Kate se mêlait des affaires des anciens (« Tu n'étais pas encore née, Katya ! ») et Tante Balasha lui sourirait, lui offrirait des cookies sortis du four, plus de la viande d'élan séchée à Mutt, puis elle appellerait son petit-fils Willard pour qu'il aille réparer son pick-up et elle offrirait à Kate une demi-douzaine de bocaux de son saumon fumé justement réputé, sans jamais répondre à ses questions de façon constructive. Tante Balasha était la plus accueillante des quatre mais aussi la plus inaccessible.

— Tu pourrais leur demander.

— Oui, je pourrais. (Une nouvelle bourrasque de vent secoua la maison.) Mais pas ce soir.

Elle désigna la table, puis son cartable posé sur une chaise.

– Fais tes devoirs.

– Et toi, que vas-tu faire?

Elle indiqua de la main les cartons empilés dans le living.

– Ranger les bouquins d'Old Sam sur les étagères.

Johnny s'attaqua à sa tâche en grognant moins que d'habitude, et Monsieur Tyler monta un peu plus dans l'estime de Kate. Un bon prof, ça fait une sacrée différence.

Les deux heures suivantes les virent s'activer, chacun dans son coin, au son des chansons de Jimmy Buffett. On n'était qu'en octobre, donc, contrairement à ce brave Jimmy, elle n'était pas folle au point de tirer six balles dans son congélo. D'ailleurs, elle ne souffrait guère de claustrophobie.

Après la frénésie qui caractérisait l'été alaskien – vite, vite, pêche tes poissons, nettoie-les, fume-les et mets-les en conserve, vite, vite, cueille tes baies, fais des confitures, désherbe le jardin, coupe du bois, répare le toit, repeins l'appentis, tue un élan et remplis ton garde-manger, puis fais un aller-retour à Anchorage pour choisir de nouvelles lunettes, passer chez le dentiste et acheter des provisions et des fringues pour le gamin –, les gens étaient épuisés, éreintés, prêt à ramper dans leur tanière et à y dormir tout l'hiver.

Le Parc tournait au ralenti durant l'hiver. Pour la première fois depuis des mois, elle avait enfin le temps de faire la grasse matinée, de lire un livre, de s'escrimer plusieurs jours sur une nouvelle recette de pain jusqu'à enfin la maîtriser. Elle avait le temps d'aller jusque chez Mandy en raquettes, ou de passer une soirée *Chez Bernie*, voire deux ou trois jours chez Bobby et Dinah pour refaire connaissance avec sa filleule.

Il faisait sombre, il faisait froid… et alors? Kate ne faisait jamais de sentiment sur sa vie, mais quand on vit dans un milieu vivrier comme l'Alaska, on passe d'un été consacré au travail non-stop à un hiver dévolu au loisir non-stop, toutes proportions gardées.

À moins que votre père de substitution n'ait quitté ce monde, l'enfoiré, en vous laissant le soin de démêler un écheveau remontant apparemment à une époque précédant sa conception.

Ce fut avec une violence superflue qu'elle rangea sur une étagère une biographie du capitaine Cook par Alistair MacLean.

Demain, elle irait faire un tour au village pour aller voir Tante Joy, lui parler d'Old Sam, d'Elizaveta Kookesh et du Chef Lev, et tâcher de découvrir qui était D'un-Seul-Seau McCullough.

Ensuite, elle pousserait jusqu'à Canyon Hot Springs pour trouver ce qu'Old Sam lui avait demandé de trouver, quoi que ce soit.

16

Il était tombé trente centimètres supplémentaires et, à en juger par la couleur du ciel, il en tomberait d'autres mais pas tout de suite. Kate, qui n'avait pas oublié la plus récente de ses expériences de survie, chargea dans la remorque de quoi alimenter et équiper une petite armée, puis l'accrocha à la motoneige et se mit en route.

Avant d'aller chez Tante Joy, elle fit un détour chez Virginia Anahonak pour voir Phyllis, qui lui confirma que c'était bien elle qui avait fait le tour de la cabane d'Old Sam. Elle poussa un cri de joie en apprenant qu'elle pouvait y emménager tout de suite.

— Il reste assez de bois pour passer l'hiver, dit Kate. Il est à vous. J'ai vérifié les tonnelets d'essence, ils sont à moitié pleins. Il y a de la farine, du sel, du sucre, du beurre, quelques conserves, des draps et des serviettes de toilette.

Phyllis se remit à pleurer.

— J'ai passé la nuit à faire mes bagages, dit-elle.

Puis elle se jeta sur Kate, la serra dans ses bras et lui déposa un baiser sur la joue, ce qui la plongea dans la confusion d'autant que Virginia, plantée sur le seuil de sa demeure, ne perdait pas une miette de la scène.

— Euh… oui, fit Kate en s'extirpant de l'étreinte de la jeune femme. Je vais faire un tour aux sources chaudes, alors j'ai intérêt à me mettre en route si je veux arriver avant la nuit.

— Je ne vous remercierai jamais assez, dit Phyllis en sanglotant.

— Remerciez Old Sam, c'est lui qui vous fait ce don. Vous voulez que je vous emmène ?

Phyllis s'essuya les yeux d'un revers de manche et déglutit.

— Votre remorque est pleine à craquer. Virginia me conduira là-bas. De toute façon, elle veut voir à quoi ça ressemble.

Évidemment. Phyllis retourna dans la maison, sans doute pour y attraper ses affaires, et Kate redémarra et s'en fut.

Enfant unique, elle avait perdu ses parents très jeune et été élevée par deux vieillards et une vieille femme, qui avaient tous du mal à gérer l'émotion et la gratitude. Ça se voyait.

Lorsque Tante Joy ouvrit sa porte à Kate ce matin-là, elle n'affichait pas le sourire rayonnant qui lui était coutumier.

— Salut, tantine, dit Kate d'une voix enjouée. Où est ta pelle ? Je vais dégager ton allée pendant que tu fais le café, et s'il te reste quelques-uns de ces fantastiques cookies, ce ne sera pas de refus.

Ce disant, elle accomplissait son devoir envers son aînée tout en lui faisant comprendre qu'elle comptait s'incruster jusqu'à ce qu'elle ait appris ce qu'elle cherchait. Au bout d'une demi-heure, elle avait déneigé l'allée menant du pas de porte à la grand-rue. Elle posa la pelle contre le mur de la cabane, tapa des pieds pour débarrasser ses bottes de toute trace de neige et entra. Mutt, qui avait fourni une garde d'honneur à la cantonnière improvisée qu'elle était, s'assit sur le perron avec un bruit impressionnant qu'on entendait parfaitement de l'intérieur.

Cette fois-ci, la table en acajou servait d'écrin à la totalité du service à thé aux boutons de rose : pot à crème, sucrier, tasses, sous-tasses et assiettes à dessert, le tout disposé sur une nappe en dentelle. Il y avait même les couverts ornés de roses, que Kate avait vus pour la dernière fois à l'époque où Tante Joy espérait encore que sa jeune nièce succomberait à l'attrait des poupées, des fanfreluches et des quatre-heures.

Oui, Tante Joy avait armé ses batteries. Dès qu'elle entra, Kate fut distraite par le souvenir des objets fragiles qu'elle avait cassés étant enfant avant que Tante Joy se décide à les ranger hors de sa portée.

Bizarre, mais quel que soit le nombre de tasses qu'elle éliminait, le service était toujours complet à sa visite suivante.

– Assieds-toi, dit Tante Joy.

C'était un ordre et non une invitation. Kate obéit. On lui servit du thé, on y ajouta du lait, on lui proposa du sucre, on disposa des cookies dans une assiette à dessert. Suivit une conversation polie, le temps d'appliquer les principes de l'hospitalité en vigueur dans le Parc. La neige tombe tôt cette année. Et ce n'est pas fini. Tante Vi est tellement fatiguée quand elle change les draps de son Bed&Breakfast qu'elle envisage d'engager quelqu'un, peut-être une lycéenne. Est-ce que Vanessa serait intéressée ? Les enfants adorent leurs ordinateurs, et tu n'imagines pas tout ce qu'ils y trouvent. La petite Anuska Moonin a découvert un site Web… Tante Joy était fière de la voir maîtriser ce nouvel outil… un site Web contenant des centaines de motifs de dentelle. Elle en a imprimé quelques-uns pour les apporter à sa tantine. Quelle aimable attention ! Tante Balasha a emmené son petit-fils Willard à Anchorage pour sa visite médicale annuelle. Tante Edna fait un malheur avec les plats à emporter philippins qu'elle prépare dans sa cuisine. Katya Clark est entrée à la maternelle et le principal a dû bloquer le passage à son père, qui voulait se poster au fond de la classe sur son fauteuil roulant. Si le principal ne se trompe pas, et c'est un vétéran lui aussi, il était armé d'un pistolet automatique Tokarev 7,62 mm, qui pesait un kilo, voire davantage, au cas où des terroristes se seraient introduits dans l'école pendant la sieste.

Kate mangea, but et patienta jusqu'à ce que Tante Joy soit à court de potins. Le silence qui suivit se prolongea au point de devenir inquiétant, voire sinistre. Kate posa sa tasse sur une soucoupe, avec le soin exagéré qu'elle mettait à manipuler la porcelaine de Tante Joy, et déclara :

— Tantine, je dois savoir certaines choses si je veux accomplir les dernières volontés d'Old Sam.

Tante Joy reposa sa tasse avec un soin identique, dans un geste qui avait quelque chose de définitif.

— Très bien, Katya. Je vais te les dire.

Kate, qui avait préparé toute une série d'arguments qu'elle était prête à asséner, fut déconcertée par cette soudaine capitulation.

— Pourquoi maintenant ?

Tante Joy haussa les épaules.

— J'y ai réfléchi l'autre jour, après ton départ.

Elle se tourna vers Kate, rayonnante d'amour et de fierté. Kate, que ce dernier sentiment gênait tout autant que la gratitude, s'efforça de ne pas se trémousser sur son siège.

— Tu es l'élue, Katya. C'est à toi de porter ce fardeau au nom de tous. J'ai cru d'abord qu'il serait trop lourd pour tes épaules. Et, après toutes ces années, était-ce encore si important ?

Kate attendit la suite.

— Mais ça l'était pour Old Sam, reprit Tante Joy. Oh ! oui.

Ses yeux s'emplirent de larmes et elle reprit à voix basse :

— C'était même trop important à ses yeux.

— Quoi, tantine ? Qu'est-ce qui était donc si important pour lui ?

Tante Joy battit des cils pour refouler ses larmes et se mit à témoigner d'une voix douce. En l'écoutant, Kate se sentit revenir en arrière dans le temps, à cette triste époque qui avait suivi la ruée vers l'or, la ruée vers le cuivre et la grande guerre, quand l'Alaska n'était qu'un Territoire, oublié de tous ou presque, avec une population inférieure à soixante mille personnes. En ce temps-là, il n'y avait pas de ligne aérienne régulière. Les routes n'étaient ni pavées ni entretenues, et elles étaient impraticables une bonne partie de l'année. On commandait ses provisions chaque année à un grossiste de Seattle, et elles étaient acheminées par l'Alaska

Steam, puis débarquées à Valdez ou à Cordova, après quoi on les transportait soi-même jusqu'au Parc ou on le faisait faire par ces voleurs de la P & H.

— La P & H? dit Kate.

— Pilz et Heiman, devenue ensuite Heiman Transportation.

L'élan, le caribou et le saumon, telles étaient leurs ressources, reprit Tante Joy, tout le monde chassait et tout le monde partageait. De plus en plus de gens leur arrivaient de l'Extérieur : des Philippins pour travailler aux conserveries, des Américains pour chercher de l'or, des Scandinaves pour chasser la baleine. Comme c'était inévitable, certains épousèrent des filles du pays et s'y fixèrent.

Les Natifs du Parc étaient bien plus conservateurs, bien plus isolationnistes durant son jeune temps, déclara Tante Joy, et les anciens ne souhaitaient pas que leurs enfants épousent un étranger à la tribu. Ce n'était pas précisément interdit, mais c'était tout comme, car ceux qui sautaient le pas étaient *de facto* exclus de la tribu. Nombre d'entre eux choisissaient de partir à Fairbanks, à Anchorage, voire à l'Extérieur. Les familles ne levèrent ce tabou qu'après avoir perdu quantité de leurs enfants, et il fallut pour cela attendre une nouvelle génération.

— Pour nous, il était déjà trop tard, conclut Tante Joy.

— Pour Old Sam et toi, tu veux dire?

Elle acquiesça, le visage figé dans un masque de tristesse.

— Certains parents envoyaient leurs enfants à Cordova, à l'école du Bureau des Affaires indiennes. C'est ce qu'ont fait les miens. Les parents d'Old Sam vivaient à Cordova. Il allait à cette école.

Dans ses yeux apparut une lueur de tendresse que Kate n'y avait jamais vue.

— Il m'a regardée. Je l'ai regardé. Nous avons su.

Kate eut le souffle coupé par la sincérité, l'authenticité de cette déclaration. Les deux femmes observèrent un long moment de silence empreint de tristesse.

– Que s'est-il passé? demanda finalement Kate.

– La guerre a éclaté.

Tante Joy baissa les yeux et, d'une voix réduite à un murmure, ajouta :

– Sam s'est engagé.

– Et toi?

– J'ai épousé l'homme choisi par mes parents.

Kate attendit.

– Davy Moonin. Il faisait partie de ceux qui avaient été chassés des Aléoutiennes par la guerre. Les cousins de Viola. Ils ont tout perdu dans cette guerre : leurs villages, leurs demeures, tout. Il leur a fallu bien des efforts pour s'établir ici. Et nombre de parents leur ont donné des filles en mariage. Parce que nos hommes étaient partis, pour commencer. Et ensuite, c'était une bonne façon de les faire se sentir chez eux, ces Aléoutes des Aléoutiennes. Davy… Davy, il était dur à la tâche, respectueux des anciens. En tant que pêcheur, il échappait à la conscription. Mes parents ont jugé que c'était un bon parti pour moi.

La souffrance qui se lisait sur le visage de Tante Joy n'aurait pu échapper à personne. Kate, partagée entre la colère et la pitié, ne savait quoi dire.

Tante Joy déchiffra ses sentiments sans problème.

– Ce n'était pas sa faute, Katya. Je ne l'avais pas choisi. Il le savait. Cela éveillait sa colère. Son ressentiment. Il était… malheureux. Et il n'y a pas eu d'enfants. Il pensait que c'était ma faute. (Elle ferma les yeux un instant.) Je le pense aussi.

– Celui qui lève la main sur son prochain a toujours choisi de le faire, tantine, dit Kate, les mâchoires serrées, mais elle n'alla pas plus loin quand elle vit Tante Joy détourner les yeux. C'est pour cela que tu es revenue parmi les Shugak après sa mort?

Tante Joy resta muette.

Kate inspira à fond et lâcha :

– Et mon oncle?

Les yeux de Tante Joy retrouvèrent leur douceur.

– Après la guerre, il est revenu dans le Parc.

– Toi aussi ?

– Moi aussi.

Kate s'efforça de se rappeler depuis quand Tante Joy était veuve.

– Tu étais… libre, à ce moment-là ?

– Libre, répéta Tante Joy avec un rire sans humour. Quel mot, Katya. En 1944, Davy est mort broyé entre un chasse-marée et un bateau de pêche. Je me suis retrouvée veuve, mais pas libre, non. (Elle inspira à fond et poussa un soupir.) Non. Pas libre.

– Old Sam voulait toujours t'épouser ?

Tante Joy acquiesça.

Kate, incapable de cacher son incrédulité, explosa :

– Et tu t'es refusée à lui ? Encore ?

Les yeux de Tante Joy perdirent de leur éclat.

– D'abord, il y avait mes parents. Ils n'aimaient pas son père.

« Lequel ? » faillit dire Kate.

– Son père était à moitié philippin. Sa grand-mère était philippine. À l'époque, mes parents exigeaient que j'épouse un Natif. Ni Jap, ni *gussuk*, disaient-ils. Pour eux, tous les Asiatiques étaient des Japs. La guerre leur a fait détester les Japs. Mon frère est mort à Tarawa. Pas de *gussuk* pour leur fille. Et pas de Jap non plus. Un Natif, un point c'est tout.

Elle eut un rictus.

– Tu ne pouvais pas…

Tante Joy regarda Kate droit dans les yeux.

– Non. Pas comme maintenant, où les enfants font ce qu'ils veulent. C'est une bonne chose, ajouta-t-elle en tapant des mains sur la table.

Tout le service à thé en sursauta. Et Kate aussi. Un aboiement étouffé leur parvint de l'extérieur.

– Donc Old Sam voulait t'épouser, tu voulais l'épouser, mais tes parents l'ont interdit.

Les épaules de Tante Joy s'affaissèrent.

– Oui. Avant la guerre, après la guerre. Tout pareil.

– C'est pour toi qu'il a revendiqué la concession des sources chaudes, pas vrai ?

Tante Joy se ressaisit en entendant ces mots.

– S'il a revendiqué cette concession, c'est parce que sa mère le lui a demandé.

– Mais… pourquoi ? Pourquoi diable voulait-elle qu'il s'établisse aussi loin dans les montagnes ? Il y a à peine cinquante mètres carrés de terrain plat sur ces soixante-quatre hectares, et pour y aller, c'est soit la randonnée avec machette en été, soit la motoneige en hiver. (Connaissait-on déjà la motoneige à l'époque ?) Comment pensait-elle qu'il survivrait ?

Tante Joy ouvrit les bras.

– Il m'a seulement dit que c'était la volonté de sa mère.

Kate plissa les yeux.

– Qu'est-ce qu'il y a dans ce coin, à part les sources chaudes, Tante Joy ?

– Il ne me l'a pas dit, Katya, répondit-elle sur un ton qui n'admettait aucune contradiction.

Cette fois-ci, Kate faillit la croire.

– Il y a autre chose, reprit Tante Joy, d'une voix si basse que Kate dut tendre l'oreille pour la capter. À un moment donné, je portais un bébé. Davy… notre bébé est arrivé trop tôt. (Sa voix devint quasiment inaudible.) Après, plus d'enfants pour moi.

En comprenant ce que cela signifiait, Kate devint enragée au point d'en oublier toute notion de tact.

– Davy a provoqué une fausse-couche en te tabassant, cela t'a rendue stérile, Davy est mort, et quand Old Sam est revenu au pays, tu n'as pas voulu l'épouser sous prétexte que tu ne pouvais pas lui donner d'enfant ?

Tante Joy évita son regard.

– Tout homme a le droit d'avoir des enfants, Katya.

– En ce moment, tantine, je suis en train d'élever un enfant qui n'est pas sorti de mon ventre. Seigneur ! (Elle secoua la tête.)

Et mon oncle ne s'est jamais marié, et, pour que j'en sais, il n'a jamais eu d'enfant avec quiconque. Vous êtes restés séparés durant toutes ces années, et tout ça pourquoi ?

Voyant la tristesse qui marquait les traits de Tante Joy, Kate se tut avant d'en avoir trop dit. Inutile de lui asséner qu'elle avait fait tous les mauvais choix possibles au cours de sa vie.

– Qu'a fait Old Sam à ce moment-là ?

– Il était furieux, soupira Tante Joy. Enragé. Il m'avait apporté l'histoire de son père, il ne voyait pas pourquoi nous ne pourrions pas nous marier, les temps avaient changé, les enfants, il s'en fichait. Quand j'ai persisté à dire non, il… (Sa voix se brisa et il lui fallut un moment pour la recouvrer.) Il est parti, toujours en colère. (Grimace.) Je ne l'ai revu qu'en 1956.

Plus de dix ans après. Soudain, Kate dit :

– Minute ! Quelle histoire, tantine ? Et de quel père parlait-il ?

Tante Joy releva vivement la tête.

– Tu es au courant à propos du père d'Old Sam ?

– J'ai cru toute ma vie que son père était Quinto Dementieff mais je sais à présent qu'il y a de fortes chances pour que ce soit un dénommé D'un-Seul-Seau McCullough. Est-ce que tu sous-entends qu'Old Sam t'a apporté un témoignage écrit ?

Kate se redressa sur sa chaise.

– Tantine, souffla-t-elle, est-ce que tu l'as conservé ?

Tante Joy se leva pour se diriger vers une armoire en châtaigner d'un éclat éblouissant, qui se dressait dans un coin de la cabane. Elle était surmontée d'une corniche qui saillait de quinze centimètres sur trois côtés. Kate se demanda où Tante Joy l'avait achetée. Elle se demanda comment elle l'avait fait venir à Niniltna depuis l'endroit d'où elle provenait, car on ne trouvait rien de semblable à ce meuble au nord de Seattle.

Elle se demanda comment Tante Joy l'avait fait entrer chez elle.

Tante Joy ouvrit la double porte et chercha quelque chose à tâtons. On entendit un déclic, et un tiroir secret jaillit au pied de l'armoire.

— Hé! fit Kate, qui se leva pour aller voir de plus près.

L'espace d'un instant, les deux femmes oublièrent leur pénible sujet de discussion, partageant leur admiration pour le petit tiroir, qui devint invisible une fois que Tante Joy l'eut refermé. Elle se redressa et montra à Kate le loquet qui le faisait jaillir de sa cachette.

— C'est vraiment astucieux, dit Kate en répétant la manœuvre. (Elle se releva pour contempler l'armoire.) Pour se rendre compte de son existence, il faudrait comparer les dimensions extérieures du meuble à ses dimensions intérieures. Et encore, ce n'est même pas sûr.

Elle alla jusqu'à se mettre à genoux pour examiner de près les pieds du meuble.

— C'est tellement bien fait qu'on n'arrive même pas à voir une solution de continuité. L'ébéniste qui a fait cela était un génie.

Elle se ressaisit. L'atmosphère semblait soudain lourde de secrets : le Parc, la tribu, la famille, il y en avait pour tout le monde. Des secrets planqués dans des meubles.

Elle se redressa et contempla une nouvelle fois l'armoire. Soudain, elle avait envie de laisser le tiroir fermé et de s'en aller.

Durant les neuf jours qui avaient suivi la mort d'Old Sam, c'était comme si quelqu'un avait déréglé la lunette à travers laquelle elle observait l'histoire de sa famille dans le Parc. Les choses, les gens, les événements qui lui paraissaient naguère nets, clairs et immuables étaient devenus flous et dénués de substance. C'était déstabilisant de perdre ainsi cette sensation de solidité, de permanence. Plus jamais elle ne pourrait regarder par-dessus son épaule sans redouter que la vue n'ait changé depuis la dernière fois où elle l'avait savourée.

Elle se sentait désemparée et inquiète. Elle leva les yeux vers Tante Joy, qui se tenait devant elle les bras croisés, dans l'expectative.

« Si veux tout savoir, cela ne dépend que de toi. » C'était comme si Tante Joy avait prononcé ces mots à voix haute. Kate passa sur son pantalon des mains soudain moites et chercha le loquet dans l'armoire. Le tiroir jaillit à nouveau de sa cachette.

Toutes deux en détaillèrent le contenu, une boîte de trente centimètres sur vingt-cinq, fermée par un bout de ficelle.

– C'est ça ?

Tante Joy acquiesça.

– Je peux le prendre pour le lire à tête reposée ?

– Non.

Voyant l'air étonné de Kate, Tante Joy ajouta :

– Lis-le ici. C'est à moi que Samuel a donné cette histoire.

– J'ai plutôt l'impression qu'il te l'a jetée au visage.

– Il me l'a laissée, insista Tante Joy. Il ne m'a jamais demandé de la lui rendre. (Elle hésita, mi-défiante, mi-craintive… et totalement butée.) Lis ça ici.

Elle attrapa la boîte des deux mains et la donna à Kate en s'inclinant doucement, comme si elle offrait les clés du royaume à son héritière, ce qui était peut-être le cas.

– Tu comprendras en lisant.

– Comprendre quoi ?

Tante Joy lui désigna le fauteuil inclinable. Impossible de désobéir à cet index, et elle ne risquait pas de lui arracher la boîte des mains pour s'enfuir avec. Kate perdit quelques instants à espérer que la tempête qui montait à l'horizon sud attendrait encore un jour avant de frapper, puis elle s'installa dans le fauteuil, partagée entre la résignation et l'anticipation.

La ficelle était de la ficelle à rôti tout à fait ordinaire, la boîte était en carton gris, et le trésor consistait en cinquante-trois feuilles volantes numérotées en haut à droite. Le papier pelure, qui avait pas mal vieilli, était translucide et fragile, et on avait tapé le texte sur une machine bien fatiguée, avec le *e* et le *i* décalés vers le haut, et le *q*, le *d*, le *o* et le *p* rajoutés à la main. Double interligne, marges de deux centimètres et demi et corrections manuelles.

Le récit, sans titre ni préambule, démarrait au milieu de la première page.

Arrivée à la moitié du manuscrit, elle leva les yeux et vit Tante Joy qui l'observait.

– Nom de Dieu, tantine.

Tante Joy, cette femme comme il faut, bien éduquée et profondément croyante, ne tiqua même pas lorsque sa nièce profana le nom du Seigneur.

– Continue, dit-elle.

1945

Niniltna

Sam sortit de la cabane de Joy en claquant la porte, en proie à une rage qui ne le quitta pas jusqu'à Ahtna. Une fois là, il fonça droit chez Bea, commanda une bouteille d'excellent whiskey sans sourciller devant le prix prohibitif et emmena Jane de Janvier à l'étage. Celle-ci, ainsi surnommée parce qu'elle était douée pour réchauffer un homme même au plus froid de l'hiver, aurait été fondée à se plaindre de sa rudesse. Mais, si furieux soit-il, Old Sam était incapable de faire du mal à une femme. En outre, s'il avait bien lu entre les lignes, il savait ce que Joyce avait souffert aux mains de Davy Moonin, et c'était contre lui qu'était dirigée sa rage. Inutile de s'en prendre à JJ, donc, et il s'excusa et acheva son affaire à un rythme nettement plus paisible.

– Qu'est-ce qui t'a mis dans cet état? demanda JJ en attrapant la bouteille, qui avait roulé sous le lit.

Adouci par ses talents, mais aussi par le whiskey, Sam lui en dit plus qu'il ne l'aurait sans doute souhaité.

– Donc, d'abord elle ne voulait pas t'épouser parce que tu n'étais pas assez bon pour ses parents, et maintenant elle ne veut pas t'épouser parce qu'elle ne peut plus avoir de gosses?

– C'est à peu près ça, dit Sam, dont la colère refit surface.

JJ le calma d'une adroite caresse. C'était une professionnelle, qui savait transformer la colère en passion amoureuse. Après cette nouvelle étreinte, ils passèrent un long moment à parler dans le noir. Il raconta à JJ comment Mac McCullough lui avait sauvé la vie lors des opérations de nettoyage d'Attu, le vague soupçon qui l'avait envahi lorsqu'il lui avait rendu visite à Adak, sa rencontre avec Dashiell Hammett, l'annonce de la mort de Mac et le colis contenant l'histoire de sa vie.

Elle l'écouta, vu qu'elle était payée pour ça, et elle rangea ce récit bien au chaud dans sa mémoire.

Le lendemain, il abandonna sans regret ou presque la totalité de sa maigre fortune aux mains rapaces de Bea, croisa en sortant Albie Anglebrandt qu'il salua d'un signe de tête et se planta sur la Glenn Highway pour faire du stop jusqu'à Tok. Là, il fit la connaissance de deux gars venus de Wallace, dans l'Idaho, qui l'embarquèrent dans leur Lincoln Zephyr pour descendre la Route de l'Alaska. Cette voie stratégique, construite à la va-vite trois ans auparavant pour acheminer du matériel de guerre *via* le Canada, était restée dans l'état où l'avait laissée l'US Army. Le plus gros de son tracé se trouvait au Canada, un pays pour lequel son entretien ne présentait pas grand intérêt. Les trois hommes perdirent beaucoup de temps à désembourber la Lincoln Zephyr, mais, vingt jours plus tard, ils étaient à Spokane, où ils se séparèrent.

Old Sam eut recours à l'auto-stop pour traverser l'État de Washington et gagner Seattle, où il s'adressa à l'Armée du Salut pour obtenir le gîte et le couvert, jusqu'à ce qu'il ait dégotté une chambre dans une pension raisonnablement propre. La semaine suivante, il trouva du boulot dans un chantier naval de Ballard, où on était ravi de tomber sur un gars connaissant la différence entre une poupe et une proue. Il s'y affaira à convertir des bateaux de patrouille en bateaux de pêche. Une vingtaine de jours plus tard, il était bombardé contremaître de l'équipe de nuit et bénéficiait d'une forte augmentation de salaire.

Mais ce boulot ne lui servait qu'à manger, à se vêtir, à se loger et à accumuler un trésor de guerre en vue de son retour au pays. S'il était à Seattle, c'était dans un tout autre but.

Il était bien décidé à retrouver le brocanteur auquel Mac avait vendu l'icône sur les quais, juste avant que l'agent de Pinkerton vienne le serrer. Si Mac n'avait pas menti à Hammett, si Hammett n'avait pas inventé toute l'histoire, si Mac avait bien vendu l'icône à un brocanteur rôdant sur les quais de Seattle, il y avait de grandes chances pour que ledit brocanteur ait pignon sur rue dans cette ville. Cette histoire datait de vingt-cinq ans, d'accord, mais il fallait bien partir de quelque part. Chaque jour avant d'aller au boulot, et ensuite chaque week-end, il faisait le tour des antiquaires, des chiffonniers, des prêteurs sur gages et des boutiques dont il avait relevé le nom dans les pages jaunes, des quartiers nord de Seattle à Lake City, en passant par la ville-champignon de Kent. Le doberman d'un chiffonnier le mordit, une vieille sorcière vendant des services à thé dépareillés, dans une boutique minable de la 1re Avenue encore plus triste qu'elle, faillit le violer, et un vieux fou lui apprit tout ce qu'il y avait à savoir sur les cochons-tirelires des Poteries Hull, sises à Crooksville, dans l'Ohio, des objets dont il ignorait jusque-là l'existence.

C'était une quête sans espoir et il le savait, mais il était résolu à ne rien négliger. Quelque part en lui subsistait un espoir fou : s'il revenait à Niniltna porteur de l'icône et prouvait ainsi sa valeur aux yeux de la tribu, Joyce serait sa récompense. À ce moment-là, peut-être aurait-elle fini par se remettre de son mariage, et peut-être, peut-être lui manquerait-il autant qu'elle lui manquait. Rien à foutre d'avoir des enfants, c'était Joyce qu'il désirait. Il n'avait jamais désiré qu'elle.

Tout en poursuivant cette pénible odyssée, il s'efforçait d'assimiler sa propre histoire secrète, telle qu'elle était relatée noir sur blanc dans une prose sèche, exempte de sentiment comme de jugement. Une prose due à un tiers. Oh ! oui, Hammett en avait tiré une très bonne histoire, en partie, Sam devait bien l'admettre, parce que le matériau de base était déjà excellent. Il se demanda ce que Joyce avait fait du manuscrit, si elle l'avait brûlé ou conservé, mais ça n'avait aucune importance. Il n'aurait plus jamais besoin de le revoir. Les mots tapés à la machine étaient gravés sur l'intérieur de ses paupières.

Herbert Elmer McCullough, alias Mac, alias D'un-Seul-Seau, alias Scotty, était un menteur, un tricheur, un escroc et un voleur. Il était né à Vancouver, en Colombie Britannique, d'immigrants écossais qui l'avaient chassé de la maison après l'avoir surpris à séduire la bonne. Ajoutons donc la concupiscence à son palmarès. Il était parti pour le Klondike à l'époque de la ruée vers l'or et, à l'en croire – mais, à ce stade, Samuel Leviticus Dementieff (bâtard de McCullough, donc) n'était guère enclin à la crédulité –, avait gagné pas mal d'argent en salant des concessions pour les revendre au prix fort.

Quittant le Klondike pour l'Alaska, il était arrivé à Niniltna en même temps que la grippe espagnole. S'il avait été porteur du virus, songea Old Sam, cela n'aurait pas déparé ses autres exploits.

Mac était parti dans les montagnes pour revendiquer une concession et la soumettre à sa magie alchimique. Lorsqu'il était redescendu pour claironner sa bonne fortune, la moitié du village et la plupart des mineurs de Kanuyaq étaient déjà frappés.

Apparemment, il faisait partie des rares personnes immunisées et, à partir de là, il n'avait eu qu'à se baisser pour ramasser son butin. Il attendait qu'une famille soit paralysée, se portait volontaire pour lui procurer des provisions ou du bois, puis jouait les bons Samaritains tout en la dépouillant en douce. C'était comme si on lui avait attribué un permis de voler. Il était libre d'entrer et de sortir dans les maisons où il était connu, et d'y prélever ce qui lui tapait dans l'œil. Il se limita à de petits objets faciles à transporter, car il n'était pas du genre à s'imposer de lourds fardeaux, matériels ou humains. Bijoux, pièces de monnaie, pépites d'or, sculptures en ivoire… bref, tout ce qu'il pouvait glisser dans ses poches. Avouons-le, la majorité de ses victimes étaient dans un tel état de faiblesse qu'elles auraient sûrement considéré ces larcins comme un juste paiement de ses efforts.

Il faisait régulièrement la navette entre le village et la mine, et son butin ne cessait de grossir. Puis il apprit que le chef de Niniltna, son épouse et sa fille avaient à leur tour attrapé la grippe, et il se dit qu'un personnage de son rang avait sûrement en sa possession un bien dont il pourrait le délester. Il se rendit à son domicile envahi par le froid, où il trouva le chef et son épouse morts dans leur lit et leur fille Elizaveta mourante dans le sien.

Mac avait connu nombre de femmes dans sa vie, et la fameuse bonne n'était pas la première. Lorsqu'il posa les yeux sur elle, Elizaveta était frêle et amaigrie, avec un visage hâve et un souffle glaireux, aussi ne lui parut-elle pas vraiment séduisante. Et comme elle pouvait à peine articuler, elle ne risquait pas de le charmer par sa conversation.

Mais il la vit, et il sut.

Eh bien, songea Sam, sur ce point-là au moins, il ressemblait à son père.

Plus il coupait du bois pour elle, plus il s'attardait à Niniltna pour lui trouver de la nourriture, plus il perdait du temps à l'aider à apprêter les dépouilles de ses parents et à nettoyer la salle de réunion, plus il courait le risque d'être percé à jour.

Sans compter les agents de Pinkerton. Ils étaient sur sa piste depuis cette histoire avec la banque de San Francisco et, bien qu'il n'ait guère donné de détails à Hammett, il lui avait fait comprendre qu'il leur avait échappé de justesse le jour où il avait embarqué sur un steamer à destination du Nord. C'étaient eux, ou des fouineurs comme eux, qui avaient reniflé sa piste à Dawson City, ce qui l'avait amené à franchir la frontière. Il était citoyen canadien et avait commis ses crimes sur le sol américain – enfin, la majorité d'entre eux, mais, là non plus, il n'entra pas dans les détails –, de sorte que les deux nations en avaient après lui.

Sam se demanda si Mac avait changé de nom, s'il s'appelait vraiment McCullough le jour de sa naissance. Non qu'il ait eu l'intention de partir pour la Colombie Britannique en quête de lointains cousins, car ceux-ci n'auraient pas été forcément ravis de découvrir l'existence d'un rejeton de ce mouton noir.

C'était de la folie de rester un jour de plus, une heure de plus à Niniltna. Et pourtant, Mac resta, soignant Elizaveta et l'aidant à reprendre le dessus après l'épidémie et la mort de ses parents. L'inévitable se produisit. Quand elle lui dit qu'elle était enceinte de ses œuvres, il fut pris de panique.

Mais il ne prit pas la fuite. Eh non.

Du moins au début. Pour ce qu'il en savait, cet enfant à naître était le seul qu'il ait jamais eu et, bien qu'il se soit considéré comme immunisé contre des concepts romantiques tels que l'amour et le mariage, Elizaveta était exceptionnelle à ses yeux, comme aucune femme avant elle. Il devait veiller au bien-être de la mère et de l'enfant.

Comment un voleur résout-il ce genre de problème?

Il fait ce qu'il sait le mieux faire. Il vole.

Mac vola donc la pépite Croix d'or, ce qu'il n'avait pas pris la peine de faire à cause de son poids : plus de neuf kilos d'or pur. Le lendemain du potlatch, il fila en douce pour gagner les montagnes, où il avait découvert en explorant sa concession un col difficilement accessible lui permettant néanmoins de passer au Canada. Pour ce qu'il en savait, son existence était connue de lui seul. Il l'avait considéré comme une issue de secours, à emprunter si Niniltna et Kanuyaq devenaient trop dangereux pour lui et si la route d'Ahtna lui était interdite.

Mac était un fidèle des issues de secours, et s'il n'avait effectué que de rares séjours derrière les barreaux, c'était parce qu'il en prévoyait toujours une avant de passer à l'action.

Il vola donc la Croix d'or, pensant la négocier une fois au Canada et rapporter l'argent à Elizaveta et à l'enfant. Avant de partir, il subtilisa Marie la Sainte, l'icône tribale exposée à l'occasion de la veillée funèbre. Elle n'attendait que ça et il aurait besoin d'un peu de numéraire une fois au Canada.

Qu'est-ce qu'un voleur sait le mieux faire? Voler.

Mais le temps ne lui était pas favorable. Une tempête printanière qui dura trois jours laissa six mètres de neige sur le col. Il faillit mourir de froid et ce fut de justesse qu'il regagna sa petite cabane, les pieds déjà perclus de gelures. Cette cabane était si minuscule et si mal construite qu'il dut attendre que ses murs soient couverts de neige pour que le vent cesse de s'insinuer à l'intérieur. Il resta là le temps de dégeler, ce qui lui permit d'examiner la situation sous tous les angles et d'élaborer certains plans.

Il ne quitta sa concession que lorsque le temps se fut éclairci. Il cacha la Croix d'or (où exactement, il ne l'avait pas dit à Hammett) puis redescendit à Niniltna pour revoir Elizaveta.

Et découvrit qu'elle était partie deux jours plus tôt en compagnie de Quinto Dementieff.

« Pauvre diable », aurait songé Sam s'il avait été d'humeur généreuse. Mais si Mac avaient vraiment eu l'intention de revenir, il aurait laissé à Elizaveta une note en ce sens.

Mac avait commencé par accuser le coup, mais après réflexion, il conclut qu'Elizaveta avait pris la bonne décision. Il n'était pas du genre à prendre racine et, si elle voulait élever leur enfant dans un milieu un peu civilisé, elle avait besoin d'un homme plus sédentaire que lui. Quinto, qu'il avait rencontré au potlatch, lui faisait l'effet d'un brave type. Il prendrait soin d'Elizaveta et du bébé.

Mais Mac n'en était pas moins résolu à assumer sa part, ce qui signifiait pour lui qu'il devait leur trouver de l'argent. Il transportait un joli butin, qu'il monnaierait au mieux à l'Extérieur. Dans leur immense majorité, les prospecteurs ne faisaient jamais fortune et nombre d'entre eux consacraient tous leurs profits à s'acheter un billet de retour. Quand ils débarquaient à Seattle, à Portland ou à San Francisco, ils étaient prêts à céder toutes leurs possessions pour pouvoir rentrer chez eux, et il y avait toujours des clients potentiels sur les quais, une liasse de billets dans la poche.

Prenant soin d'éviter Niniltna (dont les habitants avaient forcément remarqué la disparition de certains de leurs biens), il gagna Seward par des chemins détournés pour prendre le premier bateau du printemps. Il vendit la totalité de son butin au premier chaland des quais qui avait assez d'argent et, selon le récit de Hammett, il se préparait à acheter son billet de retour lorsqu'une main se posa sur son épaule.

Bien fait, se dit Sam.

Mac fut extradé en Californie, où on le jugea et condamna pour vol à main armée, escroquerie et coups et blessures ayant entraîné la mort sans intention de la donner, ce dernier chef d'accusation expliquant la sévérité de sa peine. Il protestait toujours de son innocence. Aux yeux d'Old Sam, ce point était tout aussi crédible que le reste de son récit.

Mac réussit à faire sortir de San Quentin une lettre adressée à Elizaveta, qui vivait désormais à Cordova. Il lui transmettait la propriété de sa concession et l'incitait à la revendiquer pour sienne.

Sam était tout disposé à le croire, car c'était sa mère qui avait insisté pour qu'il fasse les démarches et s'établisse dans ce coin inhospitalier, où le sol était si dur que rien n'y poussait. Incrédule, Sam lui avait demandé pourquoi elle avait choisi ce trou perdu. Elizaveta était restée muette, et il comprenait à présent qu'elle avait eu peur de sa réaction s'il découvrait les circonstances de sa naissance. Quinto Dementieff était un brave homme et un bon père, qui pas une fois n'avait insinué que Sam puisse ne pas être son fils. Il était mort par accident sur les quais alors que Sam était dans les Aléoutiennes. Sam l'adorait et l'avait beaucoup pleuré.

Mac ne précisait pas s'il avait parlé de la Croix d'or à Elizaveta. Ni, bien entendu, s'il lui avait communiqué l'emplacement de sa cachette. Un prospecteur ne renonce jamais à sa concession.

Ni un voleur à son butin, de toute évidence.

À sa libération, en 1941, Mac remit le cap au nord, bien décidé, selon le manuscrit, à vendre la Croix d'or et à faire don de l'argent ainsi obtenu à Elizaveta. Mais les Japonais envahirent les

Aléoutiennes et l'armée se mit à la recherche d'hommes courageux et rompus à la survie en Alaska. Pour la seconde fois de sa vie, du moins Sam le jugeait-il, Mac accomplit un acte authentiquement altruiste et s'engagea. Il omit de dire à l'armée qu'il avait attrapé la tuberculose lors de son séjour à San Quentin, car il s'était totalement rétabli et était en pleine forme.

Sam se rappela Mac sur son lit d'hôpital, à Adak, les joues rougies et sujet aux quintes de toux, et le bref message accompagnant le manuscrit et l'informant du décès subit du malade. Il n'avait même pas eu le temps de sortir d'Adak.

Totalement rétabli ? Pas tout à fait.

Malgré lui, tandis qu'il arpentait les rues et les ruelles de Seattle, passant de brocanterie en magasin d'antiquités, Old Sam se demanda si Mac l'avait reconnu durant leur entraînement. Avait-il délibérément cherché à se lier d'amitié avec lui parce qu'il avait identifié son fils ? Qui donc avait-il sauvé d'un tireur embusqué ce jour-là : son pote Old Sam ou son fils Sam ?

«Vous êtes frères ?» Même Hammett avait perçu leur ressemblance.

Mais Mac n'avait rien dit. Et Old Sam ne saurait jamais.

17

— On se croirait dans un roman de Dickens, dit Kate en levant les yeux du dernier feuillet. Quelles étaient les chances pour qu'Old Sam combatte au côté de son père biologique ? Et pour que celui-ci lui sauve la vie ?

— Ah ! fit Tante Joy en pointant l'index. Le pire dans l'histoire, c'est ça !

— Quoi donc ? dit Kate avec un mouvement de recul.

Tante Joy agita les mains.

— Que Samuel ait découvert que Quinto n'était pas son père. Pourquoi l'autre lui a-t-il raconté cette histoire ? S'il n'en avait rien fait, Sam n'aurait jamais rien su.

— Il vaut mieux savoir la vérité, tu ne crois pas ?

— Non ! (Tante Joy se montrait de plus en plus agitée.) Ce n'est pas le sang qui fait le père. L'amour, le soutien, la présence…

Une nouvelle fois, Tante Joy tapa des deux poings sur la table, faisant cliqueter le service et suscitant un geignement derrière la porte.

— … c'est tout cela qui fait le père. Cet homme ! ajouta-t-elle en désignant le manuscrit d'un geste méprisant. Cet homme n'était que… n'était qu'un…

Impossible de trouver un terme pour traduire son indignation.

— Un donneur de sperme ? suggéra Kate.

– Oui !

Nouveau coup de poing. Le service à thé vacilla.

– Exactement, reprit-elle. Un donneur de sperme. Il donne son sperme – sans qu'on lui ait rien demandé ! – et puis il s'enfuit. Peuh ! (Cette interjection n'était pas assez forte pour exprimer l'étendue de son mépris.) Quinto en valait dix comme ce parasite.

Kate n'en était pas si sûre. Elizaveta Kookesh avait épousé Quinto Dementieff moins d'un mois après la disparition de Mac McCullough. Si celui-ci n'était revenu à Niniltna que pour apprendre qu'elle s'était mariée et qu'elle était partie, pourquoi se serait-il attardé ?

Et il avait sauvé la vie d'Old Sam sur Attu. Rien que pour cela, Kate était prête à lui pardonner beaucoup de choses.

L'indignation de Tante Joy s'expliquait par la profondeur de ses sentiments pour Sam bien plus que par le mépris que lui inspirait son père biologique.

Sans parler du vol de l'icône. Tante Joy était avant tout une fille de la tribu.

– Et cette icône, tantine ?

Perdant un peu de sa colère, Tante Joy prit un air empreint de révérence.

– Marie la Sainte. Oui.

Kate connaissait une partie de l'histoire grâce à Demetri, mais elle tenait à recueillir la version de Tante Joy. Si deux générations séparaient le premier de l'incident, la deuxième n'en était éloignée que d'une seule.

– Marie la Sainte ? répéta Kate.

– Ainsi l'appelaient mes parents. C'est un objet sacré, Kate. (Elle ponctua cette déclaration d'un hochement de tête.) Un objet sacré. Je ne l'ai jamais vu, évidemment, ajouta-t-elle en ayant l'air de s'excuser. Mais c'est un objet sacré, touché par la grâce divine. Tu es malade, tu pries, tu es guérie.

Kate songea que la locution latine ayant inspiré cette sentence définitive devait être plus nuancée, mais elle garda ses commentaires pour elle.

— Cette icône guérissait les fidèles ?

— Oh ! oui, fit Tante Joy. Ma mère m'a dit qu'Aloysius Peterson était aveugle jusqu'à ce qu'il s'agenouille devant Marie la Sainte. Et elle lui a rendu la vue. Un vrai miracle.

Bien que Kate se soit efforcée de ne pas afficher son scepticisme, Tante Joy répéta avec insistance :

— Un vrai miracle, Katya.

Comme elle s'intéressait moins aux miracles qu'au parcours de l'icône, Kate demanda :

— Qui avait la garde de Marie la Sainte ?

— Le chef. Marie la Sainte restait toujours auprès du chef. Quand il était chez lui, elle y était aussi. Quand il partait pêcher, elle le suivait. Quand il était en voyage, elle l'accompagnait. Elle relevait de sa responsabilité.

— Donc, celui qui possédait Marie la Sainte était *de facto* le chef de la tribu.

Tante Joy parut choquée.

— Il n'est pas question de possession, Katya. Personne ne possédait Marie la Sainte. Le chef était tout à la fois le père, la mère et la tribu.

Et elle décocha à Kate un regard qui en disait long.

Exception faite des personnes présentes, songea-t-elle. « Si je suis sélectionné, je refuserai d'être candidat ; si je suis élu, je refuserai de gouverner[22]. » Sauf qu'elle avait fini par céder.

— Le chef était élu ? dit-elle. Et ensuite, on lui confiait Marie la Sainte ?

Quoiqu'insatisfaite de cette description, Tante Joy opina.

— Marie la Sainte relève de la responsabilité du chef depuis que Marie la Sainte a été apportée au peuple.

— Quand est-ce arrivé précisément ?

Tante Joy traita par le mépris ce souci d'érudition.

---

22. C'est en ces termes que le général William Tecumseh Sherman (1820-1891) refusa d'être candidat républicain à l'élection présidentielle de 1884.

– Peu importe, Katya. Ma mère disait que Corbeau l'avait rapportée en son foyer depuis un pays par-delà les mers. Moi, je dis que c'est l'œuvre de Dieu. Il a vu nos besoins et les a satisfaits, comme toujours.

– Pigé. Et ensuite, le père d'Old Sam a volé l'icône.

– Oui, fit Tante Joy en hochant la tête avec solennité. Très mauvais pour Elizaveta, la fille du chef.

– Tant et si bien qu'elle a dû épouser un étranger, davantage pour fuir que pour donner un nom à son enfant?

Décidément, songea Kate comme elle posait cette question, *le Moyen Âge n'est jamais très loin.*

Tante Joy secoua la tête.

– Non, Katya. Ma mère dit que Quinto avait toujours aimé Elizaveta. Même avant D'un-Seul-Seau. (Un temps.) Mon père dit que Quinto était un idiot.

Avis autorisé que celui de l'homme qui t'a vendue en esclavage, songea Kate. *Je tâcherai de m'en souvenir.* Elle feuilleta de nouveau le manuscrit, s'arrêtant de-ci, de-là pour relire un paragraphe. C'était un compte rendu froid et objectif de la vie d'un homme, simple, direct, sans prétentions ni fioritures. On avait presque l'impression d'un témoignage dicté. Peut-être était-ce pour cela qu'il n'était pas signé. Toutefois, il était impossible d'ignorer que ce texte était l'œuvre de l'inventeur du roman noir.

– Je ne suis pas une experte, tantine, mais il est possible que ceci soit un manuscrit jusqu'ici inconnu dû à un célèbre écrivain américain. Tu n'as sans doute jamais entendu parler de lui, mais…

Tante Joy se hérissa.

– Je ne suis pas idiote, Katya, cracha-t-elle. Je suis allée à l'école. Je sais lire.

– Tu as lu Dashiell Hammett? demanda Kate, si surprise qu'elle en oubliait toute notion de tact.

Elle croyait que les lectures de sa tante se limitaient à la Bible et aux magazines sentimentaux.

— Non, répondit Tante Joy, toujours agacée. Mais j'ai vu le film avec Humphrey Bogart.

Kate éclata de rire et, au bout d'un temps, Tante Joy se détendit et en fit autant.

— D'accord, tantine. Pardon si je t'ai semblé méprisante. Ce n'était pas mon intention.

Magnanime, Tante Joy demanda :

— Alors, qui c'est, ce Hammett ?

— L'inventeur du privé dur à cuire, dit Kate, se rappelant la vénération qu'inspirait l'écrivain à Ben Gunn. Et tu as raison : il est surtout connu comme l'auteur du *Faucon maltais*.

Tante Joy adorait les vieux films. L'armoire au tiroir secret abritait aussi une télévision, un lecteur de DVD et une collection de films, en majorité en noir et blanc. Ekaterina, la grand-mère de Kate et cousine de Tante Joy, accueillait tous les soirs les écoliers de Niniltna, pour leur dispenser du pain grillé, du chocolat chaud et des contes sur le Rusé. Depuis sa mort, Tante Joy avait pris le relais en tant qu'hôtesse postscolaire, remplaçant le chocolat chaud par le thé, le pain grillé par les cookies et les contes par Fred Astaire et Ginger Rogers. L'enthousiasme de l'auditoire était sûrement resté le même. Tante Joy exerçait un attrait irrésistible sur les enfants de moins de douze ans. Et sur la plupart de leurs aînés.

L'intéressée haussa les sourcils.

— Et Hammett se trouvait dans les Aléoutiennes pendant la guerre.

— En effet, tantine, dit Kate, qui ajouta sans réfléchir : D'après ce que m'a dit Jane Silver, Old Sam lui avait confié qu'il avait rencontré Hammett pendant la guerre.

Tante Joy se raidit.

— Cette femme !

— Oh, fit Kate. Ah. Euh… Tu étais au courant. Pour elle. Et… euh… pour lui.

— Je te l'ai déjà dit : je ne suis pas idiote, lâcha Tante Joy d'une voix acide. Évidemment que j'étais au courant. Tout le monde savait que les célibataires allaient à la pension de Beatrice, et certains hommes mariés aussi. Quand le *Northern Light* a fermé, c'était le seul endroit où aller.

– Tu parles de la maison de Dawson Darling.

Tante Joy opina.

– Celle qu'occupent aujourd'hui les Meganack.

– Ah bon ?

Kate sourit. Qu'Iris Meganack, avec son balai dans le cul, habite en un lieu jadis de si mauvaise réputation, voilà qui la réjouissait au plus haut point. Elle se demanda si Iris était au courant.

Et, dans le cas contraire, comment l'informer de cet intéressant épisode de l'histoire locale ?

Kate s'ébroua mentalement.

– Jane Silver est morte, tantine.

– Quoi ?

– On l'a tuée jeudi à son domicile. D'après le Chef Hazen, elle allait partir au bureau et s'est aperçue qu'elle avait oublié quelque chose, elle est retournée le chercher et elle a pris un cambrioleur sur le fait.

L'espace d'un instant, Tante Joy resta figée, les yeux dans le vide.

– Tantine ?

Elle émergea de sa transe et décocha à Kate un regard perçant.

– Tu penses que ce cambrioleur a un rapport avec Old Sam ?

Les soupçons de Kenny seraient bientôt partagés par tout le village.

– Oui, tantine.

– Et aussi un rapport avec celui qui t'a attaquée ?

– Oui, tantine.

Kate lissa les feuillets, les remit dans leur boîte et replaça celle-ci dans le tiroir secret. Il se rétracta dans l'armoire sans laisser de trace.

– Abstraction faite de sa valeur inestimable pour l'histoire de la tribu, ce manuscrit a peut-être aussi une valeur marchande, tantine. Je te conseille d'en prendre le plus grand soin. Laisse-le dans son tiroir. Et surtout, n'en parle à personne.

– Une valeur marchande ? (Tante Joy pâlit et fixa Kate de ses yeux farouches.) Sois prudente, je t'en supplie.

– Je suis toujours prudente, tantine.

Tante Joy regarda ses coquards d'un air qui en disait long.

– On m'a prise par surprise, dit Kate.

Tante Joy se tourna vers la porte.

– Mutt était partie chasser le lièvre.

Le haussement de sourcils de Tante Joy rendait tout commentaire superflu.

Obéissant à une impulsion, Kate se rendit à l'école après avoir pris congé de Tante Joy. Monsieur Tyler se fit un plaisir de lui laisser l'usage d'un ordinateur et il alla jusqu'à pêcher dans un tiroir un morceau de bœuf séché pour Mutt, ce qui lui assura sa gratitude éternelle. Ces deux-là semblaient s'entendre à merveille. C'était presque réconfortant de voir Mutt faire du gringue à un habitant du Parc de sexe masculin. Certaines choses ne changent jamais.

Kate se connecta. À présent qu'elle avait lu l'histoire de la vie de Mac, elle croyait savoir pourquoi on l'avait attaquée dans la cabane d'Old Sam.

On l'avait surprise alors qu'elle lisait ce qui ressemblait à un vieux livre. L'emboîtage où elle l'avait trouvé était posé sur le siège du fauteuil inclinable d'Old Sam, bien visible à un observateur posté devant la porte. À ses yeux, il pouvait s'agir d'une boîte suffisamment grande pour contenir une icône.

Une icône comme celle qu'avait volée D'un-Seul-Seau McCullough.

Elle refréna son enthousiasme. Le manuscrit n'était ni daté ni attribué. Aucune adresse ne figurait sur la boîte le contenant.

Old Sam n'avait laissé aucune information sur son auteur ni sur son expéditeur.

Son dernier paragraphe était ainsi formulé : « Pop met tout ça par écrit et veillera à te l'envoyer. J'ai chopé la consomption quand j'étais en taule et les toubibs me disent que je n'en ai plus pour longtemps. Dis à ta mère que je regrette, fiston. »

Peut-être était-ce la confession d'un mourant.

Comment avait-on pu découvrir la culpabilité de Mac sans avoir accès au manuscrit ?

C'était facile. Une conversation sur l'oreiller entre Old Sam et Jane Silver. À cette époque, Jane devait déjà bien connaître le petit monde d'Ahtna et du Parc. La preuve : elle appelait le juge Anglebrandt par son petit nom, « Albie ».

Old Sam avait dû lui raconter toute l'histoire. Et elle avait pu la répéter à n'importe qui.

Si Mac avait volé l'icône, si on apprenait qu'Old Sam était son fils, et si Old Sam venait à mourir…

Cette icône était quasiment tombée dans l'oubli. Les Rats du Parc de la génération de Kate avaient opté en masse pour la laïcité. Ekaterina racontait jadis aux enfants toutes sortes d'histoires, et Kate croyait se rappeler celle d'un trésor perdu, mais elle était si jeune à l'époque qu'elle le visualisait sous la forme d'un coffre rempli de pièces de huit. Elle ne gardait aucun souvenir d'une sainte relique tribale en liaison directe avec Dieu et dotée du pouvoir de guérir les maladies.

Voilà qui était bizarre. Un scandale affectant un si grand nombre de personnes aurait dû se transmettre sur trois générations, à tout le moins. Cependant, il fallait bien l'admettre, le Parc avait subi depuis pas mal de bouleversements. La fermeture de la mine de Kanuyaq. La guerre. L'arrivée en masse d'Aléoutes chassés des Aléoutiennes et les frictions qui s'étaient ensuivies avec les tribus déjà bien établies, qu'ils soient ou non liés à elles par les liens du sang. Le boom du pétrole et la découverte de gisements sur la péninsule de Kenai et à

Prudhoe Bay, qui avait changé la vie de tous les Alaskiens. L'accès au statut d'État. L'*Alaska Native Claims Settlement Act* et l'*Alaska National Interest Lands Conservation Act*, dont les conséquences n'avaient pas fini d'alimenter la jurisprudence. L'élection de représentants républicains qui avaient noyé l'État sous une pluie de subventions fédérales.

Compte tenu de cette succession de transformations, il n'était guère étonnant que nul ne se soucie d'un objet vénéré presque un siècle plus tôt par une petite communauté isolée et superstitieuse. On avait renoncé aux anciennes coutumes et traditions. Qui donc participait encore à la pêche au saumon annuelle ? Les tantes et leurs émules, d'accord, mais ces derniers avaient tous plus de cinquante ans. La pêche vivrière avait cédé la place à la pêche commerciale. Ekaterina était la dernière ancienne dont l'anglais n'était pas la langue maternelle, et le dialecte qu'elle parlait s'était altéré entre les Aléoutiennes et le Parc. Les écoles du Bureau des Affaires indiennes et la loi Molly Hootch[23] avaient sonné le glas des dialectes natifs, et celui de diverses cultures natives par la même occasion.

La dernière fois que Kate avait effectué une danse traditionnelle en dehors d'un potlatch, Jack Morgan était encore de ce monde.

Le crime avait peut-être d'autres mobiles, se dit-elle. Supposons une personne déplorant cette déculturation, cette agonie des traditions, et qui cherche un moyen pour y mettre un terme, ou à tout le moins la ralentir : si elle entend parler d'une icône jadis vénérée et à l'origine d'un souvenir collectif ethnique encore vivace, que ferait-elle pour la retrouver ?

Elle revit Jane Silver agonisant dans son salon, cinq jours plus tôt.

La question était plutôt : que ne ferait-elle pas ?

---

23. Loi de 1973 promulguant la création de lycées dans les villages les plus importants de l'Alaska, du nom de la lycéenne qui milita en ce sens.

« Ce trou fera trois mille mètres de long sur quinze cent de large, avait dit Demetri. *Pile au centre du Parc. Certains n'arriveront jamais à trouver un juste milieu avec ça.* »

Et Demetri était un descendant du Chef Lev, que nombre de gens considéraient comme le dernier des grands chefs. Le dernier gardien connu de Marie la Sainte.

Il était d'ailleurs ironique qu'une icône de l'Église orthodoxe russe soit devenue une relique tribale, qu'une création *gussuk* se soit métamorphosée en objet de culte natif.

Elle lança une recherche sur les icônes russes et le résultat la fit bondir sur son siège.

Une icône russe datant de 1894 et ayant appartenu au tsar Nicolas II avait rapporté 854 000,00 dollars lors d'une vente aux enchères récente.

Une telle somme constituait un mobile de poids.

Donc, quelqu'un était à la recherche de l'icône, soit pour sa valeur culturelle tribale, soit pour sa valeur marchande.

Ou les deux.

D'un-Seul-Seau McCullough avait raconté l'histoire de sa vie à Dashiell Hammett, qui l'avait couchée sur le papier pour l'envoyer à Old Sam. Celui-ci s'était confié à Jane et la personne qui recherchait l'icône avait appris son existence par cette dernière, ou par l'un de ses confidents.

Certes, Jane Silver n'était jamais apparue à Kate comme une femme aimant se confier à quiconque, mais chacun de nous a son point faible.

Le fait que ladite personne ait attendu la mort d'Old Sam pour se mettre en quête de l'icône tendait à prouver qu'elle le connaissait, directement ou non. Jamais un être sain d'esprit n'aurait tenté de voler quoi que ce soit à Old Sam de son vivant.

Il y avait donc de grandes chances pour que Kate connaisse son agresseur.

Elle croisa les bras et fronça les sourcils.

Mais pourquoi penserait-il que c'était Old Sam qui détenait l'icône ? À le lire, il était clair que Mac l'avait vendue sur les quais, mais son manuscrit n'était connu que de trois personnes, quatre en comptant Hammett.

Un habitant de Seattle.

Old Sam s'était-il rendu là-bas pour y rechercher l'icône ? Son bref séjour à Niniltna s'était révélé plutôt traumatisant : non seulement il avait découvert que son père légal n'était pas son père biologique, mais en outre le grand amour de sa vie l'avait de nouveau repoussé. Il avait dû être très malheureux durant les jours suivants, et un homme malheureux est enclin à prendre des initiatives déraisonnables.

Une ride barra le front de Kate. Old Sam avait pu se demander ce qui se passerait s'il retrouvait l'icône et la rapportait parmi les siens. Espérait-il que la tribu lui pardonnerait son sang de Philippin ? Ou plutôt, son sang d'homme blanc ?

Plus important, peut-être : espérait-il que les parents de Tante Joy le jugeraient digne de l'épouser, en fin de compte ?

S'il était parti en quête de l'icône, il n'en avait rien dit à Tante Joy. Et s'il l'avait trouvée, il n'en avait rien dit à personne.

Kate ouvrit le menu de l'ordinateur et découvrit qu'on y avait installé Skype. Elle se créa un compte et appela le portable de Jim.

Boîte vocale. *Zut.*

– Salut, dit-elle d'une voix enjouée. C'est moi. Je passe la nuit à Niniltna et je vais dormir dans ta chambre chez Tante Vi. Je tenais à ce que tu saches que je vais la fouiller de fond en comble, démonter les lattes du plancher et les panneaux du plafond, en quête de toutes les lettres d'amour que tu as écrites à tes autres copines. Je pense que j'en tirerai un bon prix sur eBay.

Monsieur Tyler, qui corrigeait des copies à son bureau, ne daigna même pas hausser un sourcil pour signifier qu'il avait tout entendu.

Tante Vi était ravie de laisser à Kate la disposition de la chambre de Jim. Après avoir garé sa motoneige, Kate prit le temps de contacter Annie Mike avant que Tante Vi lui serve un plantureux repas à base d'élan fumé et de haricots, accompagné d'une litanie de jérémiades sur le surmenage dont elle souffrait.

— Tu pourrais prendre ta retraite, dit Kate, suggestion des plus raisonnable qui lui valut d'être boudée durant le reste de la soirée.

Une fois dans la chambre, elle se déshabilla et se glissa toute nue entre les draps. De la percale à deux cents fils par centimètre carré sur sa peau nue, c'était un bien pauvre ersatz, mais c'était de la percale qui avait touché la peau de Jim.

Mutt se coucha devant la porte et passa la nuit à écouter Kate se tourner et se retourner dans son lit.

Monsieur Abernathy ressemblait tellement au vieil avocat de famille version Hollywood que Jim se demanda s'il ne cultivait pas délibérément son look. Son costume trois-pièces en tweed était un rien distendu aux coudes et aux genoux, et son nœud papillon rouge vif si flamboyant qu'on craignait de se faire arroser en l'approchant de trop près. Il portait des lunettes à verres ronds et à monture noire, derrière lesquelles on voyait pétiller ses yeux, et il avait coiffé ses cheveux blancs dans un style rappelant celui de Lyle Lovett. Sa voix conservait les traces d'un accent traînant, évoquant un brave gars de Caroline du Sud établi en Californie depuis assez longtemps pour qu'on lui ait pardonné la guerre de Sécession mais pas suffisamment pour qu'il ait oublié ses racines.

— Je ne comprends pas la nécessité de cette formalité, dit Jim. La lecture du testament n'est en rien obligatoire. Par ailleurs, ma mère et moi en avons déjà reçu des copies. Nous connaissons son contenu.

— James, fit sa mère sur un ton d'austère reproche.

Abernathy le fixa de ses yeux pétillants. Jim le soupçonna de porter des verres neutres.

— Votre père a expressément demandé que ses dernières volontés soient lues en présence de votre mère et de vous-même, sergent Chopin.

Du coin de l'œil, Jim vit sa mère esquisser une moue de dégoût. Général, amiral, procureur général, c'étaient des titres acceptables. Sergent ? Beaucoup trop modeste.

– Appelez-moi Jim, dit-il.

Elle ne se dérida pas, bien au contraire, devant ce déplorable exemple de familiarité, si typique de la populace.

Abernathy inclina la tête sans pour autant répondre à l'invite.

– Puisqu'il n'y a plus d'objection, procédons.

Il s'éclaircit la voix, lissa ses papiers et fonça. C'était un excellent lecteur, songea Jim en l'écoutant d'une oreille distraite, et il savait instiller un peu de vie dans l'énoncé sec qui détaillait les fruits qu'avait tirés son père de l'œuvre de sa vie. Pas tellement de surprises, du moins pour commencer. Sa mère héritait de la maison et des meubles. Le siège social du cabinet serait vendu aux associés à un montant correspondant à son évaluation foncière. Le reste des biens immobiliers serait mis en vente libre – son père avait même désigné un agent immobilier –, et le produit de la vente serait équitablement réparti entre Jim et sa mère, une fois remboursées les éventuelles dettes en cours. La part de Jim ne faisait l'objet d'aucune restriction. Celle allouée à sa mère était pour moitié constituée d'un fonds en fidéicommis, dont elle toucherait les revenus et qui reviendrait à Jim après son décès.

La plupart des propriétés concernées étaient sises à moins d'une heure de route de l'endroit où il se trouvait. Son père avait toujours fait preuve de prudence dans ses investissements. Même compte tenu de la crise, Jim pouvait s'attendre à toucher un gros paquet. S'il en avait envie, il pourrait cesser de travailler.

Quelques legs mineurs allaient à des employés et à des amis de longue date. Une édition originale des *Commentaires sur les lois d'Angleterre* de William Blackstone[24] était réservée à un collègue.

---

24. Jurisconsulte britannique (1723-1780) ; ses travaux contribuèrent à forger le droit anglais contemporain.

Ses clubs de golf TaylorMade allaient à son partenaire habituel. Des sommes conséquentes revenaient à Maria, au gérant du club et à une demi-douzaine d'œuvres de charité. Jim fut surpris et touché de constater que la mieux pourvue était la Los Angeles Police Foundation.

– Quand a-t-il décidé de cela ?

– James a refait son testament il y a six mois, dit Abernathy. Il a procédé à deux changements notables. Celui-ci est le premier.

Jim se tourna vers sa mère.

– La poste a dû égarer l'exemplaire qui m'était destiné.

Elle pinça les lèvres.

Jim se retourna vers l'avocat.

– Et quel est le second ?

Abernathy rajusta ses lunettes.

– « À James, mon fils unique, en plus de sa part du patrimoine telle que définie ci-dessus, je lègue mon écritoire en acajou et l'ensemble de son contenu. »

Il prit une boîte posée près de son coude et se leva pour la donner à Jim.

– Il me l'a confiée lorsqu'il est venu réviser son testament.

L'écritoire, qui mesurait cinquante centimètres de long sur vingt-cinq de large et quinze de profondeur, était un chef-d'œuvre d'ébénisterie. Ses arêtes en queue d'aronde étaient renforcées par des cornières de cuivre dont les vis avaient été rabotées pour les mettre à niveau. Elle était équipée d'une poignée de cuivre de chaque côté et d'une serrure de cuivre sur le devant. Au toucher, le bois était aussi doux que du satin, le cuivre lisse et frais. Un objet qui avait beaucoup servi et qu'on avait beaucoup aimé, que le père de Jim conservait depuis des années sur le bureau qu'il occupait dans son cabinet d'avocats.

Il déglutit et se tourna vers Abernathy.

– Qu'y a-t-il là-dedans ?

Abernathy, pourtant rompu à son métier, ne put s'empêcher de jeter un coup d'œil à la mère de Jim. Ce dernier en fit autant, puis tous deux détournèrent les yeux pour ne plus voir la rage rentrée qui se lisait sur son visage.

– Mon client m'a expressément défendu d'en inventorier le contenu, dit Abernathy d'un air pincé. (Il pêcha une enveloppe dans la poche intérieure de son veston.) Voici la clé.

Sur l'enveloppe figurait le nom de Jim, rédigé de la main de son père, une main sans doute tremblotante. La petite clé de cuivre était tombée dans un coin. L'enveloppe était scellée dans les règles. Elle ne contenait que la clé.

– Merci, dit-il d'une voix à peine audible.

– Ce sera tout, monsieur Abernathy? demanda sa mère.

Monsieur Abernathy rassembla ses papiers.

– Oui, madame Chopin, je pense que cela conclut notre réunion de ce jour. Je vais appliquer les instructions données par James et ne manquerai pas de vous tenir au courant de la suite des opérations.

– Merci.

Tous deux se levèrent et Beverly reconduisit monsieur Abernathy jusqu'à la porte.

Jim resta où il était, luttant pour refouler des larmes inattendues.

Les moments les plus heureux qu'il ait passés avec son père, c'était quand il venait le voir à son cabinet, le soir après l'école. Il devait être sage, car sinon il retournerait à la maison, lui avait dit son père, et la perspective de se retrouver en compagnie de sa mère suffisait à le rendre invisible. Disparaissant dans un gigantesque siège Windsor, tantôt il se perdait dans un livre, tantôt il s'enivrait du langage juridique, lorsque son père dispensait sa sagesse à un client, à un collègue ou à un clerc.

Du moins était-ce de la sagesse pour le petit garçon assis dans son coin. Il considéra l'écritoire posée sur ses cuisses. Elle était plus que bicentenaire. À en croire son père, elle avait appartenu à un ancêtre qui avait combattu lors de la guerre de l'Indépendance, révélation qui avait conféré à George Washington et à ses copains en short cycliste une aura inattendue dans son esprit de huit ans. Parfois, quand le dernier client était parti, James Chopin Senior priait Junior de le rejoindre. Tous deux penchaient leur tête sur l'écritoire, cheveux blancs et cheveux blonds, tandis que son père lui montrait la tige de cuivre réglable qui tenait le livre en place, la cale amovible qui empêchait le papier de glisser, le buvard taché d'encre, les encriers en verre à couvercle de cuivre, le casier de rangement et les tiroirs secrets.

Pour Jim, cette écritoire était pleine de mystère et de romance, bien plus que le coffre contenant le trésor de Barbe-Noire. C'était un portail ouvert sur une autre époque. Il avait grandi entouré d'écrans – télévision, jeux vidéo, ordinateur – et l'idée de tremper une plume dans un encrier puis d'écrire sur une épaisse feuille de papier couleur crème était pour lui presque exotique. Et les tiroirs secrets étaient chers à son cœur.

Ainsi que toutes ces heures passées en compagnie de son père.

Beverly ne venait jamais le voir au travail.

18

Kate et Mutt partirent dès le lever du jour, empruntant la route du sud puis la quittant bien avant Squaw Candy Creek pour obliquer vers l'est. Elle ne voulait pas affronter les questions de Bobby Clark au sujet de ses coquards. Ni l'appareil photo de Dinah Clark qui serait ravie de les immortaliser.

Il était encore tombé trente centimètres de neige durant la nuit. Cela rendait le passage difficile là où elle ne s'était pas encore tassée sous son seul poids. Toutefois, il y en avait assez pour rendre le trajet agréable, d'autant qu'un rayon de soleil s'insinuait parfois entre les nuages, nettement moins sombres que la veille.

À midi, elles s'arrêtèrent pour déjeuner à l'entrée de ce que Kate espérait être le bon cañon. Mutt partit en chasse tandis qu'elle allumait son réchaud et se préparait un peu de bouillon de poule. Elle le but pour faire passer le sandwich confectionné le matin chez Tante Vi : une sorte de mille-feuilles à base d'élan rôti, de pain fait maison, de tomate, de fromage, de laitue, de moutarde et de mayonnaise. L'idéal pour un trek en motoneige dans la nature.

Elle avait fait halte au sommet d'une éminence où le vent comme les avalanches empêchaient les arbres de pousser, et y voyait donc à plusieurs kilomètres à la ronde. Derrière elle se dressaient les monts Quilaks, splendides et menaçants. La Kanuyaq River lui apparaissait comme un ruban gris sinuant entre de lointaines rives enneigées. Dans un mois, elle serait gelée et les Rats du Parc y circuleraient en pick-up, en motoneige et en 4x4, pour aller à l'école, au magasin ou à la maison de grand-mère. On avait même vu quelques touristes intrépides essayer d'y faire du ski.

L'été, le fleuve était une source de nourriture appréciée, car les saumons le remontaient pour le frai et la pêche était abondante. L'hiver, c'était une route.

Il était magnifique en toute saison.

Elle se retourna. Si le fleuve était le cœur du Parc, les Quilaks étaient sa colonne vertébrale, une épine dorsale un peu tordue dessinant un arc tendu vers l'est, qui obliquait vers le sud en atteignant la frontière canadienne, s'interrompant avant d'avoir atteint le golfe d'Alaska.

De son poste d'observation, elle voyait des éperons rocheux à droite comme à gauche, et la masse intimidante des Quilaks occupant le plus gros du ciel à l'est. Elles ne faisaient pas dans la demi-mesure, ces montagnes, ce n'étaient pas des collines aux coteaux arrondis auxquelles un costume alpestre aurait permis de faire illusion le soir d'Halloween. Durant son année de formation à Quantico, Kate avait participé à plusieurs week-ends de randonnée avec ses condisciples dans ce qui passait pour la pleine nature à l'est du Mississippi, et la première fois que l'un d'eux lui avait dit : « Regarde, voilà le mont Jefferson », elle n'avait pu s'empêcher de répondre : « Où ça ? ». Il lui avait fallu un moment pour admettre qu'on pouvait qualifier de montagne une butte de deux cent quarante mètres de haut.

L'altitude des monts Quilaks allait de mille cinq cents à quatre mille huit cents mètres, le plus élevé de tous, le pic Angqaq, atteignant quant à lui cinq mille sept cents mètres et des poussières.

On aurait dit une titanesque pointe de flèche assez effilée pour percer le ciel. Sa paroi presque verticale était un défi lancé aux alpinistes du monde entier, qui donnait lieu à un duel s'achevant par une chute mortelle ou un cocktail «Doigt d'honneur» offert par Bernie. Dans ce dernier cas, la fête qui suivait faisait parfois regretter au héros du jour de n'avoir pas fini dans une crevasse de la Grosse Bosse. Ce sommet voisin, d'une forme semblable, réservait des surprises à l'alpiniste qui l'imaginait plus abordable car moins élevé de six cents mètres. Les deux sommets étaient surnommés la Mère et l'Enfant, mais les alpinistes parlaient le plus souvent de la Mère, et pas toujours en termes polis.

Si la Grosse Bosse semblait imbue de sa supériorité, ses voisines immédiates n'en étaient pas moins impressionnantes, et les monts Quilaks dans leur ensemble ne constituaient pas ce qu'on appelle un milieu hospitalier. Mieux valait les contourner que les traverser. Par temps clair, on pouvait les admirer de loin au poste frontière de Beaver Creek, et l'immense majorité des touristes avaient appris à s'en contenter. La chaîne de montagnes formait une excellente frontière naturelle, ainsi que l'avaient découvert les prospecteurs venus du Klondike durant l'hiver 1898-1899.

Bien plus que la statue brisée d'Ozymandias dans le désert, c'était cette muraille éternelle et immuable, fruit de quatre milliards d'années d'activité tectonique, qui inspirait émerveillement et désespoir, qui vous faisait prendre conscience de votre insignifiance.

– Vous ne me faites pas peur, dit Kate à haute voix.

Mutt, qui revenait en trottinant, une plume de lagopède coincée entre deux crocs, lui adressa un regard intrigué, et elle éclata de rire.

Sifflons en passant près du cimetière.

Elle remballa ses affaires et elles reprirent leur route.

La dernière fois qu'elle s'était rendue aux sources chaudes, un peu plus d'un an auparavant, elle s'était égarée à trois reprises avant de retrouver le coude qui dissimulait l'entrée de l'étroit petit cañon. Cette fois-ci, elle procéda plus lentement, en examinant le paysage avec attention. Apparemment, elles étaient les premières visiteuses de l'année. Les seules traces dans la neige étaient celles, minuscules, laissées par les mulots et les musaraignes, et celles, plus grosses, des lièvres arctiques, qui s'interrompaient parfois entre deux balafres tracées dans la neige par les ailes d'un rapace.

Elles arrivèrent devant un rocher en forme de selle. Si on ne connaissait pas ce coin, on ne remarquait pas l'étroit passage qui le séparait de la paroi, par lequel on accédait à un autre cañon. Elle ralentit un peu plus, et Mutt descendit de son perchoir pour partir en avant-garde. Kate la suivit avec un luxe de précautions.

Elles émergèrent dans une gorge aux parois irrégulières et au sol en pente ascendante qui semblait déboucher sur le vide. Prochain arrêt : le ciel.

Les sources chaudes étaient là, sept bassins reliés les uns aux autres d'où montaient de lents nuages de vapeur. Les parois du cañon étaient couvertes d'épicéas d'un beau vert foncé. La chaleur des sources créait un microclimat qui expliquait cette oasis luxuriante, et l'inaccessibilité du lieu avait préservé les arbres de l'appétit du scolyte, cet insecte qui avait ravagé toutes les forêts du continent nord-américain.

La cabane bâtie au-dessus des sources avait encore un toit et quatre murs, mais c'était tout juste. Kate se gara devant la porte et coupa le moteur. Mutt refit son apparition, la langue pendant au coin des babines, et suivit Kate quand elle ouvrit la porte, qui tenait à peine à ses gonds.

L'intérieur était dans un état lamentable, non seulement à cause des derniers occupants mais aussi de la tendance générale des Rats du Parc à ignorer toute notion de ménage et de rangement. On avait remplacé le poêle en fonte par un modèle de fortune bricolé à partir d'un baril d'essence, et Kate avait aperçu du bois de chauffage près de la porte.

Pour nettoyer la cabane, elle se contenta d'ouvrir la porte en grand et d'envoyer les détritus dehors, puis elle en fit un tas à une distance raisonnable et y mit le feu. La prochaine fois, elle apporterait un baril pour servir de poubelle. Elle se fabriqua un balai avec des branches d'épicéa et balaya le parquet, dont les lattes grincèrent sous ses pieds mais ne cédèrent pas. Grâce au tournevis de la trousse à outils de la motoneige, elle refixa le battant de la porte à ses gonds, limitant de ce fait les courants d'air.

Les toilettes extérieures s'étaient effondrées lors de sa précédente visite, sans que ce soit entièrement de son fait. L'édicule gisait toujours sur le flanc. Retenant son souffle, Kate empoigna la pelle qu'elle avait apportée et détruisit la pile de merde qui s'était accumulée en soixante ans. Les toilettes contenaient jadis un seau de chaux vive, et il en restait suffisamment pour en saupoudrer une couche. Une corde passée autour d'une branche d'épicéa lui fournit une poulie de fortune, et elle remit l'édicule d'aplomb puis le déplaça par étapes pour le caler au-dessus du trou. La neige en s'empilant autour de lui l'isolerait et le maintiendrait en position verticale, du moins pour un temps. Un rouleau de papier toilette dans une boîte de café hermétiquement scellée, et les toilettes étaient en service. Vu la saison, les mouches brillaient par leur absence.

Elle acheva de déballer les provisions chargées sur la remorque et les emporta à l'intérieur de la cabane. Puis elle ressortit pour recouvrir remorque et motoneige d'une toile goudronnée, bien que les premières étoiles qu'elle voyait apparaître dans sa tranche de ciel aient rendu improbable une nouvelle chute de neige. L'entrée du cañon se trouvait au sud, de sorte que le soleil venait y faire un tour dans la journée, mais quand arrivait l'hiver, ladite journée était fort brève du fait de la hauteur des parois.

Elle retourna dans la cabane, alluma la lampe à pétrole qu'elle avait apportée et continua son inspection des locaux. Celui qui avait bricolé le poêle avait fait du bon boulot, car elle sentait déjà monter la chaleur. Lors de son dernier séjour, elle avait été frappée par la décrépitude des murs et elle avait apporté plein de toile goudronnée pour pallier leur absence d'isolation. Elle ôta sa parka, sortit le marteau et les clous, et se mit à l'ouvrage, recouvrant la quasi-totalité de trois murs de deux toiles bleu azur et d'une autre vert foncé. Ça égayait un peu les lieux et conservait la chaleur.

Elle entendit geindre derrière la porte. Kate ouvrit à Mutt qui entra d'un pas indolent.

— Je suppose que tu as déjà dîné, dit-elle en apercevant sur sa truffe une touffe de poils et des traces de sang. Et tu n'as même pas pensé à partager ?

Mutt baissa les yeux.

— Je m'en doutais, sale égoïste.

Kate attrapa une petite cocotte en fonte et la posa sur le poêle. Un peu d'huile, un peu d'ail pilé qu'elle retira avant qu'il ne brûle, et elle ajouta des tranches de rôti de caribou, les dernières de sa réserve de l'année précédente. Peut-être profiterait-elle d'une visite à la mine de Suulutaq pour aller chasser le caribou le long de la Gruening River, où vivait une harde de bêtes bien saines. Sauf que ce boucher de Howie Katelnikof avait ravagé la zone l'hiver précédent. Kate se renseignerait auprès de Ruthe avant l'ouverture de la chasse.

Lorsqu'elle retira la viande de la cocotte, chaque tranche était à la fois rosée et croustillante, et elle y mit à présent de l'oignon pilé, attendant qu'il soit devenu translucide pour y ajouter une boîte de haricots verts. Le mélange ainsi obtenu constituait un de ses plats végétariens préférés, et on pouvait même dire qu'il était bon pour la santé.

Enfin, c'étaient des légumes.

Elle mangea de bon appétit – rien de tel qu'une randonnée hivernale pour vous donner faim – puis lava sa vaisselle avec de la neige fondue. Elle en fit fondre un peu plus pour se préparer un chocolat chaud et s'assit sur le siège de la motoneige, qu'elle avait démonté pour l'installer dans la cabane. Confortablement adossée à la toile goudronnée vert foncé, elle parcourut les lieux du regard.

Cette cabane était suffisamment vieille pour avoir été bâtie par le jeune Samuel Leviticus Dementieff, et à présent qu'elle les cherchait, elle trouva sans peine les linéaments du plan d'origine, lequel ressemblait fortement à celui des cabanes d'Old Sam et de

Tante Joy. Sans parler de celle où le père de Kate avait accueilli sa mère, où elle était née et avait vécu le plus clair de sa vie, jusqu'à ce qu'un connard pensant à tort qu'elle s'y trouvait la détruise par le feu.

Celle-ci était à peu près de la même taille. Elle se rappela la description sur la preuve requise fournie par Sam : « des murs en rondins, deux portes, deux fenêtres, un toit en bardeaux ». Les murs étaient bien en rondins, soigneusement ajustés les uns aux autres quoique déformés par les ans et laissant passer l'air par de multiples ouvertures. Le toit était intact, en partie sans doute parce qu'il s'agissait d'une toiture végétale reposant sur des planches, comme au domicile d'Old Sam. Les deux fenêtres, ouvertes de part et d'autre de la porte, qui donnaient sur les sources chaudes et sur le cañon, étaient condamnées depuis des années. Tout comme une seconde porte, qui donnait sur les toilettes et qu'elle avait dissimulée par une toile goudronnée.

Elle se leva, ramassa la lampe à pétrole et la leva vers le plafond. Oui, elle apercevait les corbeaux sur le mur, sur lesquels reposait jadis la mezzanine servant de chambre. Sans doute avait-elle fini en bois de chauffage du fait d'occupants trop paresseux pour s'activer de la cognée. Un examen plus poussé lui montra que les lattes du parquet étaient rabotées à la main. Si vieilles et usagées soient-elles, elles lui rappelèrent celle de la cabane d'Old Sam à Niniltna.

Elle se rappela tous les outils que contenait son atelier, en particulier le vieux rabot, avec un fer affûté et un fût en bois brut. Petite, elle observait, fascinée, Old Sam maniant l'outil de ses doigts épais et le bois produire des copeaux presque translucides.

La première fois qu'elle avait vu Old Sam se servir de ce rabot, il avait déjà perdu toute sa couche de vernis. Elle se demanda s'il l'avait acheté neuf ou hérité de Quinto Dementieff. À condition que celui-ci ait eu des outils et les ait légués à Old Sam.

Il ne parlait presque jamais de son père et Kate savait maintenant pourquoi.

La journée avait été longue, sans parler de la semaine. Toutes les plaies et bosses qu'elle avait reçues ces sept derniers jours se rappelèrent à son bon souvenir, du coup sur la tête à la sortie de route en passant par les chocs induits par les révélations successives sur la vie d'Old Sam. À peine si elle avait assez d'énergie pour extirper son duvet de son sac à dos et le dérouler près de Mutt, qui s'était étalée devant le poêle, chasseresse ravie de ses prises. Elle remit quelques bûches dans le feu, éteignit la lampe et se déshabilla. Le sac de couchage était bien chaud lorsqu'elle s'y glissa. Le temps de trouver une position confortable et elle s'endormait.

Les hurlements la réveillèrent quelques heures plus tard. Près d'elle, Mutt était raide sur ses pattes. Kate se redressa sur son séant, l'esprit embrumé de façon anormale.

– Qu'est-ce qu'il y a, ma fille?

Puis elle entendit à nouveau les hurlements. Elle enfila son jean, chaussa ses bottes, attrapa sa parka et son fusil, ouvrit la porte.

La pleine lune s'était levée, inondant le cañon de sa lumière, que la neige fraîchement tombée réverbérait avec éclat. Sur une petite corniche à mi-hauteur de la paroi, des silhouettes découpées en ombres chinoises comme par des projecteurs : trois loups.

Comme s'il n'avait attendu que l'ouverture de la porte, celui du milieu s'avança d'un pas, leva le museau vers les étoiles et poussa un long hurlement modulé qui terrifia toutes les créatures vivantes alentour, quadrupèdes et bipèdes confondus.

Mutt s'assit devant la porte, enroula sa queue autour de ses pattes et attendit dans un silence étudié, la tête légèrement inclinée sur le côté. Lorsque le grand loup se tut, il baissa la tête et retourna auprès du reste de la meute.

Mutt se leva et s'avança d'une démarche chaloupée, il n'y avait pas d'autre terme pour la décrire. Elle pointa sa truffe sur la lune, ouvrit sa gueule et poussa un hurlement qui aurait fait honte à James Brown. Un cri primal, plaintif, sauvage, un cri d'amoureuse autant que de chasseresse.

Les trois loups restèrent figés jusqu'à ce que résonne le dernier écho. Mutt s'ébroua et revint auprès de Kate, arborant une expression qu'on aurait jugé à bon titre suffisante.

Libérés du charme, les visiteurs poussèrent une série de cris et de glapissements, mais, de toute évidence, le cœur n'y était plus. Ils se concertèrent quelques instants, museau contre museau, puis le mâle dominant s'avança de nouveau pour lancer un autre appel, plus bref cette fois, qui sembla s'achever par un point d'interrogation.

Mutt leva vers Kate des yeux implorants.

– Rassure-moi, tu n'es pas en chaleur ?

Mutt se retourna vers les trois loups.

– Oh ! vas-y donc, dit Kate.

Avant même qu'elle ait fini sa phrase, Mutt s'était levée d'un bond, fonçant vers la paroi à la vitesse de la lumière. Le mâle dominant eut le temps de reculer d'un demi-pas avant qu'elle lui tombe dessus. Tous deux se mêlèrent aux autres membres de la meute sans perdre un iota de leur vitesse acquise, et le tourbillon de crocs et de fourrure qui en résulta se métamorphosa en une boule de cris et de morsures qui chut de la corniche, dévala la paroi et manqua s'abîmer dans la plus haut perchée des sources chaudes.

Mutt exécuta un grand jeté qui s'acheva par une réception qui aurait plongé dans l'extase un Mikhaïl Barychnikov. Le mâle dominant effectua un virage en épingle à cheveux, tandis que le plus petit de ses congénères, une louve à la robe blanche, ne put s'arrêter à temps et plongea avec force glapissements. L'espace d'une seconde, Kate aurait juré que les trois autres se moquaient d'elle. Mais elle ne resta pas longtemps immergée et les cabrioles reprirent de plus belle, tout le long du cañon, et que je fais le tour des sept bassins, et que je tourne autour de la cabane, et que je fonce dans un bosquet où sommeille un harfang des neiges. Il se réveilla dans un ululement indigné et s'envola dare-dare, ses ailes d'un mètre vingt d'envergure pareilles à une voile occultant la lune entre les parois du cañon.

Ravie, Kate s'assit adossée à la porte et perdit toute notion du temps, contemplant les quatre fauves pris de folie gambadant au clair de lune, aussi joueurs que des gamins dans une cour de récréation. Un lièvre arctique aux oreilles bordées de noir collées à son crâne par la vélocité jaillit des fourrés pour bondir au-dessus du premier bassin, transfiguré par la panique, et disparut parmi les rochers couverts de neige après avoir cédé un bout de queue à l'adversaire. Un lagopède d'un blanc immaculé surgit de ces mêmes rochers, battant désespérément des ailes pour prendre un peu de hauteur, pourchassé par des crocs avides. Il échappa de justesse à la mort. Mais Mutt et ses nouveaux amis traitaient la chose comme un jeu.

Quant à Kate, c'était comme si elle n'avait pas été là. À un moment donné, elle constata que ses joues étaient mouillées. Assise adossée à la porte, contemplant la scène dont la concession d'Old Sam était le théâtre, une concession qu'il avait revendiquée alors qu'il était plus jeune qu'elle aujourd'hui, pour une raison qu'elle ignorait encore, elle se sentait plus proche de lui que jamais. Comprendre que plus jamais elle ne le verrait, ne lui parlerait, ne subirait ses critiques, ne se ferait jeter dans la baie d'Alaganik, ne bénéficierait de sa sagesse et de ses conseils, c'était comme un coup de couteau en plein cœur. En règle générale, Old Sam était un fils de pute irascible, railleur, impitoyable, mais c'était le héros de son enfance. Son ombre était présente sur toute la vie de Kate, et son absence se ferait sentir jusqu'à l'heure où elle quitterait ce monde.

Elle baissa la tête et laissa couler ses larmes, arrosant la neige en son honneur.

Lorsqu'elle leva les yeux, la lune et le clair de lune avaient disparu, et les loups avec eux. Mutt était partie, mais Kate n'était pas inquiète. Une fois qu'elle aurait escorté la meute jusqu'à un point prédéfini par son cerveau de louve, elle lui reviendrait.

Kate retourna dans la cabane, remit quelques bûches dans le poêle et regagna son sac de couchage. Elle s'endormit comme si on l'avait assommée.

19

Elle se réveilla le matin venu, émergeant du sommeil comme à son habitude, pleinement consciente de ce qui l'entourait.

Et comprit qu'elle n'était pas seule.

Elle ne bougea pas d'un pouce, mais l'intrus avait dû sentir qu'elle ne dormait plus.

– Debout, dit une voix.

Elle passa ses options en revue, en éliminant plusieurs.

Un coup plutôt brutal dans son dos.

– Debout, répéta la voix.

C'était une voix d'homme qui lui était inconnue, mais elle n'en serait sûre que s'il continuait à parler.

D'un seul mouvement vif, elle se glissa hors du sac de couchage et se leva, bien campée sur ses pieds, prête à passer à l'action. L'homme jura et recula d'un petit bond.

Il se tenait sur le seuil, vêtu d'une parka, d'une salopette et d'après-skis. Une cagoule bleu marine dissimulait ses traits et il était armé d'une carabine, une Savage Model 110 facilement reconnaissable, même quand on n'était pas un maniaque des armes à feu, grâce à son allure quelconque et à l'écrou de son canon. Sa précision faisait oublier sa laideur. Nombre des clients de Demetri l'utilisaient, du moins les plus sérieux.

Le cran de sûreté était débloqué. Elle leva les yeux.

– Que voulez-vous ?

– La même chose que toi. Où elle est ?

Elle inclina la tête, s'efforçant de mémoriser le ton et le timbre de cette voix afin de la reconnaître si l'occasion se présentait. L'homme ne faisait aucun geste qui aurait laissé deviner un tic ou un maniérisme. Sa tenue n'était pas neuve. Son arme non plus.

Beaucoup de gens pensent qu'une arme à feu est un gage de supériorité. Beaucoup de gens se trompent.

– Je ne sais pas de quoi vous parlez, dit Kate. Vous êtes sur une propriété privée, vous savez.

– Je veux la carte.

– Quelle carte ?

– Ne fais pas la maligne avec moi. Tu as suivi la même piste que moi, toujours avec un temps de retard.

Arrogant. Kate nota ce détail.

– Alors, c'est vous qui m'avez assommée.

Une esquisse de haussement d'épaules.

– Donne-la-moi.

– Je ne l'ai pas.

Le canon de la Savage 110 s'agita brièvement.

– À genoux, le dos tourné vers moi.

Elle aurait mieux fait de le plaquer plutôt que de lui parler. Elle obtempéra.

– Les mains sur la nuque.

Elle s'exécuta et le sentit approcher, mais elle sentait aussi qu'il gardait ses distances et prenait tout son temps, ce dont elle profita pour élaborer un plan.

Il agrippa l'un de ses poignets et elle sentit une boucle passer autour de sa main. Elle écarta les jambes, laissa reposer ses fesses sur le sol et poussa des deux genoux pour effectuer un saut vers l'arrière, prit appui sur son dos, joignit les genoux et frappa l'inconnu des deux pieds. Il était trop grand pour qu'elle l'atteigne à la mâchoire – elle nota ce nouveau détail – et ses pieds s'enfoncèrent dans son sternum, juste au-dessous des côtes.

Il en eut le souffle coupé, mais il ne tomba pas, il recula de plusieurs pas en chancelant. Il avait dû glisser sa carabine sous un bras pour la ligoter et elle lui avait échappé.

Il alla heurter le mur, ce qui remit ses poumons en état de marche, et il reprit son souffle, rattrapa la carabine avant qu'elle ne touche terre, et il la levait vers Kate lorsqu'elle repartit à l'attaque. Enchaînant sur le coup précédent, elle pivota sur ses pieds, les genoux fléchis, et emboutit l'inconnu au niveau de la taille avec son épaule droite, exécutant un plaquage qui aurait fait d'elle une recrue de choix des Seahawks, l'équipe de football américain de Seattle. Sauf qu'elle se prit les pieds dans son sac de couchage. Du coup, le choc fut amorti et le plaquage se réduisit à une banale collision, au cours de laquelle elle réussit à écarter la carabine. Mais le canon était encore trop près de son oreille quand le coup partit, et elle se retrouva couchée sur l'inconnu lorsqu'il tomba à terre.

Les oreilles encore bourdonnantes, elle saisit la carabine des deux mains. L'autre était plus lourd et plus fort qu'elle – encore noté – mais elle était plus vive et, pendant qu'il s'efforçait en vain de lui saisir les mains, elle s'activait à lui dispenser coup de griffes, de pieds et de genoux, afin de l'empêcher de se relever.

– Et puis merde, fit-il.

Cessant de lui disputer la possession de la carabine, il lui empoigna les cheveux d'une main, le fond du pantalon de l'autre, et la jeta à l'autre bout de la cabane. Comme elle se sentait fendre l'air, elle se dit qu'elle avait le temps de réfléchir à son point d'impact et à la meilleure façon d'amortir le choc. Elle se roula en boule juste à temps pour que son postérieur heurte le mur au-dessous de l'un des corbeaux. Elle rebondit sur ses pieds mais trouva l'inconnu planté devant elle, la carabine pointée dans sa direction.

– Vous feriez mieux de tirer, haleta-t-elle, car je ne me remettrai jamais à genoux.

Il y eut un mouvement sous la cagoule, comme si l'homme se fendait d'un rictus. Il la mit en joue et elle fonça vers sa propre carabine, perdue dans les replis de son duvet, et c'est à ce moment-là que Mutt franchit la porte, tel un éclair de vengeance silencieux.

Elle frappa l'inconnu en plein torse, de toute la masse de ses soixante kilos, et il emboutit à nouveau le mur, avec une telle force que de la poussière tomba du plafond. Puis il tomba et elle mordit le bras avec lequel il tenait son arme.

Il poussa un cri, sa première déclaration spontanée de la matinée, et lâcha la carabine. On entendit un bruit de déchirure. Un nuage de plumes d'eider explosa autour du crâne de Mutt et, lorsque l'averse s'acheva, elle tenait dans sa gueule une manche de Gore-Tex.

Kate avait enfin récupéré son fusil.

– Hé! Hé, connard, haut les mains! Mutt! Arrière! Mutt!

Mutt fit la sourde oreille : elle lâcha son trophée et repartit de plus belle, s'attaquant à des chairs qui n'étaient plus protégées que par le manche d'une chemise à carreaux noir et rouge. L'inconnu réussit à rouler sur lui-même pour mettre son bras à l'abri. Sans se démonter, Mutt cibla son postérieur. Elle dut mordre dedans à belles dents, car l'homme poussa un cri suraigu à la Macaulay Culkin.

Il roula de nouveau sur lui-même et Kate vit qu'il prenait la direction de la porte, et soudain il réussit à ramasser son fusil et à se lever. Un bruit sourd retentit dans le mur derrière elle une seconde avant qu'elle entende le coup de feu, tiré cette fois de l'extérieur de la cabane. Elle se baissa instinctivement, bien trop tard si le second inconnu était un tireur d'élite.

Mutt resta figée un instant en entendant la détonation. L'homme s'empressa d'en profiter pour filer. Mutt se lança à ses trousses. Kate la suivit, les pieds nus, et eut le temps de voir sa queue disparaître derrière la cabane.

Un aboiement, un coup sourd, un autre cri, un grincement sinistre et un bruit de fracas, le tout en succession rapide. Kate fit le tour de la cabane et eut le temps de voir les toilettes s'effondrer et l'inconnu échouer au fond du trou, peut-être pas par accident.

Un cri, des jurons et un aboiement de joie sauvage. Aussi étonnant que cela paraisse, l'homme réussit à sortir du trou et se remit à courir, maculé de chaux vive et de merde gelée, Mutt sur les talons. Tout le monde acheva de faire le tour de la cabane et l'inconnu se rua vers le cañon.

Le tireur devait être posté au coin du passage, ou alors sur le rocher en forme de selle. Un minuscule geyser jaillit du bassin devant Mutt. Une seconde plus tard, Kate entendit la détonation, puis une troisième balle vint labourer la neige à ses pieds. Il commençait à bien régler son tir.

Elle se jeta de côté et hurla :

– Mutt ! Mutt, non, reviens !

L'ignorant superbement, Mutt exécuta un bond des plus gracieux et planta à nouveau ses crocs dans le postérieur du fuyard. Celui-ci poussa un hurlement, qui évoquait cette fois Daniel Stern.

Une autre balle laboura la neige, bien trop près des pattes postérieures de Mutt, et Kate investit de toute son autorité l'appel qu'elle lança.

– Mutt ! Au pied ! Tout de suite !

Elle hurla si fort que sa cicatrice à la gorge la fit souffrir comme elle ne l'avait pas fait souffrir depuis des années.

Mutt lâcha sa proie, et l'homme s'enfuit, mi-trottinant, mi-clopinant, jusqu'à disparaître dans le passage.

Nouveau coup de feu. La balle frappa le réservoir de la motoneige.

L'essence coula à travers le trou bien rond dans la toile goudronnée bleue.

– Enfoiré !

Furieuse, Kate retourna dans la cabane pour aller chercher sa carabine. Elle ressortit, se jeta à plat ventre, mit en joue et braqua le viseur sur le passage, à hauteur d'homme, en tenant compte de la pente descendante. Elle dira deux coups de feu en succession rapide, dans la mesure où le mécanisme à verrou le permettait, puis visa le rocher en forme de selle et tira deux autres balles.

Puis quelque chose la frappa à la tempe et elle s'écrasa contre le mur de la cabane. Elle entendit la détonation juste avant de sombrer dans les ténèbres.

On lui passait le visage au papier de verre. Encore.

– Oh, fit-elle.

La ponceuse vibrait gaillardement, réglée au maximum. Le bruit qu'elle émettait se transforma en un geignement suraigu. Elle avait déjà entendu ce bruit, et c'était même récent.

– La ferme, dit-elle.

Loin de lui obéir, le geignement doubla de volume et d'intensité. Il fallait que ça cesse. Elle aurait bien sévi, mais impossible d'ouvrir les yeux.

La ponceuse passa en surrégime et le geignement atteignit un niveau sonore rappelant l'ouverture d'une chanson de Metallica. Si elle restait sans réagir, ses oreilles allaient saigner.

Au prix d'un effort surhumain, elle écarta la bôme, attacha la drisse à l'une de ses paupières et manœuvra le winch. Le câble faillit craquer sous l'effort, mais, lentement, peu à peu, elle réussit à ouvrir les yeux.

Elle gisait sur le dos au milieu de la cabane, mais elle n'en voyait pas grand-chose étant donné qu'une Mutt frénétique se dressait au-dessus d'elle, hurlant, geignant, aboyant et grondant. Ça lui rappelait quelque chose.

– Je te maudis, mon oncle, dit-elle d'une voix qui lui parut étrangère. Dans quel merdier m'as-tu fourrée?

Mutt aboya joyeusement en la voyant revenir d'entre les morts et, si elle ne l'avait pas aspergée de sa salive, Kate aurait pu célébrer l'événement avec elle. Au lieu de quoi, elle la poussa de côté et se redressa sur son séant. Levant vers son front une main tremblante, elle découvrit au-dessus de son œil droit un sillon peu profond de deux ou trois centimètres de long. Il était d'une propreté remarquable, tout comme la zone de peau qui l'entourait. Elle se tourna vers Mutt, dont les yeux jaunes exprimaient la rage, la consternation et… oui : la honte. Elle aperçut un peu de son sang sur le museau de Mutt.

Génial. Et elle commençait tout juste à se remettre de ses coquards. Cela dit, Mutt l'avait nettoyée à fond. Et lui avait sans doute sauvé la vie. Encore.

– Merci, ma fille, dit-elle.

Mutt lui lécha la joue une dernière fois puis parcourut les lieux du regard et gronda à nouveau, apparemment pour ordonner à la cabane de se tenir tranquille.

Kate tiqua. La porte était ouverte. N'était-elle pas dehors ?

Son épaule lui faisait mal et elle souleva l'encolure de son pull. Des traces de crocs, mais pas de morsure à proprement parler.

– Tu m'as traînée à l'intérieur ?

Nouveau grondement. Décidément, Mutt était de mauvais poil.

La ressemblance entre cette cabane et celle où Kate était récemment revenue à elle était un peu trop troublante à son goût. Le contenu de son sac à dos jonchait le sol. Son duvet était en désordre. La cheminée du poêle avait été bousculée, sans se casser heureusement, sans quoi il y aurait eu de la suie partout.

Un haut-le-cœur soudain la fit frémir. Elle sortit en titubant et, à peine quatre pas plus loin, tomba à genoux et vomit. Ça aussi, ça lui rappelait quelque chose.

Elle se sentait un peu mieux, même si sa blessure au front l'élançait encore. Elle se lava le visage et la bouche avec de la neige puis se releva. Aucun signe de l'intrus. Mais ça sentait l'essence. Les jambes toujours flageolantes, elle se dirigea vers la motoneige et souleva la toile goudronnée, faisant des pauses à intervalles réguliers de crainte de tomber dans les pommes.

La balle s'était logée en plein milieu du réservoir. La bonne nouvelle, c'était que celui-ci n'avait pas explosé et ne s'était pas totalement vidé. Elle débarrassa la remorque de sa toile protectrice, trouva le rouleau de bande adhésive et boucha le trou pour éviter que l'essence restante ne s'évapore. Ensuite, elle s'efforça de réfléchir en dépit de la migraine qui montait. Elle n'avait jamais été douée pour le calcul.

Son Arctic Cat consommait entre neuf et douze litres aux cent kilomètres, à condition de garder une allure régulière, ce qui ne serait pas évident dans les montagnes. Elle avait sorti quatre cents dollars pour s'offrir un réservoir à grande capacité. S'il était à moitié vide, il devait contenir un peu plus de dix-sept litres. Elle avait un bidon de vingt litres dans la remorque et, hier, elle l'avait débouché pour prévenir toute condensation due au froid. Il devait probablement lui manquer huit litres.

Optons pour la prudence et disons qu'il lui restait quinze litres dans le réservoir et douze dans le bidon. Une centaine de kilomètres la séparaient de Niniltna. Même compte tenu des vingt-cinq premiers, où elle aurait à négocier des défilés, des cols et des virages en épingle à cheveux, sans parler des bosquets et des rochers, ce qui augmenterait sa consommation, elle devrait s'en tirer. Probablement. Peut-être.

Mais elle devait néanmoins économiser son carburant, ce qui lui interdisait de pourchasser ses agresseurs. Raison pour laquelle le tireur embusqué avait visé le réservoir, sans aucun doute. *Enfoiré.* Elle pensa à son complice dégoulinant de merde à la chaux et leur souhaita un périple bien aromatique pour leur retour à la civilisation.

Soudain, comme prise de folie, elle se mit à rire. Elle rit si fort que les échos de son rire résonnèrent dans le cañon. Elle rit si longtemps qu'elle en perdit toute énergie et dut s'asseoir sur la remorque.

– Putain d'enfoiré de mes deux.

Elle aurait pu trouver mieux mais n'avait pas assez d'énergie pour gueuler comme elle l'aurait voulu, aussi se contenta-t-elle de le faire mentalement.

Mutt vint la rejoindre, l'air inquiet, et Kate lui passa un bras autour du cou pour enfouir le visage dans sa fourrure.

– Désolée, ma fille. Donne-moi une minute. Je te promets que je vais retrouver la forme.

Mutt paraissait sceptique, ce qui incita Kate à se relever. Elle commença à explorer les lieux à la recherche d'éventuelles traces laissées par l'intrus. Mais au bout de quelques secondes, elle se rappela qu'elle n'avait mis ni ses bottes ni son pantalon et que la température avoisinait les moins quinze. Poussant un nouveau juron, elle regagna l'intérieur de la cabane pour y chercher ses fringues. Elle avait une violente envie de refaire son lit et de se recoucher, mais elle se rappelait vaguement qu'il ne fallait pas s'endormir quand on était blessé à la tête. Elle continua donc de s'activer.

Enfilant des chaussettes en guise de moufles, elle redressa la cheminée du poêle et ranima le feu. Puis elle chaussa ses bottes et retrouva sa trousse de premiers secours. Un pansement avec de la pommade antiseptique, ça suffirait en attendant d'être rentrée à Niniltna et d'aller à la clinique. L'idée de subir à nouveau les vannes des frères Grosdidier ne l'enchantait guère. Elle avala deux cachets d'aspirine qu'elle fit passer avec une bouchée de neige. Le choc thermique dans son palais et la sensation de neige fondue coulant dans son gosier atténuèrent un peu sa nausée.

Elle enfila sa parka et sortit, renonçant pour l'instant à ranger la cabane.

Le ciel était gris et lourd de promesses de neige. Si les intrus avaient laissé des traces intéressantes, mieux valait ne pas traîner. Ignorer le petit forgeron qui prenait ses tempes pour des enclumes n'était pas chose facile, c'était même impossible, mais en se concentrant sur sa tâche et en procédant par étapes, elle réussit à ne pas s'effondrer, veillée par une Mutt aussi alerte que vindicative qui ne la quittait pas d'une semelle.

Des traces de pas dans la neige, par-delà les bassins fumants et jusqu'au passage près du rocher en forme de selle. Une fois au niveau de celui-ci, elle localisa les traces d'une motoneige, probablement une Polaris dernier modèle, quoiqu'elle ne soit pas assez au fait des catalogues récents pour trancher.

Une seconde série de traces de pas. Des pieds plus petits, ceux d'une femme ou d'un homme moins costaud que son agresseur. Autre possibilité : un adolescent, garçon ou fille.

Mutt, qui captait son humeur à merveille, émit un sourd grondement franchement menaçant.

– Tu l'as dit, ma fille.

Soit l'aspirine faisait son effet, soit le petit forgeron se fatiguait, soit la colère lui était bénéfique. À présent que sa douleur s'estompait, sa vue s'éclaircit et sa démarche cessa d'être celle d'un ours somnambule. Elle examina les traces une nouvelle fois.

Oui, juste après le tournant, contre la paroi du rocher, les marques laissées par des genoux, et un peu plus loin, celle des coudes, là où le tireur avait pris appui pour viser.

– Putain d'enfoiré de mes deux, répéta Kate, d'une voix posée mais sur un ton bien senti.

Les traces de la Polaris menaient à la sortie du cañon. Elle tendit l'oreille mais ne capta rien. Elle scruta le ciel et estima qu'on était encore en début de matinée, pas plus tard que dix heures. Ce qui ne fut pas sans l'étonner, car elle croyait être restée inconsciente plusieurs heures.

Étaient-ils arrivés aux sources chaudes pendant la nuit ? Dans ce cas, c'étaient sûrement des Rats du Parc, car sinon jamais ils n'auraient pu trouver le chemin.

Puis elle se rappela le clair de lune. Elle n'aurait eu aucun mal à lire les petits caractères d'un dictionnaire, on y voyait comme en plein jour. Et il n'avait pas neigé depuis son arrivée. Tout ce qu'il fallait pour suivre les traces de sa motoneige jusqu'à Canyon Hot Springs, c'était une acuité visuelle normale.

Plus elle restait sans bouger, plus ils s'éloignaient. Elle avait envie d'enfourcher sa motoneige et de se lancer à leur poursuite.

Elle consacra plusieurs instants fort agréables à imaginer ce qu'elle leur ferait quand elle les aurait rattrapés.

La fraîcheur de l'air apaisait son front endolori, mais pas assez cependant. Elle était blessée, fatiguée, assoiffée, affamée, bref pas en état de courir après deux bandits décidés.

Elle regagna la cabane. Aucune équipe de lutins n'avait débarqué pour faire le ménage, mais l'eau commençait à chauffer sur le poêle. Et ses yeux lui donnaient l'impression de se bouffir. Comme elle n'avait pas envie de voir à quoi elle ressemblait, elle s'abstint d'attraper le miroir de poche dans la trousse de premiers secours. Elle considéra Mutt, dont les poils demeuraient hérissés sur la nuque. Son museau était toujours maculé de sang et Kate était sûre qu'il ne provenait pas d'un seul donneur.

– Brave fille, lui dit-elle. C'était très bien.

Mutt la fixa en plissant les yeux. Elle en voulait toujours à Kate de l'avoir retenue.

– Ils te tiraient dessus, expliqua Kate. Personne ne court plus vite qu'une balle, même pas toi.

Mutt retroussa les babines, affichant ce qu'on aurait appelé un rictus sur une figure moins auguste que la sienne. *J'aurais pu les attraper.* Elle se faisait très bien comprendre.

– Ouais, fit Kate, je sais, tu es une travailleuse et je suis censée te laisser faire ton travail, notamment quand il s'agit de mordre le cul d'un salopard.

Ses yeux se posèrent sur la plus récente des cicatrices, invisible sous la fourrure grise pour qui ne l'aurait pas observée quotidiennement tandis qu'elle guérissait. Deux ans avaient passé, mais l'image de Mutt inconsciente sur la table du vétérinaire était restée gravée dans son esprit.

Elle sentit une douleur aiguë et, en baissant les yeux, découvrit avec surprise que Mutt l'avait mordue à la cheville gauche, assez fort pour la faire saigner. En relevant la tête, elle découvrit des yeux jaunes et durs, et une paire de canines acérées et mises à nu.

— D'accord, dit-elle, je l'ai mérité. Mais si tu continues à lire dans mes pensées, j'engage un exorciste.

Mutt partit d'un aboiement suraigu, dont Kate savait par expérience qu'il exprimait l'outrage et la désillusion. Elle faillit détourner les yeux. Mutt se remit à aboyer et, cette fois, il n'y avait pas à s'y tromper.

— La prochaine fois, je te laisse faire, c'est ça ?

Nouvel aboiement.

— Ou quoi ?

Mutt aboya une troisième fois, se retourna, ouvrit la porte d'une poussée et sortit.

— Mutt, non. Reviens ici. Reviens, ma fille !

Mais Mutt ne revint pas et Kate se demanda avec tristesse ce qu'elle était censée faire. Laisser Mutt foncer vers le danger, pour finir une nouvelle fois sur la table du véto à Ahtna ?

Elle se rappela le regard que Ruthe avait jeté sur Mutt lorsque Kate lui avait décrit son agression chez Old Sam. La mine honteuse de Mutt lorsque Matt Grosdidier l'avait observée en se demandant visiblement où elle était quand Kate se faisait attaquer. La question que Kenny Hazen s'était abstenu de lui poser : pourquoi n'avait-elle pas lâché Mutt sur le cambrioleur de Jane Silver alors qu'elles l'avaient entendu s'enfuir par la porte de derrière ? Le soin que mettait Johnny à éviter le sujet.

Avant la blessure de Mutt, toutes deux prenaient les mêmes risques, affrontaient l'adversaire côte à côte, épaule contre épaule.

Et maintenant...

Procédant avec soin, elle rechargea sa carabine et la posa contre le mur, à côté de la porte. Elle attisa le feu, fit fondre de la neige pour se préparer du café et mit du bacon à cuire dans une poêle. Puis, serrant les dents, elle sortit pour remettre les toilettes d'aplomb. Cette fois-ci, elle eut besoin du marteau et des clous, et elle empila de la neige contre les cloisons pour façonner des arcs-boutants. Si elle voulait continuer de venir ici, il lui faudrait toutefois trouver un système plus pérenne en matière de traitement des déchets organiques.

Elle rangea les outils. Sa migraine n'était plus qu'un bourdonnement étouffé et son ventre criait famine. Aucun signe de Mutt. Elle rentra et ôta sa parka. L'odeur du bacon frit commençait à embaumer l'atmosphère et, une fois qu'elle se fut préparé une tasse de café, les deux arômes mêlés auraient réveillé un mort. Elle fit réchauffer des biscuits dans la cocotte. Ils prirent la même couleur que le bacon et elle dégusta le tout en sandwich, assise sur le siège de la motoneige et adossée au mur, en s'efforçant d'oublier qu'elle se sentait désespérément seule sans Mutt.

Elle repensa à l'intrus de ce matin. Qui était-ce, bon sang ? Et qui était son copain tireur ? Pourquoi l'avaient-ils suivie jusqu'ici ?

Commençons par le commencement : qui savait qu'elle comptait aller à Canyon Hot Springs ? Elle réfléchit. Johnny. Tante Joy. Phyllis.

Oh. Et Virginia Anahonak, la tante de Phyllis, la plus grande commère de Niniltna, qui avait écouté leur conversation. Cela élargissait considérablement son champ d'investigation.

Elle se redressa dans un sursaut.

– Au fait, quelle carte ?

Kate se servit un nouveau mug de café, y ajouta du lait lyophilisé et un peu de sucre, et se rassit pour examiner l'intérieur de la cabane.

Elle avait calfeutré trois des quatre murs afin de neutraliser la climatisation naturelle des lieux et, partant de l'hypothèse un peu stupide qu'il pouvait s'y trouver un message ou un indice laissé par Old Sam, elle ôta les trois toiles goudronnées. Le quatrième mur était celui où s'ouvraient la porte et les deux fenêtres, trois entrées pour les courants d'air. Elle avait isolé chaque fenêtre avec un sac-poubelle fixé par une bande adhésive. Quant à la porte, elle l'avait laissée telle quelle, pour faciliter les entrées et les sorties, ce qui s'était avéré très utile. Elle soumit chacun des quatre murs à un examen approfondi, duquel elle ne retira rien excepté un sentiment d'admiration pour le constructeur.

Old Sam avait dû laisser sécher les rondins avant de se mettre au travail. Kate se demanda s'il avait abattu les arbres avant la guerre et continué les travaux après. Elle ne maîtrisait pas assez le sujet pour savoir si c'était une bonne ou une mauvaise chose, mais elle ne pensait pas que la température dans ce petit cañon puisse être élevée au point de rendre les rondins inutilisables au bout de sept ans. On les avait équarris à la main et les traces de ce travail minutieux étaient encore visibles. Old Sam les avait rabotés avec finesse et sans doute avait-il comblé les interstices les séparant avec un mélange de boue et de mousse. Le scellant pour colmatage Perma-Chink n'avait pas encore été inventé.

Elle se rappela le bosquet d'épicéas où dormait le harfang des neiges et se demanda si c'était là qu'Old Sam avait prélevé son bois. En soixante ans et quelques, ce bosquet avait eu le temps de se régénérer. Elle crut se rappeler des fondations en gravier, comme sous sa cabane de Niniltna, et se demanda où il avait pu en dénicher dans le coin. Peut-être sur cette corniche où les loups avaient fait leur apparition la nuit précédente : s'il s'y était jadis trouvé un glacier, il avait pu laisser des gravillons en se retirant. Elle ne le saurait que le printemps prochain.

Elle s'était mis dans l'idée que cette bicoque était toute branlante, prête à s'effondrer sous la première brise venue. En fait, elle le comprenait à présent, on l'avait si bien bâtie qu'elle tiendrait encore cinquante ans, à condition qu'on l'entretienne un minimum.

— Tout ça est bel et bon, Kate, dit-elle à haute voix, mais qu'en est-il de cette carte ?

Mutt n'était pas là pour lui répondre. Elle chassa cette pensée grâce à une autre. Old Sam lui avait-il laissé une carte montrant la cachette de l'icône ? Dans ce cas, à qui en avait-il parlé ? Et pourquoi diable l'aurait-il fait ?

Elle se surprit à trouver le vieil homme de plus en plus agaçant.

Ça aussi, ça lui rappelait quelque chose.

La cabane était assez haute pour abriter une mezzanine, comme le prouvaient les corbeaux placés aux deux tiers de la hauteur des murs est et ouest pour soutenir le plancher.

Elle mesurait un mètre cinquante. Old Sam devait mesurer trente centimètres de plus.

Elle examina avec attention la section de mur qu'elle avait heurtée lors de la bagarre de ce matin. L'un des corbeaux lui semblait un peu plus saillant que les autres. Comme s'il avait commencé à s'extraire du mur.

Elle mit ses gants et sortit pour aller chercher la remorque. Tout juste si elle passait par la porte. Elle la tira jusqu'au mur est. Elle plaça le siège de la motoneige dessus. L'édifice ainsi obtenu était un peu branlant mais, faute de mieux, elle devrait s'en contenter.

Une fois juchée sur le siège, elle arrivait tout juste au niveau des corbeaux.

C'étaient des extrémités de rondins qu'on avait taillées en coin pour les insérer dans le mur perpendiculairement à celui-ci. Le corbeau qu'elle avait repéré saillait d'un centimètre de plus que ses voisins. Kate était sûre de n'avoir rien remarqué de tel la veille.

Au prix de quelques efforts, elle réussit à l'extraire de sa niche. Les bords de celle-ci n'avaient pas été passés au papier de verre et une averse de sciure fraîche tomba sur le siège de la motoneige. Voilà une niche qui n'avait pas soixante ans d'âge.

Elle n'était pas assez grande pour voir à l'intérieur. Posant le corbeau, elle tendit le bras le plus possible. Sa main se referma sur un objet. Elle le sortit et l'examina. Un paquet enveloppé dans du papier journal attaché par de la bande adhésive.

Elle réinséra le corbeau dans sa niche et, avec l'aide du marteau, l'enfonça afin qu'il soit identique aux autres. Inutile de montrer à d'éventuels visiteurs qu'elle avait trouvé la cachette.

Elle passa quelques instants à admirer le travail de l'artiste. La pièce de bois s'était remise en place comme si de rien n'était. Même en la regardant de près, on ne voyait rien d'anormal.

Si elle n'avait pas donné un coup de postérieur au mur, si elle n'avait pas en partie délogé ce corbeau, elle n'aurait jamais rien remarqué.

Une chose était sûre. Old Sam, ce marionnettiste qui tirait les ficelles de sa vie depuis l'au-delà, ne comptait nullement la lui faciliter.

Elle redescendit et replaça le siège contre le mur. Elle regarda le paquet une bonne minute avant de l'ouvrir.

C'était un journal intime, identique à celui qu'elle lisait dans la cabane d'Old Sam quand on l'avait attaquée. Elle l'ouvrit. Oui, elle reconnut l'écriture élégante du juge Albert Arthur Anglebrandt. Ce volume était daté de 1939, soit deux ans après celui qu'on lui avait volé.

Elle le reposa et alla jeter un coup d'œil au-dehors. De petits nuages ressemblant à des boules de coton passaient dans le ciel, occultant le soleil à intervalles fréquents, mais tout était calme dans le cañon. Au loin, un aigle lança son appel, un cri perçant qui se prolongea plusieurs secondes. L'incarnation ailée de la nature sauvage.

Aucun signe de Mutt.

Elle se dénuda la joue pour éprouver l'air et le trouva plus sec et plus froid qu'en début de journée. Sans doute ne neigerait-il pas pendant un ou deux jours, voire davantage. Dans le cas contraire, elle avait assez de provisions pour tenir. Évidemment, s'il neigeait, elle ne trouverait plus de traces le matin venu.

Johnny était en sécurité chez Annie, aucun souci à se faire de ce côté-là. Jim était en Californie, elle avait toutes les raisons de s'inquiéter, mais cela durerait tant qu'il ne serait pas rentré. Autant la jouer cool et attendre demain pour se mettre en route.

S'il ne neigeait pas, leurs traces seraient encore là. S'il neigeait, ce ne serait que partie remise.

Toujours aucun signe de Mutt.

Kate rentra, se servit un autre café et ouvrit le journal intime. Elle passa le reste de la journée à le lire, notant des noms au passage, resituant les événements dans le contexte de l'histoire telle qu'elle la connaissait et piquant un petit somme de temps à autre, lorsque sa blessure la faisait souffrir et que ses yeux se brouillaient.

Établi depuis deux ans, le tribunal du juge Anglebrandt était désormais une institution digne de ce nom, avec une salle d'audience, une prison, un bailli et deux policiers affectés à Ahtna. Il émettait des mandats d'arrêt, prononçait des sentences raisonnables ou – rarement – déraisonnables, désignait des avocats pour les indigents, fixait des cautions, recueillait des plaintes et présidait des procès relevant du droit civil et des affaires criminelles. Certains noms étaient familiers à Kate : un Heiman dans une histoire de détournement de fonds, un Katelnikof reconnu coupable de cambriolage. Les chiens ne font pas des chats. On notait quelques crimes graves, notamment deux meurtres et un enlèvement dont la résolution était évidente, autant d'affaires qui s'étaient conclues par une condamnation.

La gazette du tribunal. Kate poursuivit sa lecture.

Ce ne fut qu'en novembre, le 17 novembre pour être précis, qu'elle trouva ce qu'elle cherchait.

Le juge avait été avisé par un tribunal californien que Herbert Elmer McCullough, dit Mac, dit D'un-Seul-Seau, venait de sortir de la prison de San Quentin. Comme il avait notamment été condamné pour des crimes commis dans le district du juge Anglebrandt, celui-ci devait bien entendu être informé. Sans doute l'avait-on notifié d'une audience préliminaire à la libération conditionnelle, auquel cas Son Honneur avait dû émettre une recommandation et probablement contacter les victimes de Mac pour solliciter leur avis quant à l'opportunité d'une remise de peine pour bonne conduite.

En 1939, les communications entre l'Alaska et l'Extérieur étaient soit lentes, soit inexistantes. Lorsque le juge Anglebrandt avait reçu sa notification, Mac était déjà en route vers le Nord, voire déjà arrivé dans le Territoire. Où il avait été recruté par le général Simon Bolivar Bruckner Jr. Kate adorait ce nom.

Pourquoi Mac avait-il rejoint les Éclaireurs de l'Alaska ? D'accord, il s'était juré de faire honneur à son fils, dans la mesure où un truand en est capable, mais cela n'entraînait pas automatiquement qu'il souhaitait servir son pays. Le patriotisme semblait déplacé chez l'homme qui avait séduit puis engrossé une jeune femme pour l'abandonner ensuite sans un regard.

En lisant le manuscrit, où Mac affirmait qu'il avait toujours agi dans l'intérêt d'Elizaveta et de son enfant, Kate n'avait éprouvé qu'une incrédulité teintée de mépris. Mac était un voleur. Et un voleur, ça vole.

Toutefois… Un voleur peut être aussi un patriote. Pour commencer, il sait qu'il a tout intérêt à défendre une république dont la constitution est complétée par dix amendements conçus pour lui garantir le bénéfice du doute.

Quoique… Il sortait tout juste de prison. Elle l'aurait cru guéri de l'habitude consistant à accepter les ordres. Il était resté près de vingt ans derrière les barreaux.

– Oh.

Elle se serait plaqué la main sur le front si sa blessure ne le lui avait pas interdit.

On ne passe pas vingt ans en taule sans se faire des relations. On est bien obligé de parler à quelqu'un. Mac aurait pu raconter l'histoire de l'icône à un autre détenu, qui l'aurait à son tour racontée à un autre, à moins qu'il ne l'ait couchée par écrit pour la faire connaître à un enfant ou à un ami.

Une autre idée lui vint. Hammett… si c'était bien lui qui avait rédigé ce compte rendu sans fioritures de la vie de Herbert Elmer McCullough… Hammett était un écrivain professionnel. Impossible d'imaginer qu'il n'ait pas gardé une copie de son manuscrit. Et impossible d'imaginer qu'il n'ait pas été intrigué par cette histoire vraie de trésor volé. Il aurait pu la mettre de côté après la guerre, dans l'idée d'y revenir plus tard, ou encore la perdre lors de son voyage retour vers les États du Sud. Peut-être qu'un tiers l'avait retrouvée après sa mort.

Il y avait donc deux explications possibles aux trois agressions qu'elle avait subies en huit jours.

Elle se demanda quelle était la valeur réelle de l'icône. Google lui avait appris que sa valeur marchande pouvait être très élevée. Les pierres enchâssées dans son cadre étaient peut-être des joyaux de prix. Sa valeur historique était incontestable. Peut-être constituait-elle un artefact culturel aux yeux de la tribu de Kate. Et elle avait une très haute valeur spirituelle pour les anciens.

Il était peu probable qu'un bien aussi précieux soit passé de la Russie à l'Amérique russe dans les bagages d'un marchand, mais cela restait possible. Il était peu probable que le marchand ait été attaqué dans son comptoir par les Kolosh et sa réserve pillée par les guerriers, mais cela restait possible. Il était peu probable qu'un guerrier se soit rendu compte de la nature de l'objet et en ait fait un bien à transmettre aux générations futures, mais cela restait possible.

Elle se demanda d'où l'icône tenait ses prétendus pouvoirs de guérison. Un missionnaire s'en était-il servi pour convertir les païens après l'avoir vue parmi eux ?

Elle se leva et ouvrit la porte, inhalant l'air glacial et vivifiant. Le peu de lumière dont profitait le cañon avait disparu et les étoiles s'allumaient dans le ciel qui allait en noircissant.

Toujours aucun signe de Mutt.

Les bassins descendaient en escalier vers le centre du cañon, sereins et peu profonds, l'eau coulant du premier vers le deuxième et ainsi de suite, pour se perdre finalement dans un tunnel naturel. Old Sam avait bien choisi l'emplacement de sa cabane. Le premier bassin ne se trouvait qu'à trois enjambées de la porte. Elle aurait bien aimé s'y tremper un long moment, mais les événements du matin étaient encore trop présents à sa mémoire pour qu'elle coure le risque de se faire surprendre, et toute nue par-dessus le marché.

Les deux individus qui s'en étaient pris à elle ne reviendraient sans doute pas – l'un d'eux ne pourrait pas remonter sur une motoneige avant un certain temps –, mais elle ignorait encore à qui Old Sam avait pu parler d'une mythique carte au trésor et elle ne voulait pas tenter le diable.

Elle passa aux toilettes puis rentra pour attiser le feu et allumer la lampe à pétrole. Elle se prépara ensuite une tarte au chili relleno avec de la pâte, des œufs, du lait en boîte, du fromage râpé et des chilis verts en boîte, qu'elle fit passer avec du thé vert, une nouveauté dans son garde-manger, adoptée à l'initiative de Dinah Clark. Si l'on aimait l'eau chaude parfumée au gazon, ce n'était pas si mal. Rajoutez-y du miel et c'était presque supportable.

Elle fronça les sourcils, les yeux fixés sur ses chevilles. Quelqu'un savait que la cabane d'Old Sam contenait un objet précieux, et il l'avait su avant elle. Trois jours après sa mort, ce quelqu'un avait débarqué et l'avait surprise en train de lire le journal intime du juge Anglebrandt. Il l'avait assommée et était reparti avec son butin.

Ce n'était pas à proprement parler du travail de professionnel. L'agresseur n'avait même pas de matraque. Il avait improvisé son coup avec une bûche qui traînait par là. Un amateur, alors ? Mais un amateur prêt à commettre une agression, donc un type déterminé ou alors ignorant les dispositions du titre 11, chapitre 41, section 200 de la législation de l'État d'Alaska et les pénalités qu'il encourait.

Après avoir lu le journal intime volé, sans rien y trouver d'intéressant en rapport avec son but, l'agresseur s'était douté qu'elle était sur le qui-vive et avait entamé ses propres recherches. Il avait dû la suivre à Ahtna, au bureau de Jane Silver, puis suivre celle-ci jusqu'à son domicile. Il avait attendu son départ le lendemain matin pour y entrer par effraction, ce qui témoignait d'un certain bon sens, mais Jane avait eu le malheur d'oublier quelque chose et de retourner le chercher, et l'agresseur avait eu la malchance de tomber sur une vieille dame trop fragile.

Et ensuite… Eh bien, naturellement, son accident était lié à tout le reste. Soit l'agresseur pensait que Kate avait trouvé le fameux indice – la carte dont il lui avait parlé ce matin ? –, soit il tenait à l'empêcher de poursuivre son enquête, et il avait provoqué une sortie de route. Sans doute avait-il quitté Ahtna avant elle pour l'attendre au niveau du virage de l'Homme mort, lui fonçant dessus dès qu'il avait vu la lueur de ses phares.

Ce qui confortait l'hypothèse du Rat du Parc. Un étranger aurait ignoré l'existence de ce virage. Celui-ci faisait environ une victime par an, en général un touriste qu'on repêchait, vivant mais furibond, dans le fleuve ou dans le fossé.

Puis il y avait l'attaque de ce matin. Ils l'avaient suivie jusqu'ici depuis Niniltna, et en pleine nuit par-dessus le marché. La tenue et la carabine du type n'étaient pas neuves, ce qui prouvait qu'il s'agissait d'un habitué du Bush, sinon d'un Rat du Parc.

Elle fit mentalement une revue de détail de son apparence. Sexe masculin, type caucasien ou mélangé. Un mètre soixante-quinze environ, compte tenu de l'épaisseur de ses semelles. Environ soixante-dix kilos, encore que l'épaisseur de la parka puisse être trompeuse. Sa voix lui était totalement inconnue, mais elle avait remarqué qu'il prenait la peine d'en dire le moins possible, de parler par monosyllabes sur un ton monocorde, comme s'il avait craint d'être identifié.

Ce qui signifiait qu'elle le connaissait. Ou qu'elle l'avait rencontré. Ou qu'elle était sur le point de le rencontrer et qu'il le savait.

Elle pensa à Pete Wheeler.

Et aussi à Ben Gunn.

Elle était sûre que ni l'un ni l'autre ne se dissimulaient derrière la cagoule de l'intrus de ce matin, mais Wheeler était en position d'en savoir beaucoup sur les affaires d'Old Sam. Celui-ci n'était pas du genre loquace, en particulier avec un étranger, mais il avait pu laisser échapper une allusion en présence de son homme de loi, lui sous-entendre qu'il possédait un objet de valeur. Peut-être même lui avait-il confié qu'il allait envoyer son héritière à la chasse au trésor, auquel cas Kate était prête à le ressusciter pour le tuer aussitôt.

Et Pete Wheeler avait pu décider de la griller.

Puis il y avait Ben Gunn. Encore secouée par la mort d'Old Sam et celle de Jane Silver, elle avait lâché la bride à ses émotions et en avait beaucoup trop dit au journaliste. Quand il lui avait appris que son grand-père avait rédigé un journal racontant la vie de son époque (était-ce alors une manie universellement partagée?), elle s'était montrée intéressée et il avait aussitôt tenté de noyer le poisson. S'il avait vraiment entrepris d'écrire un roman basé sur la vie de son aïeul, il aurait dû avoir ce journal à portée de main. George Washington Gunn avait-il évoqué le vol de l'icône? Connaissait-il le coupable? Et avait-il transmis l'information à son petit-fils *via* son journal intime?

Et Ben Gunn, en apprenant la mort d'Old Sam, avait-il profité de l'occasion pour se rendre dans le Parc et y chercher l'icône?

Elle se rappela le monstrueux pick-up garé devant les bureaux de l'*Adit*. Il était blanc. Elle était quasiment sûre que le véhicule qui l'avait emboutie était de couleur sombre. Mais si c'était Ben qui était au volant, cela voulait dire qu'il n'avait rien trouvé dans le journal volé.

L'intrus de ce matin était-il Ben Gunn? Et, dans ce cas, qui était son complice? Elle ne le connaissait pas assez bien pour avoir une idée de ses fréquentations. Kenny la renseignerait.

Elle reposa son mug pour reprendre le journal et le feuilleter, s'arrêtant çà et là pour relire certains passages. Anglebrandt était doté du sens de l'humour et maniait l'ironie à merveille. «À l'issue de son incarcération à la prison d'Ahtna, monsieur Selanoff fut en proie à un tel désespoir qu'il essaya de se suicider en se noyant dans les toilettes. Il échoua dans ses tentatives, car il devait périodiquement émerger pour reprendre son souffle.»

Kate rit de bon cœur et referma le journal, examinant son dos et sa couverture. Eh bien, si Old Sam l'avait laissé ici à son intention dans le seul but de la divertir, il avait réussi son coup. Car elle ne voyait vraiment pas comment le paragraphe consacré à McCullough pourrait l'aider à retrouver l'icône ou cette prétendue carte.

Elle examina le mur. Il ne lui avait pas facilité la tâche, pas de doute. Et elle pressentait déjà que ça ne s'arrangerait pas par la suite.

Si elle n'avait pas été obnubilée par son deuil, peut-être aurait-elle remarqué que son cœur était plus léger, ses sens plus affûtés, les couleurs autour d'elle plus intenses. Elle aurait alors compris qu'elle recouvrait sa curiosité, cette qualité indispensable à l'enquêteur efficace, qu'avaient émoussée chez elle des affaires récentes dont la résolution s'était révélée frustrante, sans parler de la fatigue nerveuse qui était son lot en tant que président sans cesse sollicité du conseil d'administration de la NNA.

Au lieu de quoi, elle alla se coucher, et si elle dormit mieux cette nuit-là, sur le sol dur de cette vieille cabane en ruine, qu'elle n'avait jamais dormi depuis qu'on l'avait recrutée quasi de force à ce fameux CA, et ce en dépit du vide laissé en elle par l'absence prolongée de Mutt, elle n'était pas assez énervée pour le remarquer.

20

Le lendemain, elle se leva avec le soleil et fit ses bagages après avoir mangé quelques œufs et fini le reste de tarte au chili relleno. Une fois la vaisselle lavée avec de la neige fondue, elle fixa une toile goudronnée sur la remorque. Elle laissa en place celles qu'elle avait remises sur les murs, pour le bénéfice du prochain pèlerin. Qui sait ? Ce serait peut-être elle.

Elle avait rédigé une note au verso d'un emballage de barre Hershey, qu'elle avait glissée à l'intérieur d'un sac de congélation scotché à la porte. Il y était écrit :

Bienvenue, étranger !
Cette cabine t'est ouverte.
Laisse-la dans l'état où tu l'as trouvée.
Merci.

Kate Shugak, propriétaire.

Elle espérait que cette invitation et cette menace voilée, ajoutées à sa signature, impressionneraient les plus sobres des aventuriers et des coureurs des bois. Quant aux gamins et aux poivrots, seuls un gyrophare et une sirène auraient pu les intimider, mais on fait avec ce qu'on a.

Elle avait beaucoup réfléchi à la niche dissimulée par le corbeau. Peut-être serait-il plus sage de déloger celui-ci et de le laisser traîner par terre, afin que les chercheurs de carte au trésor, s'ils revenaient, supposent qu'elle l'avait trouvée et se dispensent de démolir la cabine. En fin de compte, elle avait renoncé à cette idée, de crainte que l'on jette ce bout de bois au feu.

C'était peut-être le dernier objet qu'Old Sam ait fabriqué de ses mains.

Avec un peu de chance, si ses agresseurs revenaient, ils supposeraient qu'elle avait trouvé la carte, point, et se remettraient sur sa piste à Niniltna.

Elle enfourcha la motoneige et tourna la clé de contact. Le moteur démarra sans la moindre protestation, comme s'il n'avait pas servi de cible la veille. Elle chaussa ses lunettes et rabattit sa cagoule, la nouant à la gorge et relevant le pare-brise sans détourner les yeux.

Rien.

Elle mit les gaz.

Rien.

Remit les gaz.

Toujours rien.

Elle déglutit et progressa à petite vitesse, suivant les traces qu'elle avait laissées pour franchir le passage et contourner le rocher en forme de selle.

Mutt l'attendait de l'autre côté, assise dans la neige, les pattes antérieures sagement posées, la mâchoire figée dans un angle inflexible.

Kate stoppa.

Elles échangèrent un long regard. Kate craqua la première.

– D'accord, fit-elle. Tu as raison. J'avais peur que tu sois encore blessée. Et, à cause de ça, je t'ai empêchée de faire ton travail, celui pour lequel je t'ai entraînée.

Elle déglutit, se rappelant cette longue et sinistre nuit où elle était restée couchée sur la table d'acier du vétérinaire, un bras passé autour de Mutt pour s'assurer qu'elle respirait encore. Les mots qu'elle prononça alors eurent du mal à sortir.

– C'est fini maintenant. Tu redeviens mon associée à part entière.

Furieuse qu'on lui ait ainsi forcé la main, elle mit les gaz à fond et la motoneige fonça.

Mutt avançait à côté d'elle, trottant à un rythme régulier.

Le terrain qu'elle traversa, tout en petites collines et en virages sinueux, aurait mieux convenu à une luge. Elle progressa dans la prudence et la lenteur, Mutt trottinant tantôt devant, tantôt derrière, humant l'air de sa truffe. Elles avaient quitté les montagnes avant midi. Kate fit halte sur la même éminence qu'à l'aller, pour vérifier que la bande adhésive tenait bon et pour refermer le réservoir. En guise de déjeuner, elle se contenta de restes et d'un peu de soupe chaude.

Elle progressa à une moyenne de 60 km/h, s'arrêtant à deux reprises pour faire le plein, ce qui tenait un peu de la paranoïa, ainsi qu'elle se l'avoua, mais ce n'est pas parce qu'on est paranoïaque que personne ne vous veut du mal. Ses récentes expériences ne l'incitaient pas à relâcher sa vigilance, et elle guettait les tireurs embusqués au détour de chaque arbre et de chaque rocher.

Au pied de la dernière colline, le sillage de la Polaris obliquait vers le fleuve au sud plutôt que vers Niniltna à l'ouest.

Elle fit halte le temps de réfléchir.

La douleur émanant de sa dernière plaie en date s'était atténuée et elle y voyait clair des deux yeux. Elle se sentait aussi bien que l'on peut l'espérer quand on a reçu une balle sur le front.

Le ciel était plutôt dégagé, l'horizon vide de menaces. Il y avait assez d'essence dans le bidon pour lui permettre d'arriver à Niniltna après avoir fait un détour par le fleuve.

Elle sourit de toutes ses dents. Pourquoi pas, après tout?

– Monte, dit-elle à Mutt, et elle mit les gaz.

Il leur fallut un peu plus de quarante minutes pour arriver à destination et, une fois là, Kate découvrit un nouveau mystère.

Les traces de la Polaris s'interrompaient sur la berge.

– Qu'est-ce que c'est encore ? dit-elle, et elle alla y voir de plus près.

Elle dut descendre de la berge et faillit se tremper les bottes avant de comprendre. Ils avaient chargé leur motoneige sur un bateau. On voyait dans les gravillons la trace de sa quille et, dans la neige, les traces laissées par les planches leur ayant servi de rampe.

Merde, alors. En fonction de leur vitesse et du cap qu'ils avaient choisi, ils pouvaient déjà être à Ahtna ou à Alaganik.

Cela dit, il n'y avait pas beaucoup de circulation sur le fleuve en cette saison. Nombre de Rats du Parc habitaient sur les berges et faisaient attention aux bateaux qui passaient. Elle fit demi-tour, retrouvant un peu d'espoir. Mais l'Arctic Cat finit par prendre ombrage d'avoir servi de cible et d'avoir été réparée avec du ruban adhésif, et elle rendit l'âme à huit kilomètres de Niniltna. Évidemment, à ce moment-là, personne n'avait l'idée de passer dans le coin, en motoneige ou en 4x4. Un mètre cinquante de neige, c'était trop haut pour qu'on coure le risque de marcher sans emporter de paquetage, surtout sur une distance de huit kilomètres, aussi chargea-t-elle son sac à dos, après quoi elle recouvrit remorque et motoneige de leur toile protectrice.

Le soir tombait lorsqu'elle entra dans le village. Elle fonça droit chez les Grosdidier, se débarrassant de ses raquettes et de son sac à dos dès qu'elle eut franchi le seuil. Quand elle fit irruption dans la salle d'attente, toutes les personnes présentes, y compris les blessés, se plaquèrent contre les murs, comme si la pièce était trop petite pour les contenir en plus de la rage qui émanait de Kate.

Matt choisit ce moment pour faire son apparition et jaugea la situation en un clin d'œil.

– Ouais, fit-il. Venez par ici, Kate.

Mutt refusa de rester derrière et Matt lui lança un regard inquiet une fois dans la salle d'examen.

– Est-ce qu'elle risque de prélever sa livre de chair si j'ose vous toucher ?

– Possible, fit Kate.

Elle se réjouit de cette idée, non parce qu'elle en voulait à Matt en particulier, mais parce qu'elle était assurée que Mutt était prête à voler à son secours.

Elle s'assit sur la table d'examen et se demanda si elle aurait la force d'en redescendre. Matt se mit à l'œuvre, rapide et efficace : il ôta le pansement qu'elle s'était appliqué, désinfecta la plaie et lui refit un bandage plus propre. Il insista pour examiner ses yeux, contrôler ses réflexes et l'interroger sur ses activités et son comportement depuis le moment où elle avait été blessée. Apparemment satisfait de ses réponses, il lui donna des antidouleurs et des antibiotiques, puis lança à la cantonade :

— Hé ! les gars, venez voir ce qui nous arrive !

Les trois autres frères Grosdidier se précipitèrent pour manifester le plaisir sincère qu'ils avaient à recevoir Kate Shugak dans leur infirmerie pour la seconde fois en une semaine, arborant à nouveau des coquards visibles depuis l'espace, une démonstration qu'elle jugea des plus déplacée.

— Ouais, ouais, très drôle, marmonna-t-elle. Avez-vous vu une motoneige Polaris traverser le village avant-hier soir ou pendant la nuit ? Il y avait deux types dessus, un plutôt costaud et l'autre plutôt moins, habillés comme des pros et armés tous les deux, le premier d'une Savage 110. L'autre avait peut-être une Winchester. Un fusil de chasse, en tout cas.

Elle n'avait pas retrouvé la balle que le premier intrus avait tirée lors de leur pugilat, mais elle avait récupéré celle qui avait ricoché sur son front, pour achever sa course dans le mur derrière la toile vert foncé.

Échange de regards, dénégations à l'unisson.

— Ce sont eux qui vous ont tiré dessus ? demanda Matt.

— Ouais.

Haussement d'épaules général.

— Avec tous ces types qui vont et viennent entre ici et la mine de Suulutaq, on ne fait plus tellement attention aux étrangers, dit Peter.

– On pourrait prendre les motoneiges et les suivre à la trace, proposa Mark, enthousiaste.

Kate fit « non » de la tête.

– Ils sont repartis par le fleuve.

Ils échangèrent un nouveau regard, lourd de sens cette fois.

– Kate, dit Matt, laissez-moi réexaminer vos yeux.

Elle le chassa d'un geste.

– Ils ont chargé leur motoneige sur un bateau. J'ai retrouvé leurs traces.

Il y eut un bref silence.

– Bon Dieu, fit Matt.

– C'est risqué, à cette époque de l'année, dit Mark.

Luke jeta un coup d'œil involontaire par-dessus son épaule, comme s'il pouvait apercevoir le fleuve derrière le mur.

– Ils risquent d'être pris dans les glaces pendant la nuit.

– Vous n'avez pas vu passer de bateau hier, je présume, dit-elle.

La réponse était non.

– Mais qu'est-ce qu'ils voulaient, bon sang? dit Peter.

Tous se tournèrent vers elle, incrédules à l'idée qu'un homme sain d'esprit puisse s'en prendre à Kate Shugak.

– Je suppose qu'il est inutile de vous conseiller de rester en observation jusqu'à demain matin, dit Matt.

– J'ai besoin qu'on m'emmène récupérer ma motoneige, dit-elle. L'un de vous peut-il s'en charger?

Luke se porta volontaire. Il prit son équipage en remorque et, suivant ses instructions, fit un détour par l'aérodrome pour qu'elle dise un mot à George Perry avant d'aller au garage de Herbie Topkok. Celui-ci sortit alors que Luke s'éloignait.

– Kate.

Il s'attarda sur ses coquards et son bandage mais ne dit rien.

– Salut, Herbie, fit-elle en mettant pied à terre, grimaçant sous l'effet de ses crampes. J'ai eu quelques petits pépins. J'espérais que vous pourriez m'aider.

Elle se pencha pour arracher la bande adhésive du réservoir.

Il observa le trou parfaitement circulaire, que n'importe quel Rat du Parc aurait identifié en un clin d'œil, à l'exception peut-être de Willard Shugak. Puis il releva les yeux et considéra une nouvelle fois les coquards de Kate, les plus anciens qui s'estompaient et les plus récents qui s'accentuaient, sans compter le bandage qui dissimulait Dieu savait quoi.

— Qui vous avez contrarié ce coup-ci ?

— Je ne sais pas. Je me contente de ramasser ce qui passe.

Le visage d'ordinaire lugubre de Herbie se plissa dans ce qui pouvait ressembler à un sourire.

— Vous pouvez réparer ça ?

Membre récemment admis du conseil d'administration de la NNA, Herbie tenait une sorte d'atelier de réparation pour toutes les marques et tous les modèles de motoneige et de 4x4 présents dans le Parc, sans compter les moteurs de bateau.

— Bien sûr. Je peux bricoler une rustine ou remplacer le réservoir. Remplacer le réservoir, ce sera plus cher mais plus rapide. Bricoler une rustine, ce sera moins cher mais plus lent. À vous de choisir.

Kate opta pour la rustine. Herbert ouvrit la porte de l'atelier, ils détachèrent la remorque et rentrèrent la motoneige.

— Je peux laisser ma remorque ici jusqu'à ce que Johnny vienne la récupérer ?

Herbie hocha la tête distraitement, pensant déjà à allumer sa lampe à souder. Pourquoi les hommes aimaient-ils tous le feu ?

— Ouais, fit-il.

Puis il leva les yeux pour ajouter :

— J'ai été navré d'apprendre la mort d'Old Sam. Ce vieux ronchon va me manquer.

— Comme à nous tous.

— Il paraît qu'il vous a légué tout son bazar.

— Exact.

– Si vous cherchez à vendre le quad Honda FourTrax et la Polaris 800, venez me voir. Je vous ferai une offre.

Elle considéra l'Arctic Cat d'un air piteux.

– J'aurai peut-être besoin de changer de motoneige, mais je note quand même. Merci, Herbie.

Le fusil à l'épaule et Mutt sur les talons, elle trouva deux Rats du Parc qui se rendaient *Chez Bernie* et qui acceptèrent de les déposer à Squaw Candy Creek. De là, elle finit la route en raquettes, franchissant le pont de bois vingt minutes plus tard.

La porte du chalet delta s'ouvrit et Dinah, une belle blonde aux yeux bleus à qui il ne manquait qu'une harpe et une paire d'ailes, lui adressa un sourire de bienvenue.

– Salut, Kate, fit-elle.

Fort heureusement, elle s'abstint de tout commentaire sur son apparence.

– Salut, Dinah.

Mutt se faufila entre Dinah et le montant de porte pour disparaître à l'intérieur. On entendit peu après résonner une voix de stentor.

– Nom de DIEU, Shugak ! Encore un putain de LOUP dans ma putain de MAISON !

Une fois débarrassée de ses raquettes, Kate entra et découvrit Bobby devant sa console circulaire surchargée d'appareils électroniques, connectés par une multitude de câbles serpentiformes dont les extrémités rampaient en haut d'un poteau traversant le toit pour aller se connecter à une antenne de trente-cinq mètres de haut. De là émanait la bonne parole de Park Air, la radio pirate du Parc qui proposait à ses auditeurs de la musique (« surtout pas ces merdes qu'on a enregistrées après la dissolution de Creedence Clearwater Revival »), un service d'annonces en continu permettant aux Rats du Parc de troquer des services contre de la nourriture (« je transforme vos chablis en bois de chauffage en échange de saumon fumé, un stère contre un casier ») et des informations générales, notamment des entretiens avec des élus tels que Pete Heiman, souvent épicés de jurons mais toujours divertissants et parfois même instructifs.

Bobby n'avait aucune autorisation d'émettre, bien entendu, pas plus que de fréquence dédiée, car il en changeait tous les jours. Jusqu'ici, il avait échappé à la FCC, l'agence de régulation des télécommunications. Le fait que son émetteur se trouve dans un trou perdu y était sans doute pour quelque chose.

— Shugak! dit-il tandis que Mutt, qui avait posé les pattes antérieures sur ses épaules, lui léchait la figure avec enthousiasme. Shugak! Rappelez votre satané LOUP!

Kate sourit de plus belle et n'en fit rien.

Bobby Clark avait débarqué au Parc bien des années plus tôt, usant de moyens qu'il était déconseillé d'examiner de trop près. Kate Shugak en savait davantage sur son passé que le commun des mortels, mais elle gardait bouche cousue. C'était un colosse noir qui avait perdu ses deux jambes au-dessous des genoux en marchant sur une mine, lors d'une des sempiternelles guerres que l'Amérique menait en Asie. Il avait le crâne rasé, un sourire éclatant, les bras et les épaules noueux de muscles et une voix qui ressemblait à un mix de James Earl Jones et de Patrick Stewart, pourvue d'un timbre qui incitait la majorité des femmes à se déshabiller et à s'allonger sur la surface horizontale la plus proche.

Sur ce point-là aussi, Kate en savait plus qu'elle ne le laissait paraître.

Mutt retomba sur le sol et partit d'un de ses rires de louve.

— Un putain de LOUP chez moi! glapit Bobby, mais c'était de la frime et Mutt le savait.

Elle renifla, s'ébroua vigoureusement et trotta jusqu'au coffret en bois près de la cheminée, où Bobby avait l'habitude de ranger divers objets conçus pour amadouer les loups. Son instinct ne l'avait pas trompée, car, après avoir farfouillé dedans quelques instants, elle s'empara de ce qui ressemblait à une vertèbre de baleine. Elle s'affala devant le feu et se mit à ronger.

— Telle femme, telle chienne, elle pense avec son estomac.

Empoignant les roues de son fauteuil, Bobby fonça vers Kate, freinant à la dernière seconde et la faisant reculer d'un bond pour protéger ses orteils. Il lui inspecta la figure.

— On dirait que vous avez boxé trois rounds contre Mohamed Ali.

— C'est pire que ce que je croyais, intervint Dinah.

— Qu'est-ce qui se passe ? demanda Bobby.

— On m'a tiré dessus, répondit Kate avec son tact habituel.

Elle dut naturellement entrer dans les détails. Bobby devint dangereusement calme et elle ajouta :

— Inutile d'y penser. Ils sont déjà loin.

— Je pourrais aller faire un tour là-bas, proposa-t-il. Au cas où vous auriez loupé quelque chose.

— Je n'ai rien loupé.

Kate parcourut la maison du regard, elle lui semblait anormalement vide.

— Où est la gamine ?

Dinah suivit machinalement son regard, comme si elle se demandait où était passée la petite Kate, filleule de la grande.

— L'infirmière scolaire, la petite-fille de Tante Balasha… comment s'appelle-t-elle, déjà ?

— Desiree.

— C'est ça, Desiree. Eh bien, comme elle ne se satisfait pas d'administrer des vaccins et de traiter les épidémies de diarrhée galopante, elle a rassemblé les fonds nécessaires pour ouvrir une salle de gymnastique au sol. Katya fait partie de ses recrues, que Dieu lui vienne en aide.

— Ah bon ? Et ça lui plaît ?

— Comme elle se met à hurler chaque fois que je vais la chercher, je dirais que oui. (Dinah consulta la pendule murale.) Encore une heure de répit.

— J'ai l'impression que vous ne serez pas de ces parents qui trouvent la maison bien vide quand leur enfant rentre à la grande école.

— Pour sûr, dit Dinah.

— Parle pour toi, répliqua Bobby en lui jetant un regard noir.

— Café, dit Kate.

Avec une dose de caféine, de quatre-quarts, et de compote à la rhubarbe, tout le monde retrouva sa bonne humeur.

— Alors, qu'est-ce que vous avez fait pour emmerder quelqu'un au point de lui donner envie de vous cogner comme ça ? Non que l'idée ne m'ait jamais traversé l'esprit, ajouta Bobby avec un sourire malicieux.

Kate agita les sourcils.

— Là, je m'avoue battue.

Elle croisa leurs regards interrogateurs. Ces deux-là étaient les plus précieux de ses amis et connaissances, tant pour leur discrétion que pour leurs bons conseils. Comme ils n'étaient pas sociétaires de la NNA, ils n'étaient pas partie prenante dans les conflits et les changements d'allégeance qui en étaient la plaie. Le début d'un hiver alaskien était le moment le plus mal choisi pour lancer des rumeurs de dispute. Chacun d'eux aurait besoin de tous les autres pour survivre aux six mois de ténèbres qui s'annonçaient.

— Ne dites rien à personne, s'il vous plaît, commença-t-elle. Peu importe qui viendra vous interroger. Je ne vous ai rien dit et vous ne savez rien.

Elle baissa la voix inconsciemment et ses deux amis se rapprochèrent. Puis elle leur dit tout, en commençant par le premier journal intime du juge Anglebrandt, qu'elle avait trouvé dans la bibliothèque d'Old Sam, et en finissant par le second, qu'elle avait découvert la veille, dissimulé dans le mur de sa cabane des sources chaudes. Elle leur parla des documents que lui avait montrés Dan O'Brian, de la conversation qu'elle avait eue avec Jane Silver, suivie par sa mort moins de vingt-quatre heures plus tard, de la note qu'Old Sam lui avait laissée aux bons soins de son avocat, de sa sortie de route, de Tante Joy, de Mac McCullough, du manuscrit, de Demetri, de Ruthe, de l'agression qu'elle avait subie la veille, de ses soupçons à l'encontre de Pete Wheeler et de Ben Gunn… Elle ne leur cacha rien. Lorsqu'elle eut fini, elle croisa les bras et se carra dans son siège, attendant leur jugement et espérant en leur conseil.

– Bordel de Dieu, fit Bobby, ce qui n'avait rien de surprenant.

Mais sa phrase suivante la surprit :

– Vous pensez qu'ils en ont après l'icône.

– Eh bien, oui. Pas vous ?

– Pas nécessairement.

Il s'écarta de la table et roula jusqu'à la console, se plaça devant son ordinateur, remua la souris pour le sortir de sa veille. Grâce à son antenne parabolique, il était connecté en permanence. Kate se leva pour regarder l'écran par-dessus son épaule et découvrir une recherche Google sur Dashiell Hammett, avec plus de cinq cent mille résultats. Cinq minutes de clics, et Bobby se redressa pour qu'elle ait une meilleure vue.

– Regardez ce que j'ai trouvé.

Dinah les avait rejoints et Kate et elle découvrirent l'écran en même temps. Dinah poussa un long sifflement.

– Cent trente-six mille dollars, c'est beaucoup. Même pour une édition originale signée du *Faucon maltais*.

– Je n'avais même pas idée, dit Kate en se donnant mentalement un coup de pied au cul.

Le problème, c'est qu'elle raisonnait en lectrice et non en collectionneuse, mais elle avait quand même entendu parler de Sotheby's.

– Donc, vous pensez que c'est le manuscrit de Hammett qu'ils veulent plutôt que l'icône ?

– Non, je pense qu'ils convoitent les deux. Vous n'en feriez pas autant à leur place ? Deux trésors valent mieux qu'un.

– Génial, gémit Kate.

Il avait raison, évidemment.

Bobby retourna près de la table, les deux amies le suivirent, Dinah leur resservit du café et Bobby se découpa une seconde tranche de quatre-quarts pour accompagner sa compote.

— À propos de cette icône, dit-il.

— Oui ?

— Vous n'avez pas les idées assez larges.

— Que voulez-vous dire ?

— C'est un artefact historique, d'accord. C'est un artefact culturel, encore d'accord. Elle a peut-être une valeur marchande, toujours d'accord, surtout si la description que vous en donnez est exacte, si ces joyaux sont des vrais et si personne ne les a détachés pour les vendre séparément depuis le vol originel.

— Oui, et… ?

Jamais elle n'avait Bobby aussi sérieux.

— Ce que vous oubliez, c'est qu'elle a aussi une dimension politique.

Kate resta silencieuse un long moment et ils la laissèrent tranquille pendant qu'elle réfléchissait.

— Vous voulez dire… la tradition voulait que le chef la garde au nom de la tribu.

— Si l'on se fie aux recherches de Ruthe, sans parler du foin que ça a fait dans la tribu quand on l'a volée, à en croire Tante Joy. Je vous parie que ce n'est pas seulement à cause de son sang philippin qu'Old Sam était considéré comme un mauvais parti par les parents de Joy. N'oubliez pas que c'était du fait de sa mère que l'icône avait été perdue.

— Ce serait donc une sorte de Saint Graal pour les Natifs.

— Vous allez peut-être un peu trop loin, mais, oui, en gros, c'est ça. (Bobby secoua la tête.) Vous avez toujours été un peu aveugle aux symboles, Kate. Les symboles, c'est important.

— Comme la croix, vous voulez dire ?

Il pointa l'index sur elle.

— Et voilà, ce réflexe primaire qui associe automatiquement symbolisme et religion. Eh bien, sachez que les gens détournent la religion pour servir leurs intérêts depuis qu'un type a le premier décidé d'honorer Zeus en répandant sur le sol les premières gouttes de chaque bouteille qu'il éclusait.

– Zeus?

– Peu importe. Vous m'avez compris.

– Ce que je ne comprends pas, enchaîna Kate, c'est comment il se fait que je n'avais jamais entendu parler de cette icône. Je suis une Native, une Aléoute et une Rate du Parc, personne ne peut le nier. J'ai plus de cousins que je n'en ai jamais rêvé, issus de lignées remontant à des dizaines de milliers d'années, et j'ai parfois l'impression que certains de mes ancêtres sont encore vivants et demeurent à un jet de pierre de chez moi. Si cet objet est si important pour mon peuple, pour ma tribu, comment se fait-il qu'il soit inconnu de toute ma génération?

Bobby et Dinah échangèrent un regard.

– Bonne question, dit Bobby. Mais je n'ai malheureusement aucune réponse.

Kate réfléchit quelques instants de plus.

– Okay, dit-elle finalement. Ce que vous dites, c'est que quelqu'un est à la recherche de l'icône à cause du pouvoir qu'elle lui conférera, que ce pouvoir soit réel, implicite ou imaginaire.

Il haussa les épaules.

– Je dis que c'est un mobile possible. Un mobile, vous savez ce que c'est, Kate?

– Arrêtez de faire le malin, dit-elle d'une voix neutre.

– Je suis très doué pour ça, répondit Bobby avec une modestie déplacée. Et en plus, je suis beau mec.

Et il sourit de toutes ses dents.

Dinah leva les yeux au ciel et, sous la table, caressa du pied la cuisse de son mari.

– Mais si c'est ça le mobile, reprit celui-ci en retrouvant son sérieux, alors votre agresseur est quelqu'un d'ici, quelqu'un que vous connaissez, que nous connaissons tous. Ce qui expliquerait pourquoi il savait précisément à quel endroit de la route il devait vous emboutir et pourquoi il est parvenu à vous surprendre.

– Le type d'hier matin aurait pu me tuer pendant mon sommeil.

Elle s'en voulait toujours de ne rien avoir entendu, même pas la porte en train de s'ouvrir.

— Mais il ne l'a pas fait, reprit Bobby.

Kate le regarda fixement.

— Non, fit-elle d'une voix traînante. Non, en effet.

Bobby médita un moment.

— Si Virginia a informé de vos intentions tous les Rats du Parc qu'elle a croisés ce jour-là…

— Comme elle en a coutume, souffla Dinah.

— … alors votre champ d'investigation est immense. (Il braqua sur Kate un œil acéré.) Admettons-le, vous n'êtes pas précisément douée dans l'art de vous faire des amis et d'influencer vos proches. Au fait, où diable était Mutt pendant ce temps-là ?

Devant la cheminée, Mutt leva la tête en entendant son nom, puis elle revint à sa vertèbre de baleine.

— En pleine danse avec les loups, répondit Kate. Mais elle est revenue au moment où ça comptait le plus.

— Dommage qu'elle ne lui ait pas sauté à la gorge.

— Il était bien rembourré. Elle lui a arraché la manche de sa parka quand elle l'a attaqué, et ensuite elle l'a mordu au cul, deux fois : la première dans la cabane, la seconde quand elle le poursuivait dans le cañon. En revenant vers moi, elle avait du sang sur la truffe.

Le regard que Bobby adressa à Mutt était plus approbateur que le précédent.

— Ça, c'est ma fille.

Mutt tambourina le sol de sa queue.

— Donc, reprit Bobby, nous recherchons un Rat du Parc manchot de la parka et incapable de s'asseoir.

— Pourquoi Old Sam ne m'a-t-il rien dit ? lança Kate, de nouveau irritée. Pourquoi m'a-t-il envoyée chasser une chimère ?

— Si ce vieux schnoque vous a lancée sur une chasse aux chimères, dit Bobby, c'est sûrement parce qu'il pensait que vous en aviez besoin.

Avant que Kate ait pu formuler une réponse adéquate, Dinah intervint.

– Je l'ai filmé, vous savez.

Kate la regarda, interdite.

– C'est une blague ?

– Non, fit Dinah. J'ai environ trois heures d'images brutes. (Sourire.) Pour le montage, ça ne va pas être simple.

Dinah Clark était venue en Alaska afin de perfectionner ses talents de vidéographe. Elle avait mis cette activité en sommeil du fait des aléas de la vie, en d'autres termes, du fait du Parc, de Bobby Clark et de leur fille. On la voyait rarement sans sa caméra vidéo, la moitié de la console centrale du chalet delta était occupée par sa table de montage et personne dans un rayon de quatre-vingts kilomètres autour de Squaw Candy Creek n'avait pu échapper à une interview.

Trois heures d'images d'Old Sam ! Kate ne possédait qu'une seule photo de lui, un cliché volé à bord du *Freya* lors de son troisième été en tant que membre d'équipage. Debout sur le plat-bord à tribord, accroché d'une main à un hauban, il engueulait copieusement un Ansel Totemoff piteux qui l'avait abordé un peu trop vite en pilotant son *Tiffany T.* Il faisait un temps splendide et le visage d'Old Sam se découpait sur fond bleu azur : sa peau hâlée, son large front, ses yeux enfoncés dans leurs orbites, son nez aquilin, son menton en galoche, la moindre de ses rides… le tout enregistré pour la postérité. Et il avait la bouche grande ouverte. Elle avait songé à faire agrandir ce portrait pour en distribuer des tirages encadrés lors du potlatch, en même temps que sa notice nécrologique.

Mais trois heures d'Old Sam parlant librement à la caméra… apparemment, il n'avait pas fini de lui envoyer des messages d'outre-tombe. Et voilà qu'il recommençait à la faire pleurer, le vieux fils de pute !

Dinah ne remarqua rien, ou fit comme si de rien n'était.

– Je m'efforce de recueillir les témoignages de tous les anciens du Parc avant qu'ils n'aient disparu. Ce sont les dépositaires d'une incroyable histoire orale, et comme il n'existe pas d'histoire écrite du Parc, leur témoignage sera inestimable à l'avenir.

— Vous comptez réaliser un documentaire?

Dinah était toujours sur le point de réaliser un documentaire sur tel ou tel sujet, avant de s'orienter sur tel autre sujet que ses recherches préliminaires lui avaient fait découvrir.

Elle répondit à Kate avec son enthousiasme habituel.

— Old Sam était une sorte de... de prisme de l'histoire de l'Alaska. Lui et sa famille ont participé, de près ou de loin, à tous les grands événements de ces quatre-vingts dernières années. Ses grands-parents ont péri lors de l'épidémie de grippe espagnole, il a revendiqué une concession, il s'est battu dans les Aléoutiennes, il était à Juneau pour le vote de la constitution...

— Quoi?

— Oui, il pêchait le hareng dans le Sud-est et il a livré une cargaison à un grossiste de Juneau afin que ses marins puissent voter. Il travaillait sur la péninsule de Ketai quand on a découvert du pétrole à Swanson River...

— Ah bon? fit Kate. Je l'ignorais.

Quel choc d'apprendre qu'Old Sam avait eu une autre vie! Et sans doute plus d'une.

— C'était un super-votant, poursuivit Dinah. J'ai consulté les listes d'émargement: il n'a pas manqué une seule élection. Il connaissait intimement tous nos gouverneurs, y compris deux ou trois du temps du Territoire.

— Il connaissait Ernest Gruening[25], ça, je le savais.

— Et il était furax quand Gruening n'a pas été réélu au sénat, déclara Dinah en souriant. Il dit... vous voulez voir les images?

— Oui, fit Kate en consultant la pendule. Vous pouvez me faire une copie?

---

25. Journaliste et homme politique américain (1887-1974), gouverneur du Territoire de l'Alaska de 1938 à 1953 et sénateur de 1959 à 1969.

— Bien sûr, je vous graverai un DVD. Mais on peut les visionner tout de suite si vous voulez.

— Impossible. Je prends le dernier avion pour Anchorage cet après-midi.

— A-ha! fit Bobby. Kurt Pletnikof, détective privé?

— La bibliothèque? dit Dinah. Le musée? Les archives?

— Mes amis sont plus futés que la moyenne des ours. Je n'en sais pas encore assez pour comprendre ce qui se trame ici. Je peux déléguer une partie de l'enquête à Kurt et me concentrer sur le reste.

— Vous nous racontez des craques, Shugak! s'exclama Bobby.

— Que veux-tu dire? s'enquit Dinah.

De nouveau cet index accusateur. Il était aussi pénible que Tante Joy.

— Elle espère qu'ils la suivront là-bas.

— Quoi? fit Dinah en les fixant tour à tour. Vous êtes devenue cinglée? Ici, au moins, vous avez des amis prêts à assurer vos arrières. À Anchorage… (Elle secoua la tête.) Il y a plein de ruelles sombres à Anchorage, et plein de gens qui ne vous connaissent pas.

Kate se rappela la facilité avec laquelle elle avait terrassé le type dans la cabane.

— Je ne sais pas qui sont mes agresseurs, mais ce ne sont pas des professionnels.

— Même Dortmunder[26] a du pot de temps en temps, dit Bobby.

— Et ils peuvent toujours engager un pro et le payer avec une pinte de Windsor Canadian.

— Dinah, fit Kate en se levant, bienvenue dans mon univers.

---

26. Personnage de malfrat malchanceux créé par Donald Westlake.

21

En dépit de ses objections, Dinah conduisit Kate et Mutt à l'aérodrome, où George les embarqua à bord de son Otter à turbo propulsion et décolla aussitôt. Une heure et demie plus tard, ils atterrissaient à Merrill. Une course de taxi, et Kate entrait dans son pied-à-terre de Wetchester Lagoon, une maison de deux étages pourvue d'un toit style grange et flanquée de deux maisons mitoyennes. Il appartenait jadis à Jack Morgan, le père de Johnny, et était destiné le moment venu à financer les études universitaires de celui-ci. En attendant, Kate et lui l'utilisaient lorsqu'ils venaient à Anchorage, et la première chose qu'elle fit fut d'offrir à chacun de ses voisins une demi-douzaine de boîtes de saumon datant de la précédente saison. Tous deux gardaient l'œil sur la maison quand elle était inoccupée, car Kate n'avait pas envie de s'embêter à la louer vu que tous les prêts étaient remboursés.

Dès son arrivée, elle s'empressa d'allumer le chauffage et de brancher le réfrigérateur. Le rez-de-chaussée était occupé par le garage, le premier étage par les pièces de vie et le second par les chambres. Dans le garage se trouvait une Subaru Forester. Kate fit un saut au City Market pour faire des provisions de café et de bière. En saisissant une conversation au vol, elle apprit que le restaurant *Wings'n Things* avait rouvert au croisement d'Arctic Boulevard et de la 36ᵉ Rue, et même si on n'y trouvait plus l'ambiance ranch de sa précédente incarnation, quand on commandait des ailes de poulet croustillantes, on n'était déçu ni par leur couleur, ni par leur parfum, ni par les épices dont elles étaient agrémentées. Mais les tracts religieux punaisés aux murs lui manquaient, sans parler du poster grandeur nature du Sacré-Cœur.

De retour au pied-à-terre, elle monta au second afin de vérifier qu'elle avait suffisamment de sous-vêtements pour tenir deux ou trois jours, car elle n'avait pas pris le temps de repasser chez elle pour faire sa valise. En dépit de ce qu'elle avait dit à Bobby et Dinah, elle ne savait pas vraiment ce qu'elle venait faire à Anchorage, à part suivre son instinct qui lui soufflait que c'était là qu'elle trouverait la pièce suivante du puzzle que lui avait légué Old Sam.

Et Bobby avait raison, bien sûr. Elle espérait que l'homme qui voulait s'emparer de l'héritage d'Old Sam allait la suivre ici. Elle avait passé cinq ans et demi à Anchorage, enquêtant sur les crimes sexuels pour le compte du procureur général, et il n'y avait pas un coin sordide de cette ville qui lui soit inconnu, qu'il se trouve au dernier étage d'un immeuble de bureaux de la 8e Avenue, dans la kitchenette humide d'un appartement de North Flower Street ou dans une demeure de cinq cents mètres carrés, avec six chambres et six salles de bains, sise sur Discovery Bay Drive. Elle savait se démerder à Anchorage. Si Bobby ne se trompait pas, si ses ennemis étaient des Rats du Parc, ils ne seraient plus dans leur élément.

Sinon, s'ils habitaient la grande ville, eh bien, elle aviserait le moment venu.

Elle avait consulté son portable dès l'atterrissage, constatant qu'elle n'avait reçu aucun message. Elle le consulta de nouveau dès qu'elle eut posé ses sacs dans la cuisine. Toujours rien. Elle se maudit de sa faiblesse, elle maudit Jim de ne pas l'avoir appelée et elle jeta le portable dans un tiroir, qu'elle referma violemment pour ne pas l'entendre sonner.

Après avoir fait sortir Mutt dans l'arrière-cour pour y faire ses besoins, elle se servit des ailes de poulet accompagnées de fromage fondu et de branches de céleri, fit rentrer Mutt et s'installa au salon, où elle inséra le DVD de Dinah dans le lecteur. Elle alluma la télé, se cala les pieds sur la table basse, l'assiette sur le ventre et appuya sur la touche « play ».

Le portable sonna. Son cœur, un organe pourtant fiable, fit un bond en signe d'anticipation. Il le saisit et décrocha.

– Y a de la vague, surfeur, dit Sylvia. Ça te dit ?

Soit. Kate lui avait conseillé de sortir la planche de son père.

Il avait presque oublié la morsure de l'eau salée dans ses yeux et dans son nez, le contact de la planche sous son corps, la tension dans ses épaules pendant la nage, la vivacité avec laquelle son corps se redresse. L'impression de triomphe quand il atteint l'équilibre parfait. Le frisson sur son échine quand il aperçoit la barre d'écume juste au bon moment, l'extase de la trinité – l'homme, la planche, l'eau – ne faisant qu'un pour foncer vers la plage de sable doré, une plage toujours trop proche, qui arrive toujours trop tôt.

Sylvia, mince et élancée dans son maillot une-pièce noir, chevauchait une planche qui avait bien servi et ne manquait pas de s'esclaffer chaque fois qu'il plongeait, ce qui lui arrivait souvent vu qu'il n'avait pas surfé depuis vingt ans. Mais ça lui revenait peu à peu, lentement puis soudain très vite, dans une exaltation qu'il se rappelait bien, un autre souvenir de ce bon vieux temps. C'était surtout à cause du surf, sans doute, qu'il n'avait jamais essayé la drogue à cette époque. Hier comme aujourd'hui, il ne voyait pas comment il aurait pu éprouver une extase comparable, alors pourquoi s'embêter ?

Ils regardèrent le soleil se coucher accoudés à leurs planches, flottant dans l'océan par-delà les rouleaux, ballottés par une douce houle, sentant leurs jambes se toucher de temps à autre, à l'aise ensemble, et Jim se sentit en paix comme jamais depuis qu'il avait atterri à LA.

Sylvia lui prêta une oreille attentive lorsqu'il lui raconta la semaine écoulée, la lecture du testament de son père, le nettoyage et le rangement de son armoire, de son bureau au cabinet d'avocats, la marche forcée de déjeuners, de dîners et d'apéritifs au club, avec les amis et collègues de son père.

Et la sensation de vivre dans un camp militaire, mais il garda ce détail pour lui-même.

— Pourquoi ton père tenait-il à cette lecture à haute voix ? demanda Sylvia à un moment donné.

— Exactement la question que je me pose. L'avocat affirme qu'il l'a expressément demandée.

— Mais pourquoi ?

Jim réfléchit quelques instants.

— Je pense que ça a un rapport avec l'écritoire.

— L'écritoire qu'il t'a léguée ?

— Ouais. Elle ne m'a jamais envoyé la copie de la dernière version du testament. J'ai l'impression qu'elle ne voulait pas que je sache que cette écritoire me revenait.

— Ça ne fait que déplacer la question. Pourquoi ?

Il ferma les yeux et rejeta la tête en arrière. Son rire était sans humour.

— J'ai toujours été incapable d'expliquer les actions de ma mère.

Sylvia observa un silence de quelques instants.

— Peut-être qu'il y a là-dedans quelque chose qu'elle ne veut pas que tu touches.

— Je ne vois pas de quoi il s'agirait. Et puis, c'est trop tard maintenant.

— Tu ne l'as pas encore ouvert ?

— Non.

— Trois jours… non, quatre, et tu n'as toujours pas ouvert ce truc ?

Nouveau silence.

— C'est le dernier message que tu recevras jamais de ton papa.

— Oui.

– À ta place, moi non plus, je ne serais pas pressée.

Il se tourna vers elle, contempla sa peau dorée par le soleil, ses cheveux mouillés ramenés en arrière, son cou robuste, ses seins fermes et hauts. Ce corps tout proche du sien éveillait en lui des souvenirs bien agréables, suscitait certaines promesses, et il était réceptif aux uns comme aux autres.

Il se demanda de quoi Kate aurait l'air en maillot une-pièce.

Sylvia le regarda droit dans les yeux et il comprit qu'elle avait vu qu'il la reluquait.

– Tu veux manger un morceau ?

Ils allèrent dans un restau de Ventura Boulevard qu'il avait fréquenté du temps du lycée et qui servait des burgers copieux et juteux, des frites salées et graisseuses, et des milk-shakes trop épais pour être bus à la paille. Ensuite, ils allèrent boire un coup et parlèrent durant des heures, se mettant à jour de leur vie et évoquant des souvenirs communs. Ils allèrent même jusqu'à danser.

Il était minuit passé lorsqu'ils regagnèrent le parking. Elle s'adossa à sa voiture et lui sourit.

Il pencha la tête pour accepter son invitation, sans la moindre arrière-pensée, uniquement désireux de conclure en beauté cette splendide journée : le surf, le restau, la compagnie d'une jolie fille. Mais il se figea à quelques centimètres de ses lèvres et demanda :

– Comment as-tu eu mon numéro de portable ?

Elle ouvrit les yeux en sursautant.

– Quoi ?

– Comment as-tu eu mon numéro de portable ?

Sylvia ne s'était pas attendue à terminer la soirée par un interrogatoire et elle se renfrogna.

– C'est ta mère qui me l'a donné.

– Tiens donc, fit-il, et il recula d'un pas.

Il entra en silence dans la maison plongée dans l'obscurité et, en arrivant dans sa chambre à l'étage, constata qu'elle avait été fouillée, sans doute dès le moment où il chevauchait sa première vague.

Ce n'était pas évident, étant donné que cette chambre ne ressemblait en rien à celle qu'il avait quittée le jour où son père l'avait conduit à l'aéroport pour qu'il s'envole vers le Nord. Beverly avait sans doute débarqué avec un marteau-pilon avant que son avion n'ait décollé. Non, elle avait sûrement fait mieux : elle avait attendu de recevoir un décorateur et un entrepreneur du bâtiment. Jamais elle n'aurait mis en danger ses ongles manucurés en maniant des outils de prolétaire.

La bibliothèque qui couvrait l'un des murs avait disparu, pour laisser la place à un mur enduit sur lequel était accroché un Picasso tout en angles, dont la seule qualité était sa valeur marchande. On avait remplacé son lit à baldaquin par une sorte de futon, ses lampes de chevet par une applique murale tout en longueur qui éclairait partout sauf son livre quand il voulait lire. La chaise Eames en bois brut était juste assez confortable pour qu'on s'assoie dessus le temps de nouer ses lacets, la tablette de la lampe sur pied n'était pas assez large pour qu'on y pose un verre, et la commode à six tiroirs placée sur le chemin de la salle de bains avait des coins extrêmement durs. Jim avait déjà des bleus pour le prouver.

Mais aucune importance. On avait fouillé sa chambre. Il le savait.

Oh ! ça ne crevait pas les yeux, sa valise éventrée ne béait pas sur le lit, ses fringues arrachées au placard ne jonchaient pas le sol, les draps n'étaient pas déchirés, ni le matelas éventré. En d'autres termes, on avait procédé en douceur.

Mais c'était quand même du travail d'amateur, une tentative pour inventorier le contenu de la chambre sans laisser de traces. Sauf que la trousse de toilette qu'il avait placée à droite du lavabo était maintenant à gauche, que les cintres dans le placard étaient trop bien répartis sur la tringle, que le livre qu'il avait laissé ouvert sur la table de chevet était maintenant fermé. Jamais il ne négligeait de marquer sa page.

Non. Ce n'était pas du boulot de pro.

Le lendemain matin, il descendit au garage et trouva sa mère en train de s'escrimer sur le coffre de la voiture de son père.

Il resta sur le seuil jusqu'à ce qu'elle remarque sa présence. Ses joues glaciales virèrent au rose pâle.

Il fit le tour de la voiture pour s'arrêter près d'elle. Le coffre était toujours fermé.

— Avec ce modèle, on a besoin d'une clé, dit-il.

Elle plissa les yeux, des yeux d'un bleu électrique, si semblables à ceux qu'il voyait chaque matin dans la glace qu'il en fut déconcerté.

— Tu as donné mon numéro de portable à Sylvia, dit-il.

Elle le fixa de ses yeux hostiles, les lèvres pincées.

— Tu voulais te débarrasser de moi afin de pouvoir fouiller ma chambre.

— Où est l'écritoire de ton père?

Il ne pouvait qu'admirer sa capacité à aller droit à l'essentiel, sans remords ni vergogne.

— Que contient-elle de si important pour que tu risques de te casser un ongle?

— Cela ne te regarde pas.

— Ce qui explique pourquoi c'est à moi qu'il l'a léguée.

Le sentiment qui se lisait sur son visage était dangereusement proche de la haine. Et aussi un peu de la peur, juste un peu.

— Cela ne change rien, dit-elle.

— Ça, je ne le sais pas.

Il se mit au volant et pressa la commande d'ouverture de la porte. Elle le regarda sortir en marche arrière, une ride verticale entre ses sourcils parfaits. Elle n'avait pas bougé lorsqu'il déboucha dans la rue.

Il roula au hasard, veillant à ne pas se perdre ni à se faire emboutir par un des omniprésents Hummers tout en se demandant où diable il pourrait aller. Puis il se rappela la bibliothèque publique. Fort heureusement, elle n'avait pas changé de place, même si on l'avait entièrement refaite, à l'extérieur comme à l'intérieur. Madame Millward, la bibliothécaire, lui était inconnue. Il y avait à présent trois salles de lecture privées, un véritable luxe qui ne s'expliquait que par le niveau de vie des habitants de la zone postale. Deux d'entre elles étaient occupées. Madame Millward lui accorda l'usage de la troisième pour une heure et s'en fut sans lui avoir posé de question, ce dont il se félicita grandement.

C'était une pièce minuscule, avec juste assez de place pour une table, une chaise et un ordinateur avec accès internet. Il y avait une petite fenêtre à côté de la porte, une entorse à son intimité, mais c'était préférable à la maison et, après tout, les employés devaient vérifier de temps à autre qu'il n'était pas en train de se palucher devant un site porno. Il ferma la porte et posa l'écritoire sur la table.

C'était vraiment du bel ouvrage. Le bois était d'une superbe couleur sombre et les éléments étaient assemblés à la perfection. Les cornières de cuivre semblaient fondues sur pièce. Cet objet était le témoin d'une vie de loisir et de privilège, un marqueur servant à distinguer la noblesse de la populace.

Il déchira l'enveloppe et laissa choir la petite clé dans sa main. Elle aussi était superbe, un passe-partout plutôt lourd pour sa taille, avec une tige cylindrique et un anneau ovale. Heureusement que sa mère n'avait pas réussi à mettre la main sur l'écritoire, car une serrure conçue pour ce type de clé pouvait s'ouvrir avec une lime à ongles.

Il la glissa doucement dans la serrure. Un déclic étouffé, et il souleva le couvercle.

C'était bien le coffre au trésor de ses souvenirs.

Les encriers étaient en cristal, avec des bouchons d'ivoire. On avait récemment remplacé le buvard par un rectangle de velours. Les deux stylos à plume étaient des Montblanc. Chacun d'eux était une œuvre d'art, exécutée dans un style qui lui était propre, le premier en or rose et le second en platine – du moins il le pensait –, tous deux gravés de fleurs et de feuilles, avec de minuscules joyaux incrustés. Le coût de chacun d'eux était probablement égal à son salaire annuel.

Tous deux semblaient avoir beaucoup servi, mais ils étaient bien entretenus. Son père avait toujours préféré les stylos à plume, et son écriture, une gracieuse cursive régulière dans tous ses aspects, les pleins et les déliés, les barres et les jambages, leur rendait pleinement justice. Jim se revoyait debout près de lui, occupé à suivre la course de la plume sur la page, retenant son souffle jusqu'à ce que le point final soit placé avec précision après le dernier mot de la dernière ligne.

– Qu'est-ce qui se passe si tu fais une faute? avait-il demandé un jour.

– Je recommence, avait répondu son père.

– Tu peux pas gommer?

Son père l'avait regardé avec douceur, le visage illuminé par un de ses rares sourires.

– Jamais.

Jim avait les larmes aux yeux. Il les chassa d'un battement de cils, leva le carré de velours vert et le posa par côté.

Dessous se trouvait un compartiment creux qui contenait une enveloppe où son père avait écrit son nom, sans nul doute avec l'un des deux stylos nichés entre les encriers. Il la prit et la soupesa dans sa main. Elle était confectionnée dans un papier assez lourd, dont la texture donnait l'impression qu'il était en partie composé de soie.

Il la tint durant un long moment avant de l'ouvrir.

James Chopin père n'avait jamais été démonstratif. De ce point de vue, il était bien assorti à son épouse. Jim n'avait guère connu l'affection durant son enfance, et il était suffisamment lucide pour comprendre que c'était sans doute pour cela qu'il ne s'était jamais marié. Autant regarder la réalité en face, à présent qu'il se trouvait entre les quatre murs de cette salle de lecture, à plus de quatre mille kilomètres de son nouveau foyer. Sa liaison avec Sylvia avait été un acte de rébellion plus qu'autre chose, comme en attestait la rapidité avec laquelle il avait filé en Alaska une fois admis à l'école de la police d'État de Sitka. Quant aux femmes qui l'avaient suivie, elles n'avaient jamais duré plus d'un an, car à l'issue de cette période, il avait remarqué qu'elles avaient tendance à feuilleter les catalogues maison et déco et lui avait tendance à s'emmerder ferme.

À moins qu'il n'ait craint de les emmerder ferme à l'issue de cette période.

Kate Shugak ne l'avait jamais emmerdé, oh! que non. De la fascination et du respect, voilà ce qu'elle lui inspirait. Ainsi que de la terreur, du désir, de la colère et, même si ça le faisait chier de l'admettre, de la jalousie. Oui, tous ces sentiments étaient pour lui associés à Kate Shugak. Elle, l'emmerder? Jamais!

Il imagina une rencontre entre Kate et sa mère, et un large sourire se peignit sur ses traits. Oui, s'il vendait des tickets, sa fortune était assurée.

Il imagina une rencontre entre Kate et son père, et son sourire s'effaça. Comment aurait réagi son père en découvrant ce paquet de dynamite aléoute d'un mètre cinquante de haut? L'aurait-il emmenée au club pour l'exhiber à ses amis et connaissances?

La honte l'envahit. Les amis et collègues de son père étaient tous blancs, certes, mais jamais il n'avait manifesté une quelconque propension au racisme. Bon, d'accord, il avait laissé son épouse lui dicter les termes de ses relations avec son fils, mais il aurait été malhonnête et déshonorant de l'accabler de plus de défauts qu'il n'en avait. Si le boulot de flic avait appris une chose à Jim, c'était qu'il faut s'en tenir strictement aux faits et aux preuves matérielles.

Il ouvrit l'enveloppe.

Deux erreurs de virage et une collision évitée de justesse, avec une Coccinelle iridescente dont le chauffeur lui fit un doigt d'honneur, et il arriva à West Hollywood. Il peina à trouver une place de parking et, quand il finit par en dénicher une dans un terrain vague surpeuplé, il dut sortir sa carte de crédit et se colleter avec une machine parlante qui lui tapa sur les nerfs. Oh! vivement qu'il retrouve le Parc et ses usages tellement XIXe siècle!

Le sergent affecté à l'accueil le toisa de la tête aux pieds et reconnut un collègue sans qu'il ait à sortir son insigne, ce qu'il fit néanmoins par souci de solidarité. On le laissa entrer sans problème.

Sylvia vint à sa rencontre.

– Qu'est-ce qu'il se passe?

Elle ne lui avait pas pardonné le fiasco de leur journée surf. Il attendit pour lui répondre qu'elle ait refermé la porte de son bureau.

– Il y a quelqu'un en Alaska, je te l'avais dit.

– Tu n'avais pas l'air très convaincu. (Elle pinça les lèvres.) Et tu ne t'es pas conduit comme si tu l'étais.

– Non, en effet. J'aurais dû.

– Alors, c'est vraiment sérieux?

Il pensa à Kate Shugak, inspira à fond, retint son souffle pendant quelques secondes puis expira d'une façon qui en disait long.

– Oui, c'est sérieux.

Elle arqua un sourcil.

– Hé! c'est pas venu tout seul.

– Non. Bien observé.

Elle avait fait repeindre les murs : rouge, orangé, jaune, vert, dans des tons pastel, si tant est qu'un rouge puisse être pastel. Le plafond était bleu pastel et les murs étaient recouverts d'objets folkloriques mexicains : un poncho aux couleurs vives, un miroir au cadre peint à la main, un soleil en terre cuite entouré d'ex-voto, des charmes religieux censés chasser le diable ou faire venir la pluie.

– Sympa, dit-il.

– Qu'est-ce que tu fiches ici? lança-t-elle, agacée. Tu n'es pas venu admirer la déco.

– Je suis venu m'excuser.

Elle le fixa des yeux, le visage fermé.

– J'aurais dû être franc avec toi, et je ne l'ai pas été. En vérité…

Oui ? Concernant Kate Shugak et lui, la vérité, c'était quoi ? Du diable s'il le savait.

– Je n'ai aucune excuse, reprit-il. J'ai merdé. Je suis navré.

– Tout ce que tu avais besoin de dire, c'est que tu n'es pas un braconnier.

– Je sais.

Jim Chopin, expert en diplomatie.

– J'ai très vite su que tu partirais pour l'Alaska, dit Sylvia.

Il sursauta.

Un haussement d'épaules.

– Tous ces bouquins sur l'Alaska. Toutes ces affiches sur les murs de ta chambre, tous ces totems, et cette putain de cassette vidéo de *Nanook l'Esquimau* que tu m'as obligée à regarder cent fois. Et *L'Appel de la forêt*, sans parler du *Grand Sam*… Moi qui déteste John Wayne !

Il ne put s'empêcher de rire, et elle se détendit et lui sourit.

– Je savais que tu ne traînerais pas à LA. Donc, si tu penses que tu m'as brisé le cœur en partant et que je n'ai cessé depuis de me languir de toi et d'attendre ton retour, tu te plantes. (Elle remua de la paperasse sur son bureau.) J'ai été ravie de te revoir. On a pris du bon temps. Ça m'aurait fait plaisir de me maquer avec toi pendant ton séjour, mais ne va pas croire que je m'attendais à des grands serments de ta part.

– Je suis navré, répéta-t-il.

– Je sais. (Elle s'esclaffa, sa colère passée.) Ah ! les hommes.

Sagement, il s'abstint de tout commentaire.

– Bon, reprit-elle. Tu restes encore longtemps ? Papa aimerait bien te voir.

– Pas très longtemps. Enfin, je ne crois pas.

Elle arqua un sourcil.

– Tu te rappelles l'écritoire ?

– Celle que ton père t'a léguée ? Bien sûr.

– Je l'ai ouverte.

– Ah. (Elle s'assit.) Que contenait-elle ?

– Une enveloppe à mon nom.

– Qui contenait ?

– Ceci.

Il lui tendit une photographie en noir et blanc, avec une bordure blanche et dentelée. Elle dépeignait deux fillettes de dix ou douze ans, minces, vêtues d'une robe et d'un tablier, bras dessus, bras dessous, posant dans un jardin aux buissons mal entretenus. Elles fixaient l'objectif d'un air timide et malicieux.

– Des jumelles, dit Sylvia.

– On le dirait bien.

Elle leva les yeux vers lui, puis revint à la photo.

– Doit y avoir un sacré gène pour façonner cette mâchoire. Tu sais dire laquelle est ta mère ?

– Celle de gauche.

– Ah bon ?

Elle farfouilla dans le capharnaüm de son bureau pour y pêcher des lunettes de vue et regarda la photo de plus près. Au bout d'un temps, elle les déchaussa et lui rendit la photo.

– Si tu le dis…

Il examina de nouveau l'image.

– Je le pense.

– Tu savais que ta mère avait une sœur jumelle ?

Il fit « non » de la tête.

– Je ne me rappelle pas qu'elle ait jamais parlé de sa famille, sauf quand je lui demandais qui étaient mes grands-parents.

– Et que te répondait-elle ?

– Qu'ils étaient morts jeunes.

– Peut-être est-ce aussi le cas de sa sœur.

Il haussa les épaules.

– Pourquoi ne m'en a-t-elle jamais parlé ?

– Ton père non plus ne t'a jamais rien dit ?

– Non.

– Mais il t'a légué une photo d'elles deux.

– Oui.

– Sans aucune explication ?

– Non.

– Mais s'il t'a légué cette photo, il devait savoir quelque chose.

– Ouais.

– Et moi qui croyais que ma famille était dysfonctionnelle. (Elle plissa les yeux.) Pourquoi es-tu venu me voir, Jim ?

Il la regarda droit dans les yeux et dit sans broncher :

– Pour m'excuser.

– Mouais, fit-elle. Et ?

– Et pour te demander de faire des recherches sur quelqu'un.

– Ta mère ?

– Oui.

22

Le lendemain, Kate se leva de bon matin et alla faire un tour avec Mutt au City Market pour y déguster un *venti americano* à la cannelle chez *Kaladi Brothers*, un plaisir qui justifiait à lui seul son séjour à Anchorage. Le ciel était lourd de nuages et la bise, glaciale, mais il n'avait pas encore neigé. Le Centre-sud est la ceinture tropicale de l'Alaska.

Elle guetta les filatures mais n'en repéra aucune, ce qui ne l'empêcha pas de jeter un regard soupçonneux à toutes les voitures de passage, conduites pour la plupart par des parents d'élèves en route pour l'école élémentaire d'Inlet View. Pendant qu'elle faisait la queue, elle examina discrètement les cinq personnes devant elle et les cinq derrière. Toutes lui paraissaient suspectes, dans le genre mal réveillé. Sans compter celles que la présence de Mutt inquiétait visiblement.

Elle dut se ressaisir lorsque vint son tour, et le barman, un jeune homme encore glabre et à l'air jovial, avec des cheveux orange et violet et un tee-shirt des Black Eyed Peas, afficha un air sinistre quand il lui demanda si elle voulait arroser son café.

C'était ridicule. On ne l'avait pas encore tuée, on avait à peine levé la main sur elle. Elle refoula l'image mentale du toit défoncé de son pick-up. Après tout, il roulait encore.

De retour chez elle, elle sortit son portable du tiroir de la cuisine. Un message. Enfin. Elle l'écouta.

– Un portable pour les séniors! Appelez le 888…

Elle rendit les armes et l'appela. Boîte vocale. Évidemment.

– Je suis à Anchorage, dans mon pied-à-terre. Mon portable capte.

Voilà. Pas une once de sentiment. Elle se concentra sur sa tâche.

Commençons par le commencement. Puisque son faucon maltais était une icône russe, elle devait se documenter sur le sujet. Elle appela le musée d'Anchorage pour se renseigner sur les horaires d'ouverture et elle était devant la porte à l'heure dite.

– Cette bête n'a pas le droit d'entrer, dit le vigile en découvrant Mutt.

Kate lui servit la réponse qu'elle réservait d'ordinaire aux crétins qui ne savaient pas à quel type de chien ils avaient affaire.

– C'est un chien d'assistance.

Le vigile la détailla, constatant qu'elle était l'image même de la santé physique et mentale, et arqua un sourcil sceptique, mais il les laissa entrer.

À l'accueil, on l'orienta vers le service de documentation, où elle expliqua ce qu'elle cherchait à un jeune homme mince à l'air enthousiaste. Il arborait un petit bouc qui lui rappela celui des pêcheurs vieux-croyants qui livraient leurs poissons au *Freya* dans la baie d'Alaganik. Il lui dit s'appeler Lazary Kuznetsov et être originaire de Voznesenka, au bord de la baie de Kachemak, et il conquit le cœur de Mutt en lui donnant la moitié du sandwich au jambon qu'il s'était préparé pour sa pause déjeuner.

Les présentations d'usage étant faites, Kate expliqua qu'elle voulait s'informer sur les icônes russes. Peu après, elle se retrouva assise devant une table croulant sous les livres, les magazines et les photos.

Elle se serait crue dans un conte des frères Grimm, épicé d'un soupçon de fanatisme chrétien à la sauce médiévale. L'histoire de l'icône commençait dans l'État ayant précédé celui de la Russie, la Rus' de Kiev, qui, ainsi qu'elle eut la surprise de l'apprendre, avait été fondée par des guerriers d'élite scandinaves. Elle se demanda comment réagiraient les anciens du Parc, qui avaient quasiment tous du sang russe dans les veines.

La Rus' de Kiev, née à la fin du IXe siècle, avait perduré environ quatre cents ans. Elle avait été christianisée aux alentours de l'an mil. Les chrétiens y avaient introduit l'icône, un panneau dépeignant une image de la mythologie chrétienne. Ce pouvait être la Croix, le Christ ou une autre personne.

Marie, par exemple, se dit-elle.

Le matériau de base n'était pas imposé. Il existait des icônes en fer forgé, en pierre gravée, en tissu brodé et en bois peint. Comme les plus pieux parmi les orthodoxes russes croyaient depuis des années que les sculptures en trois dimensions étaient habitées par des démons, une icône ne pouvait être au mieux qu'un haut-relief. *Qu'est-ce que c'est que ça ?* se demanda Kate, et Lazary répondit à sa question. Le sujet en saillie ne se détachait du fond que pour les trois quarts au maximum. En guise d'exemple, il lui montra un cavalier et son cheval sculptés de profil, celui-ci ne laissant apparaître que la queue et deux jambes, et elle comprit.

Elle pensa aux hypothétiques joyaux hypothétiquement enchâssés dans le cadre hypothétique de cet hypothétique trésor. Sans doute qu'ils ne comptaient pas.

Sois sage, se gronda-t-elle. Bien qu'un scepticisme robuste soit la pierre de touche de toute enquête digne de ce nom, elle était en voie de se persuader de l'inexistence de cette icône. Le responsable, jugeait-elle, n'était autre que Dashiell Hammett, qui avait eu l'audace de se mêler de l'histoire personnelle d'Old Sam. Un auteur de fiction, même excellente, n'avait rien à faire dans un récit authentique.

Elle s'était fait agresser, se rappela-t-elle, en trois occasions différentes et pas nécessairement par la même personne. L'acharnement de son ou ses ennemis conférait à l'existence de l'icône une certaine crédibilité.

Elle se figea comme elle tournait une page.

Tante Joy était la seule à avoir évoqué l'icône, et ce uniquement après la mort d'Old Sam. Aucune des autres tantes, aucun des anciens, y compris sa propre grand-mère, Ekaterina Shugak, l'incarnation vivante de l'histoire de la tribu, n'en avait jamais soufflé mot. Pourquoi donc ? Le fait de l'avoir perdue représentait-il une telle disgrâce ?

À moins que… et si elle n'était pas perdue ? Et si quelqu'un savait où elle se trouvait ? Et si les anciens avaient ourdi une conspiration du silence pour la protéger, pour dissimuler le fait qu'ils la possédaient ?

La spéculation, c'est bien. Mais mieux vaut s'en tenir aux faits. Elle ferma un livre et en ouvrit un autre.

On trouvait des icônes dans les églises mais aussi chez les particuliers. Certaines icônes étaient censément « apparues » et n'avaient pas été façonnées par des mains humaines. Le plus célèbre peintre d'icônes avait été récemment canonisé. Kate apprit le mot « thaumaturgie » et Lazary lui montra un dictionnaire afin qu'elle en lise la définition précise. « Accomplissement de miracles », disait le Webster, qui indiquait comme synonyme « magie ».

Donc, certaines icônes étaient censées détenir des pouvoirs mystiques. Notamment celui de guérir, peut-être. Pour des croyants, un tel objet devait être inestimable. Durant le Moyen Âge, les croisés et les pèlerins avaient rapporté en Europe suffisamment de reliques de saint Jean-Baptiste pour reconstituer plusieurs exemplaires de son squelette. Rien n'est trop dingue pour qui est contaminé par le virus mortel de la foi.

Kate marqua à nouveau une pause en tournant une page. Supposons qu'elle ne voie pas les choses sous le bon angle. Qui avait créé cette icône ? Qui l'avait commandée ? Qui l'avait fait venir en Alaska depuis la Russie ? Appartenait-elle à la tribu ou bien avait-elle été volée ? Et si le descendant de son légitime propriétaire s'était mis en tête de la récupérer, quatorze siècles plus tard, profitant de la liberté de circulation nouvellement instaurée entre la Russie et l'Amérique ?

Peut-être que son crâne constituait un obstacle pour ce fanatique et qu'il l'avait éliminé d'un coup de bûche.

– Ça suffit, dit-elle à voix haute.

Cela lui valut un coup d'œil intrigué de Lazary et d'autres, plutôt courroucés, des usagers du lieu qui, à en juger par leurs coudières, étaient des profs en train de faire l'école buissonnière.

Elle remercia Lazary de son aide et repartit du musée avec plus de questions qu'à son arrivée, ce qui n'était pas vraiment le but recherché. Mieux valait quitter le passé et s'occuper des affaires présentes.

Arrivée à son pick-up, elle appela sa cousine Axenia. Comme à son habitude, celle-ci se montra sèche et hostile mais accepta de la recevoir si elle se présentait dans l'heure.

Axenia était une cousine qui avait malheureusement acquis une réputation de ratée pendant qu'elle grandissait dans le Parc, réputation tout à fait fondée, par ailleurs. Emaa souhaitait la voir intégrer l'université comme Kate. Elle n'en avait rien fait, préférant se maquer avec une série de petits copains, espérant chaque fois tomber sur celui qui la ferait sortir du Parc. À l'issue du meurtre du dernier de la liste, Kate était passée outre aux vœux de sa grand-mère et avait emmené Axenia à Anchorage, où elle l'avait installée dans un appartement déjà occupé par des Natifs pour qu'elle ne se sente pas cernée par les étrangers et lui avait trouvé un emploi au bureau du procureur.

Axenia ne le lui avait jamais pardonné.

Elle avait conservé cet emploi le temps de faire la connaissance de Lew Mathisen, un avocat et lobbyiste de vingt ans son aîné. Ils s'étaient mariés. Lew l'avait installée dans une demeure palatiale de la 100ᵉ Avenue, avec antenne parabolique, lave-vaisselle et femme de chambre, et Axenia lui avait donné en retour une entrée dans la communauté native d'Alaska et deux enfants pour lui assurer une mesure d'immortalité.

Kate se gara dans l'allée et descendit. Le jardin, vierge de toute feuille et de toute branche mortes, était aussi impeccable que l'intérieur. Axenia, petite, nette, de noirs cheveux raides lui arrivant à la taille, des yeux marron qui ne souriaient jamais, la conduisit à la cuisine.

– Tu as déjeuné ?

Courtoisie des plus inattendue.

– Non, dit Kate, qui se demanda si Axenia allait cracher dans sa soupe.

– J'allais me préparer un sandwich à la salade de saumon.

Si la salade des deux sandwichs provenait du même saladier, il y avait peu de chances pour qu'un crachat figure parmi ses ingrédients.

– Ça a l'air alléchant.

Et c'était même excellent : oignons, cornichons doux, mayonnaise en quantité raisonnable, pain au levain (acheté en magasin) et chips. Elles mangèrent au comptoir.

– Où sont les enfants ? demanda Kate.

– À la garderie.

– Je ne savais pas qu'ils avaient l'âge.

Axenia plissa les yeux.

– Je ne savais pas que tu étais une experte en puériculture, Kate.

– Tout ce que je voulais dire, c'est qu'ils grandissent si vite que…

Elle renonça : c'était une cause perdue.

– Que viens-tu faire en ville ? demanda Axenia, orientant la discussion vers l'anodin d'une main de fer. Du shopping à Cotsco ?

– Je fais des recherches.

Kate hésita. Lew faisait du lobbying pour Global Harvest Resources, Inc., la compagnie propriétaire de la mine de Suulutaq. Axenia risquait de lui répéter tout ce que lui dirait Kate. Elle ne voyait pas pourquoi GHRI s'intéresserait à un artefact tribal perdu, mais savoir c'est pouvoir. Tout compte fait, cela ne les regardait pas.

— Tu es au courant pour Old Sam ?

— Oui. Je suis navrée.

Kate sentit le rouge lui monter à la nuque.

— Ton chagrin me bouleverse.

— Il faisait à peine attention à moi. Surtout quand tu étais dans les parages.

— C'était ton aîné.

Et ton supérieur. Mais Kate se garda de prononcer ces mots.

— Mon aîné, certes. Mais peut-être pas mon supérieur.

— Que veux-tu dire ?

— Je connais la vérité. Mamie disait qu'on n'aurait jamais dû l'accepter dans l'association.

« Mamie », c'était Tante Edna.

— Qu'entendait-elle par là ?

— Ses parents étaient mêlés à une sorte de scandale. (Axenia haussa les épaules.) Et puis, il suffisait de le regarder. Il était plus *gussuk* que natif.

Pas plus tard que l'année précédente, Tante Edna avait sermonné Kate à propos de ses petits copains blancs.

— C'était le petit-fils d'un chef, Axenia.

— Et le fils d'un voleur, répondit l'autre sans se démonter.

On peut sortir la fille du Parc, mais pas le Parc de la fille. Kate s'abstint de lâcher cette repartie et s'ordonna de garder son calme. Si elle voulait maudire sa cousine, elle attendrait d'être sortie.

— Avec le décès d'Old Sam, dit-elle, il y a une place qui se libère au conseil d'administration.

— Et alors ?

— Et alors, tu devrais envisager de te porter candidate.

Axenia écarquilla les yeux mais resta muette.

Kate, bien résolue à ne pas être aspirée par le vide de la conversation, retourna à son sandwich. Au bout d'un moment, Axenia en fit autant.

Le silence était tel qu'elles s'entendaient mâcher. Finalement, Axenia, mouillant un doigt pour attraper une miette de pain dans son assiette, dit d'un ton que l'on aurait presque qualifié de décontracté :

— Je croyais que je ne pouvais pas postuler étant donné que je suis mariée au lobbyiste de la mine. Une histoire de conflit d'intérêts.

— L'association compte moins de trois cents membres, Axenia, dit Kate en repoussant son assiette. Et l'Alaska à peine sept cent mille habitants. Cette histoire des six degrés de séparation, ça ne marche pas ici. Il n'y en a même pas trois.

— Où veux-tu en venir ?

— Après notre discussion du mois dernier, j'ai lu les clauses éthiques du règlement de l'association. Emaa avait bien fait son travail. Peut-être qu'elle pensait à l'avenir, se doutant qu'avec si peu de sociétaires nous devrions veiller à ne pas exclure les meilleurs d'entre nous quand nous aurons besoin d'eux. Si tu suis les directives qu'elle a mises en place et observes une transparence absolue, tout devrait bien se passer.

Axenia garda un visage inexpressif.

— Et je soutiendrai ta candidature.

Rictus de l'intéressée.

— Harvey et Ulanie commencent à te porter sur les nerfs ?

Kate ferma les yeux et secoua la tête.

— Okay, Axenia. Tu m'en veux parce que Emaa me préférait à toi. Pigé. Tu m'en veux parce que je t'ai secourue et que tu n'y es pas arrivée toute seule. Pigé aussi. L'obligation qui nous est faite de manifester notre gratitude donne à certains l'envie de mordre. Sur ce point-là, crois-moi, je te comprends. Mais tu veux savoir une chose ?

Kate se laissa glisser de son tabouret et regarda Axenia de l'autre côté du comptoir.

— Dans le contexte de la *Niniltna Native Association*, quelle importance as-tu, toi, Axenia Shugak Mathisen ? Réponse : pas la moindre.

Le visage d'Axenia s'assombrit.

— Ne t'énerve pas, reprit Kate. C'est pareil pour moi. L'important, c'est ce que nous laissons derrière nous.

Elle sortit de la cuisine aux meubles et à l'équipement en acier inox, comme il se devait, et traversa le living aux fauteuils en cuir, comme il se devait. Arrivée devant la porte, elle lança en élevant la voix :

— Si tu veux perdre ton temps à te quereller avec moi plutôt que de construire quelque chose qui durera peut-être tout le long de la vie de tes enfants, grand bien te fasse. Je ne compte pas rester éternellement au conseil d'administration et tu pourras un jour postuler à sa présidence.

Elle fit un effort titanesque pour ne pas claquer la porte. Quand elle sortait de chez Axenia, elle était toujours d'humeur massacrante.

— Pousse-toi, dit-elle à Mutt en ouvrant la portière de la Subaru.

Mutt obtempéra sans un bruit et conserva un silence prudent jusqu'à leur arrivée à la bibliothèque Z.J. Loussac.

Kate fut navrée d'apprendre que Bruce, son bibliothécaire préféré, avait pris sa retraite. Elle perdit quelques minutes à bouder entre les étagères.

— Voulez-vous que je vous aide ? proposa le nouveau bibliothécaire pour la troisième fois.

Non, songea Kate, *je préfère cultiver ma mauvaise humeur*.

— Je cherche des ouvrages sur la guerre dans les Aléoutiennes.

Elle se retrouva de nouveau devant une table croulant sous les livres, les magazines, les journaux et les thèses, certaines de ces dernières étant pourvues de sous-titres interminables, comme « Les secrets de la guerre dans les Aléoutiennes révélés. L'échec de la stratégie japonaise dans le Pacifique Nord et le Pacifique central à Midway, Attu et Kiska » et « La diaspora aléoute. Le déplacement du peuple aléoute après le bombardement de Dutch Harbor et ses conséquences sur les négociations de l'*Alaska Native Settlement Act* ».

Mais elle trouva aussi une publication gouvernementale datant de 1944 intitulée *The Battle of the Aleutians* et due aux caporaux Robert Colodny et Dashiell Hammett. Un fascicule élégant et bien écrit, illustré par des photos noir et blanc. Elle chercha le visage d'Old Sam sous tous les casques.

Elle trouva des photos dans d'autres publications : un cargo de l'Alaska Steam en train de brûler à Dutch Harbor après l'attaque japonaise, les bombardiers japonais responsables de celle-ci, des villages aléoutes avant et après l'événement. On trouvait une église orthodoxe dans la quasi-totalité d'entre eux, bien reconnaissable à son dôme en oignon. Elle trouva des photos de l'USS *Delaroff* transportant des réfugiés vers le continent, la plupart devant être hébergés dans des conserveries et des mines désaffectées du Sud-est, mais quelques-uns se retrouvant ailleurs en Alaska, notamment au Parc. Elle chercha des Shugak derrière tous les bastingages.

Ses brèves recherches ne lui permirent pas de retrouver la trace d'Old Sam, de Mac McCullough ou de Marie la Sainte, mais les visages sur ces photos restèrent gravés dans sa mémoire. Les visages terrifiés, bouleversés des Aléoutes, qui avaient dû fuir en abandonnant presque tous leurs biens. Le colonel Castner, qui ressemblait un peu à Eisenhower. Les hommes du 807ᵉ régiment du génie, avec leurs casques à visière de la Première Guerre mondiale, qui avaient construit en dix jours la piste d'atterrissage d'Adak. Une image saisissante de la bataille d'Attu, montrant une file de GI's escaladant la paroi quasi verticale d'une montagne couronnée de neige.

Cela lui rendit bien plus réelle la guerre qu'avait menée Old Sam. Devant la caméra de Dinah, il s'était contenté d'évoquer le froid, l'humidité et le coût en vies humaines.

Elle comprenait un peu mieux comment Samuel Leviticus Dementieff et Herbert Elmer «Mac» McCullough avaient pu nouer des relations qui n'avaient rien à voir avec leur parenté mais tout avec la survie.

Mac avait donné la vie à Old Sam. Par deux fois.

« Retrouve mon père. »

Ça ne sonnait pas tout à fait comme « Cherchez la femme », mais c'était néanmoins plutôt succinct. Old Sam n'avait jamais été bavard.

Kate remercia le bibliothécaire et regagna sa voiture. Comme elle se mettait au volant, Mutt la regarda en penchant la tête sur le côté.

Elle redescendit et fit le tour de la Subaru, vérifiant que toutes ses roues étaient bien fixées. Elle avait négligé de le faire un jour, dans ce même parking par-dessus le marché, et les conséquences avaient été catastrophiques.

Rassurée et sereine, elle se rendit à la librairie *Title Wave*, où elle acheta *The Thousand Mile War* et *Castner's Cutthroats*, puis gagna le centre-ville, où elle fut ravie de trouver une place libre juste devant l'immeuble abritant les bureaux du procureur général.

– Kate !

Le colosse la serra entre ses bras et la souleva de terre.

– Ouf ! Lâchez-moi, Brendan !

Elle se retrouva propulsée dans son bureau et posée sur une chaise qu'il débarrassa des dossiers qui l'encombraient en les envoyant se répandre sur le sol.

Cela faisait plus de quinze ans que Brendan McCord était procureur général adjoint. Durant cette période, il avait résisté à toutes les tentatives de mutation et de promotion, et survécu à six maires et quatre gouverneurs. L'ambition comme la cupidité lui étaient étrangères. Il était ravi de se livrer à son activité préférée jusqu'à ce qu'on le mette à la retraite, activité consistant à envoyer les criminels derrière les barreaux le plus longtemps possible, voire – c'était fort rare, mais d'autant plus satisfaisant – à s'assurer que justice soit faite. Corpulent, aussi mal tenu que son bureau, rouquin et rougeaud, vêtu d'un costume venant du décrochez-moi-ça et d'une cravate portant les traces de ses trois derniers repas, il se percha sur son bureau et gratifia Kate d'un sourire qui éclaira son visage jovial, un masque qui détournait l'attention de ses yeux curieux et intelligents.

— Je ne m'attendais pas à vous revoir aussi vite, dit-il avec un sourire salace. Vous vous êtes enfin décidée à entamer avec moi une liaison torride et illicite ?

— Pouvez-vous me procurer le casier judiciaire d'un repris de justice ?

— Bien sûr, dit-il en ouvrant les bras. Je ferais n'importe quoi pour vous, ma sauvageonne aux yeux noirs. Donnez-moi un nom.

— Herbert Elmer McCullough, alias Mac, alias D'un-Seul-Seau.

Il haussa un sourcil.

— D'un-Seul-Seau ? Pas Seul-Ce-Soir ni Seau-l'y-Laisse ?

— Non. D'un-Seul-Seau. Je vous expliquerai. Vous pouvez faire ça pour moi ?

— Mais oui ! Toujours ravi de traiter avec vous, Shugak. (Il alla s'asseoir devant son ordinateur.) Donnez-moi une date. Celle de la condamnation ou de l'incarcération, au choix.

— Ça va peut-être poser problème. Il est allé au trou en 1921.

Brendan se carra dans son siège.

— Ah. Ça devient difficile. Mais pas impossible. On est en train de numériser les archives au moment où je vous parle. Naturellement, il n'y avait pas de prisons dans le Territoire à l'époque, mais on doit avoir les minutes du jugement et des traces du transfèrement. Celui qui s'est occupé de cela a sans doute demandé un défraiement et…

Brendan se tut en voyant la tête que faisait Kate.

— Il y a une autre difficulté, j'en ai peur. Pour ce que j'en sais, il n'a été ni jugé ni condamné en Alaska.

— Où s'est déroulé son procès ?

— En Californie. (S'il n'avait pas raconté des craques à Hammett.) On l'a arrêté à Seattle, sur les quais.

– Ah. (Brendan joignit les mains sur son ventre proéminent.) Ce n'est pas gagné. Mais ça reste faisable. (Nouveau sourire salace.) Surtout si vous y mettez du vôtre.

Kate ne put retenir son rire.

– Brendan ! dit-elle en détachant les syllabes de son prénom.

– Qui ne tente rien n'a rien.

De la poche de Kate montèrent les premières mesures de « Volcano », la chanson de Jimmy Buffett. Les sourcils de Brendan frôlèrent les racines de ses cheveux.

– Quoi ! Vous avez enfin rejoint le monde réel ?

Elle sortit son portable. Évidemment, c'était Jim.

– Salut, fit-elle.

– Salut. J'ai eu ton message. Pas la peine de poster mes lettres d'amour sur Internet. Attends mon retour et on prendra des photos de nus.

– Donnez-moi votre numéro, Kate ! s'écria Brendan. Moi aussi, je veux vous harceler au téléphone !

– Qui c'est ? demanda Jim.

– Brendan.

Kate se leva pour aller dans le couloir. Comme elle fermait la porte, Brendan se mit à chanter, horriblement faux, « Indian Love Call », la chanson remise au goût du jour par *Mars Attacks* :

– « *When I'm calling you-ooo-ooo, will you answer too-ooo-ooo...* »

Elle s'adossa au mur et fit de son mieux pour ignorer les regards que lui jetaient deux clercs, qui ne pouvaient pas ne pas entendre les vocalises du procureur général adjoint qui avait fini par faire partie des meubles à leurs yeux.

La voix de Jim était frigorifiante.

– Brendan, hein ?

Kate sourit en catimini.

– Oui. Il m'aide dans mes recherches.

– C'est cela, oui. Tu es sur une enquête ?

– En quelque sorte. Ça a rapport avec Old Sam. (Elle ne voulait pas en dire plus au téléphone.) Qu'est-ce qui ce passe chez toi ?

– On l'a enterré jeudi. Lundi, lecture du testament.

Huit jours depuis les funérailles, quatre depuis cette lecture, et il n'était toujours pas rentré. Elle brûlait d'envie de lui demander pourquoi il n'était pas déjà dans l'avion.

– Des difficultés ?

– Non. Enfin, si. Un truc à éclaircir.

Et ensuite, il allait revenir chez lui ? Si « chez lui », c'était toujours ici.

– Tu reprends contact avec de vieux amis ?

– Quelques-uns. Il n'en reste plus beaucoup.

– Sylvia Hernandez en fait partie ?

Aussitôt dit, aussitôt regretté. Kate se serait bugnée.

– Elle était à l'enterrement, dit Jim.

La qualité du silence qui suivit incitait à la patience.

– Et on est allés surfer hier.

– Toujours envie de brûler la planche, dit Kate.

– Ouais.

Résolue à agir en altruiste alors qu'elle n'en avait aucune envie, Kate relança :

– Ça t'a fait du bien ?

– C'était génial. (Elle l'entendait presque sourire.) En Alaska, l'océan est une zone interdite. J'ai eu du mal à m'adapter quand je suis arrivé.

L'inconscient qui s'immergeait dans les eaux alaskiennes était condamné à l'hypothermie et à la mort. Seule consolation : il n'avait pas le temps de souffrir.

– Il paraît qu'on commence à surfer dans les environs de Yakutat, dit-elle. En combinaison de plongée.

– Ouais, je suis au courant, dit-il avec un manque d'enthousiasme évident.

La porte s'ouvrit et Brendan passa la tête dans l'embrasure.

– « *When you hear my love call ringing clear…* »

– Doux Jésus, fit Jim.

– Ouais, dit Kate. À plus ?

– À plus.

Elle raccrocha et suivit Brendan dans son bureau.

– Alors ?

– Alors, où est Jim pour qu'il vous appelle sur votre portable ?

– En Californie. Son père vient de mourir.

Les sourcils broussailleux de Brendan frémirent à nouveau.

– Oh. Désolé de l'apprendre. (Sourcils en berne, sourire salace de sortie.) Donc, vous êtes sur mon territoire, à ma merci.

Elle ne put faire autrement que de rire.

– Oui, toute seule et à votre merci.

Il consulta la pendule murale.

– Ô miracle, je ne fais pas d'heures sup aujourd'hui. Puis-je vous inviter à dîner, vous subjuguer à coups de vins fins et de conversation spirituelle, pour ensuite profiter de votre état d'ébriété et de l'allégresse qu'auront suscitée en vous mes bons mots ?

– Vous pouvez.

– Chez Orso à sept heures et, pour vous, j'irai jusqu'à mettre une cravate propre.

Et il lui tendit une sortie imprimante qui se révéla être le casier judiciaire de Herbert Elmer « Mac » McCullough, délinquant notoire.

– Brendan, dit-elle, je suis toute à vous.

1946

Seattle

Sam dut supporter la pluie de Seattle pendant plusieurs mois avant de localiser l'homme auquel Mac avait vendu le butin contenu dans son sac. Selon le manuscrit, il s'agissait d'un certain Pappy, mais personne sur les quais ne connaissait ce nom, aussi Sam se mit-il en quête de tous les marchands qui étaient déjà en activité durant les années 1920, en particulier ceux opérant en pleine rue. Un jour, dans une petite boutique des plus excentrique de la 6ᵉ Avenue, l'homme qui tenait la caisse l'écouta raconter son histoire, littéralement fasciné par sa bouche, puis déclara :

— Oh! mais je n'en sais rien, moi. Je viens tout juste d'arriver de San Francisco.

Peut-être alla-t-il jusqu'à battre des cils. En tout cas, il invita Sam à dîner. Il s'appelait Kyle Blanchette. Comme Sam avait toujours faim en ce temps-là, il accepta. Peut-être fut-ce la politesse avec laquelle il refusa la proposition de Kyle après le repas qui décida celui-ci à lui donner des informations.

— Il y a bien le vieux Pietro Pappardelle. Vous êtes déjà allé chez lui? Non? (Il grimaça.) Bon, sa boutique n'est guère reluisante, mais, dans la profession, on le considère comme une autorité quand il s'agit d'évaluer un objet de provenance douteuse. (Nouveau battement de cils.) Peut-être le surnommait-on Pappy dans le temps.

La boutique, baptisée «Les Trésors de demain», était sise dans une rue miteuse de Fremont, un quartier relativement récent que l'on atteignait en traversant un pont à l'issue d'un long trajet en tramway. Comme la ville dans son ensemble, il portait les marques du boom immobilier de l'après-guerre, et le bâtiment de deux étages abritant la boutique à son rez-de-chaussée semblait promis à une prochaine démolition. Sans doute laisserait-il la place à un immeuble de rapport occupé par des GI's récemment démobilisés et leurs jeunes épouses.

Une cloche tinta lorsque Old Sam poussa la porte. Elle récidiva lorsqu'il recula d'un pas, de crainte de renverser un taureau en porcelaine avec un anneau d'or dans le mufle. Ce taureau était perché sur un guéridon au plateau minuscule et aux trois pieds tout en hauteur qui ne paraissait pas très stable.

La pénombre régnait dans la boutique, dissimulant quantité de pièges du même genre. Sam s'engagea dans cette jungle de la brocante avec un luxe de précautions et, après avoir failli entrer en collision avec une armoire en châtaignier munie d'une corniche, dont les coins étaient redoutables pour un homme de sa taille, et longé prudemment une étagère encombrée de soldats sudistes en porcelaine dansant avec des belles en crinoline, il parvint enfin au comptoir placé devant le mur du fond. Il s'y trouvait une porte consistant en un rideau de tissu floral, avec en guise de tringle un bout de ficelle fixé par deux clous.

– Ohé ? fit-il.

Un bouton d'appel était placé sur le comptoir. Il l'actionna, déclenchant un nouveau tintement.

– Il y a quelqu'un ?

Il y eut un mouvement derrière le rideau. Et apparut un petit homme corpulent pourvu d'un nez bulbeux, d'un visage rubicond et d'yeux si rapprochés que Sam le crut un instant frappé de strabisme.

– Oui ?

– Monsieur Pappardelle ?

– Oui ?

Old Sam aurait préparé un discours plein de tact pour évoquer l'objet qui l'avait poussé à s'exiler à l'Extérieur, mais

Samuel Leviticus Dementieff était un jeune homme amoureux et pressé.

– C'est vous que l'on surnomme Pappy?

L'intéressé plissa les yeux.

– J'apprécie toujours que mon interlocuteur ait la bonté de se présenter.

– Je m'appelle Sam Dementieff. Vous avez peut-être rencontré mon… mon père sur les quais en 1919, quand il est descendu d'un steamer venu d'Alaska.

– Ah. Jeune homme, j'ai mieux à faire aujourd'hui que…

– Monsieur Pappardelle, il est mort pendant la guerre. Il m'a laissé un… une lettre où il explique qu'il a vendu le contenu de son sac en 1919, à Seattle, à un homme qu'il avait rencontré sur les quais et qui disait s'appeler Pappy. J'espérais que ce serait vous.

– Dans tous les cas, cela ne vous…

– Si c'est bien vous, il vous a vendu quelque chose qu'il aurait dû conserver. C'était un legs familial. Il l'avait volé.

Le visage de Pappardelle vira au pourpre.

– Si vous sous-entendez que je me suis rendu coupable de recel d'objets volés…

– Non, monsieur, dit Sam.

Toutefois, il avait rencontré durant sa quête suffisamment d'antiquaires et de brocanteurs au regard fuyant pour avoir des doutes sur la nature exacte de leurs activités.

– Non, monsieur, répéta-t-il, absolument pas. Vous ne pouviez pas savoir de quoi il s'agissait, je le comprends bien. Je cherche seulement à retrouver cet objet et à identifier son possesseur, afin de le restituer à ses légitimes propriétaires.

Pappardelle le fixa durant un long moment. Sam supporta son examen sans broncher. Ses vêtements élimés, ses traits émaciés, son regard direct, tout cela dut lui faire bonne impression, car il se détendit soudain, devenant littéralement un autre homme, bien plus proche de la description qu'avait faite à Sam son convive de la veille.

– Veuillez me suivre, je vous prie, monsieur Demon…
Dement…

– Dementieff, mais vous pouvez m'appeler Sam.

Il dut baisser la tête pour suivre Pappardelle dans l'arrière-boutique, qui se révéla être un appartement avec une kitchenette, un canapé-lit et une minuscule salle de bains. La porte du fond devait donner sur une ruelle. Cette pièce était aussi encombrée que la boutique proprement dite, comme si Pappardelle y avait entassé tout ce qu'il n'avait pas la place d'exposer aux chalands. Un service à thé victorien avec un pot à lait ébréché. Un collier de faux diamants (du moins Sam supposa qu'ils étaient faux, car sinon on les aurait mis dans un coffre plutôt que de les poser entre le beurrier et le sucrier). Une paire de pinces de débardage pour bûcheron. Un compas en cuivre monté sur cardan, dans une boîte en teck qui avait connu des jours meilleurs.

Ce compas lui tapa dans l'œil, mais il n'était pas venu pour cela.

– Monsieur Pappardelle…

D'un geste, Pappardelle l'invita à s'asseoir.

– Je n'ai pas encore bu mon café ce matin, jeune homme, et je refuse de parler affaires tant que je ne suis pas réveillé.

Il s'activa sur un percolateur pendant que Sam libérait une chaise occupée par un paquet de numéros de *Life*, une nappe en dentelle, une boîte de pétards et un vieux chat. Pourvue d'un haut dossier, elle avait un siège capitonné d'une couleur rouge sombre qui évoquait le sang séché.

Il s'y assit quand même et son hôte lui servit peu après, avec toute la cérémonie voulue, la meilleure tasse de café qu'il ait jamais bue à Seattle, et tous deux s'attaquèrent à un petit déjeuner composé de jambon, d'œufs, de patates et de toasts débordant de beurre. Sam touchait un bon salaire sur les quais, mais il en économisait la quasi-totalité pour se payer le voyage retour, ainsi que sa concession, et il lui arrivait de sauter des repas. Cela faisait deux fois en vingt-quatre heures qu'il faisait bombance, ce qui méritait toute son attention.

Lorsqu'il se redressa sur son siège, Pappardelle lui adressa un regard approbateur.

— Ça fait plaisir de voir quelqu'un qui a de l'appétit, dit-il en reservant du café. Maintenant, écoutons votre histoire, jeune homme. Je m'y connais en histoires, et j'ai l'impression que la vôtre va me plaire.

Les yeux de Pappardelle exprimaient la ruse mais aussi la bonté, et Sam se rappela ce que son confrère avait dit la veille : « Dans la profession, on le considère comme une autorité quand il s'agit d'évaluer un objet de provenance douteuse. » Son instinct lui disait qu'il n'obtiendrait rien de cet homme s'il ne jouait pas franc-jeu.

— Je vous ai dit la vérité, monsieur Pappardelle. Je suis à la recherche d'un legs familial.

Il lui raconta toute l'histoire de l'icône volée, en commençant par l'épidémie de grippe et les ravages qu'elle avait causés à Kanuyaq et à Niniltna, continuant par le potlatch, la monstration de la relique et sa disparition. Il donna un signalement détaillé de Mac et la date exacte de la vente.

— Hum, fit Pappardelle lorsqu'il eut achevé son récit. Et comment avez-vous appris cette date si précise, jeune homme ?

— Je vous l'ai dit, monsieur. Mon père m'a laissé une lettre.

— Il est mort, dites-vous.

L'expression du vieil homme était indéchiffrable.

— Oui, monsieur. À la guerre.

Ce n'était pas la stricte vérité, mais cela conviendrait.

Pappardelle le fixa un long moment de ses yeux pénétrants. Puis il dit :

— Oui, bon, peut-être me direz-vous un jour l'entière vérité sur ce point, car on dirait bien que c'est le plus intéressant de toute votre histoire. (Il soupira.) Mais c'est toujours ce qui est tu qui est le plus intéressant.

Il s'extirpa de son siège, un fauteuil en osier qui émit un craquement inquiétant, et négocia avec habileté le capharnaüm qui lui tenait lieu de logis pour gagner une bibliothèque en chêne massif qui occupait la totalité d'un mur. Il fit signe à Sam de le rejoindre, et celui-ci s'exécuta en prenant moult précautions pour ne rien renverser.

– Une des acquisitions dont je suis le plus fier, dit Pappardelle.

La bibliothèque était ornée de motifs floraux et végétaux délicatement sculptés, et munie de poignées en cuivre et de portes en verre grossissant, ce qui permettait de mieux déchiffrer les titres des livres sur les rayons.

Sam n'avait jamais vu un si beau meuble et il ne le cacha pas.

Pappardelle caressa le bois avec amour.

– J'aurais pu la vendre dix fois – en fait, je connais un gentleman propriétaire d'une résidence d'été au bord du lac Washington qui m'a déjà fait trois offres –, mais je n'arrive pas à m'en séparer. Du moins pas encore. (Nouveau soupir.) Dans ma partie, c'est une erreur de tomber amoureux de son stock. On finit par mourir dans une pièce où nul ne peut plus entrer.

Sam balaya les lieux d'un regard circulaire et ravala la remarque qui lui venait aux lèvres.

Pappardelle ouvrit les portes et passa l'index sur une rangée de grands livres rouges placée au milieu de la bibliothèque, et dont chaque volume était frappé d'une année. Le plus ancien était daté de 1901, le plus récent de l'année en cours. Il sourit en voyant l'expression de Sam.

– Eh bien, vous pensiez que je ne tenais pas de registres ? Connaissez-vous le terme de « *provenance* » ?

Sam l'avait entendu prononcer pour la première fois la veille.

– Non, monsieur.

– C'est un mot français qui désigne l'origine et les antécédents d'un objet. En matière d'antiquités, l'histoire d'un objet a souvent plus de valeur que l'objet lui-même. Si, par exemple, vous possédez une lettre de John Adams adressée à Thomas Jefferson, vous pouvez l'authentifier en reconstituant la façon dont elle est passée de Jefferson à vous. Famille, héritiers, vendeurs, collectionneurs, date d'achat et nom des acquéreurs… tout cela est précisé dans les inventaires et dans les testaments. (Le nez bulbeux de Pappardelle frémit.) Chacun des articles que je vends, chacun de ceux que j'ai achetés, a sa propre histoire.

— Et plus l'histoire est détaillée, plus l'objet prend de la valeur, je suppose.

Pappardelle gratifia Sam d'un sourire rayonnant, tel un professeur découvrant un élève particulièrement intelligent. Son style et sa diction trahissaient une excellente éducation, dont il n'hésitait pas à faire étalage, mais jamais il ne devait faire sentir à Sam son manque d'instruction, ni ce jour-là ni par la suite. Un bel esprit, certes. Mais aussi un esprit généreux.

— Exactement, dit-il.

Il attrapa le registre de 1919 d'un geste plutôt emphatique et regagna son fauteuil. Posant le volume sur ses genoux, il abaissa ses lunettes de son front au bout de son nez et commença à scruter les pages de son œil de myope.

Cette fois-ci, Sam marqua une pause avant de s'asseoir, se demandant pour la première fois quelle était l'histoire de sa chaise, si la couleur du siège était le fruit du hasard ou d'une intention délibérée, ou encore un effet de la décoloration due au soleil. Qui avait posé un cigare sur l'accoudoir droit et laissé une trace de brûlure ? Qui avait laissé un chat faire ses griffes sur le pied avant gauche ? Qui avait creusé cette dépression dans le siège ? La forme du dossier était-elle étudiée pour obliger toute une génération à se tenir droite ?

Il s'assit.

— Quelle est l'histoire de ce compas ? demanda-t-il.

Pappardelle leva la tête et posa sur le compas des yeux attendris.

– Ah! oui. Cet objet a presque une centaine d'années, selon un expert en choses maritimes de ma connaissance. L'homme qui me l'a vendu m'a juré qu'il provenait du CSS *Shenandoah*. Avez-vous entendu parler de ce navire?

Sam plissa le front.

– Son nom me dit quelque chose.

– Cela n'a rien d'étonnant, compte tenu de votre provenance. (Il gloussa de son astuce.) Le CSS *Shenandoah* était le navire armé par les États confédérés et chargé de couler les baleiniers yankees dans le Pacifique, ce afin d'ébranler l'économie des États du Nord.

Sam se redressa.

– C'est ça. J'ai servi dans les Aléoutiennes pendant la guerre. Comme on n'avait pas grand-chose à faire, nous autres soldats, les galonnés organisaient des soirées éducatives en recrutant les conférenciers dans nos rangs. Certains d'entre eux étaient intéressants, il faut le reconnaître. Un soir, un gars des Transmissions qui venait de Tacoma… comment il s'appelait, déjà? Morgan[27], c'est ça. Bref, ce type était un écrivain, un professeur ou quelque chose comme ça, et il nous a raconté que les derniers coups de canon de la guerre de Sécession avaient été tirés dans les Aléoutiennes.

– Par le CSS *Shenandoah*.

Pappardelle ressemblait de plus en plus à un professeur ravi par son élève.

Sam toucha délicatement le compas et lui donna une petite poussée. Il se déplaça sur ses cardans et retrouva sa position initiale. À l'en croire, Sam était assis face au nord.

– Et ce compas vient de ce navire?

– Hélas, je suis incapable d'établir un lien formel avec le *Shenandoah*, mais mon expert m'assure que ce n'est pas impossible. L'époque est la bonne et il m'a transmis une documentation qui en atteste.

---

27. Murray Morgan (1916-2000), auteur de *The Bridge to Russia* (1947), la première histoire des Aléoutiennes jamais publiée, et de *Confederate Raider in the North Pacific* (1948), un livre sur l'odyssée du *Shenandoah*.

– Pourquoi n'est-il pas mis en vente ?

– Je l'aime trop. J'aime le regarder et me demander comment il est arrivé entre les mains de l'homme qui me l'a vendu. Je me demande combien d'enseignes de vaisseau ou de maîtres d'équipage ont passé leurs nuits auprès de lui. Je me demande ce qu'est devenu le navire où il se trouvait, s'il a fini dans un chantier de démolition où s'il vogue encore sur les mers, s'il accostera un jour dans ce port.

Son sourire était ironique et un peu détaché.

– C'est un peu comme la bibliothèque.

– J'en ai peur, soupira Pappardelle. Je serais plus riche si j'acceptais de me séparer de certains de mes trésors les plus chers.

– Mais pas nécessairement plus heureux ?

Un sourire illumina le visage de Pappardelle.

– Non, peut-être pas. (Il désigna le registre posé sur ses cuisses.) Vous êtes prêt ?

Il avait bien vu que Sam cherchait à gagner du temps. Ce dernier rassembla ses forces.

– Je suis prêt.

Les lunettes de Pappardelle glissèrent un peu plus sur son nez, arrêtées par l'extrémité de celui-ci. On aurait dit un père Noël privé de sa barbe.

– Heureusement que vous disposez de la date précise, dit-il. Juillet… juillet… ah ! nous y voilà. Le 17 juillet.

Il montra à Sam une page rédigée d'une écriture impeccable, dans une encre noire qui avait pâli avec les ans.

– Ce jour-là, j'étais venu attendre le *Baranof*, un navire de l'Alaska Steam. À cette époque, poursuivit-il en levant les yeux, nombre de gens avaient l'habitude d'assister aux débarquements des bâtiments alaskiens. Des journalistes. Des femmes venues en famille accueillir leurs époux. Des créanciers, aussi. (Il grimaça.) Des représentants de la loi, qui espéraient mettre la main au collet à des mécréants leur ayant échappé dans le Grand Nord.

Il jeta à Sam un regard pénétrant.

Old Sam ne se départit pas de son air affable et intéressé. Du moins l'espérait-il.

– Et, bien entendu, des gens comme moi, des professionnels. En fait, l'immense majorité de ceux qui partaient chercher de l'or dans le Nord revenaient sans un sou en poche. Ils étaient prêts à vendre les quelques objets personnels qu'ils avaient réussi à conserver durant leurs épreuves pour s'acheter de quoi manger. Je ne suis pas un prêteur sur gages, vous comprenez, et je ne l'ai jamais été, mais je leur garantissais que, s'ils revenaient me voir avec le montant de notre transaction, j'étais prêt à leur restituer leur bien si je n'avais pas réussi à le vendre entre-temps.

– Raison pour laquelle vous tenez si bien vos registres.

– Oui.

– C'était une offre généreuse vu le dénuement dans lequel étaient certains d'entre eux.

Pappardelle rougit de ce compliment et s'éclaircit la voix.

– Eh bien…

– De quel genre d'objets personnels s'agissait-il ?

– Des objets suffisamment petits pour être glissés dans une poche, des bijoux le plus souvent. Il était préférable qu'ils soient portatifs, pour des questions de sécurité comme de transport. Une montre de poche, une bague, une broche, un collier. Parfois une tiare. J'ai acquis un jour une très belle bague de fiançailles avec un gros diamant. Vulgaire, certes, mais néanmoins précieuse. Le gentleman qui me l'a vendu – il arrivait de Fairbanks, je crois bien – ne voulait plus jamais la revoir. Je n'avais pas les moyens de lui offrir un prix correspondant à sa valeur. Mais cela lui était égal : tout ce qu'il voulait, c'était de l'argent pour rentrer dans le Minnesota. (Pappardelle s'éclaircit la voix une nouvelle fois.) J'ai cru comprendre que sa promise, plutôt que se limiter à un seul amant, avait découvert les avantages financiers résultant de leur multiplication.

Sam mit une minute à comprendre.

– Oh, fit-il. Elle travaillait derrière la barrière.

Il dut expliquer à Pappardelle qu'à l'époque, les quartiers chauds de Fairbanks étaient enclos.

– Ah. Oui. Je crois que c'était quelque chose comme cela, dit-il en rougissant. Bref.

Il revint à son registre et passa le doigt sur la page correspondant au 17 juillet.

– Bon. J'ai assisté au débarquement du *Baranof* à trois heures de l'après-midi. C'était le troisième navire alaskien de la journée. Celui-ci avait appareillé de Seward. (Il plissa les yeux derrière ses lunettes.) Apparemment, j'ai acheté des objets à trois de ses passagers, qui tous m'ont proposé des pièces uniques. La première était une sculpture florale chinoise, de la dynastie Qing, de quinze centimètres sur vingt, vendue par une jeune femme qui faisait pitié. La seconde était un télescope français du début du XIXᵉ siècle, vendu par un gentleman qui m'a fait l'effet d'un ancien marin. J'ai gardé un vif souvenir de lui parce qu'il ne s'en est séparé qu'à contrecœur, et j'espérais bien pouvoir le lui restituer quelques mois plus tard.

– C'est ce qui s'est passé ?

– Malheureusement… (Pappardelle désigna une note sur son registre.) Je l'ai revendu dès le lendemain à un collectionneur d'objets maritimes, qui est resté à ce jour un de mes meilleurs clients.

– Et l'ancien marin est revenu ?

– Oui, environ un an plus tard, et paraissant mieux nourri, ce dont je me suis félicité. Il avait prospéré dans l'industrie du bois, je crois. Je l'ai présenté au gentleman qui m'avait acheté le télescope et ils sont parvenus à un accord qui lui a permis de le récupérer.

Il fixa Sam d'un regard qui tranchait avec le caractère décousu de son discours.

– Nous entrons maintenant dans le vif du sujet. Si j'ai bien compris votre récit, jeune homme, vous êtes à la recherche d'un objet de grande valeur, pour votre famille davantage que pour vous-même. À en juger par votre état et votre vêture, sans parler de votre appétit… (Il eut un léger sourire.) Je pense que vous vous considérez comme banni. Peut-être que la restitution de cette icône à ses légitimes propriétaires représente pour vous une réintégration au sein de votre famille.

Sam sentit son échine se raidir. Ce vieux bonhomme y voyait trop clair.

Pappardelle hocha doucement la tête pour lui signifier qu'il percevait son ressentiment.

— Néanmoins, reprit-il, je me sens obligé de vous faire remarquer qu'aucun objet concret ne pourra vous apporter la rédemption que vous cherchez. Ces objets… (Il désigna d'un geste le bric-à-brac qui encombrait l'espace autour de lui.) ne sont que cela : des objets. Des choses. Les détritus de plusieurs vies. Ils peuvent être perdus, détruits, volés. Avec le temps, c'est jusqu'à leur existence qui sera effacée. Leur valeur est uniquement celle que vous êtes prêt à leur assigner.

Leurs regards se croisèrent, se rivèrent l'un à l'autre, et Pappardelle hocha la tête pour souligner son propos.

— L'homme sage se concentre sur la valeur qu'il peut accumuler en lui en pratiquant la règle d'or. Les idéaux n'ont pas la cote ces temps-ci, je le sais. C'est la conséquence naturelle d'une guerre longue et douloureuse. J'ai assisté à de semblables démonstrations de cynisme à l'issue de la grande guerre et dans le plus gros de la littérature produite par ses vétérans. Mais c'est votre âme qui doit vous préoccuper, jeune homme. Trouver cet objet ne vous fera pas avancer d'un pas sur le chemin qui est le vôtre. Est-ce que vous le comprenez ?

Sam avait rougi, blêmi puis rougi à nouveau.

— Je dois retrouver cette icône.

Il déglutit. Il avait tellement de raisons de réussir. Il se contenta de citer la moins douloureuse.

— Ne serait-ce que pour connaître la fin de l'histoire.

Pappardelle le scruta une nouvelle fois avec attention avant de hocher la tête en signe d'assentiment.

— Très bien. En matière d'esprit de décision, vous n'avez aucun besoin d'un complément d'éducation. (Il se pencha sur le registre.) J'ai aussi acheté plusieurs objets à un autre passager du *Baranof,* un jeune homme qui devait avoir l'âge qui est aujourd'hui le vôtre. (Il toisa Sam de la tête aux pieds.) Il était un peu plus grand que vous, mais il avait la même carrure et présentait avec vous une certaine ressemblance.

Sam sentit que sa nuque s'empourprait. Il se rappela une nouvelle fois la question de Hammett. Est-ce que tous les Écorcheurs s'en étaient aussi rendu compte? Et lui, pourquoi n'avait-il rien vu?

Pappardelle reprit sur un ton méditatif:

— Je garde un vif souvenir de lui, car il avait une grande variété d'objets à me proposer, mais aussi parce qu'il semblait particulièrement pressé de conclure.

— Il était en cavale, lâcha Sam.

— Ah. «En cavale.» (Pappardelle répéta cette expression comme s'il l'entendait pour la première fois.) Oui, ceci explique sans doute cela. Quoi qu'il en soit, ce monsieur…

— McCullough.

Pappardelle ne daigna même pas hausser un sourcil.

— Non. Non, il m'a dit se nommer monsieur Smith.

— C'est original.

— Il y a beaucoup de Smith en ce bas monde, déclara Pappardelle d'un air serein. Je ne vois pas pourquoi monsieur Herbert Smith n'aurait pas été l'un d'eux.

Il avait gardé son prénom, se dit Sam. C'était probablement plus facile quand quelqu'un l'appelait.

— Il vous a vendu l'icône?

— Oui.

— Vous souvenez-vous de son aspect?

— Certainement. C'est l'un des rares exemples d'iconographie russe que j'aie eus entre les mains. Et j'ai pris des notes, naturellement. (Il ajusta ses lunettes et lut à haute voix.) «Une icône russe, plus précisément une icône mariale, c'est-à-dire une représentation de la Vierge Marie. Un triptyque de trois panneaux de bois réunis par des charnières, d'une hauteur de vingt centimètres et d'une largeur totale de quarante-cinq centimètres. Les images sont des bas-reliefs en or montrant, primo, la Vierge et l'Enfant, secundo, Marie au pied de la Croix, et tertio, Marie lors de l'Ascension. Le cadre présente des joyaux incrustés grossièrement taillés et un filigrane d'or. La date figurant au dos est celle du 1er septembre 5508 av. J.-C., ce qui n'est pas la date de fabrication mais celle de la création du monde selon la doctrine de l'Église orthodoxe d'Orient. » Un fait des plus intéressants, mais qui ne nous aide guère pour ce qui est de la datation de l'objet.

Sam se fichait de l'âge de l'icône.

— Combien vous a-t-il soutiré ?

Pappardelle lui lança un regard lourd de reproche.

— Il ne m'a rien « soutiré », comme vous dites. Je lui ai donné deux cents dollars et j'étais ravi d'avoir l'icône à ce prix. C'était une pièce très rare. Je n'en ai plus jamais vu de pareille.

La révérence avec laquelle s'exprimait Pappardelle arracha Sam à ses amères réflexions.

— Si cette icône était si rare, et si vous affirmez ne pas être un receleur, pourquoi l'avez-vous achetée ? Vous saviez forcément que Mac l'avait volée.

Pappardelle soupira.

— Puisse mon arrogance m'être pardonnée, mais ce jour-là, je me suis considéré moi-même comme un moindre mal.

— Pardon ?

Nouveau soupir.

— Je n'étais pas le seul antiquaire sur les quais ce jour-là. Il s'y trouvait aussi un monsieur Armstrong, un gentleman dont les méthodes ne supportaient pas un examen trop poussé. Ce qui ne lui a pas longtemps profité, hélas ! L'un de ses clients a pris ombrage de…

Sam se souciait comme d'une guigne de monsieur Armstrong, ses clients et son ombrage, quoi que signifie ce mot.

— Vous l'avez revendue ?

— Au bout du compte, oui. Mais elle est restée plusieurs années en magasin. (Il sourit.) Cela me comblait, du reste, je le confesse. (Il fronça les sourcils.) Au risque de vous paraître un peu toqué, jeune homme, je puis vous dire que certains objets sont empreints d'une sensation de… disons : de vitalité. Je me rappelle un ensemble de deux ennangas, des harpes africaines, qui sont entrées un jour en ma possession : elles étaient en forme d'homme, les cordes figurant des jambes très longues et les clés de minuscules têtes hilares. Je souriais rien qu'en les regardant. On imaginait sans peine les artistes les sculptant dans le but de faire danser les gens grâce à elles.

Il eut un sourire plein de nostalgie.

— Et l'icône ?

— Ah ! l'icône. Il émanait d'elle une impression fort différente, une impression de… (Il hésita.) De spiritualité, quoique, je m'empresse de le dire, d'une spiritualité qui n'avait rien d'exigeant ni de comminatoire. Un sentiment d'espoir et de confiance. (Il eut un geste de la main, comme pour trancher quelque chose.) Peut-être qu'avec le temps, les objets comme celui-ci s'imprègnent des espoirs et des craintes de ceux qui les vénèrent. Qui pourrait le dire ? Cela semble fantastique, je sais. Mais de tels objets existent, je vous le dis.

Sam se pencha en avant.

— Qui l'a achetée ?

Pappardelle referma le registre et remit ses lunettes sur son front.

— Je vous donnerai son nom à condition que vous me garantissiez que vous l'aborderez de façon civilisée. (Son sourire adoucissait la fermeté de son propos.) Peut-être avais-je des doutes sur la provenance de cet article, mais je ne lui ai donné aucune raison de penser qu'il acquérait un bien volé. Il a acheté cette icône de bonne foi.

— Ouais, ouais, je vous promets de ne pas le brutaliser.

— Inutile de verser dans le sarcasme, jeune homme. Ce gentleman l'a achetée en 1937.

Pappardelle écrivit un nom sur un bout de papier qu'il tendit à Sam. Il hésita encore, comme s'il cherchait à se décider.

— J'ai encore une chose à vous dire et qui risque de vous intéresser.

— Laquelle?

Pappardelle prit un air solennel et un rien méfiant.

— Vous n'êtes pas le premier à venir vous enquérir de cet objet.

23

Ce soir-là au restaurant, Brendan descendit une bouteille de vin pendant qu'ils dégustaient une salade caprese au riz et un filet mignon au cambozola. Entre deux bouchées, il racontait à Kate ce qu'étaient devenus les gens qu'elle avait jadis côtoyés dans le cadre de son travail : qui s'était fait muter, promouvoir ou renvoyer, et qui avait été surpris en train de culbuter un collègue sur son bureau. Elle fut ravie d'apprendre que Steve Sayles avait pris sa retraite pour aller pêcher la truite dans l'Idaho.

– Au fait, je n'ai jamais eu le fin mot de l'histoire, dit Brendan.

– J'ai fait une déposition. L'enquête est close.

– Kate.

Elle haussa légèrement les épaules et contempla sa tasse de café d'après dîner.

– C'est lui qui est arrivé sur place le premier, vous le savez.

Brendan persista à ne rien dire et Kate vida sa tasse, pour en demander aussitôt une autre. Quand le serveur se fut éloigné, elle reprit :

– Je travaillais sur une affaire d'abus sexuel sur mineur parce que le procureur adjoint qui s'en occupait... Phillips ? Rafferty ? Non, c'était Klein... parce que Klein était mécontent du travail de son enquêteur. Jack voulait que je mette les points sur les *i* quand c'était nécessaire, de crainte que le juge ne démolisse le dossier pour cause de preuves douteuses.

Brendan eut un murmure encourageant.

Kate observa un instant la circulation sur la 5ᵉ Avenue au-dehors : voitures, pick-up et semi-remorques filant à vive allure, accélérant pour ne pas se faire coincer au feu rouge. Quelqu'un avait dit un jour qu'Anchorage devait se visiter à 50 km/h et la 5ᵉ Avenue était un microcosme de la ville : deux cent quatre-vingt mille citoyens toujours pressés. Mais où diable allaient-ils comme ça ?

Elle avait vécu presque six ans parmi eux, se consacrant tout entière à son travail jusqu'à ce qu'il lui devienne insupportable.

— J'ai téléphoné à certains témoins, j'ai vérifié leurs déclarations, j'ai revu les preuves matérielles avec le labo et puis je suis allé rendre visite au suspect. On lui avait retiré les gamins, bien sûr, et j'avais reparlé avec eux, mais Jack tenait à ce que je me fasse une opinion de première main. Il appréciait les impressions que je retirais de ces entretiens.

Elle fixa Brendan et vit que toute trace d'amusement avait disparu de ses yeux.

— Le problème, Brendan, c'est que ce salopard savait que j'allais débarquer. Je lui avais téléphoné. Il a dû sortir et attraper le premier gamin qu'il a croisé.

— Minute, fit Brendan. Vous n'êtes pas responsable de ce qui est arrivé à ce pauvre garçon, Kate.

— Ah bon ? Je l'entendais gémir depuis le palier. « Non, ne faites pas ça, s'il vous plaît, vous me faites mal. »

Elle s'abîma de nouveau dans la contemplation de sa tasse, la remuant pour bien mélanger la liqueur au café d'un noir d'encre.

— Je ne me rappelle pas avoir défoncé la porte, mais on la voit pendouillant à ses gonds sur la photo, alors c'est ce que j'ai dû faire. Il était face à moi, à moins de deux mètres, en train de violer le gamin. Il lui avait mis un couteau sous la gorge et il souriait de toutes ses dents.

Silence.

— Et ensuite ? souffla Brendan.

Puisqu'il avait posé la question, il aurait droit à toute la réponse.

Elle leva la main pour effleurer la balafre blanche sur sa gorge. Sa voix était plus rauque lorsqu'elle reprit la parole.

— Je lui ai disputé le couteau. Il a eu le temps de s'en servir avant que je le tue. (Elle leva sa tasse sans la porter à ses lèvres.) C'était un beau couteau, un de ces couteaux à viande hors de prix, avec une lame en acier inox affûtée et un manche de bois en marqueterie, tout brillant de vernis. Jamais je n'oublierai sa beauté.

Ils semblaient isolés de la salle dans une bulle de silence. Les serveurs allant et venant avec leurs plateaux, les clients riant et discutant, une cuillère raclant le fond d'une assiette... Aucun bruit n'atteignait leur table.

— Vous savez ce qui m'a surtout marquée ? reprit-elle, d'une voix toujours aussi détachée. La facilité avec laquelle la lame l'a pénétré. Elle est rentrée toute seule, là, sous les côtes, pour plonger dans le cœur. J'observais son visage. Vous n'avez jamais vu quelqu'un mourir, Brendan ? C'est une sortie, un départ, je ne sais pas, comme si son âme n'était plus là.

— Ça ne fait pas partie de mon job. Dieu merci.

— C'était frustrant pour moi, dit-elle à son café. C'était trop facile. J'avais envie de lui arracher le cœur pour l'offrir à Corbeau.

Elle regarda Brendan droit dans les yeux.

— Puis j'ai levé la tête et j'ai vu le gamin. Quatre ans. Il s'était blotti dans un coin. Il avait réussi à remonter son jean, mais il était trop terrorisé pour pleurer ou pour s'enfuir. Il venait de se faire kidnapper puis violer, il venait d'assister à un massacre et il y avait du sang partout. Le mien ou celui de cet enfoiré, je ne sais pas. J'ai tendu la main vers lui avant de tomber dans les pommes et il s'est mis à hurler. (Un temps.) Ça non plus, je ne l'oublierai jamais.

Elle but une gorgée de café.

— Je me suis réveillée le lendemain à l'hôpital, où j'ai appris que Sayles était le premier flic sur place et qu'il se défonçait pour me faire accuser de meurtre avec préméditation. Soi-disant que j'étais arrivée avec de mauvaises intentions.

— Je m'en souviens, dit Brendan.

— L'affaire a été classée au bout d'un temps. (Elle eut un sourire en coin.) Et peu après, je me suis cassée.

Sous la table, le poids de Mutt sur sa jambe lui était réconfortant.

— Si l'affaire a été classée, dit Brendan, c'est parce que Jack Morgan a explosé la gueule à cette enflure.

— Quoi ? (Arrachée à sa songerie, Kate braqua ses yeux sur lui.) Je ne le savais pas.

— Très peu de gens l'ont su. Je ne me serais aperçu de rien si je n'avais pas vu Jack le lendemain du jour où c'est arrivé. Sayles ne s'était pas laissé faire sans résister. J'ai coincé Jack dans un bureau et je l'ai cuisiné. Sayles fréquentait le *Pioneer Bar*. Jack l'y a attendu trois soirs de suite jusqu'à ce qu'il s'y pointe seul, et il l'a surpris dans le parking alors qu'il regagnait sa voiture.

Kate posa la main sur la tête de Mutt et la gratta machinalement derrière les oreilles.

— Je n'arrive pas à le croire. Jack n'était pas un bagarreur.

— Vous n'étiez pas censée le savoir, dit Brendan d'un air jovial. Je suis allé voir Sayles à l'hôpital.

— Parce qu'il a envoyé Sayles à l'hosto ? s'exclama Kate.

Large sourire de Brendan.

— Il était en piteux état, vous pouvez me croire. Deux ou trois côtes cassées et une fracture de la clavicule, si je me souviens bien. Et des coquards encore plus beaux que les vôtres.

— Vous auriez dû les voir il y a huit jours. Et il n'a pas essayé de charger Jack ?

Brendan tenta de prendre l'air modeste, y échouant lamentablement.

— J'ai dit un mot à son supérieur.

La bouche de Kate s'élargit encore.

— Allez-y, riez un bon coup, lui dit-il, je sais que vous en mourez d'envie.

Et elle éclata de rire, rejetant la tête en arrière pour partir d'un grondement rauque qui fit dresser les cheveux sur la nuque à tous les hommes présents dans la salle. Sous la table, elle sentit Mutt se détendre. Elle se tourna vers Brendan.

— Merci.

Et Brendan McCord s'efforça de ne pas rougir, tout fier parce que Kate Shugak venait de reconnaître sa valeur.

Le portable de Kate sonna à neuf heures le lendemain matin et elle décrocha sans vérifier qui l'appelait.

— Allô, Jim?

— Euh… vous êtes bien Kate Shugak?

Jim ne l'avait pas appelée la veille et, lorsqu'elle avait tenté de le joindre, elle était encore tombée sur sa boîte vocale.

— Oui, dit-elle, faisant montre d'une patience qui aurait mérité un public à sa mesure. Qui est à l'appareil?

— Lazary. Lazary Kuznetsov.

Il lui fallut quelques instants pour se rappeler l'assistant bibliothécaire vieux-croyant du musée.

— Oui, Lazary, bien sûr. (Elle alla jusqu'à la cuisine et alluma la bouilloire électrique.) Que puis-je faire pour vous?

— Je n'ai pas voulu en parler hier au cas où ça n'aurait pas pu se faire, mais mon grand-oncle est… ou plutôt était prêtre. De l'Église orthodoxe russe.

— Était? Il est mort?

— Non, seulement à la retraite.

— Et…

Kate mit du café dans un filtre à tasse qu'elle fixa sur un mug proclamant : « Vitesse limitée à 300 000 km/s. Ce n'est pas seulement une bonne idée. C'EST LA LOI!» Jack Morgan était un cinglé d'astronomie, passion qu'il avait transmise à son fils.

– Et l'iconographie fait partie de ses hobbies.

– Ah bon. (La bouilloire siffla et Kate versa de l'eau chaude dans le filtre.) Il vit à Anchorage ?

– Oui.

– Accepterait-il de me parler ?

En oubliant que je suis une mécréante, et une femme qui plus est.

– C'est ce qu'il m'a dit. (Lazary hésita.) Il est très vieux, madame Shugak, et il n'a plus toute sa tête. Je ne sais pas s'il pourra vous aider. Mais il fut un temps où il savait tout ce qu'il y avait à savoir sur les icônes.

Il lui donna une adresse et précisa qu'Oncle Vladik était en meilleure forme le matin que l'après-midi. Elle consulta la pendule et dit :

– Faites-lui savoir que je serai là dans une heure. Et, Lazary ? Merci.

C'était une maison de retraite pour vieux gentlemen dont tous les résidents portaient le pantalon ramené sous les aisselles. Elle était dirigée par un redoutable dragon coiffé d'un casque de cheveux blond platine, qui examina le permis de conduire de Kate avec un soin méticuleux avant de l'autoriser à entrer, ainsi que Mutt, leur enjoignant d'une voix ferme de ne pas fatiguer le bon père. Mutt était l'image même de la docilité et Kate n'avait pas envie de la ramener.

Les lieux étaient agréables, lumineux et désinfectés avec un tel enthousiasme qu'ils embaumaient l'antiseptique. Le dragon les conduisit dans un solarium donnant sur l'arrière-jardin, meublé d'un canapé et de fauteuils en osier recouverts de coussins en tissu floral un peu fané. On avait vue sur des arbres, des buissons, un terrain de fer à cheval et une pelouse dévolue au croquet. Près de la clôture, on avait aplani la terre pour aménager un boulodrome.

– Voici vos visiteurs, père Vladik, dit le dragon d'un ton où perçait une nette réprobation.

Puis elle les laissa, mais Kate la soupçonnait de s'être postée derrière la porte, prête à bondir si elle faisait mine de harceler son pensionnaire.

Le père Vladik lui adressa un sourire malicieux.

– Si nous ne sommes pas sages, elle fera frire nos foies pour dîner.

Kate s'esclaffa et il lui fit signe de s'asseoir.

– Je m'appelle Kate Shugak, dit-elle.

Il hocha la tête, les yeux fixés sur Mutt. Kate fit un geste discret et Mutt s'avança d'un air grave pour que le père Vladik puisse la caresser de sa main frêle et tavelée.

– Lazary m'a prévenu de votre visite. Il m'a dit que vous cherchiez des informations sur les icônes.

Kate ne pensait pas avoir jamais rencontré quelqu'un d'aussi vieux, ou du moins qui fasse aussi vieux. Sa peau lui pendait aux os comme une couche de coton mouillé et ses yeux, profondément enfoncés dans leurs orbites, étaient enveloppés de ridules. Il était assis dans un fauteuil roulant, stratégiquement placé pour capter le soleil au maximum, et vêtu d'une chemise blanche fermée jusqu'au dernier bouton et d'un pantalon de polyester marron. On lui avait posé une couverture sur les jambes, mais il l'avait écartée pour la plier sur un accoudoir. Ses ongles étaient soigneusement coupés et limés, ses rares cheveux blancs plaqués sur son crâne, et sa barbe évanescente, blanche comme neige, si elle poussait librement et lui cachait le torse, n'en était pas moins d'une propreté irréprochable.

Néanmoins, Kate avait l'impression que le père Vladik et les autres pensionnaires avaient beaucoup de chance. En voyant ses yeux pétiller, elle comprit qu'il savait ce qu'elle pensait et pensait la même chose.

– Que puis-je faire pour vous, madame Shugak ?

Il écouta son récit sans l'interrompre.

– Une icône disparue, dit-il d'un air pensif lorsqu'elle eut fini. Un mystère, donc.

– Oui.

– Et même une chasse au trésor, dit-il, malicieux.

Elle se surprit à rire.

– On peut le voir comme ça, je suppose.

– Eh bien, naturellement, les icônes ont disparu depuis que les icônes sont apparues.

Kate refoula l'envie de demander à ce vénérable gentleman s'il employait le verbe apparaître au sens ordinaire ou au sens religieux.

– Comprenez-vous ce qu'est une icône ? demanda-t-il.

Devinant qu'elle avait affaire à un authentique passionné, elle se prépara à un long exposé et afficha une mine curieuse, prête à lâcher des « Vraiment ? » et des « Ça alors ! » à intervalles réguliers.

Le père Vladik était en effet une autorité : non content de confirmer toutes les informations qu'elle avait collectées la veille, il les enrichit d'aperçus dogmatiques et d'un soupçon d'intérêt humain. Il lui posa aussi plusieurs questions, auxquelles elle était le plus souvent dans l'incapacité de répondre.

– Sur la première image de votre icône, est-ce que la Vierge pointait le doigt sur l'Enfant ?

– Je ne sais pas, répondit Kate, pour la septième ou huitième fois, une phrase que le père Vladik ne semblait pas se lasser d'entendre.

– Peut-être que la main de la Vierge était posée sur le genou droit du Christ ? Vous l'ignorez ? (Le père Vladik parut soupirer.) Si je n'ai pas ces précisions, je ne peux pas vous dire si l'icône était grecque ou russe. Les icônes grecques, dit-on, sont inspirées par des copies d'un portrait de la Vierge de la main de saint Luc.

– L'icône consistait en trois panneaux attachés ensemble.

– Un triptyque. Oui, je vois.

– Avez-vous entendu parler d'un triptyque qui aurait été apporté en Alaska par les premiers Russes ?

Il fronça les sourcils.

– Eh bien, il y a la légende de Notre-Dame de Kodiak.

Kate se redressa.

– Notre-Dame de Kodiak ?

Selon le père Vladik, il s'agissait d'une icône révélée à saint Juvenaly[28], martyrisé en 1796 alors qu'il prêchait la foi orthodoxe aux incroyants.

– Il était né à Ekaterinbourg et avait suivi l'archimandrite Joseph[29] à Kodiak en 1794. (Il marqua une pause pour s'éclaircir la voix.) Les conditions qu'ils trouvèrent sur place étaient peu conformes à leurs attentes. Mais n'est-ce pas toujours le cas ?

Kate, savourant cette touche de réalisme dans une histoire de missionnaires, n'en apprécia que davantage le vieux prêtre.

La colonie de l'île Kodiak était violente et primitive, privée d'église par-dessus le marché, mais, en l'espace de deux ans, les missionnaires convertirent douze mille personnes. Juvenaly décida alors d'aller évangéliser l'Alaska.

– Et, malheureusement, plus personne ne le revit jamais.

– Que lui était-il arrivé ?

– Nul ne le sait. D'après l'histoire orale des Natifs, un chaman l'aurait tué. (Le père Vladik poussa un soupir.) Le zèle est indispensable à qui se sent la vocation de missionnaire, mais c'est aussi la principale cause de l'échec d'une mission. Quand on apporte la bonne parole aux païens, il faut avant tout faire preuve de délicatesse.

Il s'abîma dans une rêverie, probablement inspirée par sa propre expérience de missionnaire.

– Et le triptyque ? souffla Kate.

Le père Vladik se ressaisit.

– Juvenaly l'avait emporté avec lui, bien sûr. À en croire la tradition, l'icône servait de support au service religieux en attendant l'édification d'une église. On rapporte que des miracles se sont produits en sa présence, des guérisons prodigieuses : des aveugles qui voient, des sourds qui entendent, une femme stérile

---

28. Saint Juvenaly d'Alaska, né Jacob Govouchkin (1761-1796).
29. Joseph Bolotov (1761-1799), ordonné évêque de Kodiak peu avant sa mort.

qui devient mère, un enfant paralytique qui marche à nouveau. C'est alors qu'on l'a appelée Notre-Dame de Kodiak.

Kate était tentée de lui demander si elle avait ramené quelqu'un d'entre les morts, mais elle s'en abstint. Old Sam n'aurait pas aimé qu'elle se moque de ce bon prêtre, même gentiment, et, d'une certaine façon, elle était ici au service d'Old Sam.

– Qu'est-ce qu'elle est devenue ?

Une épaule se leva et retomba doucement. Il regarda vers le lointain, avec des yeux qui commençaient à se mouiller.

– Certains disent que Baranov, le chef de la colonie, était jaloux de l'autorité de l'Église et l'a volée dans l'espoir de saper notre influence. D'autres affirment que saint Juvenaly l'a emportée avec lui sur le continent.

Soudain, il lui jeta un regard réprobateur.

– Où est votre voile, jeune femme ?

– Je vous demande pardon ?

– Votre voile, répéta-t-il d'une voix irritée. Comment puis-je baptiser votre enfant si vous ne manifestez aucun respect envers votre Église et votre Dieu ?

– Je...

Le dragon se matérialisa sur le seuil.

– C'est bientôt l'heure du déjeuner, mon père. Puis-je vous conduire au restaurant ?

Kate entendit des bruits étouffés en provenance de diverses parties du bâtiment.

– J'aimerais que vous arrêtiez de m'embêter avec Notre-Dame, dit le père Vladik d'un air contrarié. Elle a disparu. Elle est partie avec le saint dans les terres désolées. Pour préparer la voie au Seigneur, qu'il n'ait à suivre qu'un droit chemin !

Kate se figea alors qu'elle se levait.

– Je ne suis pas la première à vous poser des questions sur Notre-Dame de Kodiak ?

– Ô mes frères, vénérons le Seigneur, prosternons-nous devant le fils de Dieu !

– Mon père…

– Ce sera tout, madame Shugak, dit le dragon.

Kate suivit gardienne et pensionnaire dans la salle de restaurant et attendit que le dragon ait placé le père Vladik à la table où l'attendait son déjeuner. Il avait entonné une sorte de chant grégorien, sans doute issu de la liturgie de l'Église orthodoxe russe.

– Voilà, fit le dragon en lui tapotant l'épaule. Bon appétit, mon père.

Elle leva les yeux, aperçut Kate sur le seuil et se dirigea vers elle d'un pas autoritaire.

– Oui? fit-elle, s'attendant visiblement à ce que Kate succombe à la seule force de sa personnalité.

Ce qui faillit se produire, mais Kate rassembla son courage et prit la parole.

– Est-ce que le père Vladik a eu d'autres visiteurs ces derniers temps?

– Aucun des pensionnaires ne reçoit beaucoup de visiteurs, mais quand ils en reçoivent, cela relève de leur vie privée.

– S'il vous plaît. Cette information n'est pas vraiment confidentielle et elle me serait très utile.

Poussant un soupir d'impatience, le dragon condescendit à répondre :

– La semaine dernière, un gentleman est venu demander un entretien au père Vladik.

– Quel jour précisément?

– Je crois que c'était vendredi.

– Sur quoi portait cet entretien?

Le dragon se cabra.

– Je n'ai pas pour habitude d'écouter aux portes quand mes pensionnaires reçoivent un visiteur, madame Shugak.

– Bien sûr que non, dit Kate de sa voix la plus apaisante, mais vous avez pu entendre sans le vouloir quelque chose qui vous a donné une idée sur la teneur de leur conversation.

Voyant s'embraser l'œil du dragon, elle s'empressa d'ajouter :

— Si j'insiste comme je le fais, c'est parce que c'est très important pour ma tribu.

— Ah. (Silence prolongé.) J'aurais dû faire partie de l'association chugach.

— Ah, répéta Kate, qui venait de comprendre. Quelle est votre portion ?

— Un huitième. Ma grand-mère maternelle était à moitié eyak.

— Vous êtes de Cordova.

— Ma mère l'était, conclut le dragon, qui retourna dans la salle de restaurant.

Le ressentiment qu'éprouvaient les laissés-pour-compte de l'*Alaska Native Claims Settlement Act* venait une nouvelle fois d'étouffer dans l'œuf une enquête prometteuse, songea Kate avec amertume.

Mutt et elle étaient sur le point de sortir lorsque la voix du dragon résonna derrière elle, et elle se retourna pour la découvrir plantée dans le vestibule.

— Je crois qu'il était question d'une dame.

— Notre-Dame de Kodiak ?

— Peut-être. Je n'en suis pas sûre. Comme je vous l'ai dit, je n'écoute pas aux portes.

Kate rebroussa chemin et se planta devant le dragon.

— Mon nom est Ekaterina Ivana Shugak. Quel est le vôtre ?

— Marilyn Barnes.

— Barnes, répéta Kate. Le nom de jeune fille de ma grand-mère paternelle était Barnes, et elle venait de Cordova. Nous sommes sans doute cousines.

Deux cousines, la première avec le statut de sociétaire, et les revenus fonciers qui allaient avec, la seconde sans. Elle ne regarda pas Barnes droit dans les yeux, cela aurait été grossier. Mais elle inclina la tête et dit à voix basse :

— Je vous vois, Marilyn Barnes.

Le dragon hésita.

– Je vous vois, Ekaterina Ivana Shugak.

Elles ne se firent pas la révérence. Mais c'était tout comme.

Kate resta un moment assise au volant avant de démarrer.

Notre-Dame de Kodiak, une icône russe réputée pour faire des miracles, disparaît en 1796, sans doute sur le continent, avec le missionnaire qui l'avait apportée en Alaska. Mais peut-être pas.

Alexander Baranov avait fait de Sitka la capitale de l'Amérique russe en 1799, l'année où il avait pris la tête de la Compagnie russe d'Amérique. En 1802, les Tlingits rejetaient les Russes à la mer. En 1804, Baranov revenait avec un navire de guerre. Ainsi était née la ville de Novo-Arkhangelsk, devenue par la suite Sitka. S'il avait volé l'icône à saint Juvenaly, il l'aurait sûrement rapportée à Sitka.

Mais les Tlingits avaient envahi la colonie de Baranov en 1802, s'emparant sans nul doute de tout ce qu'ils y avaient trouvé : un trésor de guerre.

Et si l'icône faisait partie de ce trésor ?

Elle fit appel à ses notions d'histoire. Les Tlingits avaient créé une route commerciale passant par le col du Chilkoot, apportant dans l'intérieur des terres des coques de dentales, des paniers de cèdre et de l'huile de poisson, et rapportant sur la côte des peaux d'élan et de caribou ainsi que du minerai de cuivre.

Les Tlingits, pensa-t-elle, et elle sursauta si soudainement que Mutt l'imita.

Chez les Tlingits, la coutume voulait que le fils d'un chef épouse la fille d'un chef athabascan, afin de cimenter des alliances entre tribus, de protéger les routes commerciales et d'assurer la paix.

Kookesh. Un nom typique du Sud-est, ni de l'Intérieur, ni des Aléoutiennes.

Et quoi de plus naturel pour un futur époux que d'apporter un artefact prodigieux en guise de cadeau de mariage ?

Voyons les choses d'une autre façon. Si Lev Kookesh était le chef de la tribu de Niniltna, ce n'était pas par sa naissance. L'icône était peut-être le prix payé par sa tribu pour le voir couronner.

« J'aimerais que vous arrêtiez de m'embêter avec Notre-Dame. »

Une semaine plus tôt, quelqu'un était déjà venu poser des questions sur Notre-Dame de Kodiak.

L'ennemi avait donc une semaine d'avance sur elle.

Elle démarra et s'engagea dans la circulation.

Ce ne fut qu'au sixième carrefour qu'elle repéra la filature.

24

C'était un SUV bleu marine aux vitres teintées, dont la plaque d'immatriculation brillait par son absence.

– Il risque de prendre une amende, dit-elle à Mutt en observant son suiveur dans le rétroviseur d'une façon qu'elle espérait discrète.

Le SUV s'était placé derrière elle au feu rouge, au croisement de Lake Otis Parkway et de la 20e Avenue, pour tourner à gauche comme elle. Il avait pris ses distances lorsqu'elle avait changé de file après avoir traversé Northern Lights Boulevard, doublant une voiture après le feu de la 36e Avenue, et, à présent qu'ils arrivaient à Tudor Road, il la serrait de près.

– Ce n'est pas un pro, dit-elle.

L'oreille de Mutt frémit.

Kate roulait dans la deuxième voie de droite, séparée du feu par huit véhicules. Lorsque la Cadillac Seville rose qui se trouvait à sa droite cala soudain, elle en profita pour changer de voie, actionner son clignotant et accélérer. Elle tourna juste au moment où le feu passait au rouge, fonça dans Tudor Road jusqu'à l'entrée du parking du centre commercial, négocia le ralentisseur sans perdre de vitesse ni partir en orbite et repartit à droite, en direction de la sortie donnant sur Lake Otis Parkway, où elle regarda discrètement où en étaient les choses.

Le SUV bleu marine se préparait lui aussi à tourner à droite, derrière la Cadillac Seville rose que Kate avait doublée. Celle-ci était pilotée par une femme aux cheveux ébouriffés, avec un bracelet de brillants passé au poignet droit qui émettait des flashs à mesure qu'elle tapotait sur son volant au rythme d'une chanson de Van Halen. Elle était pendue à son portable. Les vibrations des basses se transmettaient jusqu'à la Subaru. Le feu était au rouge, mais elle guettait les voitures sur sa gauche en quête d'une fenêtre de tir.

Kate se tourna vers la gauche et ordonna mentalement au conducteur d'une Bronco blanche toute proche de la regarder avant le que le feu passe au vert. Lui aussi était pendu à son portable. Elle abaissa sa vitre.

– Hé ! Hé, monsieur !

Il leva les yeux pour les poser sur elle. Elle le gratifia de son sourire le plus éblouissant et avança de quelques centimètres en direction de la chaussée.

Il répondit par une grimace et se rapprocha de l'antique Buick Skylark à l'arrêt devant lui, frôlant son pare-chocs avec le sien.

Le feu passa au vert. La Cadillac Seville rose commença à tourner, le SUV derrière elle à faire gronder son moteur.

Elle se retourna vers le conducteur de la Bronco, qui la fixait avec un rictus de dédain. Il parlait toujours au téléphone. Bon sang, cinquante pour cent des chauffeurs à ce carrefour étaient accros à leur portable.

Kate attrapa l'ourlet de son tee-shirt et le remonta jusqu'à sa gorge, sans prendre la peine de sourire cette fois.

Le rictus s'effaça. Le portable tomba et le pied de celui qui le tenait glissa sur la pédale. La Bronco cala. Dans la file voisine, un vieux bonhomme au volant d'un camion n'avait rien perdu de la scène, et il en pleurait de rire. Elle lui lança son sourire breveté en rabaissant son tee-shirt et en s'insérant derrière la Skylark, qui roulait doucement vers le feu. Elle s'engagea dans Tudor Road pile au moment où le feu repassait au rouge, six voitures derrière le SUV.

Elle garda la même distance jusqu'à Minnesota Drive, où ils obliquèrent à droite. Puis ils tournèrent à droite dans Benson Boulevard et, quelques rues avant C Street, le SUV s'engagea dans le parking d'un grand immeuble de bureaux frappé aux armes de la Last Frontier Bank of Alaska. Il occupait tout le pâté de maisons entre Benson Boulevard et Northern Lights Boulevard.

Kate en fit le tour pour entrer dans le parking par l'autre côté. Le SUV s'était garé devant l'entrée principale de l'immeuble, sur un emplacement réservé aux handicapés, et, pour ce qu'elle pouvait distinguer de l'habitacle, il n'y avait plus personne à bord.

Elle se gara non loin de là, attrapa son portable et composa un numéro.

– Salut, Agrifina, c'est Kate Shugak. Kurt est là ?

– Un instant, je vous prie, madame Shugak.

Un déclic, deux déclics, et la voix de Kurt.

– Kate ! Vous êtes déjà de retour ?

– Oui, Kurt, pouvez-vous faire enlever un véhicule pour moi ? Tout de suite ?

Silence surpris.

– Euh…

– Je vous expliquerai plus tard, mais c'est en rapport avec Old Sam.

Traduction : une affaire de famille.

– Je m'en occupe.

– Je ne veux pas que ça apparaisse comme une manœuvre hostile, donc je vais appeler la police municipale et leur dire que ce véhicule est garé sur un emplacement handicapé, si bien que lorsque le propriétaire se manifestera, la plainte aura été enregistrée. Quand il verra qu'il ne peut pas le récupérer tout de suite, il se dira que la mairie ne sait plus dans quelle fourrière elle l'a envoyé.

– Parce qu'il est garé sur un emplacement handicapé ?

— Sur deux emplacements contigus, en fait, et il n'a pas de macaron.

— J'ai horreur des sans-gêne comme ça.

— Vous avez un coin tranquille où l'entreposer ? Je veux le fouiller.

— Bien sûr. Accordez-moi un quart d'heure, et ensuite passez votre coup de fil.

— J'adore que les gens se mettent en quatre pour moi, dit-elle à Mutt.

Elle attendit un quart d'heure. Le SUV ne bougea pas. Elle consulta l'annuaire d'Anchorage dans le vide-poches et composa un autre numéro.

— Bonjour, je m'appelle Rita, déclara-t-elle, imprimant à sa voix le mélange idéal d'indignation vertueuse et d'activisme citoyen. Je suis à la banque et il y a un SUV sans macaron garé dans la zone réservée aux handicapés. Et il occupe deux places, en plus. Deux places ! Normalement, je ne vous aurais pas dérangés pour cela, je sais que ça arrive tout le temps, les gens sont tellement égoïstes… (Sa voix devint tremblante.) Mais un vieux monsieur vient juste de déposer sa femme, elle se déplace en déambulateur et elle a été obligée de prendre l'escalier parce que ce SUV bloque l'accès à la rampe. Quand même ! Si quelqu'un mérite la fourrière, c'est bien lui !

Elle donna l'adresse du bâtiment, la marque du véhicule, le numéro de sa plaque arrière, omit de donner un nom de famille (elle avait pensé à « Lovely Rita, Meter Maid », la chanson des Beatles) et raccrocha.

Cinq minutes plus tard arriva un camion de dépannage. À son bord se trouvaient deux bonshommes en chemise à carreaux et salopette qui n'étaient plus de la première jeunesse. En moins de cinq minutes, ils étaient repartis avec le SUV. Les flics ne s'étaient même pas montrés.

Kate dut attendre une demi-heure pour voir ressortir le propriétaire du SUV.

Il boitillait, ça crevait les yeux.

Il n'était plus qu'à trois pas de sa destination lorsqu'il s'aperçut que son SUV s'était évaporé. Il réagit comme l'aurait fait n'importe qui dans la même situation. Il parcourut le parking du regard au cas où il aurait oublié où il avait laissé sa bagnole. Non. Elle avait vraiment disparu. Il lâcha une bordée de jurons, plutôt carabinés à en juger par les réactions des deux vieilles dames qui venaient de sortir derrière lui, et attrapa son portable.

– Tu crois que tu y as déjà goûté ? demanda-t-elle à Mutt.

Celle-ci se lécha les babines.

C'était l'homme à la cagoule, elle en était sûre, non seulement parce qu'il boitait mais aussi parce que sa façon de bouger ne lui était pas inconnue. Le combat à mains nues, ça vous familiarise avec l'adversaire.

Mais ce n'était pas tout. Comme pour lui faire plaisir, il resta immobile assez longtemps pour que Kate fouille sa mémoire.

– Merde alors, fit-elle. C'est Bruce Abbott.

Bruce Abbott, auxiliaire vénal de toute organisation politique ayant besoin de ses services. Aux dernières nouvelles, homme à tout faire de l'ancien gouverneur. Deux ans plus tôt, ce type avait tenté de lui graisser la patte pour qu'elle renonce à une enquête.

Et voilà qu'il la suivait maintenant, d'abord en motoneige dans le Parc et ensuite en SUV à Anchorage. Mais il n'agissait pas pour son compte, non, elle n'y croyait pas une seconde. Les cancrelats du style de Bruce Abbott n'étaient que les laquais des riches et des puissants.

Et c'était pour cela qu'elle avait triomphé de lui dans la cabane. Les minables comme Bruce Abbott veillent le plus souvent à ne pas se salir les mains. Ils craignent trop les citations à comparaître, les procureurs fédéraux et les années de taule.

Sans parler de la baisse de revenus. Du coup, la question se posait : pourquoi Bruce Abbott, spécialiste reconnu des coups en douce, de l'insinuation et de la finesse, était-il passé à l'action directe ?

Il retourna à la banque sans lâcher son portable.

Celui de Kate sonna. C'était Kurt.

– C'est fait, dit-il.

– Oui, je sais, je les ai vus à l'œuvre. Des artistes dans leur genre. Kurt, vous avez des nouvelles de Bruce Abbott ?

– Abbott ? Le garçon de courses de l'ex-gouverneur ?

– Ouais.

Il marqua un silence, comme s'il réfléchissait.

– Pas grand-chose ces derniers temps. Vous voulez que je me renseigne ?

– S'il vous plaît, mais sans vous faire remarquer.

Il parut froissé.

– Pourquoi, j'en ai l'habitude ?

Elle raccrocha et démarra. Comme elle s'engageait dans Benson Boulevard, une seconde dépanneuse arriva.

Elle roula jusqu'à un garage d'Old Seward Highway, un gigantesque hangar flanqué d'un parking de huit places et occupant presque toute la superficie d'un terrain clos. Les aulnes, qui profitaient du moindre bout de terre pour pousser, avaient lâché leurs feuilles mortes sur les capots, les pare-brise et les pavés.

Glissant sa Subaru entre la clôture et le mur du hangar, elle se fit l'impression d'être un bouchon éjecté de sa bouteille lorsqu'elle entra dans l'arrière-cour. Le SUV était parqué dans un coin et les deux pseudo-dépanneurs se tenaient près de lui, affichant un air sournois qu'ils maîtrisaient à la perfection. Elle se gara et descendit.

– Tom, Ray, comment ça va ?

– Salut, Kate, dit Tom, et Ray répondit par un grognement inarticulé.

– Des problèmes ?

– Non, fit Tom, et Ray la regarda comme si ce mot lui était inconnu.

Les usages ayant été respectés, ils regagnèrent leur atelier, Mutt sur les talons. Elle était déjà venue là et connaissait bien le placard à gourmandises sous la cafetière.

Au Parc ou en ville, Mutt n'avait pas son pareil pour trouver de quoi se nourrir.

On en apprend beaucoup sur quelqu'un en fouillant son véhicule personnel. Kate se mit au travail.

Une demi-heure plus tard, elle avait fini et s'essuyait les mains.

Le SUV était vieux de trois ans et affichait plus de 110 000 km au compteur. À en croire le carnet d'entretien rangé dans la boîte à gants, Abbott l'avait acheté au concessionnaire d'Anchorage, et le certificat d'immatriculation glissé à l'arrière du pare-soleil ne portait aucun tampon d'organisme de crédit : soit il avait fini de rembourser celui-ci, soit il avait payé cash.

Toutefois, la vignette autocollante du pare-brise signalait qu'il avait plus de huit mille kilomètres de retard sur son contrôle technique et ses quatre pneus étaient usés jusqu'à la trame. Le pare-brise était orné d'une fêlure qui naissait juste au-dessus du volant – comme c'est presque toujours le cas – pour s'achever sur le joint en caoutchouc côté passager.

Ça faisait un bail qu'on n'avait pas nettoyé l'habitacle. Le tableau de bord était couvert de poussière, les sièges maculés de taches de café et le sol jonché d'emballages provenant de McDonald's et de Taco Bell.

Abbott était en fonds quand il avait acheté cette voiture. Il ne l'avait pas remplacée, alors qu'on est tenu de changer de tire tous les ans si on veut être pris au sérieux par les décideurs.

Conclusion : il n'était pas en fonds ces temps-ci.

À part ça, elle avait fait deux trouvailles intéressantes. La première était un dossier posé sur le siège passager, avec écrit sur l'étiquette : « Shugak, Ekaterina Ivana ».

La seconde, beaucoup plus importante : une note abandonnée dans le vide-poches.

Kate parcourut le dossier à son nom. On avait mal orthographié le prénom de sa grand-mère, raccourci d'un an la durée de son séjour à Anchorage, omis de préciser que Johnny était son pupille et oublié la moitié des enquêtes qu'elle avait effectuées une fois passée dans le privé. La seule que l'auteur de cette prose semblait connaître à fond, c'était l'affaire Muravieff, qui remontait à deux ans.

Kurt Pletnikof aurait qualifié ce travail de lamentable. Elle referma le dossier et le remit là où elle l'avait trouvé. Mais elle conserva la note.

Puis elle se dirigea vers l'atelier et passa la tête à l'intérieur. Ray avait disparu sous un vénérable pick-up International vert foncé, ne laissant dépasser que ses pieds. Tom était penché sur le moteur d'une Mercedes-Benz 450 SL, ne laissant dépasser que son cul, lequel était plutôt impressionnant.

– Les gars ?

Ray sortit de sous son châssis, Tom de sous son capot et Mutt de leur bureau.

Kate désigna le SUV d'un signe de tête.

– Est-ce que vous pouvez introduire cette bagnole dans la fourrière municipale sans que personne s'en rende compte ? Je veux qu'on croie que c'est la municipalité qui l'a fait enlever mais que la paperasse s'est perdue.

Tom et Ray communièrent en silence pendant quelques instants. Ray opina. Tom aussi.

– On devrait pouvoir, dit-il.

– Excellent, fit Kate.

Un peu d'argent changea de main et on se dit au revoir dans la plus franche cordialité.

Une fois repartie, aux côtés d'une Mutt qui embaumait le bœuf séché, Kate se demanda quand Abbott retrouverait son SUV et ce qu'il penserait de sa mésaventure. Il était en stationnement illicite, après tout, et il occupait même deux places réservées aux handicapés, ce qui avait pu inciter un citoyen furieux à prévenir la police. Il n'y avait aucune raison pour qu'il déduise que Kate l'avait repéré. Par ailleurs, c'était un homme blanc et un immigré, qui ne sortirait jamais de son statut de *cheechako* même au bout de plusieurs dizaines d'années, et son adversaire était une Native mesurant un mètre cinquante. Sans compter qu'elle avait refusé une sinécure d'État, avec des avantages qui auraient fait l'envie d'un sénateur. Non, jamais Abbott ne considérerait Kate Shugak comme une menace.

Naguère auxiliaire du gouverneur, lobbyiste et as du trafic d'influence, il était retombé au niveau d'homme de main. Et pas très doué, en plus. Excepté une paire de coquards, le bilan de son coup de bûche se réduisait à celui d'un banal cambriolage, qui ne lui avait rien rapporté vu qu'il persistait à harceler sa victime. Elle se demanda où il avait planqué son attirail, qui semblait de bonne qualité. Il l'avait forcément emprunté à quelqu'un. Le second tireur, peut-être?

La mort de Jane, c'était davantage dans ses cordes. Il était entré chez elle par effraction, elle était revenue et l'avait surpris, et lui, pris de panique, l'avait bousculée un peu trop fort en prenant la fuite. Pas de chance pour lui, Jane s'était brisé le crâne en tombant.

Pas de chance pour Jane, surtout.

Il devait être seul ce jour-là. Un complice aurait fait le guet et tous deux se seraient carapatés dès que Jane aurait garé sa voiture.

Mais il savait à quel endroit de la route se poster pour envoyer Kate dans le décor. Elle fouilla dans ses souvenirs pour déterminer si, oui ou non, elle l'avait jamais aperçu dans le Parc. Avec Pete Heiman lors d'une de ses campagnes, peut-être? Avait-il jamais travaillé pour Anne Gordaoff?

Dans la cabane, pas un instant elle n'avait cru qu'il allait la descendre, et elle n'avait guère eu de mal à le maîtriser. Mais il avait un complice, quelqu'un qui était suffisamment équipé et connaissait assez bien la nature et le Parc pour la suivre à la trace. Ou pour savoir d'avance quelle était sa destination. Peut-être que ce type-là était avec lui quand il l'avait emboutie.

— Tu sais quoi? dit-elle à Mutt. Il se passe trop de trucs.

Mutt dressa l'oreille en signe de sympathie.

– Quelqu'un a eu les jetons quand Old Sam est mort. À moins qu'il ne convoite quelque chose. Je me suis fait agresser trois fois. Jane Silver est morte. Qu'est-ce que nous avons en commun ? Old Sam.

Les pneus de la Subaru crissèrent lorsqu'elle pila au rouge au carrefour d'International Airport Road et de C Street.

– Merde, fit-elle, saisie de terreur. Merde, merde, merde !

Elle attendit en bouillant d'impatience que le feu ait viré au vert puis appuya sur le champignon et se déplaça de deux files pour aller se garer sur le bas-côté. Suivit un concert de klaxons accompagné de plusieurs doigts d'honneur. Sans y prêter attention, elle chercha son portable à tâtons. Elle dut appeler l'opératrice pour savoir comment contacter le poste de police de Niniltna *via* la liaison satellite, ce qui lui valut un préambule sur la tarification de ce type d'appel. Comme elle réagit assez vivement, l'opératrice devint franchement glaciale.

Elle attendit, les mains moites. Puis la voix de Maggie se fit entendre.

– Maggie, Dieu merci ! Ici Kate Shugak.

– Kate ? Où êtes-vous ? Pourquoi diable m'appelez-vous par satellite ?

– Je suis à Anchorage. Écoutez-moi, c'est important, urgent même. Je veux que vous alliez voir Tante Joy et vérifier que tout va bien. Dites-lui qu'il est dangereux de rester toute seule dans sa cabane. Elle doit aller passer quelque temps chez Tante Vi ou Tante Edna, et qu'elle emporte le manuscrit avec elle.

– Quoi ?

Maggie semblait mystifiée, ce qui n'avait rien d'étonnant.

Kate répéta ses instructions.

– Si vous avez le temps, je vous en supplie, restez auprès d'elle et assurez-vous qu'elle fait bien ce que je dis. Insistez : c'est très important.

– Elle est en danger ? dit Maggie, incrédule.

— C'est possible et je ne veux prendre aucun risque. C'est en rapport avec Old Sam.

— Entendu, acquiesça Maggie sans comprendre. Je vais la voir tout de suite.

— Merci, dit Kate avec une sincérité non feinte. Et pouvez-vous me rendre un autre service? Dites à Johnny de ne pas aller seul chez nous. Et de rester chez Annie Mike jusqu'à mon retour.

— Mais enfin, qu'est-ce qui se passe, Kate?

— C'est pour essayer de le découvrir que je suis à Anchorage. Vous ferez la commission à Johnny?

— Oui. Et qu'est-ce que Tante Joy doit emporter avec elle?

— Le manuscrit. Elle saura de quoi je parle.

Kate raccrocha et resta sans bouger, tandis que la Subaru vibrait au passage de chaque véhicule, maîtrisant ses tremblements et se maudissant pour n'avoir pas mis Tante Joy en sécurité avant de quitter le Parc.

Si Old Sam était le facteur commun des trois agressions qu'elle avait subies, alors sa fiancée de jadis serait en danger dès que l'ennemi aurait vent de son existence. Wheeler, Gunn et Abbott étaient peut-être des amateurs, mais, comme l'avait dit Bobby: «Même Dortmunder a du pot de temps en temps. »

À peine avait-elle cessé de trembler que la rage l'envahit. Elle se tourna vers Mutt.

— Si quelqu'un lève la main sur ma tante, s'il lève ne serait-ce que le petit doigt sur elle, ou même s'il se contente de la regarder de travers, je te le donne à bouffer. Un. Morceau. À. La. Fois.

Kate entra dans le parking de la Last Frontier Bank, d'une façon qui cette fois n'avait rien de subreptice. Elle laissa Mutt dans la Subaru, en prenant bien soin de baisser la vitre.

La Last Frontier Bank avait été fondée à l'époque de la ruée vers l'or par un missionnaire venu dans le Nord pour y faire le bien et qui avait préféré faire de l'argent. Avec Herman Pilz et

Isaiah Bannister, Lucius Bell formait une sorte de triumvirat commercial impliqué dans la construction de l'Alaska depuis l'époque du Klondike, que ce soit directement ou indirectement. Banque, transports, biens de consommation (une industrie des plus florissante), exploitation des ressources naturelles (or, cuivre, charbon, pétrole), il n'était pas une activité en Alaska où ils n'aient pas mis la main à la pâte, voire le bras tout entier.

Bell avait fondé la première banque alaskienne à Circle et, une fois le gisement d'or épuisé, avait déménagé à Fairbanks. Durant les années 1950, son fils Marcellus avait déplacé le siège à Anchorage, à l'insistance de son épouse qui souhaitait un peu plus de chaleur, de lumière, de gens à voir et de choses à faire. Sans compter qu'il y était plus facile de partir en voyage à l'Extérieur, ce qu'elle faisait assez souvent.

Le nouveau siège social de la banque, édifié en plein centre-ville, n'avait pas survécu au tremblement de terre de 1964. Marcellus et son fils Vitus avaient été parmi les premiers à reconstruire, attestant ainsi de leur foi en l'avenir de l'Alaska.

C'était un beau bâtiment, avec un rez-de-chaussée d'une hauteur sous plafond de quatre ou cinq mètres, où l'on trouvait des colonnes, un sol en marbre et des comptoirs en bois à l'ancienne. Des chemins de couloir atténuaient le bruit des pas. Les appliques murales de style Art Déco conféraient au lieu un charme rétro. Aucune musique d'ascenseur n'écorchait les oreilles et le vigile était posté dans une discrète alcôve proche de l'entrée, ce qui lui permettait de voir sans être trop vu. Grisonnant, marqué par les années, il semblait néanmoins plus alerte et plus vigoureux que le commun de sa profession. Kate s'approcha de lui.

– Bonjour. Où est le musée, s'il vous plaît ?

Il la conduisit devant un escalier menant au sous-sol et regagna son poste.

À ce niveau, le plafond était plus bas et les lumières fluorescentes, mais les étagères semblaient solides et les vitrines étaient en verre épais. Une femme se tenait derrière un guichet intégré dans un comptoir. On n'entrait pas ici comme dans un moulin. *Tant mieux*, se dit Kate.

— Bonjour, dit-elle.

La conservatrice, qui devait avoir le même âge que le vigile, semblait elle aussi vive et en parfaite santé. Elle toisa Kate des pieds à la tête et, soit du fait de son intelligence, soit parce qu'elle vivait depuis longtemps en Alaska, passa outre sa tenue décontractée pour jauger sa valeur.

— Puis-je vous aider ?

Vu le ton de sa voix, seuls les chercheurs sérieux étaient admis à entrer dans ce temple du savoir, et elle ne tolérerait pas qu'on lui fasse perdre son temps.

Kate avait un instinct quasi infaillible pour juger les gens, et elle décida de dire la vérité à cette femme, du moins en partie.

— Je m'appelle Kate Shugak. (Elle attrapa le papier froissé qu'elle avait trouvé dans le SUV et le lui tendit.) Je viens de perdre mon oncle et il m'a désignée comme exécutrice testamentaire. Il m'a légué un petit mystère et j'espère que vous pourrez m'aider à le résoudre.

La conservatrice, madame S. Sherwood à en croire son badge, lissa le bout de papier, une feuille à en-tête du Musée Bell du patrimoine de l'Alaska.

— C'est mon écriture, dit-elle.

— Je m'en doutais, dit Kate. Vous rappelez-vous qui a demandé à voir cela et à quel moment cela se passait ?

Madame Sherwood plissa le front.

— Un monsieur, je crois bien, lundi de la semaine dernière. (Elle consulta son calendrier.) C'est cela, le 14.

Le lundi suivant la mort d'Old Sam.

— Puis-je regarder ce qu'il a regardé ?

Madame Sherwood réfléchit à la question.

— Lucius Bell a rassemblé quantité d'objets de valeur durant toute sa vie en Alaska, déclara-t-elle. En règle générale, nous n'admettons pas les visiteurs sans de solides références. Êtes-vous une universitaire ?

– Non.

– Je vois. Pouvez-vous vous recommander de quelqu'un ?

– Non.

Madame Sherwood hocha la tête, comme si ces réponses brèves et sans équivoque avaient un sens caché, puis elle se leva. C'était une femme mince et élégante, vêtue d'une robe de laine grise à col et manchettes blancs, qui lui descendait jusqu'aux mollets, de bas de soie et de mocassins noirs. On aurait dit Coco Chanel.

Elle se dirigea vers la porte battante du comptoir et l'ouvrit.

– Entrez, je vous prie.

25

Le Musée du patrimoine de l'Alaska hébergeait la plus grande collection privée d'artefacts alaskiens de tout l'État. Lucius Bell l'avait entamée dès qu'il avait posé le pied dans le Territoire. Et, apparemment, il souffrait d'un cas aigu de syllogomanie et n'avait jamais le cœur de jeter quoi que ce soit, y compris une pochette d'allumettes usagée.

Le hall d'exposition occupait presque toute la surface du sous-sol, soit l'équivalent d'un pâté de maisons. Le moindre mètre carré y était exploité au maximum dans le but de présenter l'histoire de l'Alaska, d'avant l'arrivée des Russes à la fondation de l'État et au-delà. Un kayak alutiiq était suspendu au plafond et une diligence de la P & H exposée dans un coin. À sa porte était fixée une photo encadrée. Elle immortalisait la cérémonie au cours de laquelle Herman Pilz, Peter Heiman Sr et le directeur de la P & H avaient fait don de ce véhicule au musée, sous les yeux d'un Marcellus Bell reconnaissant. Les noms figurant dans la légende de cette photo étaient des plus intéressants.

On trouvait aussi une copie de la constitution de l'État, signée par les cinquante-cinq délégués à l'assemblée constituante. Il y avait des ours taillés dans l'ivoire et la stéatite, des couteaux à écrire en ivoire, en bois, en os et en fanon de baleine, des paniers d'herbe tressée, dont la taille allait du coquetier au bidon d'essence. Les murs au-dessus des étagères présentaient des peintures de Laurence et de Ziegler[30], des masques d'Anaktuvuk, des harpons pourvus de gigantesques crochets en ivoire, ornés de gravures complexes. Une vitrine exhibait les badges de toutes les éditions du festival d'hiver Fur Rendezvous, sa voisine les jetons associés à tous les bars jamais ouverts dans l'État. Un meuble classeur en métal affirmait contenir des cartes de l'Alaska datant du temps du capitaine Cook, où le dessin des côtes n'était au mieux qu'hypothétique, jusqu'à l'époque du Service de veille géologique du gouvernement américain, où l'exactitude n'était pas non plus garantie.

Une série de panneaux était consacrée à l'industrie pétrolière, de Katalla à Kenai et à Prudhoe Bay, et présentait une section de tige de forage, fixée au tricône inventé par le père de Howard Hughes. Le visiteur pouvait aussi contempler des artefacts de l'industrie du saumon, y compris des jarres de caviar nichées dans leurs caisses d'origine, frappées d'idéogrammes japonais bleu azur, un tamis à caviar taché et des présentoirs de diverses tailles.

– Je connais quelqu'un qui a une chaîne de conserverie en état de marche dans son appentis, dit Kate.

– Ah bon ? fit madame Sherwood. Serait-il disposé à la vendre ?

Kate parcourut le hall du regard.

– Peut-être, mais où la mettriez-vous ?

– Nous avons des entrepôts pour stocker les réserves.

Dans un coin, une étagère accueillait tout un tas d'objets ayant trait à l'or : des batées, des feuilles d'or suspendues dans l'eau, l'attirail complet de l'orpailleur, jusques et y compris un poêle, bref tout ce qu'il fallait pour participer à la ruée vers l'or. On pouvait lire les premières pages de journaux tels que le

---

30. Sidney Laurence (1865-1940) et Eustace Ziegler (1881-1969), historiquement les premiers peintres d'importance en Alaska.

Dawson City Nugget, le *Fairbanks Nugget* et le *Nome Nugget*, avec au moins un article relatant une dispute entre prospecteurs ayant tourné au meurtre. Sur un traîneau à chiens était chargé l'équipement d'un musher de l'Iditarod Trail : parka, sac de couchage, hache, raquettes, bottines pour chien, provisions de bouche… Il y avait même un sac postal et une caisse estampillée « Sérum », pour commémorer la livraison effectuée à Nome en 1925 lors d'une épidémie de diphtérie. Cela lui rappelait quelque chose. Elle alla regarder de plus près et dit :

— Est-ce que c'est… ?

Madame Sherwood sourit.

— Oui. C'est le traîneau que conduisait madame Baker lorsqu'elle a remporté sa première course. Ainsi que tout le chargement que lui imposait le règlement. La nourriture est factice, bien entendu.

Mandy ne jetait jamais un équipement en état de marche.

— Quand vous en a-t-elle fait don ?

— En janvier dernier. C'est une de nos dernières acquisitions.

Juste après avoir accepté l'offre de Global Harvest, se dit Kate. Mandy avait bel et bien pris sa retraite.

L'un des murs était couvert de bibliothèques du sol au plafond, avec des rayonnages étiquetés : « Études natives », « Amérique russe », « Achat de l'Alaska », « Ruée vers l'or », « Seconde Guerre mondiale », « Pétrole » et « *Alaska Native Land Claims* ». Les livres, rangés par date, se partageaient entre éditions originales et journaux manuscrits. Elle vit beaucoup de noms connus : le juge James Wickersham, le général Billy Mitchell, le gouverneur Gruening, l'activiste Elizabeth Peratrovich, le sénateur Willie Hensley…

Kate était fascinée, et elle aurait pu passer la journée ici, voire le reste de l'année, mais une toux discrète la rappela à la réalité. En se redressant, elle vit madame Sherwood qui se tenait un peu à l'écart, les mains jointes, la tête inclinée sur le côté, une esquisse de sourire aux lèvres.

– Pardon, fit Kate à mi-voix. C'est seulement que…

– Je sais, dit la conservatrice, sans la moindre trace de condescendance. C'est un peu impressionnant. Surtout quand on se rappelle que le plus gros a été fourni par un seul homme, qui en a fait l'œuvre de toute une vie.

Kate désigna l'étiquette placée près d'une batée en fer-blanc qui avait bien vécu : « Don de M. et Mme Herman Pilz ». Quantité d'autres étiquettes semblables portaient les noms de personnes tout droit sorties des livres d'histoire de l'Alaska.

– On l'a un peu aidé.

Madame Sherwood se permit le plus infime des haussements d'épaules.

– Tout le monde voulait participer au musée de monsieur Bell.

Kate se tourna vers les quatre tables alignées derrière le bureau de Mme Sherwood. Trois d'entre elles étaient occupées, par deux hommes et une femme qui consultaient des ouvrages et prenaient des notes.

– Vous avez beaucoup de visites ?

Madame Sherwood hocha la tête.

– Des étudiants, des érudits, des écrivains faisant des recherches. Rien n'est plus précieux à leurs yeux qu'un document authentique.

Du bout de l'index, elle chassa un grain de poussière d'une étagère.

– C'est fichtrement impressionnant, commenta Kate. Vous avez réussi à présenter beaucoup de choses dans un espace limité.

Madame Sherwood s'inclina comme si elle acceptait son dû.

– Merci.

– Bon. (Kate fit l'effort de s'arracher au passé pour se replonger dans le présent.) À quel objet se réfère la note que vous avez rédigée ?

Puis elle atterrit.

Des journaux intimes.

Elle pivota sur ses talons, examinant les dos des livres sur les étagères.

Sans doute arborait-elle une expression étrange, car la conservatrice semblait inquiète.

– Madame Shugak ? Vous vous sentez bien ?

Kate se retourna vers elle.

– Madame Sherwood, avez-vous entendu parler du juge Albert Arthur Anglebrandt ?

Madame Sherwood parut surprise.

– Mais bien sûr. Nous conservons les journaux qu'il a rédigés quand il présidait le tribunal d'Ahtna.

– Pas tous.

– Je vous demande pardon ?

Kate brandit le papier à en-tête du musée.

– Cette note se réfère-t-elle à l'un d'eux ?

– Elle se réfère à l'ensemble de la série. Le gentleman n'a pas demandé de volume en particulier.

– Pourriez-vous me les montrer, s'il vous plaît ?

Navigant entre divers récifs dans cet océan d'histoire et de culture, madame Sherwood la conduisit devant une bibliothèque au milieu du hall et lui désigna un rayonnage situé plus d'un mètre au-dessus de sa tête.

– Un instant, je vous prie.

Elle revint quelques instants plus tard avec une échelle à roulette, fixée à un rail courant au-dessus des livres. Kate revit en esprit une scène de *My Fair Lady*.

– Y a-t-il un volume que vous cherchez en particulier ?

– Ceux de 1937 et 1939.

Madame Sherwood monta l'échelle et chercha parmi une série de volumes, s'y reprenant à deux fois.

– Bizarre, dit-elle, et Kate entendit l'acier percer dans sa voix douce.

Madame Sherwood redescendit. Elle semblait fâchée, quoique d'une façon retenue, très classe supérieure anglo-saxonne.

– Ces deux volumes sont absents, dit-elle. Pourriez-vous me dire comment vous le saviez, madame Shugak ?

– Quand ont-ils été inventoriés pour la dernière fois ?

La conservatrice parut déconcertée, ce qui devait être nouveau pour elle. Elle marqua une pause le temps de se ressaisir puis, ayant retrouvé ses accents de discrète bibliothécaire, répondit :

– Depuis que je suis en fonction ? Jamais.

Elle n'avança ni excuses ni explications, et Kate ne l'en respecta que davantage.

– Existe-t-il des archives ?

Madame Sherwood la conduisit vers une porte en partie dissimulée par une superbe couverture à boutons tlingit, qui donnait sur un bureau où se trouvait une rangée de meubles classeurs et un ordinateur. Madame Sherwood s'assit devant celui-ci et désigna un siège à Kate.

– Veuillez vous asseoir.

Kate s'exécuta et regarda Mme Sherwood lancer l'ordinateur avec une parfaite maîtrise de soi, tout en donnant cependant l'impression que des têtes allaient tomber dans un proche avenir. Il ne lui fallut que quelques instants pour accéder aux archives, après quoi sa colonne vertébrale se raidit encore un peu plus.

– Le juge a laissé ses journaux intimes à son successeur lorsqu'il a quitté l'État en 1945.

L'année où Old Sam est revenu des Aléoutiennes, se dit Kate. L'année où il avait définitivement acquis sa concession. L'année où Tante Joy l'avait repoussé pour la seconde fois.

– Comment sont-ils arrivés ici ? demanda-t-elle.

– On les avait stockés au sous-sol de l'ancien tribunal d'Ahtna, répondit Mme Sherwood. Quand on a construit le nouveau, il y a cinq ans, la juge Singh nous a demandé si nous étions intéressés.

Il y a cinq ans. Old Sam avait participé aux travaux de construction, transportant des rochers provenant de la Kanuyaq River et destinés à la façade du bâtiment.

— Les années 1937 et 1939 sont-elles portées manquantes dans vos archives ?

Madame Sherwood fit « non » de la tête.

— La série n'a pas été inventoriée dans les règles à son arrivée, j'en ai peur.

— Donc, ces deux volumes y figuraient peut-être. Ce qui veut dire qu'on a pu les dérober à tout moment.

Les narines de Mme Sherwood palpitèrent.

— Sûrement pas depuis que je suis conservatrice.

— Pourquoi ?

— Connaissez-vous la technologie RFID ? (Le visage de Kate devait être éloquent.) En d'autres termes, la radio-identification. C'est la deuxième tâche d'ampleur que j'ai entreprise après mon arrivée.

— La première étant ?

Madame Sherwood désigna l'ordinateur d'un mouvement de menton.

— La numérisation de toutes nos archives.

— Alors, c'est quoi, la RFID ?

— Une puce électronique est placée sur chacune des pièces de ce musée. Elle a deux fonctions. La première est de déclencher une alarme si on la déplace, la seconde est de la suivre à la trace.

Un frisson parcourut l'échine de Kate.

— Sur quelle distance ?

— Une dizaine de mètres. Son rayon d'action grandira à mesure des avancées technologiques, mais pour le moment, tant que nos vigiles ouvrent l'œil, cela suffit pour intercepter l'objet du larcin avant qu'il ait atteint le parking. Et le véhicule du voleur, évidemment.

Kate reprit son souffle. Le journal daté de 1939 était bien à l'abri dans son pied-à-terre de Westchester Lagoon, à quinze cents mètres de là.

— Ça doit être cher, comme système, commenta-t-elle.

— Pas tellement, quand on le compare à la valeur globale des collections du musée, qui se chiffre à plusieurs millions de dollars.

La plupart de nos pièces sont inestimables, pour la bonne raison qu'elles sont irremplaçables. (Madame Sherwood hésita.) Madame Shugak. Seriez-vous par hasard apparentée à Ekaterina Shugak ?

– C'était ma grand-mère.

– Je vois.

Madame Sherwood se leva.

– Je voudrais vous montrer quelque chose d'intéressant.

Elle retourna dans le hall d'exposition, Kate sur les talons, et la conduisit devant une vitrine placée devant les rayonnages «Études natives». Elle abritait une coupe dédiée à Corbeau en cuivre massif, de trente centimètres de long sur vingt de large et trente-cinq de profondeur. L'étiquette annonçait : «Don d'Ekaterina Shugak, 1972».

– Nom de Dieu, dit Kate.

Jusque-là, elles parlaient à mi-voix, mais cette exclamation fit sursauter les trois chercheurs.

– Pardon, leur dit Kate. Pardon, dit-elle à madame Sherwood. Elle se retourna vers la coupe.

– Connaissez-vous son histoire ? demanda la conservatrice.

Kate secoua la tête.

– C'est la première fois de ma vie que je la vois.

– Pourriez-vous interroger un ancien ? L'histoire de cet objet est aussi précieuse que l'objet lui-même, sinon davantage.

Kate pensa aux tantes et examina la coupe de plus près. Les ciselures étaient effacées par le temps, l'intérieur comme l'extérieur présentaient des traces de chocs et la patine des éraflures. C'était un artefact tlingit, très probablement.

En fait, c'était tout à fait le genre d'objet qu'un chef tlingit aurait offert comme cadeau préalablement à ses épousailles avec une fille de l'Intérieur.

– Je peux poser la question, dit Kate. Mais sans garantir de réponse. Vous avez une photographie ?

Madame Sherwood lui en donna une, qu'elle rangea soigneusement.

Puis elle l'escorta vers la sortie. Kate s'attarda pendant qu'elle se rasseyait.

– Madame Sherwood ?

– Oui ?

– Auriez-vous l'obligeance de me donner le nom du gentleman qui est venu consulter les journaux intimes du juge ?

– Il ne me l'a pas communiqué.

– Mais vous l'avez quand même laissé entrer.

Madame Sherwood s'abstint de faire remarquer qu'elle avait agi de même avec elle.

– Il avait une excellente référence.

– Ah bon. Pourriez-vous me préciser laquelle ? Et me dire si ce visiteur ne serait pas revenu aujourd'hui ?

Madame Sherwood eut un instant d'hésitation, ce qui ne lui ressemblait pas.

– Si j'insiste, c'est parce que c'est important, dit Kate. J'essaie de retrouver un autre artefact familial.

Elle se tourna vers la vitrine abritant la coupe de cérémonie et, du coin de l'œil, vit que madame Sherwood suivait son regard.

Elle se retourna pour la fixer les yeux dans les yeux. Coco Chanel ne perdait jamais l'essentiel de vue.

– Si je vous le dis, vous vous efforcerez de déterminer l'histoire de cette coupe ?

Kate ne broncha pas.

– Bien sûr.

– Erland Bannister, dit madame Sherwood.

Kate se retrouva devant la Subaru sans savoir comment elle était arrivée là. Mutt, assoupie au soleil, le museau dépassant par la vitre ouverte, se réveilla en reniflant.

– Toi, lui dit Kate, explique-moi comment un type que j'ai envoyé en taule il y a deux ans peut être mêlé à cette putain de chasse au trésor concoctée par Old Sam ?

Mutt s'ébroua vigoureusement et lâcha un aboiement sonore qui arracha un hurlement de surprise à une passante. Vu son air déterminé, elle se rendait à la banque pour vider le compte joint préalablement à une demande de divorce.

Kate attrapa son portable et appela Brendan. Sa voix de baryton l'enveloppa comme une coulée de caramel chaud.

– Ma chérie! Vous êtes toujours en ville! Encore un restau ce soir? Ce coup-ci, j'ai pensé à des sushis chez Yamato Ya, que…

– Brendan, où est Erland Bannister?

Silence surpris. Puis:

– Là où on l'a envoyé, du moins la dernière fois que j'ai regardé.

– Vous en êtes sûr?

Quelque chose dans la qualité du silence qui suivit fit retentir un signal d'alarme dans sa tête.

– Brendan? Est-ce qu'il a des chances de ressortir?

– Je vous rappelle dans dix minutes.

Elle raccrocha et regarda sans le voir le monde au-delà de son pare-brise.

Erland Bannister était une éminence grise des chevaliers d'industrie alaskiens, aussi important et aussi prospère que Lucius Bell, Peter Heiman Sr, et Herman Pilz et Isaiah Bannister, ses deux grands-pères.

Deux ans auparavant, Erland Bannister avait kidnappé Kate, qui avait eu le malheur d'en apprendre un peu trop sur son histoire familiale. Il avait l'intention de la tuer dans la foulée. Elle avait d'autres projets.

Après qu'elle se fut évadée, on l'avait arrêté, jugé, condamné et incarcéré pour une durée en théorie supérieure à celle de son existence, du moins l'espérait-on.

Elle patienta. La femme qui avait poussé un cri ressortit de la banque et regagna sa voiture en faisant un détour pour éviter la Subaru. Sept minutes plus tard, le portable de Kate sonna et elle lui sauta dessus.

– Brendan ?

– Il est toujours au trou, Kate. À Spring Creek.

Elle percevait sans peine le soulagement dans sa voix.

La prison de Spring Creek, à Seward, était le seul établissement de haute sécurité de tout l'État, conçu pour les criminels dangereux. Seward se trouvait à cent cinquante kilomètres au sud d'Anchorage, au bord d'un étroit fjord baptisé Resurrection Bay.

– Pour combien de temps ?

Le silence parla pour lui une nouvelle fois.

Elle lâcha une bordée de jurons des plus pittoresques.

– Vous pouvez vous arranger pour que j'aille le voir ?

La surprise de Brendan était évidente.

– Vous voulez voir Erland Bannister ?

– Oui.

Bref silence.

– Quand ?

– Dès que je pourrai être là-bas.

– Un instant. (Elle l'entendit pianoter sur son clavier.) Il n'est pas classé dangereux. Demain, nous sommes dimanche, donc c'est entre une heure et quatre heures de l'après-midi, ou alors entre six heures et demie et neuf heures du soir.

– Je peux être sur place à une heure.

– Je vais régler ça avec le directeur. (Un temps.) Il n'est pas obligé de vous voir s'il n'en a pas envie, Kate.

– Oh ! il en aura envie.

26

Avant de regagner son pied-à-terre, elle alla s'acheter un jarret de porc et un petit chou. Elle mit le jarret dans une cocotte, avec une feuille de laurier et deux gousses d'ail pilées, le fit bouillir puis le mit à feu doux.

— Viens, dit-elle à Mutt.

Et elles sortirent rejoindre la foule de piétons, de cyclistes, de patineurs et de skateurs qui se massait sur la piste côtière.

C'était un bel après-midi ensoleillé, et l'un des rares étés indiens de l'Alaska. Le ciel était bleu pâle, le golfe de Cook gris pâle, et les arbres à feuilles caduques parcouraient tout le spectre du jaune clair au jaune mordoré, formant lorsqu'elles tombaient délicatement sur le sol des monceaux multicolores qui ne demandaient qu'à devenir des nuages. Mutt attaquait tous ceux qu'elle repérait, au grand plaisir de certains promeneurs, quoique la majorité ait plutôt tendance à s'en inquiéter.

— Vous devriez contrôler votre chien, lança-t-on à Kate.

— Mais je le contrôle.

— Il vaudrait mieux le tenir en laisse.

— Mutt, fit Kate sans élever la voix. Au pied.

Mutt, occupée à renifler un terrier prometteur d'une façon qui ne pouvait que terroriser ses occupants, fila rejoindre Kate et prit son poste à tribord, l'épaule au niveau de sa hanche, interrogeant du regard le garde responsable du sentier.

On les laissa entrer sans broncher. Passé le parc Lyn Ary, les piétons se firent plus rares et Kate pressa l'allure. Ça faisait un bien fou de se dégourdir les jambes et, à moins de partir en randonnée dans les monts Chugachs, c'était tout ce qui était proposé dans le coin en matière d'immersion dans la nature.

Elle venait souvent marcher ici lorsqu'elle vivait à Anchorage et travaillait pour le procureur général. La piste du mont Flattop était trop fréquentée à son goût, mais celle de Near Point, un aller-retour de trois heures et demie moins connu des randonneurs, était au printemps un festival de fleurs des champs, des fritillaires chocolat aux ancolies rouges. En saison, elle la faisait deux ou trois fois par semaine, y compris lorsqu'elle revenait à Anchorage après son déménagement au Parc.

Mais elle n'y mettait plus les pieds depuis qu'on l'y avait kidnappée pour la conduire inconsciente dans une cabane de ces mêmes monts Chugachs.

Coïncidence? Les sondages répondent par la négative.

– Erland Bannister est en prison pour meurtre et enlèvement, avait-elle dit à madame Sherwood une fois remise de sa surprise.

Madame Sherwood avait attendu un moment avant de répondre :

– C'est possible, madame Shugak, mais ses amis ne l'ont pas oublié.

La conservatrice était au service de la famille Bell, propriétaire de la Last Frontier Bank. Ce qui signifiait que Bannister avait demandé une faveur à l'un des descendants de Lucius Bell et qu'on la lui avait accordée.

Si Abbott travaillait pour Bannister, alors c'était lui qui l'avait lâché sur Kate. Or, s'il s'agissait d'une simple vengeance à assouvir, pourquoi aurait-il attendu deux ans?

Non, elle avait vu juste du premier coup. Tout avait commencé avec Old Sam.

Donc, quel lien y avait-il entre Old Sam et Erland? Ils n'étaient pas contemporains. Old Sam devait être son aîné de vingt ans, au bas mot.

Mais les Bannister étaient arrivés en Alaska pendant la ruée vers l'or, si elle en croyait ses notions d'histoire de l'Alaska. Donc, le père d'Erland avait pu connaître Old Sam.

Mutt lui donna une bourrade affectueuse qui faillit la jeter à terre. Elles étaient arrivées au banc en contrebas d'Earthquake Park. Le jour tombait et elle se demanda combien de temps elle était restée à gamberger.

Elle fit demi-tour pour regagner le pied-à-terre. Lorsqu'elle ouvrit la porte, ce fut pour constater que le fumet de leur dîner avait envahi toute la maison. L'eau lui vint à la bouche. Elle n'avait rien mangé depuis le petit déjeuner. Une fois ses chaussures jetées dans un coin et son blouson sur un fauteuil, elle alluma la radio pour écouter une émission d'infos et débita la moitié du chou en petites portions. Elle enleva le jarret du bouillon, débita une patate et l'ajouta à sa mixture avec le chou. Elle refit bouillir celle-ci puis la laissa frémir et régla le minuteur sur vingt minutes. Elle entreprit alors de désosser le jarret de porc. La viande alla dans une assiette qu'elle mit dans un four chaud, l'os et la graisse dans un bol qu'elle porta dans la minuscule arrière-cour, et devant lequel s'installa une Mutt comblée.

Le minuteur tinta. Elle ôta l'assiette du four, y servit du chou et de la patate, se beurra une tartine de pain complet de la boulangerie Europa, s'assit et passa à l'attaque. Elle chassa de ses pensées Old Sam, Bruce Abbott et Erland Bannister. Rien ne s'interposait jamais entre elle et la nourriture.

Une fois la vaisselle lavée, elle fit rentrer Mutt et se rendit au salon, où elle fit du feu dans la cheminée puis prit ses aises sur le sofa, contemplant la lueur des flammes qui dansait sur la silhouette assoupie de Mutt et dégustant un mug de chocolat bien chaud. Ce fut seulement à ce moment-là qu'elle s'autorisa à penser à l'affaire, si c'en était bien une.

Quelque chose lui trottait dans la tête depuis qu'elle avait découvert le second journal intime dans la cabane.

Old Sam lui avait-il vraiment laissé une piste de miettes de pain ? Savait-il qu'un tiers s'intéresserait à l'une de ses possessions ? Pourquoi ce tiers avait-il attendu sa mort pour agir ? Kate avait été agressée trois fois, et Jane Silver était morte. Cela renforçait l'hypothèse d'un objet précieux, convoité par une personne très pressée de s'en emparer. Mais pourquoi n'avait-elle pas tenté de le faire du vivant d'Old Sam ? C'était un dur à cuire, d'accord, mais personne n'est invulnérable. Elle revit son pick-up faire un tonneau et une sortie de route.

Ça aussi, ça ne collait pas. Quand on l'avait attaquée dans les cabanes d'Old Sam, c'était pour la voler. Mais cette agression routière n'avait pas d'autre mobile que de la blesser ou de la tuer. Personne ne s'était manifesté ensuite pour fouiller son pick-up, en quête de l'icône ou d'un indice permettant d'y conduire. Ni même pour l'achever, d'ailleurs.

Celui qui l'avait attaquée à Niniltna n'était pas forcément le meurtrier de Jane Silver, et ce dernier n'était pas forcément au volant du véhicule qui l'avait percutée. Et ses deux agresseurs de Canyon Hot Springs n'étaient peut-être ni l'un ni l'autre. Wheeler, Gunn, Abbott : cela lui faisait trois suspects, qui avaient pu agir ensemble ou séparément. Sans compter, bien entendu, toute personne à portée de voix de Virginia Anahonak.

Elle agita la tête en signe de frustration. Autant jouer au jeu de la taupe. Mieux valait examiner les choses sous un autre angle. Combien de personnes pouvaient connaître l'existence de l'icône ?

Exception faite de toute une génération d'anciens Rats du Parc, encore en vie pour la plupart.

« Mamie disait qu'on n'aurait jamais dû l'accepter dans l'association. »

Même si Kate n'avait jamais entendu parler de cette histoire, certains anciens l'avaient racontée à leurs petits-enfants, en tout ou en partie. Ce qui rallongeait considérablement la liste des suspects.

Un autre angle, peut-être, mais celui-ci n'était guère encourageant. Son cœur se serra, mais pas plus d'un instant.

— N'oublie pas le rasoir d'Occam, dit-elle à voix haute.

Mutt dressa l'oreille sans ouvrir les yeux.

L'explication la plus simple était probablement la bonne. Inutile de compliquer les choses sans nécessité. Un seul groupe d'ennemis, agissant dans un seul but, cela suffirait jusqu'à preuve du contraire. Une preuve qui avait intérêt à être irréfutable.

Une chose était sûre. Old Sam était au centre de toute l'affaire.

Qu'aurait-il fait en découvrant l'identité de son véritable père, puis en apprenant que celui-ci avait volé un artefact vénéré par la tribu ?

Eh bien, il était jeune, il était amoureux et c'était un mec. Sans doute ne désespérait-il pas de voir Tante Joy changer d'avis avec le temps. En attendant, il allait se mettre en quête de l'icône, car elle n'aurait sûrement pas idée de repousser l'homme qui avait restitué ce précieux legs à leur patrimoine commun.

De prime abord, une telle tâche devait sembler presque impossible en ce temps d'avant les moteurs de recherche. À en croire le manuscrit, Mac avait vendu l'icône sur le quai de Seattle, cédant tout le contenu de son sac au plus offrant, un marchand dont il ne se rappelait même pas le nom.

Juste avant de se faire alpaguer.

Old Sam possédait deux des journaux intimes du juge, qu'il s'était sans doute procurés pendant la démolition de l'ancien tribunal, d'une façon sur laquelle il valait mieux ne pas s'attarder. Le premier était visible aux yeux de tous, sur une étagère de sa cabane de Niniltna. Le second était dissimulé dans une cachette conçue à cette fin, dans sa vieille cabane de Canyon Hot Springs.

Elle se leva et alla vérifier que les rideaux étaient bien tirés, que personne ne l'observait depuis les ténèbres régnant au-dehors.

Puis elle se dirigea vers une bibliothèque et y prit un livre qui, selon ce qu'annonçait sa jaquette, était une édition en un volume du *Seigneur des anneaux*. Sauf que ladite jaquette dissimulait le journal du juge.

Elle le prit avec elle et passa l'heure suivante à le feuilleter, savourant l'acuité avec laquelle le magistrat observait ses semblables tout en cherchant en vain ce qu'Old Sam avait pu y dissimuler. Arrivée à la dernière page, elle n'était pas plus avancée, et elle le referma avec une violence déplacée eu égard à l'âge du livre et à sa fragilité.

Comme elle remettait en place la jaquette du *Seigneur des anneaux*, elle remarqua que le plat arrière était plus épais que le plat avant.

Son cœur fit un bond. Elle rapprocha la lampe pour en diriger le rayon sur ses cuisses et ouvrit le journal à sa dernière page. Une reliure de cuir, marquée par les ans. Le papier des gardes était si lourd qu'on aurait dit du carton, et elles étaient soigneusement collées à la reliure pour en dissimuler les bords.

Elle compara celles du début et de la fin, et son cœur battit plus vite. On n'avait pas utilisé le même papier, ça crevait les yeux. Et celui des gardes de fin était plus récent.

Elle le palpa du bout du doigt. Y avait-il quelque chose de caché là-dessous ?

Elle hésitait à passer à l'action. Mutiler un livre était chez les Shugak un acte contre nature. Peut-être en décollant les gardes à la vapeur ? Mais cela risquait d'abîmer l'objet caché. Elle glissa un ongle sous la bordure et constata que le papier se détachait du cuir sans difficulté.

Concentrée sur sa tâche, à tel point qu'elle ne sentit pas la crampe qui lui gagna lentement les épaules, elle dégagea délicatement la bordure des gardes de fin du journal intime du juge Albert Arthur Anglebrandt, juridiction d'Ahtna, Territoire de l'Alaska, année 1939. Il était minuit lorsqu'elle jugea en avoir suffisamment fait pour voir ce qu'il y avait en dessous.

On avait évidé le contreplat sous les gardes, un travail de précision d'une incroyable délicatesse, pour y glisser une feuille de papier que l'ongle de Kate ne parvint pas à extirper. La petite lame de son Leatherman eut vite fait de résoudre cette difficulté.

Une feuille pliée en deux tomba dans sa main.

Elle la déplia. C'était une carte.

Elle exhala sans se rendre compte qu'elle avait retenu son souffle et emporta sa trouvaille à la cuisine. Là, elle alluma le plafonnier, d'une intensité lumineuse permettant d'éclairer le Carnegie Hall, et étala la carte sur la table, la lissant et en calant les coins avec la salière, la poivrière, la bouteille de vinaigre et une pomme prélevée dans le réfrigérateur.

C'était une feuille carrée de quarante-cinq centimètres de côté, apparemment l'œuvre d'un cartographe professionnel, dessinée à la main plutôt qu'à l'ordinateur, un original et non une copie, elle n'en doutait pas, mais qui commençait sérieusement à se détériorer. Les pliures et les coins s'effritaient, le papier devenait sec et friable. Peut-être était-ce à cela que ressemblait un document d'arpentage des années 1920.

Car cette carte constituait une représentation fidèle de la concession de Canyon Hot Springs, la totalité des soixante-quatre hectares, avec les limites de la parcelle tracées. La cabane et les toilettes y figuraient, ainsi qu'un puits dont Kate ignorait l'existence. Sans doute s'était-il effondré depuis le temps. Qu'on ait pu dépenser autant d'efforts pour en creuser un à l'époque, sans parler du transport du matériel de forage, voilà qui était proprement inimaginable.

La concession englobait la totalité du petit cañon, du passage autour du rocher en forme de selle jusque bien au-delà du passage surplombant les sources. Kate fronça les sourcils. Elle n'avait jamais songé à aller voir par là. À quoi servait-il de se balader parmi les glaciers ? On risquait de recevoir un bloc de glace sur la tête et elle n'était pas du genre suicidaire.

Elle regarda plus attentivement. Les bâtiments semblaient avoir été rajoutés à une date ultérieure. L'encre avec laquelle on avait tracé leurs contours était moins fanée que celle du reste du document.

Elle remarqua autre chose, des détails qu'elle avait pris tout d'abord pour des taches d'encre ou de moisissure, mais qui n'en étaient pas. C'étaient des petits points noirs : six… Non : huit… Non : neuf, tous situés derrière le passage vers les glaciers.

Elle se redressa. *Tiens, tiens.*

Elle se pencha sur la carte en quête d'une légende. Il y en avait bien une, mais elle était dans la pliure, ce qui l'avait rendue quasiment illisible.

Elle monta au bureau et farfouilla partout jusqu'à ce qu'elle ait trouvé une loupe, qu'elle rapporta à la cuisine.

Presque, mais pas tout à fait. La loupe, d'une taille et d'une résolution dignes de Sherlock Holmes, ne faisait que rendre plus nets les dégâts subis par les indications qu'elle voulait déchiffrer.

Elle revint aux points noirs. Ce n'étaient pas des points noirs, c'étaient des pelles-pioches entrecroisées, dessinées à une échelle microscopique.

Le symbole d'une mine en topographie.

Après un instant de saisissement, sa première réaction fut de se mettre en rage. Pour la énième fois cette semaine, elle aurait voulu pouvoir ressusciter Old Sam, pour le seul plaisir de le tuer et de l'enterrer une seconde fois.

Exactement ce qu'il fallait au Parc : une nouvelle mine d'or.

Non, pas une mine d'or.

Neuf mines d'or.

Elle observa un silence stupéfait pendant une durée déraisonnable, après quoi elle replia la carte et la réinséra sous la garde, puis recouvrit le journal intime de la jaquette de Tolkien et le remit en place.

Cette nuit-là, elle rêva d'Old Sam sur la passerelle de commandement du *Freya*, tenant la barre d'une main, la tête rejetée en arrière et riant à gorge déployée.

27

Le lendemain matin, elle monta dans la Subaru et prit la route qui longeait la baie en direction du col de Turnagain, que l'automne peignait de ses couleurs chatoyantes, pour mener ensuite à Resurrection Bay. Elle s'arrêta dans une boulangerie de Girdwood pour s'acheter un donut qui l'aiderait à tenir le coup jusqu'à ce qu'elle fasse halte au col de Moore pour le petit déjeuner. Il n'y avait pas beaucoup de circulation en ce dimanche de la fin septembre, et comme il n'avait pas encore assez neigé pour que la chaussée soit verglacée, elle mit moins de trois heures à gagner Seward.

Elle les passa à penser à Erland Bannister. L'entretien qui s'annonçait ne l'enchantait guère.

Exception faite du procès – oh! et du jour où il l'avait kidnappée et avait tenté de la tuer –, elle ne l'avait rencontré que deux fois, la première lors d'une réception dans sa demeure palatiale de Turnagain Street, la seconde un soir au restaurant. C'était un homme charmant, intelligent, arrogant, manipulateur et impitoyable. À sa décharge, pour ainsi dire, il fallait lui reconnaître un courage certain, car c'était en personne qu'il l'avait kidnappée et qu'il avait tenté de la tuer plutôt que de déléguer ces tâches. Encore que, maintenant qu'elle y pensait, peut-être avait-il agi ainsi par souci de sécurité. Quand on accepte de se salir les mains, on ne risque pas d'être trahi par un exécuteur des basses œuvres.

Bien entendu, il avait les moyens de se payer les meilleurs avocats, dont l'un importé du Texas, un homme aussi éloquent que pittoresque qui avait illico séduit le jury en débarquant avec un chapeau et des bottes de cow-boy. Les jurés alaskiens, qui ont tendance à avoir la main lourde, s'étaient révélés vulnérables à un homme qui ne se contentait pas de ressembler à un Texas Ranger mais avait en outre la voix de James Stewart.

Heureusement pour le ministère public, il présentait comme témoin vedette une nommée Kate Shugak, bien connue pour être invulnérable aux assauts de la défense. Sans compter la partialité du juge, dont le grand-père, un homme d'affaires arrivé en Alaska à l'occasion de la ruée vers l'or, s'était vu refuser l'entrée dans le cercle des privilégiés par Pilz, Heiman, Bannister & Cie. Victime d'une banqueroute, il avait mis fin à ses jours en 1929, un désastre autour duquel on n'avait cessé de broder au fil des décennies, en veillant bien à stigmatiser ses principaux responsables pour le bénéfice des générations montantes. Chacun de nous est façonné par ses parents.

Ce n'était pas sans effort que Kate avait gardé son sang-froid en témoignant. Chaque fois qu'elle se trouvait au tribunal, elle sentait les yeux d'Erland posés sur elle. De temps à autre, elle lui rendait son regard, refusant de se laisser intimider. Elle ne percevait chez lui ni colère ni ressentiment, rien que la présence d'un esprit froid et calculateur, qui enregistrait tous ses propos pour mieux en tirer profit par la suite. Elle n'y avait pas réfléchi sur le moment, ni après le procès, mais, hélas! certains des attendus du juge avaient laissé transparaître l'inimitié de sa famille avec celle de Bannister. À en croire le coup de fil que Brendan lui avait passé ce matin, cela avait suffi à la défense pour interjeter appel. De sorte qu'Erland était susceptible de sortir de prison.

Erland Bannister lâché dans la nature, voilà qui n'était guère réjouissant, en particulier pour une certaine Kate Shugak.

Il ne manquait ni d'argent ni de pouvoir, et savait parfaitement utiliser l'un comme l'autre. Kate n'avait pas d'argent et quasiment pas de pouvoir, et, au fil des ans, elle s'était entourée de pas mal de cibles potentielles.

Tante Joy, par exemple. Ce matin, elle avait appelé le poste de police pour voir si Maggie avait pu lui parler, oubliant totalement qu'il était fermé le dimanche. Personne n'avait décroché, et il lui avait fallu se répéter « pas de nouvelles, bonnes nouvelles » avant de prendre la voiture pour le sud plutôt que l'avion pour le nord.

Seward était une petite ville de trois mille habitants, bâtie au bord d'un splendide fjord entouré de sommets escarpés couronnés de neige. Elle tourna dans Nash Road et, sept ou huit kilomètres plus loin, entra dans le parking visiteurs de la prison de Spring Creek. Il était une heure moins cinq.

L'établissement carcéral se composait d'une demi-douzaine de bâtiments occupant un terrain de cent vingt hectares dans une vallée au sein d'un Parc national. Il pouvait abriter cinq cents détenus et deux cents membres du personnel, sa réputation était excellente, les actes de violence y étaient rares et on n'y déplorait à ce jour qu'une seule tentative d'évasion, avortée du fait que ses deux auteurs avaient choisi de tenter leur coup en hiver.

Elle entra, s'identifia, vida ses poches et pénétra dans une vaste pièce meublée de chaises relativement confortables et pourvue de fenêtres aux vitres épaisses donnant sur l'extérieur. Elle ne pouvait déterminer si cette vue imprenable était bonne ou mauvaise pour le moral des détenus. Cela réjouissait l'âme, certes, mais cela évoquait une liberté que la majorité d'entre eux ne pourraient plus jamais savourer.

Il y avait beaucoup de visiteurs cet après-midi-là, quelques mères et quelques pères, pas mal d'épouses et de petites amies. Elle ne repéra aucun avocat, mais cela faisait belle lurette qu'elle avait cessé de fréquenter les prétoires. Elle reconnut deux ou trois prisonniers, qui la reconnurent également, mais tous finirent par baisser les yeux devant elle. Elle alla jusqu'à sourire à l'un d'entre eux, un assassin sadique qui avait enlevé, violé et tué deux sœurs à une semaine d'intervalle. Il ne sortirait jamais d'ici, et elle était fière d'en être en partie responsable.

Si le splendide paysage le plongeait dans le désespoir, elle en était ravie.

— On aime bien intimider son monde, pas vrai ? dit une voix amusée.

Elle sentit son échine se raidir et se retourna pour découvrir Erland Bannister.

— Mon Dieu, fit-il en examinant les hématomes sous ses yeux et la croûte sur son front. Vous êtes moins belle que d'habitude, Kate. Que vous est-il arrivé ?

— Comme si vous ne le saviez pas.

C'était un homme très grand, large d'épaules, à la taille mince et aux longues jambes, avec une tignasse de cheveux drus et des yeux acérés, d'un bleu si sombre qu'ils en paraissaient presque noirs. Son nez et son menton respiraient la force et il portait son uniforme de détenu avec la même aisance stylée qu'il avait jadis porté ses costumes trois-pièces. Il avait dépassé la soixantaine mais les privilèges de sa classe, une alimentation saine et un suivi médical régulier le faisaient paraître bien plus jeune qu'il ne l'était.

Son arrogance demeurait nettement perceptible, ainsi que son charme quand il souriait. Ce qu'il fit à présent, désignant du menton deux fauteuils placés près d'une fenêtre. C'étaient des sièges un peu plus confortables que la moyenne, grâce auxquels on pouvait presque se croire dehors. Comment il avait fait pour les réserver à son usage personnel, voilà qui restait un mystère.

Il attendit qu'elle ait pris place puis en fit autant. Il était de ces hommes qui, lorsqu'ils sont assis, donnent toujours l'impression d'être sur le trône.

— C'est fort agréable de vous revoir, dit-il.

— J'imagine qu'ici, vous êtes ravi de voir n'importe qui.

Il secoua la tête.

— Détrompez-vous. Rare est la journée où je ne reçois pas de visiteur.

— Vitus Bell, entre autres, je présume. Ou alors un de ses frères.

Il plissa les yeux.

— Peut-être.

— Il me suffit de consulter le registre des entrées.

Il agita la main avec désinvolture.

— Mais je vous en prie, faites donc.

— Est-ce que Victoria vient vous voir de temps en temps ?

— Ma sœur ne m'envoie plus que son comptable ces temps-ci, j'en ai peur. (Son visage s'assombrit.) Ou alors le flic sénile qu'elle a engagé.

— Morris Maxwell ? dit Kate, ravie.

Sa réaction le plongea dans la contrariété.

— À quoi dois-je l'honneur de votre visite ?

— Vous connaissiez ma grand-mère.

Il inclina la tête.

— Ekaterina Shugak. Une femme redoutable.

— Connaissiez-vous son cousin, Samuel Dementieff ?

Il y eut une lueur dans ses yeux.

— Probablement. Je connais quasiment tout le monde en Alaska. Et peut-être nous a-t-elle présentés lors d'une réception.

Son indifférence était manifeste.

— Il est mort il y a quinze jours.

— Vous m'en voyez navré.

— Je suis sa principale légataire.

— Mes félicitations.

La lueur d'amusement dans ses yeux la faisait bouillir, mais elle se contrôla.

Elle voulait des informations, mais ce n'était pas en faisant des dons qu'Erland avait triplé la fortune familiale. Qu'avait-elle à lui offrir en échange, hormis sa présence, qui était d'une valeur négligeable ? Il lui fallait trouver quelque chose qui le distrairait d'une existence d'un ennui mortel pour un homme de son intelligence. La seule chose qu'il pouvait souhaiter, c'était la liberté.

Que désiraient les hommes du type d'Erland Bannister? Le pouvoir, le plus grand pouvoir possible, et davantage encore. Qu'elle se soit déplacée à Seward pour le consulter, ce serait à ses yeux une démonstration de son pouvoir.

Dehors, un nuage se déplaça d'un iota, laissant un pâle rayon de soleil déverser sa lumière oblique par les fenêtres. Il y eut une pause dans le murmure des conversations, comme si les taulards s'étaient tournés d'instinct vers la lumière qui sculptait les grains de poussière dans l'air et déposait sur leur joue une caresse fugace mais chaude.

Ce même rayon de soleil éclaira le visage d'Erland Bannister, réduisant son nez proéminent et son menton ferme à leurs linéaments osseux. Ses yeux luisants parurent encore plus enfoncés dans leurs orbites aux fortes arcades, ses pommettes plus saillantes sous la peau.

L'espace d'un instant fugitif, ce fut comme si Old Sam était assis face à elle.

Elle comprit qu'elle le dévisageait avec une expression qui pouvait passer pour de l'étonnement émerveillé. Erland se méprit sur sa signification et se rengorgea. Elle refoula une soudaine envie d'éclater de rire. Cela aurait par trop ressemblé à une crise d'hystérie.

Old Sam devait le savoir.

Elle se demanda si Erland le savait.

Elle se demanda si Emaa l'avait su.

— Votre père, dit-elle.

Il n'altéra en rien son expression, mais les chevaliers d'industrie de son espèce étaient de redoutables joueurs de poker.

— Emil Bannister. Oui?

— À son époque, il s'occupait de mines d'or, n'est-ce pas?

Il se raidit involontairement, pour se détendre l'instant d'après, mais elle avait sa réponse.

– Bien sûr, dit-il en agitant la main comme pour chasser un importun. C'était vrai de tout le monde, du moins avant qu'on ne trouve du pétrole. C'est ce que font les Alaskiens, Kate, vous devriez le savoir. Vous-même, vous êtes impliquée dans une mine d'or, ces temps-ci.

– Vous n'en avez donc jamais assez ? dit-elle.

– Je ne comprends pas ce que vous dites.

– Assez. Assez de choses. Assez d'or. Assez de fric. (Elle secoua la tête.) Assez de pouvoir.

Il ne répondit pas mais salua cette diatribe d'un sourire affable et amusé.

La pendule murale affichait une heure vingt. Fini de rire.

– Bruce Abbott, dit-elle.

Erland conserva son calme.

– Comment va-t-il ?

– Pas mal. Si l'on excepte le fait qu'il a tendance à se livrer sur le tard à des activités criminelles.

– Ce vieux Bruce ?

Erland se fendit d'un gloussement presque trop convaincant.

– Ouais, je présume qu'il a été à bonne école, cracha Kate. (Cela mit fin au gloussement.) Bruce cherche pour votre compte quelque chose qu'il croit en ma possession. De quoi s'agit-il ?

Erland ne se départit pas de son visage impavide.

– Je ne comprends rien à ce que vous racontez, Kate. Comment, dans ma situation, pourrais-je engager quelqu'un pour vous suivre ?

– Je n'ai pas dit qu'il me suivait.

– Si vous avez pu le soupçonner de tendances criminelles, c'est forcément parce qu'il vous a suivie. (Il haussa un sourcil, comme pour lui faire comprendre qu'il s'ennuyait.) Vous aviez une question à me poser ?

– Je me demandais ce que Bruce Abbott pouvait faire pour vous, dans la situation qui est la vôtre. Et je crois me rappeler qu'il est diplômé en droit.

Le rire d'Erland semblait nettement plus sincère.

– Mon affaire est en appel, Kate. Je serai sorti d'ici avant la fin de l'année. Mais Bruce Abbott n'est pas mon avocat.

– Peut-être serez-vous sorti. Et peut-être pas.

Mais il avait sans doute raison, hélas. Les accents de deuil de Brendan au téléphone étaient des plus éloquents.

– Oh! n'en doutez pas, dit-il d'une voix mielleuse en se penchant vers elle. Alors pourquoi prendrais-je la peine d'engager à mon service un minable comme Bruce pour faire quelque chose que je pourrai bientôt faire moi-même? (Son sourire promettait de futures menaces.) Il me suffit d'attendre.

Assez. Elle se leva et le toisa d'un air de mépris amusé.

– Pour qui vous prenez-vous, Erland? Lord Voldemort? Si vous ne pouvez pas trouver mieux que Bruce Abbott comme serpent de compagnie, vous avez encore des progrès à faire.

– Vous avez un fils adoptif, je crois bien.

Elle cessa aussitôt de rire. Et vit ses yeux luire de satisfaction.

Kate s'ordonna de respirer à fond. Kate s'ordonna de compter jusqu'à dix. Kate s'ordonna de reculer d'un pas.

Au lieu de quoi, elle avança d'un pas, l'empêchant de quitter son fauteuil et le repoussant d'une main. Elle s'approcha assez près pour l'immobiliser, lui effleurant le bas-ventre d'un genou.

Son sourire s'effaça. Une partie d'elle-même en fut ravie. Tout comme de constater qu'il ne put s'empêcher de se rencogner un peu, en particulier lorsqu'elle se pencha en prenant appui des deux mains sur les accoudoirs.

Du coin de l'œil, elle vit le gardien en poste dans la salle se tourner vers eux. Elle ne lui prêta aucune attention, pas plus qu'au silence qui venait soudain de tomber sur les lieux. Elle se pencha jusqu'à frôler le nez d'Erland avec le sien, jusqu'à l'obliger à loucher pour la regarder. Quand elle prit la parole, ce fut d'une voix encore plus mielleuse que la sienne quelques instants plus tôt, et infiniment plus meurtrière.

– La dernière fois que vous m'avez cherché noise, Erland, vous avez atterri ici. Si vous vous en prenez à l'un des miens, la prochaine fois vous n'irez pas plus loin que McHugh Creek sur la Seward Highway.

Peut-être pâlit-il, mais il ne broncha pas.

– Vous ne voulez pas savoir pourquoi je suis à la recherche de l'icône, Kate?

Elle le fixa des yeux, muette de saisissement. Avant qu'elle ait pu formuler une réponse, il reprit :

– Mon père l'a achetée à un antiquaire de Seattle en 1937, à l'occasion d'un voyage à l'Extérieur. C'est l'un des objets qui a disparu lorsque notre maison a été cambriolée en 1959.

Il se pencha vers elle, gardant les yeux rivés aux siens. Ils étaient assez près l'un de l'autre pour s'embrasser.

– Vous devriez vous intéresser à cette affaire. Elle a une certaine, disons, une certaine résonance familiale.

Le garde était presque arrivé sur eux, et elle lâcha les accoudoirs et recula d'un pas.

La lueur malicieuse dans les yeux d'Erland lorsqu'elle sortit de la salle resta gravée dans son esprit durant tout le chemin de retour. Elle était furieuse contre elle-même. Elle s'était laissée piéger. Elle avait perdu son calme et, pire encore, elle lui avait permis d'avoir le dernier mot. Comme en harmonie avec le tumulte qui l'agitait, une bourrasque se leva, annonciatrice d'un grain au-dessus de la baie du Prince-William, et ne cessa de secouer la Subaru jusqu'au bras de Turnagain. Se félicitant de ce que la chaussée soit encore sèche, elle se sentit cependant si fatiguée une fois passé Beluga Point qu'elle s'arrêta à McHugh Creek pour se dégourdir les jambes et faire sortir Mutt.

Les arbres fouettaient l'air, leurs feuilles tombaient dans un grand bruissement, pour s'envoler à nouveau dans les airs et former de petites tornades dorées. Les eaux peu profondes du bras de mer étaient plus grises, plus agitées que d'ordinaire, parsemées d'un limon glaciaire annonciateur de la marée. Les sommets qui s'alignaient depuis Portage à l'ouest semblaient plus acérés, plus redoutables, et l'air piquait les narines et les joues. Kate le huma et réfléchit. De la neige? Non, pas encore, mais de la pluie, et très bientôt. Elle attrapa son blouson et ferma la Subaru.

La route du parc était barrée, la barrière verrouillée. Mutt sauta par-dessus l'obstacle, Kate passa par-dessous, et elles suivirent ensemble le sentier en lacets pavé jusqu'au sommet. Le bruit de la circulation se réduisit à un murmure et la vue se trouva considérablement améliorée. L'extrémité est du bras de Turnagain était sombre et menaçante.

Kate alla jusqu'au bord du torrent meurtrier, qui dévalait le flanc de McHugh Peak dans une course précipitée le faisant rebondir de rocher en rocher. Nombre d'années durant, c'était dans McHugh Creek que les assassins d'Anchorage venaient se débarrasser des cadavres de leurs victimes. Aujourd'hui, on avait aménagé autour du torrent un parc accessible aux handicapés, que l'on fermait après que le dernier touriste était reparti vers le Sud.

« La prochaine fois vous n'irez pas plus loin que *McHugh Creek sur la Seward Highway.* »

Elle contempla le bras de Turnagain, ainsi baptisé parce que le capitaine Cook s'y était engagé en vain, espérant qu'il le conduirait vers le passage du Nord-Ouest, ce Saint Graal des explorateurs du XVIIIe siècle. Après le séisme de 1964, au cours duquel les fonds marins s'étaient élevés ici d'un mètre cinquante, seules les planches à voile y avaient droit d'accès.

Il n'y en avait pas une seule de sortie ce soir.

– Pourquoi ne m'as-tu rien dit? lança-t-elle à haute voix.

Old Sam ne pouvait pas lui répondre, naturellement.

Elle se donna mentalement un coup de pied au cul pour ne pas avoir envisagé cette possibilité. Les habitudes ont la peau dure, et un enquêteur compétent ne perd jamais cela de vue. Mac McCullough avait déjà engendré un fils illégitime. Pourquoi pas un second?

Elle se rappela la première fois qu'elle avait vu Erland Bannister, chez lui, entouré par une foule de parasites, de sycophantes et de gros bras, en compagnie de sa femme, de sa maîtresse, de sa fille et de son neveu. Plus le chirurgien plastique de sa femme et l'amante de sa fille lesbienne. Sa demeure était palatiale, ses vêtements, quoique sobres, étaient de la meilleure qualité et flattaient un corps dont le possesseur mangeait et buvait avec modération et passait chaque semaine plusieurs heures dans la salle de gym aménagée au sous-sol. Il cultivait un charme affable, mais sa fierté de privilégié, la certitude qu'il avait que tout lui était dû, tout cela sautait aux yeux. Il s'attendait à ce qu'on fasse attention à lui, et tel était le cas.

La dernière fois qu'elle avait vu Old Sam, il était vêtu d'une salopette si crasseuse qu'on n'en distinguait plus la couleur d'origine et d'une chemise à carreaux au col et aux manchettes usées, pourvue aux coudes d'une aération également due à l'usure qui laissait voir le rose de ses sous-vêtements longs. Il ressemblait à ce qu'il était, à savoir un prédateur farouche et solitaire, un homme aux mains rendues calleuses par le travail, aux phalanges usées par les coups de poing qu'il avait dû donner à ceux qui se dressaient sur son chemin. Il vivait dans une cabane en rondins et gagnait sa vie sur un chasse-marée de vingt-cinq mètres encore plus vieux que lui. Mais lui aussi, il s'attendait à ce qu'on fasse attention à lui, et tel était le cas.

Une saute de vent secoua ses cheveux, ses vêtements. Et son assurance. Comment avait-elle pu être aussi aveugle ?

Une chose était sûre. Mac McCullough n'avait pas succombé à la tuberculose qu'il avait attrapée en prison, et qu'avaient aggravée ses blessures consécutives à la bataille d'Attu. Du moins pas tout de suite. Non, McCullough avait survécu le temps de procréer encore une fois.

Old Sam l'avait-il su ? Elle pensa à la carte qu'elle avait découverte la veille, où figuraient toutes les lignes géodésiques, tous les rochers d'un diamètre supérieur à un mètre cinquante, tous les torrents, ruisseaux et rus. Elle savait maintenant où Old Sam avait trouvé les graviers pour ses fondations, c'est-à-dire, comme elle s'en était doutée, dans la moraine laissée par la retraite du glacier surplombant le cañon. Elle connaissait la profondeur de la fosse sous les toilettes. Elle connaissait l'emplacement et les dimensions du garde-manger.

Ce qu'elle ignorait, c'était l'importance de cette carte, hormis en tant que document relatif à une concession revendiquée soixante ans auparavant.

Ce n'était pas Erland qui allait l'éclairer.

À qui pouvait-elle s'adresser ?

Le neveu était en prison, mais, à sa demande, on l'avait transféré dans un établissement de l'Extérieur. La fille était morte. L'épouse, elle, pouvait être au courant de quelque chose. Mais elle était partie au Mexique avec son chirurgien plastique.

« Elle a une certaine, disons, une certaine résonance familiale. »

Kate inspira à fond, expira. Il y avait peut-être quelqu'un dans la famille qui savait quelque chose.

Mutt lui donna un coup de museau dans le flanc alors même que la première goutte de la tempête en approche s'écrasait sur sa joue. Elles retournèrent à la voiture et regagnèrent la ville.

1956

Juneau

Le *Freya* mit le cap au Sud-est en mars, pour la saison du hareng, et Sam entra dans le port de Juneau le 24 avril afin que son équipage puisse voter lors de la ratification de la constitution de l'État. Il avait recruté des marins sur place en 1950, lorsqu'il avait acheté le *Freya*, et ils n'avaient pu jusque-là participer aux votes.

Leur statut de travailleurs de la mer leur donnait une motivation supplémentaire eu égard à la troisième ordonnance mise aux voix à cette occasion. Par la suite, Old Sam ne serait pas surpris d'apprendre que si les votants s'étaient exprimés aux deux tiers pour la création d'un État d'Alaska, ils avaient été quatre-vingts pour cent à voter pour l'interdiction des pièges à poissons. Les propriétaires des mines et des pêcheries, tous établis à l'Extérieur, s'étaient farouchement opposés à l'idée d'un État, peu désireux de voir leurs entreprises soumises à l'impôt fédéral, et s'étaient ce faisant attiré l'hostilité de la majorité des Alaskiens.

Il escorta ses matelots jusqu'au bureau de vote afin de s'assurer que tous remplissaient leur devoir de citoyen, puis leur accorda quartier libre durant le reste de la journée pour aller fêter l'événement, veillant toutefois à les avertir que le *Freya* lèverait l'ancre le lendemain matin à huit heures, qu'ils soient à bord ou pas. Puis il s'acheta un journal et alla au *Capital Café* savourer un déjeuner sans avoir besoin de le préparer lui-même. Ce qui lui rappela qu'il cherchait toujours un cuistot. Aucun de ses quatre marins n'était capable de cuire un œuf sans mettre le feu à la coquerie. Par ailleurs, il devait vérifier et recharger tous les extincteurs du bord avant de repartir.

Il commanda une demi-livre de bacon bien croustillant accompagnée de quatre œufs pas trop cuits, d'une portion de frites et de trois tranches de pain au levain – « baignant dans le beurre, et j'ai bien dit baignant, et du vrai beurre, s'il vous plaît, du Darigold frais sorti de la boîte » – puis s'installa pour lire le compte rendu des travaux de l'assemblée constituante, qui s'était tenue à Fairbanks durant soixante-quinze jours, de fin novembre à février.

Soixante-quinze jours à Fairbanks en plein hiver. Il secoua la tête. Avec une température moyenne de – 40 °C, les cinquante-cinq délégués auraient dû être pressés d'en finir.

Il parcourut la liste de leurs noms, dont certains lui étaient familiers et d'autres non. Pilz, Bell, Heiman, les suspects habituels, plus quelques autres.

Il tourna la page pour poursuivre sa lecture, attrapa son mug et sursauta, renversant sur sa jambe du café bouillant.

– Ça va, mon mignon ?

C'était la serveuse, son visage rondelet un peu trop soucieux, ses mains un peu trop impatientes de l'aider à s'essuyer.

– Ça ira, ma belle. Deux ou trois autres serviettes, et il n'y paraîtra plus.

Il la retourna vers le comptoir, les mains sur ses hanches, puis la propulsa d'une petite tape. Il ouvrit le journal à la page qui l'intéressait et fixa du regard le nom qui l'avait attiré.

Emil Bannister, Anchorage.

Il attrapa son portefeuille. Il s'y trouvait une feuille de papier froissée, graisseuse et usée sur les bords. Dix ans plus tôt, Pete Pappardelle y avait rédigé un nom.

Emil Bannister.

C'était à Emil Bannister que Pete avait vendu l'icône.

La serveuse lui apporta son repas et constata avec une moue déçue qu'il la remerciait d'un simple grognement. Il avait l'air affamé en entrant, et plus encore en passant commande, mais voilà qu'il regardait sans la voir son assiette pourtant bien remplie.

Sans compter la façon dont il l'avait reluquée. Elle tortilla un peu du popotin en jetant un regard par-dessus son épaule. Aucune réaction.

Il serait exagéré de dire que Sam avait passé les dix années écoulées à rechercher sans relâche le dénommé Emil Bannister. Il était resté un an à Seattle, où Pappardelle l'avait aidé à retrouver la trace de l'icône et de son nouveau propriétaire, mais le boom de l'après-guerre et l'arrivée en masse de soldats démobilisés retenaient l'attention de tous. Les fonctionnaires étaient débordés par les mariages, les naissances, les constructions de lotissements et les créations d'entreprises. Même avec la meilleure volonté du monde, les quelques bureaucrates que Sam avait pu convaincre de l'aider croulaient sous la paperasse et n'avaient pas le temps de fouiller dans leurs archives pour le compte des curieux.

Par ailleurs, le port n'avait jamais connu une telle activité : exportation de bois et de minéraux bruts, importation de biens de consommation. Pas un cargo qui ne débarque sans son chargement de couches-culottes. Et les chantiers navals eux aussi avaient leur part de cette embellie : l'employeur de Sam avait dû créer une nouvelle équipe pour passer aux trois-huit.

Sam n'avait jamais gagné autant d'argent de sa vie. Il mettait presque tout à la banque, demeurait toujours dans son minable studio près de Pioneer Square et limitait sa vie sociale à des dîners chez Pete Pappardelle, passant de temps à autre un dimanche à Wellingford pour aider Kyle Blanchette à restaurer la maison de style Art Nouveau qu'il avait achetée avant la guerre. Kyle s'avéra être un compagnon drôle, malin et fort agréable, même s'il ne pouvait s'empêcher de le regarder parfois avec des yeux enamourés, s'empressant alors de détendre l'atmosphère avec une blague, le plus souvent à ses dépens.

Ce fut Kyle qui formula la conclusion qui s'imposait, alors que tous trois dînaient chez Lowell, dans le marché de Pike Place.

Ils avaient réservé une table près de la fenêtre et dégustaient des fruits de mer en buvant de la bière tout en regardant les cargos, les steamers et les ferry-boats aller et venir dans le détroit de Puget. C'était Sam qui régalait ce soir-là, pour remercier les deux autres de leur hospitalité durant l'année écoulée.

— Vous avez donc décidé de nous quitter, dit Pete.

Sam hocha la tête.

— J'ai assez d'économies pour partir du bon pied une fois là-haut. Et j'ai les pieds qui me démangent. Oui, c'est l'heure.

— Et l'icône ? demanda Kyle, qu'il avait fini par mettre dans la confidence.

Soupir de Sam.

— J'ai tout essayé : le service des immatriculations automobiles, le bureau des études statistiques, même les résultats du recensement de 1930 à l'échelon local. Aucun des Bannister que j'ai trouvés dans l'État du Washington ne correspond.

— Eh bien, fit Kyle d'un air songeur, votre homme s'intéresse aux icônes russes, donc il s'intéresse peut-être aussi à l'histoire de l'Alaska. Vous ne vous êtes jamais demandé s'il ne venait pas de là-bas ?

Sam le fixa du regard durant plusieurs secondes.

— Non, dit-il enfin. Je n'y avais jamais pensé.

Pete se mit à rire, un rire grave, sonore, qui semblait monter de son ventre et fit frémir les bouteilles derrière le bar.

Kyle haussa les épaules en souriant.

— Ce n'est qu'une idée en l'air. Seattle est le principal port d'embarquement pour les passagers à destination de l'Alaska. Supposons que monsieur Bannister ait fait un peu de shopping en attendant que son navire appareille pour le Nord ?

— Oui, supposons, dit Pete. Cela n'a pas l'air de vous satisfaire, Samuel, ajouta-t-il en voyant la tête de l'intéressé.

— En effet, dit Sam d'un air consterné. C'est encore le Far West là-haut. Pas de transports, pas de moyens de communication, et les seules archives existantes sont celles du ministère de l'Intérieur conservées à Washington. Comment diable arriverai-je à le retrouver ?

– Si vous voulez vraiment récupérer cette icône, vous trouverez un moyen, lança Kyle.

Comme il avait été un peu plus sec qu'il ne l'aurait souhaité, il désamorça la chose avec un sourire.

Plus facile à dire qu'à faire, songea Sam dix ans plus tard, au *Capital Café* de Juneau.

Il avait regagné l'Alaska au printemps 1947, à bord du *Denali*, un navire de l'Alaska Steam, et ç'avait été un long et pénible voyage. Ils avaient fait quantité d'escales : deux jours à Ketchikan, un jour à Wrangell, deux jours à Skagway, encore un jour à Haines, puis cinq jours à Seward, jusqu'à ce qu'il débarque enfin à Cordova. Sur les deux cents passagers, on comptait cent quatre-vingt-dix-sept touristes, la compagnie maritime s'étant lancée à fond dans cette activité. Ses compagnons de bord le trouvaient pittoresque, du moins persistaient-ils à l'affirmer, ravis qu'ils étaient de la présence parmi eux d'un authentique Alaskien. Gêné par leurs attentions, Sam se réfugia dans la salle des machines, où il donna un coup de main aux soutiers jusqu'à ce qu'un commissaire de bord indigné le remonte dans sa cabine, vitupérant contre cette violation du droit syndical. Après, il s'était planqué derrière la cheminée, où il n'avait pas trop froid à condition de s'emmitoufler dans sa parka. Le commissaire de bord, assuré de l'avoir maté, lui fournit un siège de pont, et il disparaissait tous les matins avec un livre pour ne réapparaître qu'à l'heure du dîner.

C'était la première fois de son existence qu'il passait autant de temps sans rien faire de ses dix doigts. Une nouveauté qui avait son charme. Il regardait les glaciers luire d'un bleu spectral sous une chape de nuages bas, un troupeau de baleines à bosse former le cercle pour se repaître de krills, des aigles plonger pour capturer des saumons, des harenguiers lancer un skiff pour récupérer les poissons dans un filet dont les lignes de flotteurs pendaient à la poupe comme des rangs de perles. De temps à autre, on apercevait un totem entre les arbres, un épicéa transformé en œuvre d'art par un maître sculpteur tlingit. Sur le quai de Wrangell, des boy-scouts vendaient des grenats provenant des dépôts de la Stikine River. À Haines, c'étaient des filets de saumon royal fumé, et à Seward des bijoux en crotte d'élan.

Il réfléchit beaucoup.

Cela faisait dix-huit mois qu'il n'avait pas vu Joy. Il ne pouvait s'empêcher d'être fâché qu'elle ne lui ait pas écrit, quoiqu'il n'en ait rien fait lui non plus, en partie de crainte qu'un membre de sa famille intercepte la lettre. Elle aurait pu demander à sa mère où il était, ou même lui transmettre un message.

S'était-elle remariée ? Les femmes célibataires étaient rares en Alaska, en particulier dans le Bush, et Joy était toujours jeune et séduisante.

Il se laissa aller à cette séduction. Il avait su qu'elle était sienne dès qu'il l'avait vue dans la classe de cinquième de monsieur Kaufman. Et elle aussi l'avait su, il en était sûr. Il n'avait pas pu croire qu'elle ait refusé de l'épouser, obéissant ainsi à la volonté de ses parents, et compte tenu du traitement que lui avait infligé Davy Moonin le peu de temps qu'avait duré leur mariage, qu'elle refuse d'épouser Sam à cause de sa stérilité lui était apparu comme de la folie.

Il avait suffisamment vu le vaste monde pour ne pas être pressé d'en accroître la population. Si elle l'avait souhaité, ils auraient pu adopter dix gamins, qu'il aurait tous nourris, vêtus et aimés, mais jamais il ne les aurait aimés autant qu'il aimait Joy. Et jamais il n'aurait levé la main sur eux, alors qu'elle ne pouvait sûrement pas en dire autant de son connard de mari. Qu'elle soit incapable de le comprendre, cela le mettait en rage et – avouons-le – la faisait baisser dans son estime. C'était à cause d'elle qu'il s'était exilé du seul endroit sur terre qui vaille la peine d'y vivre. L'icône n'était qu'un prétexte à ses yeux, une vague chance de regagner sa main. Tout ce qu'il désirait, c'était elle.

Lorsqu'il avait quitté l'Alaska, rien n'était plus important pour lui que de retrouver l'icône afin de la restituer à son peuple. Il imaginait déjà le potlatch que l'on organiserait pour célébrer le héros conquérant et le retour d'un joyau du patrimoine tribal, avec une Joy admirative lui lançant des sourires radieux, sa mère essuyant des larmes de fierté, les parents de Joy se résignant à l'inévitable, incapables désormais de s'opposer à sa cour sans apparaître comme des ingrats.

La crainte d'être repoussé, la rage et la frustration qu'il avait éprouvées devant les refus répétés de Joy, ces sentiments l'habitaient encore mais n'étaient plus en mesure de le plonger dans les affres du désespoir. Ses expériences dans les Aléoutiennes puis à Seattle l'avaient endurci, l'avaient mûri. Il était devenu un homme, un adulte, et un adulte ne meurt pas d'amour.

Il n'allait pas mourir d'amour. S'il serrait un peu les dents en se l'avouant, il n'en était pas moins sincère.

Restait le problème de l'icône.

S'il renonçait à l'idée d'épouser Joy, devait-il continuer de rechercher l'icône ? Dans quel but ? Les anciens de la tribu ne s'étaient guère montrés favorables à son mariage avec Joy, hormis peut-être sa cousine, Ekaterina Shugak. C'était la fille d'un Shugak de Niniltna, qui avait dû épouser comme Joy un cousin des Aléoutiennes afin d'entériner la position des immigrants dans la région, et qui, à ce titre, devait avoir des idées bien senties sur les mariages forcés.

Non, exception faite de sa mère, il ne devait rien aux anciens, et peut-être même moins que rien. Il se demanda combien d'entre eux connaissaient la vérité sur son ascendance.

Et il était également moins furieux contre Mac McCullough. Mac, qui lui faisait l'effet d'un type toujours à l'affût d'un mauvais coup, avait raflé l'icône mais aussi tout ce qui était à sa portée, grandement aidé par l'incapacité des villageois à lui résister, frappés comme ils l'étaient par la grippe espagnole. Peut-être aimait-il sincèrement Elizaveta, et peut-être pas. Peut-être pensait-il sincèrement revenir, et peut-être pas. Il avait relaté son histoire et veillé à la transmettre à son fils. Peut-être même était-elle vraie.

Et peut-être pas. Sam avait envisagé d'écrire à Hammett pour lui demander son avis. Mais, une fois à Seward, il y avait renoncé. Cela n'avait pas d'importance, ou plutôt cela n'en aurait bientôt plus. Que l'on soit natif ou immigrant, l'Alaska est un lieu propice aux nouveaux départs.

Il avait donc dit adieu à l'insaisissable Emil Bannister, à l'icône perdue et à Joy Shugak. Arrivé à Cordova, il trouva sa mère grièvement malade. Il resta auprès d'elle jusqu'à ce qu'elle meure au cours de l'année suivante, s'improvisant chef de port pour remplacer le titulaire de ce poste, qui avait démissionné suite à un désaccord portant sur ses arriérés de salaire. Le conseil municipal voulait l'embaucher à titre permanent, mais Sam n'avait pas envie de vivre sur la côte. Par ailleurs, Niniltna ne se trouvait qu'à un coup d'avion de distance, et il n'avait que trop vu des villageois finir poivrots. Il n'allait pas attendre que Joy daigne se montrer.

Lorsque sa mère décéda au printemps 1948, il vendit sa maison et les meubles qu'elle contenait. Un mois plus tard, il entamait des négociations avec le capitaine d'un chasse-marée de vingt-cinq mètres à la coque de bois, à la proue haute, à la poupe ronde, au fort tirant d'eau et aux cales à grande capacité. Il était sorti en 1912 des chantiers navals de Ballard et naviguait autour de l'Alaska depuis 1914, surtout pour pêcher le hareng et le saumon. Simple voilier à l'origine, on l'avait équipé en 1916 d'un moteur Diesel.

Ses superstructures consistaient en un gaillard d'avant plutôt spacieux, un château à deux niveaux abritant une timonerie surmontée d'une salle des cartes, une coquerie et trois cabines, et des toilettes à la poupe. Le moteur était placé à l'arrière des cales. Il s'appelait le *Freya*, nom donné à la déesse de l'amour dans la mythologie nordique, comme le lui dit le capitaine avec un clin d'œil.

Sam avait toujours été vulnérable au coup de foudre. Après un bref marchandage, il obtint un prix convenable, qui lui laissait assez de fonds pour procéder aux réparations nécessaires. Dès que les documents furent signés, il emmena le *Freya* à Seward, où il le fit mettre en cale sèche. Il l'équipa d'un nouveau moteur, d'un nouvel arbre de transmission et d'une nouvelle hélice, d'une nouvelle grue et d'un nouveau treuil. Il revit la conception du château afin de ne pas être obligé de sortir sur le pont pour se rendre à la timonerie ou aux toilettes, et il conclut ses travaux par une nouvelle couche de peinture, optant pour une coque noire avec filet blanc et un château blanc avec filet noir.

La dernière chose qu'il fit, ce fut d'écrire à Pete à Seattle pour lui demander s'il avait toujours le compas en cuivre dans sa boîte de teck, qu'il avait découvert dans la boutique lors de sa première visite. Pete lui répondit par l'affirmative, ajoutant qu'il n'aurait accepté de le céder qu'à lui seul et qu'il lui en faisait cadeau. Le compas fut installé dans la timonerie avec toute la cérémonie voulue.

Durant les années qui suivirent, le *Freya* travailla sur la totalité des cinquante-huit mille kilomètres de côtes alaskiennes, de Metlakatla à Kaktovik. Grâce à la loi Jones, promulguée en 1920, les eaux territoriales de l'Alaska étaient interdites à la concurrence étrangère et Sam en profita au maximum. Il prenait les clients là où il les trouvait, l'US Navy dans les Aléoutiennes, quand il lui fallait un navire pour approvisionner les pauvres troufions affectés à la station d'écoute et d'interception d'Amchitka, l'Alaska Steamship quand elle avait besoin d'aide pour livrer de la marchandise à Barros, les conserveries quand il y avait du hareng et du saumon à transporter en saison et que le prix était correct, le Service des forêts quand son navire pouvait servir de remorqueur à un transport de rondins.

Il l'avait l'œil pour recruter de bons marins et le nez pour renifler les bonnes affaires, il était toujours en quête d'un boulot, et il avait fini par connaître par cœur le golfe d'Alaska et ses sautes d'humeur. Il trouvait toujours une femme aimable dans chaque port, si bien qu'il ne manquait jamais de compagnie.

À peine s'il pensait encore à Joy de temps à autre, et c'était toujours distraitement, comme on pense à une vieille amie.

Du moins tentait-il de s'en persuader.

Tout bien considéré, la décennie écoulée lui avait été favorable, et il n'avait aucune envie de repartir en quête de ce stupide morceau de bois vraisemblablement vermoulu, qui avait sans doute perdu tout intérêt pour sa tribu – culturel, historique et sentimental –, et qui ne signifiait strictement rien pour lui.

Donc, c'est exactement ce qu'il fit.

Il se renseigna un peu dans les milieux autorisés, apprenant qu'Emil Bannister demeurait à Anchorage et qu'on le considérait comme un homme d'influence de premier plan, impliqué dans toutes sortes d'activités, de la banque à l'industrie de la pêche. C'était un proche des Bell, des Pilz et des Heiman, membre comme eux du Club «Spit and Argue[31]», qui réunissait les hommes d'affaires ayant mis en coupe réglée l'industrie et le commerce de l'État. Il avait l'oreille du gouverneur territorial et avait opté pour le bon camp en ce qui concernait les pièges à poissons comme la constitution d'un État.

Sam se lia avec un assistant parlementaire d'Anchorage, qui lui apprit que Bannister appartenait à un consortium qui venait d'entreprendre des forages dans la péninsule de Kenai, dans l'espoir d'y trouver du pétrole. Sam se rappela la conserverie de Cannery Bay, où il avait un jour livré des provisions et dont le gardien lui avait raconté qu'il avait cherché du pétrole à Iniskin dans les années 1890, mais c'était la première fois qu'il entendait parler d'un gisement à Kenai.

Il informa son équipage qu'ils allaient faire route vers le golfe de Cook dans l'espoir de travailler à l'approvisionnement des installations de forage. Comme cinq de ses hommes étaient du Sud-est et souhaitaient rester à Juneau, il leur régla leur solde

---

31. «Cracher et pinailler» : surnom donné aux clubs de débateurs, en souvenir d'un groupe d'amateurs de tabac à chiquer à Long Beach.

et leva l'ancre le lendemain. Le golfe de Cook était dangereux pour la navigation, du fait des bancs de limon glaciaire qui ne cessaient de se déplacer sous l'effet de fortes marées. Il laissa le *Freya* au quai rudimentaire de Nikiski et descendit à terre. Le lendemain, il revint avec un contrat, ou plutôt un simple accord verbal, et se mit à transporter des provisions de Seattle à Nikiski pour le compte de la Richfield Oil Company. Il passa le plus clair de l'année suivante en transit dans le golfe d'Alaska.

Pete avait quitté ce monde, mais Kyle n'avait pas bougé de Seattle et Sam savait qu'il était invité à dîner chaque fois qu'il touchait terre. La maison de Wallingford, entièrement restaurée, était splendide. Kyle avait racheté le fonds de commerce de Pete, ouvert une première boutique dans le centre-ville et une seconde à Snohomish, une cité qui, selon lui, était en voie de devenir la capitale des antiquaires pour le Nord-ouest. Il avait acquis un compagnon à demeure que Sam ne trouva guère sympathique. La réciproque était vraie, d'ailleurs, et Sam arqua un sourcil lorsque Kyle l'envoya faire une course qui n'avait rien de nécessaire.

– Je sais, soupira Kyle, mais qu'y puis-je ? Je l'aime.

Comme la conversation menaçait de sombrer dans la mélancolie, Sam lui dit qu'il avait fini par trouver Emil Bannister. Son visage s'illumina sous l'effet de l'excitation, et il alla jusqu'à proposer de s'embarquer à bord du *Freya* pour voir l'homme en personne. Sam s'en étouffa sur son café et tous deux éclatèrent de rire.

En juillet suivant, alors qu'il accostait avec une cargaison de haricots rouges et de tiges de forage, Richfield annonça la découverte du gisement de la Swanson River, qui donnait déjà neuf cents barils par jour. C'était la première exploitation pétrolifère de l'Alaska qui soit commercialement viable.

Sam fut invité aux festivités, mangea du jarret de porc aux haricots et but de la bière en quantité, les oreilles pleines d'accents texans, de celui de Dallas à celui de Houston, épicés de quelques traces d'Oklahoma. Il n'avait jamais vu autant de bottes de cow-boy, hormis dans les films de Randolph Scott.

Deux ouvriers commencèrent à se disputer pour savoir qui était de service lorsque l'or noir avait commencé à jaillir, et Sam remercia le contremaître de l'avoir invité mais lui dit qu'il devait regagner son bord sans tarder. L'autre, un colosse au crâne chauve et au ventre proéminent, surnommé bien évidemment Tex, lui répondit :

— Vous pourriez aller faire un tour à Seward, charger l'équipement qui vient d'arriver pour nous et le rapporter ici ?

— D'accord.

Sam se leva et Tex l'accompagna jusqu'au quai. En chemin, un petit gringalet au visage d'orang-outan, surnommé bien évidemment Okie, les rejoignit en courant pour informer Tex qu'un des gros pontes de la compagnie venait d'arriver en avion d'Anchorage, flanqué de son fils, et souhaitait visiter l'installation.

Le père et le fils apparurent quelques instants plus tard, et Sam se retrouva en train de serrer la main d'Emil Bannister, un quadragénaire blond de taille moyenne, engoncé dans un costume trois-pièces au gilet trop étroit. Il avait l'œil rusé et un sourire de politicien prêt à tout pour plaire.

— C'est quelque chose, quand même, pas vrai ? dit-il, radieux. Le premier gisement digne de ce nom dans tout le Territoire. Quand nous demanderons à accéder au statut d'État, Washington ne pourra pas nous le refuser.

Sam convint que cette évolution était sans doute inévitable. Comme il s'y attendait, Emil lui demanda depuis combien de temps il était en Alaska. Il écarquilla les yeux en entendant la réponse.

— Il n'y en a pas beaucoup dans votre génération, dit-il. La plupart des citoyens nés en Alaska ont l'âge de mon fils.

Avant que Sam ait le temps de lui faire remarquer qu'il oubliait les Natifs, Emil ordonna sèchement :

— Erland ! Descends de là !

Le garçon, qui était monté dans un chariot élévateur dont le conducteur lui expliquait le tableau de bord, s'exécuta en rougissant.

– Je ne t'ai pas amené ici pour que tu te mettes du cambouis partout. Serre la main à ce gentleman, veux-tu.

– Bonjour, dit Sam en tendant la main. Je m'appelle Sam Dementieff.

Et il se retrouva face à un visage qu'il avait vu pour la dernière fois quatorze ans plus tôt, sur l'île d'Adak.

28

La nuit était tombée lorsqu'elle regagna son pied-à-terre. Elle fonça dans le salon et farfouilla dans les disques de Jack, sélectionnant en fin de compte une compilation de Jimmy Buffett en public, réglant le volume de la chaîne au maximum afin d'avoir l'impression que Jimmy était à ses côtés dans la cuisine. Elle mit au micro-ondes le plat thaï qu'elle avait acheté en route et s'assit pour déguster des rouleaux de printemps en attendant qu'il soit prêt. Elle achevait le dernier lorsque son portable sonna.

– Ici Kate.

– Salut.

C'était Jim.

– Chalut, fit-elle.

– Encore en train de bouffer ?

– C'est ce que je fais de mieux.

– Sans rire.

Elle déglutit. Mutt arriva en trottinant, les oreilles dressées.

– Ton esclave t'envoie le bonjour, dit Kate.

Elle tendit l'appareil vers Mutt pour que Jim puisse lui dire :

– Salut, Mutt !

Mutt poussa un petit cri de joie. Kate remit le portable à son oreille.

– Je suppose que tu es toujours en Californie ?

À des milliers de kilomètres de moi.

– Pas vraiment.

Elle se redressa vivement.

– Tu rentres à la maison ?

Elle dressait déjà des plans pour le récupérer à l'aéroport. Un coup d'œil à la pendule. S'il se préparait à embarquer à LA, son avion atterrirait à Anchorage bien après minuit. Pas de problème, elle pouvait…

– Je suis sur la route, dit-il.

Elle resta interdite un instant.

– Tu rentres en voiture ? Tu t'es acheté une bagnole ?

– Pas exactement.

Apparemment, pas besoin de foncer à l'aéroport. Elle se carra sur sa chaise et s'efforça de garder un ton posé.

– Que se passe-t-il ?

Soupir de Jim.

– Ça va être long à expliquer.

Elle croisa les jambes, les pieds posés sur la table, et fit la sourde oreille aux tintements du micro-ondes.

– Je suis tout ouïe.

Finalement, ce fut moins long que prévu, car il avait réduit son mini-drame personnel à un rapport de police et ses protagonistes à des signalements, à l'exception de lui-même. Quand il eut terminé, elle réfléchit un long moment en silence.

– Donc, tu as une tante dont tu ignorais l'existence, dit-elle enfin.

– Oui.

– Au fait, il me tarde de voir cette écritoire.

– Une véritable œuvre d'art. Ne nous éloignons pas du sujet.

– Donc, ta petite copine…

– Mon ex-petite copine.

Elle eut un sourire en coin et garda une voix détachée.

– Donc, ton ex-petite copine a fait une enquête sur ta mère… (elle ferma les yeux et secoua la tête) et découvert le certificat de naissance de sa sœur.

– Oui.

– Et ta petite copine…

– Ex.

– Donc, elle a fait une enquête sur ta tante.

– Oui.

– Cette tante demeure dans l'Oregon.

– Oui.

– Tu as son adresse.

– Oui.

– Et tu vas la voir.

– Pas exactement.

– Pardon ?

– Je suis déjà arrivé en Oregon, mais elle n'habite plus à l'adresse que Sylvia avait dénichée.

– À savoir ?

– Portland. J'ai tout de suite retrouvé la maison, mais ses occupants actuels n'avaient jamais entendu parler d'elle. Il m'a fallu toute une journée pour débusquer un voisin qui a pu me dire qu'elle avait déménagé il y a trois ans, juste après la mort de son mari, et que la maison avait été vendue à deux reprises depuis lors.

– Elle n'a pas laissé d'adresse ?

– Si, à la poste.

Kate avait l'impression de lui arracher les dents une par une. Pour lui, ce devait être encore plus pénible, se rappela-t-elle.

– Et ?

– Ils ont fini par me la donner. C'est une résidence à Eugene. C'est là où je me trouve en ce moment. Selon le propriétaire actuel, elle s'est remariée l'année dernière et a emménagé chez son nouvel époux.

– Jim…

Kate se tut, incapable de trouver ses mots.

– Quoi ?

Elle respira à fond.

– Pourquoi tu ne demandes pas à ta mère ?

Ce fut au tour de Jim de marquer une pause.

– Nos relations ne le permettent pas.

– Comment ça, vous ne vous parlez plus ?

– Pas vraiment, non. Disons qu'elle ne me parle pas.

– Pardon ?

Léger soupir.

– C'est une habitude qu'elle n'a jamais acquise.

Kate pensa à ses parents, qu'elle avait perdus depuis si longtemps. Son père, malin et taiseux, qui l'avait emmenée à la chasse avant qu'elle ait appris à marcher. Sa mère, douce et aimante, qui avait lutté en vain toute sa vie pour échapper à l'alcool.

Que ne donnerait-elle pas pour les retrouver tous les deux, sobres ou éméchés !

– Tu es un enfant unique, Jim. Tu viens de perdre ton père. Tu n'as pas de frère, tu n'as pas de parents proches, du moins à ta connaissance, cette tante exceptée. Il ne te reste plus que ta mère.

– Non, dit-il haut et clair, tu te trompes.

Elle était allée trop loin. Bon.

– Où es-tu en ce moment ?

– J'avais pris l'Interstate 5 pour monter, alors j'ai décidé de redescendre la côte par la Route 101. Je me suis arrêté à Newport pour dîner. Tu adorerais ce coin, Kate. Quand on regarde vers le nord, on voit pratiquement l'Alaska, et il y a de splendides ponts Art Déco datant des années…

– Où vas-tu ensuite ?

Il soupira.

– À Medford. C'est là qu'habite son nouvel époux. J'arriverai sans doute vers minuit et je me trouverai un motel.

– Et demain, tu iras voir ta tante.

– Ouais.

– Que tu n'as jamais rencontrée.

– Non.

– Et si elle ne veut pas te voir ?

– Pourquoi s'y refuserait-elle ?

Kate aurait pu citer tout un tas de raisons. Sans en être conscient, Jim était en quête d'un parent qu'il soit susceptible d'aimer, et après avoir passé en revue ses mille et un proches, elle ne pouvait pas lui en vouloir. Mais cela voulait dire qu'il allait encore rester à l'Extérieur, loin du Parc, loin d'elle. *Tu me manques.*

– Bien, dit-il.

Horrifiée, elle comprit qu'elle avait pensé à voix haute.

– Oui, bon, fit-elle. (Elle se leva d'un bond, faisant crisser les pieds de sa chaise sur le sol.) Il faut que j'y aille, mon dîner va refroidir. Je reste à Anchorage encore un jour ou deux, alors tiens-moi au courant, d'accord ? *L'Affaire de la tante disparue*, par Erle Stanley Chopin.

Voilà qu'elle bafouillait maintenant. Mutt, qui grâce à son ouïe fine pouvait capter la voix de Jim, lui lança un petit cri en guise d'avertissement.

– Mutt te dit au revoir, dit Kate d'une voix enjouée.

– Toi aussi, tu me manques, répondit Jim.

Plus tard, une fois la vaisselle lavée et rangée, Kate se déshabilla pour passer un vieux tee-shirt délavé aux armes de l'Université de l'Alaska, un pantalon de pyjama en flanelle et d'épaisses chaussettes de laine, puis redescendit allumer du feu dans la cheminée. Le stère de bois que Jack avait rentré durant sa dernière année en ce monde était à présent si sec que le feu prenait avec une seule allumette. Elle remplaça Jimmy Buffett par Bonnie Raitt, se prépara un mug de chocolat chaud plutôt corsé et se lova sur le canapé. Avant de rentrer, elle avait fait un détour par la librairie Barnes and Noble pour s'acheter les derniers romans de Tanya Huff et d'Ariana Franklin. Mais ils restèrent sur la table basse tandis qu'elle s'efforçait de lire dans les flammes les prochains chapitres du *Conte d'Old Sam*.

Old Sam avait glissé la carte dans le second volume du journal du juge, qu'il avait planqué dans la cabane des sources chaudes. Il avait laissé le premier volume bien en vue, et sans doute contenait-il un indice susceptible de mettre Kate sur la bonne piste, sauf qu'il avait été volé.

Elle se tourna vers la bibliothèque. La jaquette de l'édition en un volume du *Seigneur des anneaux* était toujours là, rassurante.

Elle se rappela les livres jonchant le sol chez Jane Silver. Selon toute évidence, il y avait un lien entre Old Sam et elle, un lien que tous deux avaient tenu secret, et peut-être lui avait-il parlé de la carte au cours d'une conversation sur l'oreiller. Et peut-être, sans doute, que Jane en avait parlé à un tiers. Pete Wheeler ? Ben Gunn ? Elle possédait forcément un objet en rapport avec le passé d'Old Sam, car sinon pourquoi aurait-on tenté de la cambrioler ?

La mort d'Old Sam était l'événement déclencheur de toute cette série d'incidents, et, à ce moment-là, un autre que lui était au courant de l'existence de l'icône. Kate ignorait encore comment il l'avait retrouvée. Voire s'il l'avait seulement retrouvée. Peut-être que tous ceux qui s'en prenaient à elle recherchaient une chose qui n'existait pas.

Restaient les journaux intimes. Et maintenant la carte. Mais comme on n'y avait tracé aucune grosse croix rouge, elle ignorait quelle en était l'utilité.

Si Bruce Abbott travaillait pour Erland, alors celui-ci était également à la recherche de l'icône. Mais pourquoi ? Cela valait-il le risque de compromettre une éventuelle libération anticipée ?

Elle entendait encore la voix goguenarde d'Erland : « Elle a une certaine, disons, une certaine résonance familiale. »

Demain matin, décida Kate, elle irait faire un tour au bureau de Kurt. De toute façon, elle devait lui expliquer toute l'affaire, et elle en profiterait pour lui demander d'effectuer des recherches dans les archives, un art dans lequel il était passé maître. D'abord sur Mac McCullough, pour confirmer les informations de Brendan, et ensuite sur Erland, juste pour mettre les points sur les *i*.

Elle se rappela que Jim avait fait faire des recherches sur sa mère.

Peut-être devrait-elle demander à Kurt de s'intéresser à Old Sam.

Et aussi à Bruce Abbott, pour dire ensuite à celui-ci qu'il était grillé et lui soutirer ce qu'il savait. Encore que, si Erland était fidèle à lui-même, il ne lui avait sûrement pas dit grand-chose.

Et alors, elle pourrait rentrer chez elle.

Les flammes ondoyèrent et elle crut y voir le visage d'Old Sam, ses yeux noirs, l'expression cynique qui lui était familière, et qu'elle comprenait mieux à présent. Elle imagina son sourire diabolique s'élargissant encore pour lui dévorer le visage. Puck, voilà ce qu'il était, et le Parc était son royaume féerique, une comparaison qui l'amena elle aussi à sourire de toutes ses dents. Cela dit, du plus lointain qu'elle s'en souvienne, il avait toujours eu la malice dans la peau et il considérait la plupart de ses semblables comme des imbéciles.

Son sourire s'effaça. Old Sam s'était toujours montré plein d'attention envers les tantes. Il leur apportait les premiers saumons royaux du printemps, remplissait leur garde-manger chaque automne de viande d'élan et de caribou, veillait à ce que leur provision de bois de chauffage ne s'épuise pas pendant l'hiver. Elle croyait jusque-là qu'il faisait office de grand frère, ou de frère de substitution. Mais elle comprenait à présent que ce n'était qu'un écran de fumée, qu'il tenait avant tout à servir et à protéger le seul amour de sa vie. Non que Tante Vi, Tante Balasha et Tante Edna ne soient pas dignes de ses efforts et de son affection.

Enfin, pour Tante Edna, ça se discutait.

Elle songea à l'inévitable plat d'œufs mimosa que Tante Joy lui confectionnait chaque année pour la fête de fin d'été. Aucune des autres tantes n'en préparait, ce qui prouvait bien qu'elles n'étaient pas dupes. Si elles ne savaient pas tout, au moins se doutaient-elles de quelque chose.

Kate secoua la tête. Un grand amour aux œufs mimosa. Allez comprendre.

Les quatre tantes avaient plus ou moins le même âge, ce qui en faisait des contemporaines d'Old Sam. Et d'Emaa.

Elle monta au bureau de Jack, récupéra un bloc-notes, deux crayons et une gomme, puis redescendit. En règle générale, elle estimait que s'intéresser au passé constituait une perte de temps, mais son arbre généalogique commençait à lui apparaître comme un sac de nœuds, sinon un nœud de vipères. Peut-être y verrait-elle plus clair dans l'histoire d'Old Sam si elle mettait un peu d'ordre là-dedans.

L'histoire commençait avec le Chef Lev Kookesh, sans doute originaire du Sud-est et importé pour épouser Victoria, fille de Clarence et Rose Shugak, membres d'une famille établie dans le Parc depuis tant de générations que seul leur nom les rattachait encore à leurs ancêtres aléoutes.

Sauf qu'on ne parlait pas encore de Parc, se rappela Kate.

Lev et Victoria avaient eu une fille, Elizaveta, qui avait épousé Quinto Dementieff, de Cordova, mais avait eu un fils de Herbert Elmer «Mac» McCullough, escroc sans attaches. Ce fils était bien entendu Old Sam. Pour l'instant, elle avait tout bon. Si l'on peut dire...

Victoria, la mère d'Elizaveta, avait un frère nommé Albert. Albert avait épousé Angelique Halvorsen, de Fairbanks. Ils avaient eu une fille, Ekaterina (Kate avait déjà observé ce phénomène : soit les Rats du Parc avaient un enfant unique, soit ils en avaient une tripotée), et ils en avaient adopté trois autres, Viola, Edna et Balasha, qui leur étaient toutes apparentées d'une façon que ni les anciens ni leurs enfants n'avaient jamais pris la peine de détailler. Kate avait un jour posé la question, se voyant opposer un silence appuyé. Donc, il y avait anguille sous roche, mais sans rapport avec le mystère qui l'intéressait ce jour.

Du moins le pensait-elle.

Ekaterina avait épousé Feodor Shugak, dit Ted, un Shugak des Aléoutiennes. Tout comme celui de Tante Joy, son mariage avait été arrangé par ses parents afin de cimenter les liens entre familles résidantes et immigrantes. Ekaterina et Ted, qui était mort avant la naissance de Kate, avaient eu un fils, Stephan, lequel avait épousé Zoya Shashnikof, d'Unalaska, une cousine qu'il avait rencontré à Chemawa, l'école du Bureau des Affaires indiennes en Oregon. Kate était leur fille.

Et voilà qu'Erland Bannister débarquait dans la famille. Ça lui remuait les tripes d'imaginer ne serait-ce qu'un instant qu'ils puissent être apparentés, mais s'il faisait partie de l'histoire d'Old Sam, il faisait aussi partie de la sienne, et elle n'avait plus qu'à serrer les dents et l'accepter.

Elle consulta l'horloge du lecteur de DVD et se demanda si Jim était déjà arrivé à Medford. Les dieux devaient bien se marrer, eux qui avaient jeté Kate et Jim dans un maelström généalogique en deux endroits distincts de la mare primale, en leur laissant le choix entre surnager et couler à pic.

Erland avait une soixantaine d'années. Old Sam en aurait eu quatre-vingt-dix quelques mois plus tard. Ça faisait une sacrée différence. La durée d'un séjour en prison, peut-être ? Additionné d'un passage par l'armée. Mac était resté une vingtaine d'années à San Quentin, après quoi il avait rejoint le corps d'armée du général Simon Bolivar Buckner Jr. (*Un des noms les plus étonnants de l'histoire militaire américaine,* se dit Kate en frétillant des orteils.) et intégré la compagnie des Éclaireurs de l'Alaska. Aux yeux du colonel Kastner, seule comptait chez ses recrues l'expérience de la survie dans le Bush alaskien. Il aurait été étonnant que la hiérarchie s'intéresse de près aux antécédents d'un Écorcheur.

Quoi qu'il en soit, il avait servi son pays de 1939 à 1943, participant à ce que les historiens avaient appelé la guerre des Mille Miles. Durant laquelle il avait sauvé la vie de son fils.

Kate secoua la tête. Elle prit note de demander à Kurt de retrouver les états de service de Mac McCullough. Elle ne s'attendait pas à apprendre grand-chose, mais les dates exactes pourraient lui être utiles, et si, comme l'affirmait le manuscrit de Hammett, Mac était mort des suites de ses blessures, lesdits états de service le mentionneraient. Idem dans le cas contraire.

Si Mac n'était pas mort tout de suite, et s'il était bien passé par San Quentin puis par l'US Army, il avait sans doute été démobilisé en même temps qu'Old Sam, en 1945. Si ses blessures étaient graves, on l'avait évacué vers l'Extérieur, dans un hôpital militaire, pour le démobiliser à sa sortie.

Mais Kate croyait se rappeler qu'Erland Bannister était un Alaskien pur jus, qu'il était né dans le Territoire. Donc, si Mac McCullough était bien son père, cela signifiait qu'il était revenu en Alaska.

Tel père, tel fils, disait-on. Était-ce bien vrai ? Le visage d'Erland Bannister constituait-il une représentation fidèle de son géniteur ?

Et, dans ce cas, Erland le savait-il ? Était-ce là le fin mot de l'histoire, un scandaleux secret de famille dont Erland souhaitait effacer toutes les traces, raison pour laquelle il avait engagé Bruce Abbott ?

Old Sam avait-il su ?

Elle sentit un frisson glacé la parcourir.

Si Mac McCullough était revenu en Alaska, avait-il contacté Old Sam ?

Et s'il l'avait fait, comment Old Sam avait-il réagi ?

– Non.

Elle avait parlé si fort que Mutt, assoupie devant le feu, se réveilla en sursaut. Voyant qu'aucun danger imminent ne les menaçait, elle gratifia Kate d'un regard indigné et répéta son rituel d'avant-sommeil, tournant trois fois autour de sa couverture mais lâchant en signe de contrariété un pet aussi sonore qu'odorant.

– Pardon, fit Kate en allant ouvrir une fenêtre.

Elle reprit l'arbre généalogique, obtenu à grands coups de crayon et de gomme, sans parler des ratures. Les parents d'Ekaterina et d'Elizaveta étaient frère et sœur – Victoria et

Albert (Ces prénoms la firent sourire.) –, ce qui faisait d'elles des cousines. Donc, Old Sam était le fils de la cousine d'Ekaterina.

Qu'était-il donc pour Kate?

Réponse : son oncle.

Et voilà.

Conclusion : si Old Sam et Erland étaient, disons, demi-frères, qu'était donc Erland pour Kate?

Réponse : une enflure.

La voix du sang est puissante, mais il y a des limites.

29

– Quoi ? fit-elle, incrédule. Quand ça ?

– En 1959. (Kurt lui passa la sortie imprimante en lui désignant le passage qui l'intéressait.) Tué net. Il a surpris un cambrioleur chez lui. Ils se sont battus. Emil a été terrassé et le voleur a pu s'échapper.

– Et Emil Bannister est mort ?

Kate n'arrivait toujours pas à y croire.

– Il semble que Bannister possédait une splendide collection d'artefacts natifs, qu'il avait entamée dès son arrivée en Alaska.

– Comme Bell ?

– Tous ces vieux rapaces achetaient tout ce qu'ils pouvaient dénicher. Ça devait être une sorte de compétition. Bref, les premières constatations, si primitives soient-elles à cette époque, permettent de supposer que Bannister a pris le type la main dans le sac. Les deux hommes se sont battus, et le bureau s'est renversé. On l'a retrouvé dessous.

Kate grimaça.

– Ouais. Écrabouillé. Ça devait être du massif. Le reste de la famille dormait à l'étage. Le boucan a réveillé tout le monde, le fils est descendu et il a eu le temps de voir son père mourir.

Erland.

– Il a pu voir le cambrioleur ?

Kurt fit « non » de la tête.

— On ne l'a jamais capturé. L'affaire a fait grand bruit à l'époque, Kate. Je crois même qu'on en parle dans les livres d'histoire. Bannister était un gros ponte. Il avait des parts dans les gisements de pétrole de la Swanson River et c'était un des délégués à l'assemblée constituante.

Assise dans le bureau de Kurt, Kate avait une tasse de café dans la main et des nœuds dans les tripes. Elle se serait crue ramenée dans le salon de Jane Silver, mais cinquante ans plus tôt.

— Qu'est-ce qu'on lui a volé ?

Kurt la fixa d'un air soucieux.

— Est-ce que ça va, Kate ? Vous n'avez pas l'air dans votre assiette.

À l'instar d'Erland, à l'instar de tout le monde, il regarda d'un air entendu ses coquards et son front balafré.

— Cela dit, ça se comprend un peu. Vous voulez qu'Agrifina vous donne une aspirine ?

— Ça ira.

Elle se rappela son café. Il était bouillant, un peu sucré, très crémeux, et il l'aida à retrouver son assise en ce monde.

— Est-ce qu'il y a une liste des objets volés dans le rapport de police ?

Il fit « non » de la tête.

— Des antiquités et des artefacts natifs, c'est tout ce que j'ai. (Il referma le rapport et le jeta sur la table.) On était à Anchorage, en 1959, Kate. Les gens comme Emil Bannister ne se faisaient pas cambrioler. Je parie qu'il n'avait même pas d'assurance. Vous voulez que je fasse des recherches sur la veuve ?

— Non, dit-elle après réflexion. Du moins, pas encore. Je vais voir si je peux contacter Victoria.

Kurt, qui venait d'arquer un sourcil, haussa le deuxième.

— Elle a une dette envers vous.

— Elle l'a déjà réglée. Et généreusement. Services rendus, chèque encaissé.

Il demeura sceptique.

— Mais vous avez quand même une ouverture, c'est ça ?

— Kate Shugak !

Derrière son gigantesque bureau, le géant au visage ridé lui adressa un sourire rayonnant.

— Salut, Max, fit-elle.

— Et Mutt est là, je vois, dit-il comme l'intéressée venait en trottinant exiger son dû. Ça doit être une visite officielle.

— Je n'ai aucune idée de ce que c'est, Max, avoua-t-elle, piteuse.

— Voilà qui s'annonce bien, contrairement à tout ce que je vois défiler dans mon bureau chaque jour. Imogene ! Imogene, bon sang de bois !

Imogene était une femme grassouillette, âgée d'une soixantaine d'années, au visage souriant sous un casque de boucles grises. Elle se matérialisa sur le seuil et dit, d'une voix piquante mais résignée :

— Max, combien de fois faudra-t-il que je vous le répète ? Vous n'avez pas besoin de crier, il suffit de presser le bouton de l'interphone.

Aussi improbable que cela paraisse, Max prit un air contrit.

— Je déteste ces saletés, dit-il.

Kate devina qu'il devait parler de tous les appareils électriques en ce bas monde, hormis peut-être le démarreur d'un avion léger Piper Super Cub.

— Pouvez-vous nous apporter du café ?

— Mais bien sûr, dit Imogene en souriant à Kate. Comment l'aimez-vous, madame Shugak ?

— Beaucoup de crème et un peu de sucre.

— Je reviens tout de suite.

Elle disparut, pour réapparaître presque aussitôt avec un plateau. Elle le posa sur le bureau de Max et s'éclipsa.

Max la suivit du regard sans le faire exprès.

– Une femme charmante, dit Kate.

Aussitôt, il prit un air coupable et le rouge lui envahit le visage, jusqu'à son crâne dégarni et couvert de tavelures.

– Trop jeune pour moi, grommela-t-il. Maintenant, arrêtez de bavasser et servez-moi un peu de café.

Kate s'exécuta et se rassit.

– Comment allez-vous, Max? Vous avez l'air en pleine forme.

– On ne peut pas en dire autant de vous. Qui diable vous a prise pour une cible de baraque foraine?

Membre de la Police territoriale avant que l'Alaska ne devienne un État, puis un des premiers policiers dudit État, Morris Maxwell avait eu une longue carrière, durant laquelle, à l'en croire, il avait visité toutes les villes et tous les villages d'Alaska et arrêté plus de délinquants et de criminels que dix de ses successeurs réunis. Peut-être était-il plus jeune qu'Old Sam, mais pas de beaucoup. La dernière fois que Kate l'avait vu, il végétait au Pioneer Home et, quand il se déplaçait, c'était en fauteuil roulant.

Celui-ci avait été remplacé par une splendide canne en saule rigide, accrochée au bureau à portée de sa main. Il vit que Kate l'avait remarquée et dit :

– C'est Victoria qui me l'a offerte.

Kate haussa les sourcils.

– Elle doit vous apprécier.

– Ouais, enfin, peu importe, fit Max, de toute évidence gêné par les compliments d'où qu'ils viennent.

Il avait l'air en bonne santé, en effet : les joues plus rouges, le corps moins efflanqué, les habits moins élimés, quoique toujours du style décontracté : blue-jean, chemise bleu ciel déboutonnée, blazer de tweed. Et ils lui allaient à la perfection, se dit Kate. La dernière fois qu'elle l'avait vu, il flottait dans des fringues qui soulignaient encore le repli sur soi dont il souffrait. À présent, il semblait aussi à l'aise dans ses vêtements que dans le monde. On guérit vite quand on se sent désiré.

– Vous avez l'air en pleine forme, répéta-t-elle.

Il rougit de plus belle.

– Ouais, enfin, peu importe, insista-t-il, lui lançant un regard furibond. Qu'est-ce que vous voulez, au fait ?

Elle prit un air peiné.

– Je n'ai pas le droit de rendre visite à un vieil ami ?

Regard noir.

Elle rit aux éclats.

– D'accord, fit-elle. J'espère que vous pourrez persuader Victoria de m'accorder cinq minutes.

– Pour quoi faire ?

Elle le regarda les yeux dans les yeux. Ruthe, Demetri, l'avocat, Ben, même Johnny : elle ne leur avait raconté qu'une partie de l'histoire. Bobby et Dinah en connaissaient la totalité, jusqu'au moment où elle avait pris l'avion pour Anchorage.

À Max, elle raconta tout, jusqu'au moindre détail : les agressions, les journaux intimes, l'avocat, le dernier message d'Old Sam, Mac McCullough, le manuscrit de Hammett, Jane, l'aventure de Canyon Hot Springs, la carte, Bruce Abbott, le prêtre orthodoxe russe et Notre-Dame de Kodiak, son entretien avec Erland et la ressemblance entre celui-ci et Old Sam.

– Sur mes conseils, Brendan a demandé au directeur de faire fouiller la cellule d'Erland, conclut-elle.

Grognement de Max.

– Et ?

– Et on a trouvé une nécro d'Old Sam. Soit on la lui avait fait parvenir, soit il l'avait découpée dans un journal. Je l'ai fait insérer dans toutes les feuilles de chou de la région.

Nouveau grognement.

– Ce vieux salaud a mis quelque chose en branle, c'est sûr. Je me demande s'il en avait l'intention. (Il la fixa d'un œil inquisiteur.) Comment Victoria peut-elle vous aider, à votre avis ?

– Je n'en ai aucune idée. C'est sa sœur. Peut-être qu'elle a vu ou entendu quelque chose, peut-être qu'elle a enregistré un de ses propos… (En voyant le regard qu'il lui lançait, elle laissa sa phrase inachevée.) Bon, d'accord, je m'accroche aux branches. Max, vous saviez que leur père avait été tué lors d'un cambriolage?

– Emil? Bien sûr. (Haussement d'épaules.) Mais ça n'avait rien à voir avec notre affaire.

Kate eut la sagesse de ne pas insister sur ce point. Un bon flic fait son boulot de son mieux, chaque jour de l'année. Parfois, ça ne suffit pas, et il est toujours plus facile de se lamenter sur ses échecs que de se réjouir de ses réussites.

Un bon flic, ça sait aussi lire dans les pensées, et c'est apparemment ce qu'il fit.

– Je n'étais pas sûr qu'elle accepterait de m'embaucher, dit-il.

– Moi si, dit Kate.

Et elle se demanda si Max ne cherchait pas à expier sa faute en travaillant pour Victoria.

Victoria Pilz Bannister Muravieff paraissait plus maigre et elle avait perdu son teint pâle de détenue. Ses cheveux étaient nettement plus fins, sans doute un effet de la chimio. Elle s'abstint d'évoquer son cancer et Kate respecta sa réticence. Une poignée de main ferme, un peu sèche, et Victoria l'invita à s'asseoir. L'accueil qu'elle lui avait réservé était dénué de chaleur, et son expression de gratitude. Kate n'en était ni surprise ni fâchée. La fille de Victoria avait perdu la vie durant l'enquête qu'avait menée Kate suite à sa condamnation à trente ans de prison. Sa liberté lui avait coûté gros et on la lui avait accordée contre son gré. Kate était même un peu surprise qu'elle ait consenti à la recevoir.

Elles se trouvaient dans un bureau à l'angle sud-ouest du bâtiment, avec une vue splendide qui allait des monts Chugachs à l'est au golfe de Cook à l'ouest. Par temps clair, à condition de tendre le cou, on arrivait presque à entrevoir Denali et Foraker. Le bâtiment de la Last Frontier Bank était nettement visible, massif, vert olive, occupant la totalité de son pâté de maisons excepté l'espace dévolu au parking.

— Est-ce que par hasard vous connaissez les Bell ? commença Kate.

Madame Muravieff suivit son regard.

— Ceux de la Last Frontier ? Évidemment.

Évidemment.

— Ils accepteraient que vous leur téléphoniez ?

Madame Muravieff haussa un sourcil.

— Évidemment. De quoi s'agit-il, madame Shugak ?

Elle jeta un coup d'œil à sa montre. *Voici votre chapeau, vous nous quittez déjà ?*

— J'ai vu votre frère hier.

Le regard de Madame Muravieff se durcit. Elle ressemblait un peu à son frère et, par association, un peu aussi à Old Sam. C'était déconcertant, à tout le moins, et Kate se demanda à nouveau comment elle avait fait pour ne rien remarquer. C'est un truisme de dire que le commun des mortels ne voit que ce qu'il s'attend à voir, mais elle n'était pas le commun des mortels.

— Vous avez vu Erland ? dit Victoria.

— Mon oncle vient de mourir et il m'a légué une énigme à résoudre. Cela m'a amenée à visiter le musée de la Last Frontier Bank. Vous le connaissez ?

Madame Muravieff agita la main en signe d'impatience.

— Naturellement. Ma famille fait partie de ses mécènes.

Naturellement.

— La conservatrice m'a dit que j'étais la deuxième personne ce mois-ci à lui demander des informations. La première était Bruce Abbott. En tant que mécène, vous devez savoir que, pour consulter les collections, on doit soit être un universitaire, soit avoir de bonnes références. C'est votre frère qui a servi de référence à Abbott. (D'un mouvement de menton, elle désigna le bâtiment de la Last Frontier Bank.) Par l'entremise de Vitus Bell.

Madame Muravieff plissa les lèvres.

— Son affaire est en appel.

— Je le sais.

– D'après mes avocats, il a une bonne chance de ressortir.

– Je le sais aussi.

– Il voudra reprendre le contrôle de la compagnie. (Madame Muravieff regarda Kate les yeux dans les yeux.) Donnez-moi des armes pour l'affronter.

Kate jeta un regard à Max, assis dans un coin, qui avait écouté leur conversation sans piper mot.

– Je ne sais pas ce qu'il veut, mais c'est en rapport avec la mort de mon oncle, reprit-elle, et elle raconta à Victoria la plus grande partie de l'histoire. Je viens de découvrir que votre père avait été tué alors qu'il venait de prendre un cambrioleur sur le fait.

Le visage de Mme Muravieff s'assombrit.

– C'est exact.

– Et que ce cambrioleur n'avait jamais été arrêté.

– Non.

– Ni même identifié.

Madame Muravieff hésita.

Kate attendit. Elle entendait le souffle de Max.

– Non, dit madame Muravieff, on ne l'a jamais identifié.

Kate sentit qu'elle se tendait et s'ordonna de se calmer.

– Vous voulez bien me dire ce qui s'est passé ?

Madame Muravieff secoua la tête.

– Erland a dit qu'un bruit l'avait réveillé et qu'il était descendu. C'est lui qui a trouvé papa, juste alors que le voleur s'enfuyait. Il n'a pas essayé de le poursuivre, dit-il, parce qu'il a vu que papa était grièvement blessé et qu'il voulait rester auprès de lui.

Kate médita là-dessus pendant un moment.

– Que s'est-il passé ensuite ?

– Maman et moi nous étions réveillées et nous sommes descendues. Mon père est mort. La police est arrivée.

Il y avait dans cette voix neutre, dénuée de toute émotion, un soupçon de réticence.

– Et ensuite ?

Soupir de Victoria.

– En dépit de son jeune âge, Erland a arrêté ses études pour travailler dans la compagnie. C'est Norman Edgars, le directeur adjoint, et le reste du conseil d'administration qui se sont occupés de sa formation. Ma mère ne nous était plus d'aucun soutien, en particulier après la naissance d'Erland. Il y avait un problème avec mes parents, j'ignore lequel. (Son front se plissa.) Quoique j'aie parfois pensé...

– Qu'Erland pouvait être reconnaissant au cambrioleur d'avoir tué son père ?

Madame Muravieff regarda Kate sans fléchir.

– Oui.

– Madame Muravieff...

Kate s'interrompit, s'efforçant de trouver les mots qu'il fallait. Mais c'était son interlocutrice qui avait abordé le sujet.

– Hier, quand j'ai vu votre frère, j'ai été frappé par son air de famille.

– Avec moi ?

– Non, madame Muravieff. Avec mon oncle, Old Sam Dementieff.

L'autre femme resta figée durant une minute, puis elle écarta les papiers sur son bureau.

– Je vais vous prier d'expliquer cette déclaration.

Kate obtempéra. Lorsqu'elle eut terminé, Muravieff dit d'une voix traînante :

– Vous pensez donc que mon frère et moi n'avons pas le même père ?

– Je n'en sais rien. Mais un test ADN vous permettrait d'en avoir le cœur net.

Sous les yeux de Kate, un sourire éclaira peu à peu le visage de Muravieff.

– Madame Shugak, vous m'intéressez prodigieusement.

– J'en suis ravie, dit Kate.

Leurs regards se croisèrent : elles se comprenaient parfaitement.

– Que puis-je faire pour vous en gage de reconnaissance ?

– Pour ce que je peux en dire, mon oncle m'a légué un objet que votre frère veut récupérer à tout prix, tant et si bien qu'il a engagé quelqu'un pour s'en emparer. (Elle leva une main.) Ce n'est de ma part que conjecture et présomption, comprenez-le bien. Je n'ai aucune preuve. Mais avez-vous une idée de ce qu'il convoite ?

Muravieff secoua la tête avec regret.

– Non.

– Pouvez-vous appeler Vitus Bell et lui demander si Erland l'a contacté afin de permettre à quelqu'un d'accéder au musée ?

Victoria pressa un bouton sur son téléphone.

– Rhonda, voulez-vous me passer Vitus Bell, je vous prie ?

Quelques instants plus tard, le téléphone sonna.

– Bonjour, Vitus, dit Victoria. Merci de retourner mon appel. Où êtes-vous ? (Elle écouta quelques instants, puis éclata de rire.) Mettez cent dollars sur le noir pour moi. Une question. Est-ce qu'Erland vous a contacté récemment pour faire entrer quelqu'un dans votre musée ? Je vois. Oui, merci. Non, je ne suis pas fâchée. Vous étiez de vieux amis, je le sais.

Victoria plissa les yeux et Kate se dit que Vitus Bell aurait intérêt à faire attention à lui durant quelque temps, au cas où.

– Merci encore. Toutes mes amitiés à Sally.

Elle raccrocha.

– Erland lui a écrit il y a quinze jours, pour lui demander un passe au nom de Bruce Abbott.

Il y a quinze jours. Après la mort d'Old Sam, mais avant la publication de la nécro.

– Auriez-vous par hasard la liste des objets volés chez vous la nuit où votre père est mort ?

Muravieff parut surprise.

– Non, je… En fait, je n'en sais rien. Il faudrait que je regarde.

Max, silencieux jusque-là, prit la parole.

– Si ces objets étaient assurés et s'il y a eu demande d'indemnisation, on a conservé cela dans les archives.

– Évidemment, opina Muravieff. Je vais demander à quelqu'un de vérifier.

– Je vous en serais reconnaissante, dit Kate en se levant.

Max s'aida de sa canne pour en faire autant.

– On dirait que Max fait du bon travail ici, dit Kate.

C'était Max qui avait mené l'enquête lors de l'affaire qui avait valu sa condamnation à Victoria, et c'était à cause de lui qu'elle avait été accusée d'un crime qu'elle n'avait pas commis.

– Il est très motivé, dit Victoria sans regarder l'intéressé.

Kate se demanda une nouvelle fois si elle avait eu raison ou tort de lui obtenir cette place. Elle remercia Victoria et suivit Max dans son bureau.

– Vous avez eu ce que vous vouliez ?

– En grande partie. J'ai encore du crédit ?

– Ça dépend. Qu'est-ce que vous voulez maintenant ?

30

Kate et Mutt rentrèrent à la maison le lendemain, décollant d'Anchorage sans avoir vu la neige et découvrant que trente centimètres supplémentaires étaient tombés sur le Parc. Le givre recouvrait tout : le hangar de George, le bureau de poste, l'allée du siège de la NNA.

On était mardi, il était dix heures du matin, aussi Kate passa-t-elle par l'école pour prévenir Johnny de son retour et lui dire qu'il pouvait rentrer au bercail ce soir-là. Il semblait ravi de la voir.

Pareil pour Maggie, qui avait l'air un peu excité.

— Vous lui avez parlé ?

Inutile de lui demander des précisions.

— Deux ou trois fois, dit Kate.

Elle avait tenté de le joindre ce matin avant le décollage. Boîte vocale.

— Il vous a dit quand il comptait rentrer ?

— Non.

Kate se rappela l'odyssée que Jim lui avait narrée lors de leur dernière conversation.

— Dans quelques jours, je pense, ajouta-t-elle.

Maggie était sincèrement peinée.

— Comment va Tante Joy ?

— Bien, fit Maggie. Je suis passée la voir tous les jours, et parfois deux fois par jour.

— Elle est allée chez l'une des autres tantes ?

Maggie fit « non » de la tête.

— Elle a refusé catégoriquement.

Quelle surprise !

— Mais elle va bien ?

— Oui, comme je vous dis. Je suis allée vérifier tous les jours, et je n'ai pas été la seule. Vous m'avez fichu la trouille avec ce coup de fil, Kate.

— Je suis navrée, Maggie, je…

— Peu importe. Que se passe-t-il ?

— Une affaire de famille. Moi-même, je n'ai pas encore tout compris.

Maggie avait dit vrai : Tante Joy était en vie, en bonne santé et fermement décidée à ne pas quitter sa cabane.

— C'est chez moi ici, Katya, dit-elle en se frappant le torse du poing, froissée et indignée. Tous mes biens sont ici. (Elle caressa d'un air enamouré une figurine en porcelaine.) Je ne partirai pas.

Kate repensa à Old Sam, à deux cabanes d'ici en amont, entouré de ses livres et de ses boîtes de cartouches.

— Le manuscrit est en sécurité ?

Tante Joy désigna l'armoire d'un signe de tête. Même en connaissant sa présence, Kate était toujours incapable de distinguer le tiroir secret.

— Il n'a pas bougé depuis que je te l'ai montré.

— Bien. Fais comme s'il n'était même pas là.

Tante Joy haussa ostensiblement les épaules.

— Quel manuscrit ?

Chez Herbie, la motoneige de Kate avait l'air en meilleur état que lorsqu'elle l'avait achetée neuve, et le moteur ronronna comme un couguar rassasié quand elle alla l'essayer.

— Herbie, vous êtes un magicien, dit-elle.

Mutt glissa la tête sous la main de Herbie, battant de la queue contre sa salopette. Cela faisait belle lurette que Herbie était sevré d'attention féminine, et il donna un coup de pied dans la neige et consentit à un rabais de dix pour cent.

— Y a un type qui a posé des questions sur vous, dit-il en encaissant une liasse de billets, assez épaisse en dépit dudit rabais.

— Ah bon, fit Kate. Qui ça?

Haussement d'épaules.

— Un étranger. Emmitouflé jusqu'aux yeux. Ma taille et ma carrure, et il savait bouger.

— C'était quand?

— Il y a deux jours.

— Qu'est-ce qu'il montait?

— Une Ski-Doo Rev-XP.

Kate siffla.

— Le nouveau modèle?

— Plus léger. Plus puissant. Mais pas de pare-brise. Okay pour la course, je dirais. Mais je ne le choisirais pas pour les longs parcours.

— Il a dit qui il était? ce qu'il voulait?

— Il n'a pas laissé de nom. Je lui ai dit que vous n'habitiez pas au village. Il voulait savoir où vous créchiez.

— Vous lui avez dit?

Herbie la regarda sans rien dire. Son œil pétillait.

— Merci, Herbie.

La couche nuageuse occupait une altitude élevée et les monts Quilaks se dressaient, altiers et menaçants, sur fond de ciel azur. Du beau temps en perspective, mais un beau temps frigorifiant. Kate enfourcha l'Arctic Cat, mit les gaz et couvrit d'une seule traite les quatre-vingts kilomètres la séparant de sa maison.

Les congères étaient partout. Mutt quitta sa place d'un bond, comme une fusée lancée de Cap Canaveral, et disparut sous les fourrés. À Anchorage, elle était tenue de respecter les bonnes manières, et ça la stressait toujours un peu. Elle était aussi ravie que Kate de rentrer à la maison.

Johnny était passé déneiger le perron, mais il avait négligé de régler le thermostat. Kate le monta d'un ou deux crans, fit du feu dans la cheminée pour accélérer les choses et défit ses bagages en écoutant un CD compilé par Johnny. Uncle Cracker fit vibrer les baffles, suivi par les Spin Doctors, Natalie Imbruglia, Michelle Branch et Bon Jovi, avec un peu de Lynyrd Skynyrd et d'Eric Clapton pour épicer le mélange. Johnny avait des goûts aussi éclectiques que Bobby Clark, à une génération d'écart, et un brillant avenir de pirate.

Kate prépara un paquet de farine pour faire du pain, un mélange contenant une bonne dose de levain qui cuisait en quatre ou cinq heures et donnait une croûte des plus croustillante et une mie robuste. Elle sortit des steaks de caribou du congélateur et les mit à décongeler dans un égouttoir. Les rouleaux de printemps de Thai Orchid et les dos de poulet grillés de Lucky Wishbone allaient lui manquer, mais rien ne valait la nourriture récoltée, préparée et cuite par un ami ou un parent, voire par soi-même. Une fois ces préparatifs achevés, elle rangea les livres qu'elle avait achetés sur l'étagère « à lire », mit du linge sale dans la machine et sortit couper du bois pour profiter du beau temps. Elle faisait son nid.

Mutt réapparut, visiblement comblée, et suivit Kate dans la maison pour s'étaler sur la couverture devant la cheminée. *Sa* cheminée, *sa* couverture et *sa* place juste devant. Kate fit chauffer une cafetière, où elle versa une bonne dose de Tsunami Blend, le mélange préféré de Jim. Tant pis pour lui. Les absents ont toujours tort.

Elle se demanda où il était. S'il avait déjà trouvé sa tante. Quand il allait revenir.

S'il revenait un jour.

Son mug à la main, elle alla jusqu'à la fenêtre et sirota son café en regardant le paysage à l'est et au sud, la ligne brisée de montagnes redoutables qui formaient la barrière de son monde. Elle alla chercher la boussole fixée à son sac à dos. Canyon Hot Springs se trouvait à l'est par rapport à sa maison. À cent soixante kilomètres de distance. Quatre-vingt depuis la cabane d'Old Sam.

Combien de fois s'y était-il rendu ces derniers mois? Le douloureux souvenir du jeune homme qu'il avait été l'en avait-il tenu à l'écart? La cabane était franchement à l'abandon. S'il y avait du papier et de la chaux dans les toilettes, c'était parce qu'un amateur de sources chaudes s'était souvenu d'en apporter le printemps précédent. Le garde-manger et le puits avaient disparu.

Il n'avait jamais dit à personne que c'était lui le propriétaire. Il n'avait jamais interdit à personne d'y aller. Même Dan O'Brian ignorait qu'il s'agissait d'une propriété privée.

Elle retourna à la table du dîner et y étala la carte. Elle était toujours occupée à l'examiner lorsque Johnny rentra de l'école.

— Salut! fit-il en débarrassant ses bottes de leur neige et en jetant son sac à dos en direction de sa chambre ou à peu près.

— Salut toi-même.

Il examina son visage.

— Tu ressembles un peu moins à Alice Cooper, c'est déjà ça.

— C'est bon à savoir.

Il se tourna vers la carte.

— Qu'est-ce que c'est?

— La carte de la concession d'Old Sam.

— Sans déconner? Cool. (Il se pencha pour l'examiner de près.) Où tu l'as trouvée?

— Là où il l'avait dissimulée à mon intention. Du moins, j'espère que c'était à moi qu'il la destinait.

Elle le mit à jour des derniers événements et il l'écouta avec attention, le front barré d'un pli vertical.

— Il te mène vraiment en bateau, on dirait.

— Ça, c'est sûr.

— Tu sais où est l'icône maintenant?

Elle désigna les neuf symboles sur la carte.

— Je ne pige pas. Pourquoi neuf? Tu crois vraiment qu'il a trouvé neuf mines d'or là-haut?

— Peut-être a-t-il cherché neuf fois. Et peut-être que ce n'était pas lui, ou que ce n'était pas *que* lui.

— Tu penses que c'est quelqu'un d'autre qui a dessiné cette carte? Mac McCullough, c'est ça?

— Elle a l'air assez vieille pour que ça colle.

— Mais pourquoi Mac aurait-il creusé neuf trous?

— Pour entuber neuf pigeons, je suppose.

— Tu penses qu'Old Sam a planqué l'icône dans l'un d'eux?

— Je l'espère bien, parce que je ne vois vraiment pas où elle pourrait être si ce n'est pas là. (Elle jeta un œil par la fenêtre.) J'ai écouté les prévisions météo ce matin, avant de partir. Le beau temps est censé durer quelques jours.

Elle attrapa son mug. Le café avait refroidi. Elle plissa le nez et alla refaire le plein à la cuisine.

— J'y retourne demain, annonça-t-elle.

— À Canyon Hot Springs?

— Ouais.

Elle s'abstint de lui faire part de ce que lui avait dit Herbie. Il se redressa.

— Écoute, Kate, on t'a assommée, on t'a envoyée dans le décor, on t'a tiré dessus. J'ai la nette impression qu'on cherche à t'empêcher de retrouver cette icône, si c'est bien cela qu'Old Sam souhaite que tu retrouves.

Elle sourit de toutes ses dents.

— Ouais, mais « on » n'est pas franchement doué.

Il secoua la tête d'un air réprobateur.

— Tu ne devrais pas aller là-haut toute seule.

— Tu es volontaire pour m'accompagner?

Un sourire illumina le visage de Johnny.

— Je peux?

— Demain, c'est mercredi. Ça fait longtemps que j'ai quitté le lycée, mais je crois me souvenir qu'il y a cours ce jour-là. Et comme il faudra passer la nuit là-haut, on ne reviendrait que jeudi.

Il prit un air dépité.

— Mais c'est gentil de ta part. Crois bien que j'apprécie.

Une bouderie s'imposait, mais il n'était pas doué pour cela, aussi se réfugia-t-il dans sa chambre, pour revenir en courant en sentant le fumet du caribou dans la poêle. Le pain sortit du four juste avant que les steaks soient cuits à point. Elle confectionna une salade César avec des anchois, du citron et de la romaine rapportée d'Anchorage.

Après dîner, il se carra dans son siège et émit un rot de satisfaction.

— Ah! Je suis repu. (Il s'étira et repoussa son assiette.) Qu'est-ce que tu vas faire là-haut?

— Trouver les mines. Trouver l'icône.

Il eut une moue sceptique.

— Il est tombé trente centimètres de neige pendant ton absence.

— J'avais remarqué.

— Là-haut, il en est probablement tombé un mètre cinquante. Ça ne va pas être facile de repérer ces mines.

— Si c'était facile, tout le monde le ferait.

Il la regarda d'un air entendu. Il n'avait que dix-sept ans, mais, à l'instar de Jack Morgan, il savait aller droit à l'essentiel.

Elle soupira.

— Il y a quelqu'un qui me suit. Peut-être même qu'ils sont plusieurs. Et ça dure depuis la mort d'Old Sam. Je commence à en avoir ma claque.

Et il était aussi vif d'esprit que son père.

— Tu veux les attirer dans un guet-apens, c'est ça?

— Quelqu'un d'assez cinglé pour se taper quatre-vingts bornes en motoneige à cette époque de l'année, dans le seul but de récupérer un bout de bois censé avoir des pouvoirs magiques...

(Elle haussa les épaules.) Eh bien, je te parie qu'il est suffisamment cinglé pour récidiver.

– Au risque de me répéter, je te signale que ce quelqu'un t'a mise au tapis à trois reprises.

– Aussi futé qu'il est beau gosse, dit-elle d'un air admiratif, souriant de le voir rougir.

– Il faut que tu dormes de temps en temps, Kate.

– La différence, ce coup-ci, c'est que je sais qu'ils vont se pointer. Et il est grand temps que je les affronte face à face, ces zozos.

Il ramassa les couverts pour les mettre dans les assiettes.

– Tu as parlé à Jim ?

– Ouais.

– Quand est-ce qu'il rentre ?

– Il n'en sait rien.

Johnny fixa le casque de cheveux noirs de Kate, tout ce qu'il distinguait de son visage vu qu'elle était penchée sur la carte.

– Si tu patientais jusqu'à ce week-end, je pourrais y aller avec toi.

Elle leva la tête. Son sourire paraissait un peu forcé.

– Je ne veux pas attendre, Johnny. Ça fait quinze jours maintenant que je fais la course à cause d'Old Sam, une course au trésor où mes concurrents sont des inconnus et le trésor une icône dont je n'avais jamais entendu parler.

« Elle a une certaine, disons, une certaine résonance familiale. »

– Peut-être qu'il n'y a même pas de trésor, Kate. Tu n'as vu aucune photo de cette icône.

– Quelqu'un croit dur comme fer à son existence. Si je ne fais rien, ce quelqu'un rongera son frein en attendant que je me remette en chasse. Le type qui m'a attaquée la dernière fois que j'étais là-haut cherchait une carte. Tu peux deviner laquelle.

– Qui lui en a parlé ?

– Excellente question.

Elle prépara ses affaires ce soir-là et se leva de bon matin, découvrant son Arctic Cat fraîchement remis à neuf (merci Herbie !) qui étincelait sous les rayons du soleil. Comme il avait fait – 25 °C pendant la nuit, la neige avait formé une croûte bien dure et la route était vierge de toute trace lorsqu'ils sortirent. Kate adorait être la première à rouler après une chute de neige.

Elle escorta Johnny jusqu'à l'école puis alla voir Annie Mike.

– Que se passe-t-il, Kate ? lui demanda celle-ci.

Inutile de jouer les cachottières avec la femme la plus discrète du Parc. Kate lui raconta tout. Quand elle eut fini, Annie demanda d'une voix grave :

– Vous êtes sûre de ce que vous faites, Kate ?

– Oui. Parfaitement sûre.

De là, elle alla chez Bingley et acheta des articles dont elle n'avait aucun besoin, dans le seul but d'annoncer à la cantonade qu'elle se rendait à Canyon Hot Springs et, au fait, le site appartenait à Old Sam et elle venait d'en hériter.

Elle continua de susciter l'étonnement, l'émerveillement et même l'envie de ses semblables au *Riverside Café*. Elle s'attarda sur son américano jusqu'à ce qu'elle entende l'avion-courrier puis fonça vers le bureau de poste comme le reste des villageois. Pendant qu'ils attendaient que Bonnie ait procédé au tri, elle les informa de son héritage fabuleux.

Le bar de Bernie était trop éloigné pour qu'elle ait le temps de faire l'aller-retour puis de gagner les sources chaudes avant la nuit, aussi se contenta-t-elle d'aller chez Bobby, où elle imposa sa présence au micro lors de l'édition matinale de Park Air. Elle raconta aux auditeurs qu'Old Sam lui avait fait un legs mystérieux et qu'elle se rendait à Canyon Hot Springs pour examiner sa propriété.

Elle ne parla ni de Tante Joy, ni d'Erland Bannister, ni de la carte. Son boniment était déjà assez long.

Après avoir terminé son émission, Bobby lui fit le mauvais œil et la morigéna d'une voix sévère.

– Si vous tenez tant que ça à jouer les vers de terre, Shugak, j'ai plein d'hameçons à vous proposer.

Elle partit d'un rire qui sonnait un peu forcé et, lorsqu'elle prit congé, l'inquiétude de Bobby et de Dinah commençait à déteindre sur elle.

– Ils ne m'ont pas encore tuée, dit-elle à Mutt en enfourchant sa motoneige.

– Wouf, fit Mutt en montant derrière elle.

Et, sur ces entrefaites, elles laissèrent derrière elles le Parc et la civilisation, pour ainsi dire.

Il leur fallut un peu moins de trois heures pour arriver aux sources chaudes, négociant quantité de lacets et de corniches durant la seconde partie du périple, mais il faisait encore jour lorsqu'elles parvinrent au niveau du rocher en forme de selle et longèrent les bassins fumants pour s'arrêter devant la cabane. C'était comme si elles rentraient à la maison.

Kate coupa le moteur et tendit l'oreille. Quelques secondes s'écoulèrent avant que les échos du grondement motorisé cessent de se répercuter sur les parois. Alors on n'entendit plus que le bruissement des branches d'épicéa sur la roche et le croassement moqueur d'un corbeau.

– Je crois bien qu'on est toutes seules, dit-elle à Mutt.

Celle-ci jappa en signe d'assentiment, ce qui ne l'empêcha pas de monter la garde pendant que Kate déchargeait la motoneige et la remorque. Cette fois-ci, elle avait apporté du matériel de rechange : des couteaux, des allumettes étanches, des allume-feu, des chaufferettes, et elle en fourra une partie dans un sac isotherme qu'elle planqua derrière un rocher près de la cabane. Elle avait apporté son fusil à pompe, qu'elle plaça près de la porte, chargé.

Sa note était toujours là, ainsi que les toiles goudronnées sur les murs. Le corbeau derrière lequel elle avait trouvé le journal du juge n'avait pas bougé. Pour ce qu'elle pouvait en dire, personne n'était passé ici depuis son départ.

Elle rentra du bois, lança un feu dans le poêle et dressa son campement. Cette fois-ci, elle plaça le lit derrière la porte. C'était un peu loin de la chaleur, mais si quelqu'un entrait, il aurait besoin de faire quelques pas pour la voir. Ce qui lui donnerait le temps de saisir son fusil et de le braquer sur l'intrus.

Elle vida un sachet de ragoût d'élan dans une marmite, qu'elle posa sur le poêle pour qu'il décongèle, puis fit travailler ses méninges. Elle n'avait repéré aucun suiveur, et les quarante premiers kilomètres de trajet s'étaient effectués sur une vaste étendue de neige. Mais on ne sait jamais. On n'est jamais trop prudent.

— Et puis merde, dit-elle à haute voix, et elle ramassa le fusil et sortit.

Elle se dévêtit, frissonnant sous la morsure du froid et de la nuit toute proche. Puis elle prit son élan, fit un bond dans les airs, se roula en boule et plongea dans le premier bassin en éclaboussant tout ce qui l'entourait. Elle refit surface en poussant un cri de joie, les pieds reposant sur des cailloux. Ce bassin était le seul à avoir un fond de gravier. Les deux autres étaient plutôt boueux. Old Sam y avait-il versé une partie du gravier utilisé pour les fondations ? Elle se redressa pour se hisser au-dessus de la surface, découvrant Mutt en train de trépigner au bord de l'eau en poussant des aboiements hystériques. Elle repoussa ses cheveux en arrière et sourit.

— Je t'ai fait peur, hein ?

Mutt plissa les yeux, lui promettant sans nul doute une effroyable vengeance.

Kate frappa l'eau du tranchant de la main, projetant une gerbe d'éclaboussures en direction de Mutt. Celle-ci poussa un petit cri, qui faisait penser à celui d'une femme se faisant pincer les fesses dans un bar. Mutt plaqua la tête au sol, battant de la queue avec frénésie, roulant des hanches pour prendre son élan. Puis elle bondit, s'arcboutant au-dessus du bassin et effectuant une manœuvre acrobatique pour se retourner en plein vol et mordiller l'épaule de Kate au passage. Elle se reçut sur l'autre rive en un atterrissage parfait. Ses grands yeux jaunes étaient luisants et elle ouvrit la gueule pour partir d'un grand rire de loup, toute langue dehors.

Kate faillit se noyer durant la bagarre qui suivit, mais quand elle sortit de l'eau, elle constata avec satisfaction que toutes deux étaient trempées. Elles se séchèrent devant le poêle, fatiguées par leur long périple et leur baignade mouvementée, rassasiées par le ragoût d'élan et les biscuits à la cannelle.

Kate remarqua que les oreilles de Mutt frémissaient chaque fois qu'un bruit leur provenait de l'extérieur. Les siennes se montraient tout aussi sensibles.

Le lendemain, elle se leva avant le soleil, avala un solide petit déjeuner de pancakes au levain, d'œufs et de bacon arrosés de sirop d'érable bien chaud, et chaussa ses raquettes. La première chose qu'elle fit fut d'attraper les petits pots Gerber qu'elle avait apportés et, avec l'aide de la carte, elle localisa les coins de la parcelle les plus proches des sources. Elle cloua le couvercle d'un premier pot dans l'arbre le plus proche du premier coin. Puis elle glissa une copie de son titre de propriété dans le pot et le vissa au couvercle. Et elle répéta l'opération.

Cela s'appelait une prise de possession. Kate n'espérait pas tenir les gens à l'écart des sources chaudes et de la cabane, sauf à garder les lieux trois cent soixante-cinq jours par an et vingt-quatre heures sur vingt-quatre. Mais elle pouvait toujours revendiquer sa concession. Tant qu'elle n'avait pas retrouvé l'icône, elle ne voulait pas de contestation sur ce point.

Elle rangea le marteau dans la boîte à outils, empocha une barre chocolatée et un sac de congélation plein de noix et de fruits secs, et partit explorer la vallée.

Pour localiser les mines figurant sur la carte, elle dut brûler toutes les calories qu'elle avait ingérées ce matin-là, plus celles de son déjeuner, et elle était de nouveau affamée quand vint l'heure du dîner. Certaines des entrées étaient placées à hauteur d'homme et on pouvait y accéder avec des raquettes. D'autres étaient nettement plus élevées.

Vers la fin de la journée, après avoir souffert d'une déchirure à un gant, d'estafilades à la main, d'une cheville tordue et d'une chute qui la laissa le souffle coupé pendant un temps horriblement long, elle exprima son point de vue sur la personnalité d'Old Sam à haute et intelligible voix. En fait, certaines personnes auraient pu s'émouvoir de son vocabulaire, et un officier de police aurait été en droit de l'appréhender en vertu de l'article AS 12.60 040, si les menaces de torture et de démembrement qu'elle proféra avaient visé un être vivant.

Mutt, qui avait gardé un souvenir vivace de leur précédent séjour en ce lieu, n'arrangeait pas les choses, d'autant plus qu'elle prenait très au sérieux son statut d'associée à part égale, car elle faisait un foin de tous les diables au moindre prétexte, du corbeau qui les regarda en croassant depuis son perchoir tout juste hors de portée au campagnol qui eut la mauvaise idée de jaillir de sous un buisson pour se réfugier sous un autre, et qui mourut de peur lorsque Mutt lui fignola un grondement de son cru, que l'on dut entendre jusqu'au Canada. Si elle afficha un air penaud après l'incident, elle refusa néanmoins de relâcher sa vigilance, même après que Kate lui en eut fait la demande expresse.

Bref, la journée fut très longue. Kate repéra huit des neuf mines marquées sur la carte, disposées en chapelet à partir de l'entrée du cañon. Elles se ressemblaient plus ou moins toutes, une galerie rectangulaire creusée dans la paroi et conçue pour accommoder un homme de haute taille qui n'avait pas envie de se cogner la tête en entrant et en sortant. Apparemment, on les avait creusées à la pioche. Trois d'entre elles faisaient moins de trois mètres de profondeur. L'une d'elles s'étendait sur quinze mètres. À en juger par l'érosion due aux intempéries, la plus proche des sources était aussi la plus ancienne, la suivante était un peu plus récente et ainsi de suite.

On les avait toutes dissimulées en empilant des rochers de façon à ce que leur masse se confonde avec la paroi. Un œil non prévenu aurait été incapable de les repérer, surtout sous une épaisse couche de neige. Sans la carte, Kate aurait fait chou blanc, et il n'était guère étonnant que personne ne les ait jamais trouvées par inadvertance.

En sortant de la huitième galerie, elle vit que le soleil était bas dans le ciel et que les montagnes rosissaient à l'est. Toute trace de chaleur avait disparu de l'atmosphère. Son haleine faisait un petit nuage devant ses yeux, son nez menaçait de se transformer en glaçon et ses dents lui faisaient mal. Il faisait encore plus froid dans les mines qu'en plein air.

Elle avait tellement crapahuté, en raquettes ou en grimpette, qu'elle n'aurait su déterminer la distance la séparant de la cabane.

– Je suis vannée, dit-elle à haute voix. Vannée et affamée.

Trois mètres en contrebas, allant et venant sur le sol du cañon, Mutt l'approuva d'un jappement. Elle aurait moins de peine à protéger ses fesses si Kate consentait à redescendre.

Elle n'avait rien trouvé dans les mines, hormis les traces laissées par la pioche, et elle n'avait pas l'expertise nécessaire pour dire si Mac avait touché le jackpot ou si Old Sam en avait fait autant. Mais si cela avait le cas, il l'aurait crié sur les toits. Il s'en serait vanté. Il se serait offert un pick-up neuf, un bateau neuf.

Non, pas nécessairement. Old Sam et le *Freya* formaient un vieux couple, il lui vouait un amour absolu, un culte même. Il aurait repoussé un bateau neuf comme on repousse une tentation diabolique.

Kate attrapa la carte dans la poche intérieure de sa parka. La dernière mine se trouvait derrière le prochain virage, à une élévation nettement supérieure. Elle la chercherait demain.

Elle redescendit la paroi avec précaution tant elle était fatiguée, remit ses raquettes et regagna péniblement la cabane.

Elles avaient de la visite.

31

Kate abaissa le loquet de la porte et la fit pivoter sur ses gonds jusqu'à ce qu'elle vienne doucement heurter le mur.

Ben Gunn leva les yeux du poêle, où il s'affairait à enfourner des bûches.

– Salut, Kate.

– Salut, Ben.

– Je croyais que vous seriez surprise de me voir.

– Non. J'ai conclu qu'Old Sam avait parlé à Jane et qu'elle vous avait parlé à son tour.

– Je me suis servi du café. J'espère que ça ne vous dérange pas.

– Pas de problème.

Il regarda au-dehors.

– Où est Mutt ?

– Pas loin.

Elle entra, referma la porte et ôta sa parka. Elle se servit du café et s'assit face à Ben, adossée au mur.

– Vous avez un certain cran de venir ici en plein jour, je vous l'accorde. Je pensais que vous attendriez la tombée de la nuit, afin de me surprendre dans mon sommeil.

Il l'écoutait d'un air vaguement intrigué.

– Je vous trouve plutôt détendue.

Elle souffla sur son café pour le refroidir et en but une gorgée.

– Je n'ai aucune raison de m'inquiéter. Vous ne vous en prenez qu'aux vieilles dames.

Son visage s'empourpra.

– C'était un accident.

Kate but une nouvelle gorgée, serrant son mug au creux de ses mains. Selon toute apparence, elle était parfaitement détendue, mais elle s'était perchée sur le siège de la motoneige, les genoux pliés, les jambes bien écartées, légèrement penchée en avant et prenant appui sur ses pieds afin de pouvoir bondir si nécessaire.

– Donc, Jane vous a parlé du manuscrit, reprit-elle. Ce n'était pas sur la biographie de votre grand-père que vous bossiez quand je suis entrée dans les bureaux de l'*Adit*, c'était sur votre alibi.

Il resta silencieux un moment, s'interrogeant sur ce qu'il était sage d'avouer.

– Comment savez-vous que c'était moi ? Cet automne, il y a eu pas mal de vols avec effraction à Anchorage.

– Vous aviez les larmes aux yeux quand je vous ai dit qu'elle était morte. Vous espériez qu'elle s'en était tirée.

Silence.

– Vous m'avez vue entrer au tribunal, reprit-elle. Vous m'avez entendue dire au juge Singh que j'allais parler à Jane. Vous avez paniqué, vous vous êtes dit que c'était Jane qui avait le manuscrit ou qu'elle savait où il était, et que je le trouverais avant vous.

Silence persistant.

– Donc, Jane vous a parlé du manuscrit d'Old Sam et vous a dit qu'il était de la main de Hammett. Plutôt improbable, comme histoire. Qu'est-ce qui vous a incité à la croire ?

Il décida de passer à table et Kate poussa un cri de joie dans son for intérieur. L'énigme léguée par Old Sam l'obligeait un peu trop à jouer aux devinettes.

— Comme je vous l'ai dit, mon père faisait partie des Égorgeurs de Castner. Il a été blessé et il a rencontré Hammett à l'hôpital d'Adak, comme Old Sam. Hammett lui a dit qu'il était en train d'écrire l'histoire d'un autre soldat hospitalisé dans son unité. (Un temps.) Quand Hammett est mort, il n'avait plus rien écrit après *L'Introuvable*.

— Je ne vous soupçonnais en aucune manière, jusqu'à ce qu'on me fasse remarquer qu'un manuscrit inédit de Hammett pouvait valoir une fortune.

— Vous plaisantez ? Moi, le vendre ? Vendre un manuscrit original de Dashiell Hammett ? Jamais de la vie ! Je veux seulement le posséder. L'avoir entre les mains.

On aurait dit Galaad parlant du Saint Graal.

— Le lire, conclut-il d'une voix pleine de révérence.

Kate ricana.

— Et c'est pour cela que vous avez tué Jane Silver quand elle vous a surpris chez elle en train de le chercher. Pour l'avoir entre les mains.

Il rougit une nouvelle fois.

— C'était un accident, répéta-t-il.

— Comment est-ce arrivé ?

Il hésita de nouveau à lui dire la vérité et, de nouveau, le besoin de parler l'emporta sur l'instinct de survie. Ou alors, il avait déjà décidé que Kate ne sortirait pas d'ici vivante.

— Je fouillais sa bibliothèque, dit-il. Elle est entrée. (Il se pencha en avant.) Elle m'a sauté dessus, Kate. Elle a voulu saisir le livre que je tenais. J'ai tenté de lui faire lâcher prise, mais elle n'a rien voulu savoir.

Il baissa la tête pour lui dissimuler son expression.

— Elle a trébuché. Elle a perdu l'équilibre et elle est tombée.

— Ça arrive souvent aux personnes âgées.

Il secoua la tête, les yeux clos.

— Sa tête a heurté le coin de la table. Ça a fait un bruit horrible. Puis j'ai entendu quelqu'un sur le perron. Je me suis enfui.

– Elle n'est pas morte tout de suite. Elle a réussi à me dire quelques mots, mais je n'en ai compris qu'un seul : « papier ». Je croyais qu'elle parlait d'une sorte de document. Mais en fait, elle parlait de papier, d'article de journal. C'est vous qu'elle désignait.

– Je vous l'ai dit : c'était un accident.

– Coups et blessures ayant entraîné la mort sans intention de la donner.

– Mais ce n'est pas un meurtre.

– Vous vous êtes dit que, puisque j'avais survécu à ce genre de traitement, pourquoi pas elle ?

Il sursauta.

– Quoi ?

– Quand vous m'avez assommée avec une bûche dans la cabane d'Old Sam. Vous m'avez mis la bouille en Technicolor pendant huit jours, je ne vous en remercierai jamais assez. Mais, hé ! (Elle se cogna le front avec le poing.) Il en faut plus que ça pour me mettre hors course. Les frères Grosdidier me considèrent comme un miracle ambulant.

Il se redressa.

– J'ignore de quoi vous parlez. Old Sam était encore vivant la dernière fois que je suis venu au Parc, et je ne me suis jamais approché de sa cabane cette fois-là.

Malheureusement, cette déclaration sonnait vrai, et elle était déjà quasiment sûre que ce n'était pas lui qui avait joué de la bûche sur son crâne.

– Et puis, il y a cette sortie de route que je vous dois.

Il détourna les yeux.

– J'ignore de quoi vous parlez. Quelqu'un vous a fait sortir de route ?

Elle secoua la tête.

– Allons, Ben. J'ai vu votre char d'assaut garé devant les bureaux de l'*Adit*. Même silhouette et même gabarit que le véhicule qui m'a envoyée dans le décor.

– Tout le monde en a un comme ça dans le Parc. Vous-même, entre autres. Cela ne prouve rien.

– Quand j'ai quitté votre bureau, vous saviez que j'allais rentrer chez moi. Comme vous n'aviez pas trouvé le manuscrit chez Jane ce matin-là, vous en avez conclu que Sam avait dû le conserver. Vous vouliez me retarder, vous donner le temps de fouiller sa cabane.

Elle le regarda dans les yeux et conclut à voix basse :

– À moins que vous n'ayez souhaité m'éliminer, tout simplement.

– J'ignore de quoi vous parlez, répéta-t-il.

– Ce coup-ci, c'est une tentative de meurtre. Ou, à tout le moins, agression caractérisée. Vous allez passer un certain temps derrière les barreaux.

– Non. Pas question.

– Je vais tout raconter, dit-elle doucement.

– Non. Pas question.

Il avait glissé la main jusqu'à la crosse du pistolet qui reposait dans un étui passé à sa ceinture. On aurait dit une antiquité, tout droit sortie de *Casablanca*. *Un des meilleurs rôles de Humphrey Bogart*, songea-t-elle de façon un peu saugrenue.

– Vous avez bien planifié les choses, le complimenta-t-elle. Mais vous avez oublié un détail.

– Lequel ?

– Vous n'avez pas le manuscrit.

– Pas encore.

Il la regarda sans broncher, la main toujours sur la crosse de son arme.

– Là est le problème, dit-elle.

– Quoi ?

– Je ne l'ai pas non plus.

Il parut surpris, puis se ressaisit.

– Mais vous savez où il est.

– Mais peut-être que je préfère me laisser descendre plutôt que de vous le dire.

Pendant qu'il assimilait cette confidence livrée d'une voix enjouée, elle lui jeta le contenu de son mug à la figure. Le café n'était plus très chaud, mais il sursauta et elle se redressa pour le pousser en arrière. Il lui fallut un temps pour réagir, pour dégainer. Un temps de trop.

La réputation de Kate Shugak était pourtant bien établie, mais ça ne servait à rien. Quand un homme mesurant un mètre quatre-vingt s'attaque à une femme d'un mètre cinquante, sa supériorité lui paraît toute naturelle. Kate était toujours ravie de remettre les pendules à l'heure, et la main de Ben, propulsée par la vitesse et la force considérable de ses cinquante-quatre kilos, alla s'écraser contre le mur.

Ses os craquèrent et il hurla. Il était beaucoup plus grand qu'elle, pas de doute, mais il passait ses journées à pianoter sur un clavier et elle à corriger des voyous. Il se redressa, tenta d'échapper à son étreinte, mais elle s'accrocha à lui comme une patelle à son rocher. Il roula sur lui-même, tentant de la pousser vers le poêle brûlant, et elle se pencha pour lui mordre le nez à pleines dents.

– Ahhh! Arrêtez, arrêtez!

Elle le sentit serrer plus fort le pistolet, qu'il avait réussi à ne pas lâcher. Il tira et la balle atteignit le poêle. Levant les yeux, Kate vit la cheminée frémir, mais la cafetière était trop près du bord et elle pencha dangereusement. Kate s'écarta juste à temps, et le reste de café se déversa sur le bas-ventre et la cuisse droite de Ben.

Il poussa un hurlement de petite fille et, saisissant l'occasion, Kate s'empara du pistolet et se leva d'un bond. Il ne faisait même plus attention à elle, occupé qu'il était à décoller de sa peau le tissu de son jean, à secouer sa jambe et à proférer une litanie de grossièretés qu'elle jugea des plus banale :

– Oh! merde, nom de Dieu, putain, merde, aïe aïe aïe!

Elle eut un petit frisson de plaisir en voyant que son nez pissait le sang.

Quelques instants s'écoulèrent avant que le jean de Ben refroidisse et qu'il reprenne ses esprits. À ce moment-là, Kate avait attrapé les bracelets en plastique qu'elle avait pris soin d'apporter avec elle et, avant qu'il ait eu le temps de réagir, elle lui avait lié la main droite au pied gauche. Une tactique des plus efficace qu'elle avait déjà eu l'occasion de mettre en œuvre. Ils allaient passer au moins une nuit ici et elle ne souhaitait ni le nourrir ni lui ouvrir sa braguette.

Mutt ouvrit la porte d'un coup d'épaule et passa la tête à l'intérieur. Gunn se figea. Kate eut l'impression qu'il retenait son souffle, et vu la lueur qui éclairait les yeux jaunes de Mutt, elle ne pouvait pas lui en vouloir.

Satisfaite, Mutt se tourna vers Kate. *Tu m'as laissé un morceau ?*

— Retourne à ton poste.

Mutt disparut après s'être fendue d'un reniflement indigné, en grande partie pour la forme.

— Vous n'êtes vraiment pas doué, vous savez ? dit Kate à Ben, sans méchanceté mais sans trop de pitié non plus. Vous auriez dû lire monsieur Hammett plus attentivement. Jamais Sam Spade ne se serait laissé avoir comme ça. (Un temps de réflexion.) Humphrey Bogart non plus, d'ailleurs.

Elle l'attrapa par le col et par la ceinture et le traîna dans un coin où il pourrait plus ou moins s'adosser au mur. Puis elle ramassa la cafetière, refit du café et leur en servit à tous deux, veillant à ne pas poser le mug de Ben à portée de sa main, afin qu'elle ait le temps de s'écarter avant qu'il ne l'attrape.

— Vous m'avez cassé la main, gémit-il.

Et sa main droite semblait meurtrie, en effet. Les chairs commençaient à enfler autour des menottes. Attaché comme il l'était, il eut toutes les peines du monde à attraper son mug, décidant finalement de rouler sur le flanc droit pour le saisir de la main gauche. Son nez avait atteint la taille d'une banane et ses yeux mi-clos commençaient à virer au noir. Tout en déchargeant son pistolet pour le ranger dans le sac à dos, Kate ne cessa de le surveiller d'un œil qui n'avait rien de compatissant.

Il se redressa tant bien que mal. Il gardait la tête baissée, incapable de croiser le regard de Kate, et lorsqu'il reprit la parole, sa voix était à peine un murmure.

– Et maintenant?

– Maintenant? (Sourire radieux.) Maintenant, on attend.

– Hein? On attend quoi?

– Pas «quoi», qui.

– Je ne comprends pas.

– Eh bien, l'individu qui m'a assommée d'un coup de bûche dans la cabane d'Old Sam à Niniltna et qui l'a mise sens dessus dessous avant que vous ayez eu le temps de le faire. Pourquoi n'avez-vous pas poussé jusqu'à Niniltna ce soir-là, au fait? Vous aviez déjà tué une personne, alors autant aller de l'avant. Vous auriez eu toute la nuit pour fouiller les lieux.

– Ma main me fait mal. Vous n'auriez pas de l'aspirine ou quelque chose comme ça?

– Peut-être que vous avez eu les jetons, tout simplement. Un meurtre le matin, un autre le soir, et sans le moindre témoin. Vous avez sans doute préféré rentrer au bercail.

Il ne dit rien.

La nuit tomba peu après. Kate fit frire du foie d'élan aux oignons, aux pommes et au bacon, puis mangea de bon cœur. Ben avala son repas en grimaçant, n'étant pas amateur de foie, et engloutit les analgésiques qu'elle lui offrit en guise de dessert.

– J'ai besoin d'aller aux… euh…

Il désigna la porte d'un mouvement du menton.

– Mais je vous en prie, dit Kate.

Il réussit non sans mal à se redresser puis se tourna vers elle, le visage cramoisi.

– Vous n'avez pas peur que je m'enfuie?

Un hurlement prolongé résonna dans le cañon et son visage perdit toute trace de couleur.

– Pas trop, non, dit Kate en souriant.

Une fois revenu, après être retourné dans son coin et avoir plus ou moins ramené sur lui le duvet de rechange, il dit :

– Je ne pourrais pas me rapprocher du poêle ? Il y a un courant d'air qui passe par ce mur.

– Non.

La façon dont Kate l'avait ligoté l'empêchait de se glisser dans le sac de couchage. Il finit par y renoncer et s'allongea.

– Qui attendez-vous ?

Elle se tourna vers lui.

– Vous ne le savez pas ?

Silence.

– Avez-vous entendu parler de Notre-Dame de Kodiak ?

– Non.

Il recommença à se tortiller dans tous les sens pour ramener le duvet au-dessus de son corps. Lorsqu'il y parvint dans une certaine mesure, suffisamment pour être au chaud sinon à l'aise, il cessa de grogner et d'ahaner, mais il avait le souffle bien court.

Kate n'était nullement apitoyée.

– Je ne vous crois pas, Ben. Vous êtes un journaliste. Tout comme votre père et votre grand-père. Celui-ci connaissait forcément cette histoire. Il était sur les lieux, il en a quasiment été le témoin. Il en a sûrement parlé à votre père, et ça m'étonnerait que ce dernier ne vous en ait rien dit.

Il tenta de relever la fermeture à glissière, y échoua.

– Notre-Dame de quoi ?

– Notre-Dame de Kodiak. Ou Marie la Sainte. C'est le nom de l'icône.

Il s'efforça de se blottir au fond du duvet, mais c'était tout bonnement impossible.

– Peut-être que la mémoire me reviendrait si vous vouliez bien tirer sur cette putain de fermeture.

Elle se leva et traversa la pièce. Avant qu'il ait pu dire ou faire quoi que ce soit, elle lui avait posé le pied sur la gorge. Par pur réflexe, il leva la main gauche pour lui enserrer la cheville.

— Lâchez-moi, dit-elle en pesant de tout son poids sur lui.

Ses yeux s'écarquillèrent. Il gémit. Son étreinte se raffermit. Elle pesa davantage.

— Lâchez-moi, répéta-t-elle.

Il retira sa main. Pendant qu'il reprenait son souffle en hoquetant, elle tira la glissière du sac, et elle était de retour sur le siège de la motoneige avant qu'il ait eu une chance de se ressaisir.

Une fois qu'il fut remis, il lui lança un rictus haineux.

— Vous n'aviez pas besoin de faire ça.

— Ah bon ? Alors je m'en excuse. Sincèrement. Revenons-en à Notre-Dame.

Mais le coup du pied sur la gorge l'avait vexé et la conversation se languit. Après avoir passé une heure à se retourner dans son duvet, il finit par s'endormir. Il ronflait et son nez tuméfié n'arrangeait pas les choses : on se serait cru dans une maison aux conduites bouchées. Heureusement que Kate n'avait aucune intention de dormir.

Elle éteignit la lampe tempête et l'intérieur de la cabane fut plongé dans une obscurité quasi totale, n'eût été la lueur des flammes du poêle, visible à travers les lézardes dans le fer et le tout nouvel impact de balle. Si les gens continuait de jouer du pistolet dans cette cabane, il ne suffirait pas de rénover les toilettes pour la garder habitable.

Les heures s'écoulèrent : neuf heures, dix, onze, minuit, une heure du matin. Kate arrivait à la fin du *John Adams* de David McCullough, s'efforçant en vain de ne pas pleurer lors de la mort d'Abigail, lorsqu'elle entendit Mutt pousser un hurlement. Un hurlement plus lointain qu'il n'aurait dû l'être.

Elle reposa son livre, éteignit sa lampe de lecture et se redressa sans un bruit. Elle était toujours habillée de pied en cap.

Elle se tourna vers Ben, qui continuait de ronfler paisiblement. Elle enfila ses bottes, puis sa parka, se glissa au-dehors et passa derrière la cabane, enfilant ce faisant son bonnet et ses gants.

Si elle n'avait pas été aux aguets, jamais elle n'aurait entendu ce léger bourdonnement de moteur. Ce n'était ni un avion ni un 4x4. Non, c'était une motoneige. Kate n'aurait su dire s'il s'agissait de la Polaris qui l'avait suivie la dernière fois qu'elle était venue aux sources chaudes. Le bruit du moteur était étouffé, sans doute délibérément. Sans le signal de Mutt, elle ne l'aurait entendu que beaucoup plus tard.

Il leur fallut un quart d'heure pour atteindre le rocher en forme de selle. Ils firent halte juste avant l'entrée du cañon. Si ça avait marché la première fois...

Kate était adossée au mur du fond, et Ben ronflait tellement fort qu'elle ne capta les bruits de pas que lorsqu'ils approchèrent de la porte. Mais elle entendit nettement le loquet qui tournait, les gonds qui grinçaient, et elle fit en hâte le tour de la cabane pour surprendre l'intrus alors qu'il était encore sur le seuil. Elle enfonça dans ses reins le canon du pistolet de Ben.

– Prudence, dit-elle. Ici sont des dragons.

L'intrus se figea.

– Bonne idée, dit-elle.

Un objet dur et froid se pressa au creux de son dos.

– J'en ai une meilleure, dit une voix.

– Je ne crois pas, répliqua Kate.

Résonna alors un grondement si fort, si menaçant, qu'il ne pouvait émaner que d'un grizzli ou d'un tyrannosaure.

Tous trois se retournèrent.

Mutt, tel un spectre gris avançant en silence sur la neige, les pattes raides, les poils hérissés, la tête rentrée, les babines retroussées. Coup de chance pour Kate, la lune choisit ce moment pour émerger derrière la crête. Elle para les yeux jaunes et les crocs blancs de Mutt d'une lueur d'outre-monde, alors même qu'elle poussait un autre grondement sourd, annonciateur d'une foudre prochaine.

L'intrus qui se trouvait derrière Kate émit un bruit à mi-chemin du cri et du couinement.

– Attention ! Je vais lui tirer dessus !

– Non, vous n'en ferez rien, dit Kate. Mutt ?

Le tonnerre emplit l'horizon.

– Attaque.

1958

Anchorage

Emil était l'incarnation même de l'hospitalité alaskienne. Sam ne put que lui reconnaître cette qualité, tout en s'émerveillant de son incapacité à percevoir la ressemblance entre son fils et son nouvel ami. Si c'était par réflexe qu'il lui avait offert son amitié, celle-ci n'en était pas moins sincère et, dès leur première rencontre à Nikiski, Emil le traita comme n'importe lequel de ses deux cents proches, lui offrant des repas à l'*Ace of Clubs*, payant la première tournée à l'*InletBar*, lui promettant l'usage de la chambre d'amis s'il venait faire un tour à Anchorage. Il ne rechigna pas à monter à bord du *Freya* et s'y régala de tout ce qu'on lui proposa, de la langue d'élan au foie de phoque.

Il avait tendance à se confier à ses amis, ce qui en retour invitait aux confidences. Lorsqu'il apprit que Sam était originaire des environs de Kanuyaq, il lui posa des questions sur la mine de cuivre et sur le potentiel des Quilaks en matière de ressources naturelles. Son enthousiasme était contagieux.

De son côté, Erland était l'équivalent humain de la Suisse : jamais hostile, mais observant une neutralité distante. Sam n'avait pas de peine à le comprendre, encore secoué de s'être découvert un double lors de leur rencontre sur le champ pétrolifère de Nikiski. Et Erland n'était qu'un gamin. La mésentente entre père et fils n'arrangeait pas les choses, et Sam se demandait si les doutes d'Emil quant à sa paternité n'en étaient pas l'explication.

Sam avait un demi-frère.

Cela prouvait à tout le moins que Mac avait survécu aux blessures qu'il avait reçues en sauvant la vie de Sam, ce qui atténuait son fardeau de culpabilité.

Mais sa colère demeurait intacte. Il envisagea à nouveau d'écrire à Hammett, mais il lui semblait que la plupart des réponses à ses questions se trouvaient ici. Il était très curieux de faire la connaissance de l'épouse d'Emil et mère d'Erland, et l'année suivant celle de leur rencontre, il se débrouilla pour effectuer une livraison au port encore embryonnaire d'Anchorage. À l'issue d'une manœuvre d'accostage acrobatique, durant laquelle il faillit à deux reprises faire échouer le *Freya*, il avait presque oublié le but de sa visite, et il profita sans vergogne de son amitié avec Emil, qui était devenu un des dirigeants de la ville, pour lui exposer de façon plutôt vive les dangers inhérents à un port bâti en bordure d'une baie aux fonds infestés de limon glaciaire, sans compter la marée dont l'amplitude atteignait parfois douze mètres. Emil réussit à le calmer et l'embarqua dans une gigantesque Cadillac aux ailerons aérodynamiques et aux feux arrière à facettes. C'était la première fois que Sam voyait une boîte automatique.

La base militaire que Sam avait connue à l'occasion de ses allers-retours depuis les Aléoutiennes était devenue une ville en pleine expansion comptant cinquante mille habitants, avec une base de l'armée, une autre de l'aviation, un quartier résidentiel huppé au sud et, encore plus bas, une banlieue du nom de Spenard. L'ambiance y était chaude, lui confia Emil avec un clin d'œil. Sam répondit par une phrase toute faite, fasciné par la maison devant laquelle la Cadillac ralentissait pour se garer. Pourvue d'un étage, elle présentait deux bow-windows à chacun des angles de sa façade, que reliait un vaste porche aux colonnades en bois ouvragé. Sa couleur blanche lui rappela les temples grecs qu'il avait vus dans les livres d'histoire.

J'aurais du mal à retrouver la porte lors d'une tempête de neige, pensa-t-il par réflexe.

Erland vint leur ouvrir comme ils montaient les marches. À présent que le choc s'était estompé, Sam vit qu'il s'était mépris sur son âge lors de leur première rencontre, sans doute à cause de l'air maussade qu'il affichait alors. Un adolescent n'aime pas être grondé en public. Car ce n'était plus un enfant. C'était un jeune homme qui rentrerait bientôt à l'université, et aujourd'hui son sourire était affable, sa poignée de main ferme.

– Et voici ma fille Victoria, dit Emil d'une voix joviale.

La fille ne ressemblait ni à son père ni à son frère. Grande, affligée d'un menton un peu trop proéminent, des cheveux blonds et drus coupés à la garçonne, des yeux bleus et francs.

– Où est votre mère ? demanda Emil. Dorothy ? Dorothy !

– Ici, Emil.

Ils suivirent la voix et débouchèrent dans la salle à manger. Sam n'avait jamais vu de table aussi longue, ni de chaises en si grand nombre autour d'une table. Décidément, ce jour était dévolu aux premières, et ce n'était pas fini.

Dorothy, le patron qui avait servi à la confection de sa fille, s'affairait à mettre le couvert.

– Dorothy, je te présente Sam Dementieff, dit Emil.

Dorothy se redressa, prête à esquisser un sourire de commande. Vêtue d'une robe jaune et chaussée de talons hauts, des diamants étincelant à ses oreilles et à ses doigts, c'était l'image même de l'hôtesse de la bonne société, prête à accueillir sans sourciller un convive de plus, voire une vingtaine.

Mais son sourire s'effaça dès qu'elle vit Sam. Son visage devint livide et elle chercha à tâtons le dossier d'une chaise pour ne pas s'effondrer. Enfin, elle se ressaisit en un instant et se remit à l'ouvrage, leur servant un excellent dîner composé de pain de viande, de haricots verts en conserve et de pommes de terre, avec de la glace et de la tarte aux pommes pour dessert. Si son sourire était plus crispé, ses yeux plus fixes quand elle les posait sur Sam, celui-ci fut sans doute le seul à le remarquer.

Mais il le remarqua. Après dîner, les enfants montèrent à l'étage et un coup de téléphone appela Emil dans son bureau. Sam voulut aider Dorothy quand elle commença à débarrasser la table.

— Non merci, s'empressa-t-elle de dire. Ne vous dérangez pas, ce n'est pas la peine.

Il la poursuivit dans la cuisine.

— Mac McCullough, dit-il. C'était bien son nom ?

Elle lui tournait le dos, debout devant l'évier, mais il la vit frissonner.

— C'était mon père, reprit-il. Est-ce qu'il est… Vous savez comment je pourrais le joindre ?

Elle jeta un vif regard en direction de la porte.

— Il est mort, dit-elle.

Il resta silencieux quelques instants, digérant cette confirmation. Il avait eu le temps de faire son deuil de Mac, entre le moment où il avait reçu le colis de Hammett et celui où Pappardelle lui avait dit que Mac était venu le voir avant la guerre, à la recherche de l'icône.

— Quand est-il mort ?

Elle jeta un nouveau regard par-dessus son épaule.

— Pas ici.

— Où ça, alors ?

On entendit la voix joviale d'Emil :

— Sam ! Sam ! Venez bavarder dans ma tanière ! Je vous offre un cigare !

Sam se retourna vers son épouse.

— Demain matin, au *Fly By Night*, à Spenard, chuchota-t-elle. J'essaierai d'y être à neuf heures.

— Sam !

Sam rejoignit Emil dans son bureau, une pièce carrée aux murs lambrissés située sur le devant de la maison. Elle était meublée d'un grand bureau en acajou et d'un fauteuil en cuir, avec une cheminée d'ardoise en vis-à-vis, et d'une série de vitrines placées le long des murs à intervalles réguliers. Voyant son intérêt, Emil déclara :

— Je collectionne les artefacts alaskiens depuis mon arrivée. Regardez ça. C'est un couteau à écrire. En ivoire. Je l'ai rapporté l'année dernière d'un voyage à Bethel. Même Marcellus Bell n'en a pas de semblable. (Gloussement.) Les petites filles l'utilisent pour raconter des histoires sur la neige. Et ceci, c'est un *oosik*[32]. (Coup de coude dans les côtes.) Je n'ai pas besoin de vous expliquer de quoi il s'agit, je pense.

Sam s'approcha d'une autre vitrine.

— Et ça ?

— Ça ? Mais c'est un Sydney Laurence. Je l'ai acheté au *515 Club*. Laurence y allait souvent boire un coup, et il réglait son ardoise en donnant des tableaux au patron.

La peinture représentait une église blanc et bleu, au dôme surmonté d'une croix, qui se dressait sur une colline dominant une étendue d'eau d'un bleu splendide, avec dans le fond des montagnes entrevues. Les couleurs brillaient comme des gemmes.

— Où est cette église ?

Emil haussa les épaules.

— Aucune idée. Kenai, Ninilchik, Seldovia peut-être. C'est un Laurence, je n'en sais pas plus. À ce que j'ai compris, il s'est baladé un peu partout. Hé ! si vous vous intéressez à ce qui est russe, j'ai plein de trucs dans ce registre. Venez voir.

Sam le rejoignit devant une autre vitrine remplie de babouchkas et d'objets en ambre. Il y avait là des anneaux, des bracelets, des fleurs et des animaux sculptés. Plus un bloc au naturel, bosselé et rugueux, qui contenait ce qui se révéla être un insecte.

À côté de lui était placée une icône russe.

C'était un triptyque, avec la Vierge sur chaque panneau. Sur celui de gauche, elle berçait l'Enfant Jésus dans ses bras.

---

32. Os pénien de phoque ou de morse.

Au centre, on la voyait tenir le Christ adulte au pied de la croix. À gauche, elle était à genoux, les bras levés vers Jésus montant aux Cieux, auréolé de soleil, avec une pierre roulée dans le fond. Les illustrations étaient exécutées sur des feuilles d'un métal qui pouvait être de l'or. Le cadre était en bois doré à l'or fin et incrusté de pierres mal dégrossies et cernées d'or.

— Joli, hein ? J'ai acheté ça à un brocanteur de Seattle, il y a pas mal d'années.

Marie la Sainte, le cadeau de mariage de Victoria Kookesh, le prix payé par Lev Kookesh pour devenir chef, l'héritage perdu des Natifs de Niniltna… Marie la Sainte avait les yeux fixés sur Sam, trois paires d'yeux où se lisaient toutes les souffrances à venir.

Le *Fly By Night* était un bar situé au bord du lac de Spenard, à l'intérieur suffisamment sombre pour que Dorothy ne soit pas reconnue. Elle avait néanmoins dissimulé ses cheveux sous un chapeau à larges bords enfoncé jusqu'aux yeux, enlevé tous ses bijoux y compris son alliance et enfilé un manteau informe de couleur sombre. Elle portait des chaussures plates à semelles de caoutchouc qui ne faisaient aucun bruit.

On aurait dit que cette tenue ne lui était pas nouvelle. Le barman ne lui accorda même pas l'aumône d'un coup d'œil et elle se glissa dans le box du fond, le dos tourné à la porte et le visage dissimulé aux regards.

— Comment se fait-il qu'une dame comme vous connaisse un tel endroit ? demanda Sam.

— J'y ai travaillé autrefois.

— Oh. (Il se ressaisit.) Un café ?

Elle accepta d'un signe de tête et il rapporta deux tasses du comptoir. Une fois assis, il entra dans le vif du sujet.

— Mac McCullough est le père d'Erland.

Elle ne chercha pas à nier.

— Oui. Il suffit de le voir pour s'en rendre compte, ajouta-t-elle d'une voix teintée d'amertume.

– Emil le sait ?

– Je ne vois pas comment il pourrait l'ignorer.

Durant un instant, son masque de parfaite hôtesse s'effrita, révélant une lassitude infinie.

– Mais il n'a jamais dit un seul mot, conclut-elle.

– Comment avez-vous connu Mac ?

C'était en automne 1939. L'Amérique n'était pas encore entrée en guerre, mais l'armée s'installait à Anchorage et la ville connaissait déjà un boom. Il voyageait sous le nom de Marvin Mackenzie, qui lui permettait de conserver son sobriquet, et s'était présenté comme un homme d'affaires indépendant s'intéressant à l'extraction des ressources naturelles. Emil l'avait invité à dîner et c'est là qu'il avait fait la connaissance de Dorothy.

– Emil…

Elle laissa sa phrase inachevée.

Sam ne s'intéressait pas à ses relations conjugales, qu'elles soient bonnes ou mauvaises, mais il savait qu'il lui faudrait l'entendre en confession s'il voulait glaner des informations, aussi prit-il son mal en patience. Mais, loin de se mettre à larmoyer, elle lui relata les événements en termes précis et objectifs.

– Nous nous sommes fréquentés pendant six mois environ, le temps que Mac me révèle son vrai nom et la véritable raison de sa présence ici.

– À savoir ? demanda Sam, qui avait sa petite idée.

Elle haussa les épaules.

– Il s'intéressait à l'une des pièces de la collection de mon mari. Il n'a pas précisé laquelle.

– Il comptait sur vous pour l'aider à la voler ?

Elle le regarda dans les yeux.

– Oui, dit-elle d'une voix lugubre.

Il resta silencieux.

– Cela a mis un terme à notre liaison, évidemment. Je lui ai dit de ne plus chercher à me revoir. Un mois plus tard, j'ai découvert que j'étais enceinte.

Décidément, Mac McCullough avait le chic pour abandonner les femmes après les avoir engrossées, songea Sam.

— Je… je voulais de l'aide pour m'en débarrasser. J'ai essayé de retrouver Mac. Puis j'ai appris qu'il s'était engagé.

— Vous l'avez revu ?

Elle pâlit, déglutit.

— Une fois, dit-elle à voix basse. Après la guerre. C'était en automne 1945. Il avait été blessé.

En me sauvant la vie, se dit Sam.

— On l'avait évacué à l'Extérieur, pour le soigner dans un hôpital militaire. C'est pour cela qu'il n'avait pas donné de nouvelles, m'a-t-il dit.

Sam avait la nette impression qu'elle ne l'avait pas cru, mais peut-être bien que Mac avait dit la vérité cette fois-là.

— Il voulait toujours récupérer l'icône, dit-il.

— Oui.

— Et il espérait toujours que vous l'y aideriez.

— Oui. (Elle inspira à fond puis exhala.) J'aurais pu le faire. Après la naissance d'Erland, quand Emil… (Un temps.) La vie est devenue… difficile. Mac m'a promis qu'il m'emmènerait.

Sam eut toutes les peines du monde à se retenir de ricaner.

— J'étais extrêmement prudente, reprit-elle, toujours dans un murmure. Mais Anchorage n'était qu'un village à l'époque. Quelqu'un a dû nous voir et prévenir Emil.

— Que s'est-il passé ?

Elle se mit à déchirer la serviette en papier. Puis elle dit d'une voix éteinte :

— Il y a eu un accident à Kenai, près d'un puits de pétrole. Emil faisait visiter les lieux à un groupe d'hommes d'affaires. Trois d'entre eux ont été tués.

— Et Mac était du nombre.

— Oui.

Sam se demanda ce qu'Emil reprochait aux deux autres. Rien, si ça se trouvait. Peut-être les avait-il considérés comme des dégâts collatéraux, le prix à payer, un peu à regret, pour éliminer un rival.

Voilà qui éclairait sous un nouveau jour cet homme au sourire jovial, à l'hospitalité sans défaut.

Le barman vint leur resservir du café.

— Vous voulez autre chose ? demanda-t-il.

— Non, merci, fit Sam, et l'autre retourna au comptoir. Donc, vous pensez qu'Emil est au courant pour Mac et pour Erland ?

Et pour moi ? ajouta-t-il mentalement.

— Il ne m'a jamais rien dit, répéta-t-elle, paraissant soudain vieillie de dix ans. (Elle consulta sa montre.) Il faut que je rentre, monsieur Dementieff, ou on va se rendre compte de quelque chose.

Elle traversa la salle telle une ombre mouvante, pour disparaître une fois passé la porte.

Une cargaison attendait le *Freya* à Seattle, aussi Sam n'eut-il d'autre choix que d'appareiller pour le Sud. Il n'était pas trop inquiet, car il ne voyait pas Emil se défaire de l'icône dans un proche avenir. C'était un collectionneur, et Sam avait suffisamment fréquenté Pete et Kyle pour savoir qu'un collectionneur se définit dans une certaine mesure par ce qu'il acquiert et ce qu'il conserve. Et puis, il savait enfin où se trouvait l'objet de sa quête. Pour l'instant, il ne risquait rien.

À Seattle, il fut pris d'une soudaine inspiration et s'en ouvrit à Kyle.

— Mais bien sûr, dit celui-ci. Pour une commission des plus modique, ajouta-t-il d'un air malicieux.

Sam prit congé de lui en souriant mais en le maudissant jusqu'à la dixième génération. Moins d'un mois plus tard, il revenait à Seattle, pour trouver sur le quai un Kyle à l'air peiné.

— Rien à faire, dit-il. Bannister refuse catégoriquement de vendre, quel que soit le prix.

Sam resta silencieux quelques instants.

— Attendez deux ou trois mois, que l'idée fasse son chemin. Puis tentez à nouveau le coup.

Mais, au bout d'un an, la réponse était toujours la même.

Sur une impulsion, Sam rentra chez lui pour la première fois en quinze ans.

Tous ses amis et ses proches avaient vieilli, s'étaient mariés, avaient des enfants. Certains étaient divorcés, veufs, morts. La plupart vivaient des ressources naturelles qui les entouraient : la pêche au saumon en été, la chasse et les pièges en hiver. Beaucoup étaient partis pour Fairbanks, ou Anchorage, ou carrément l'Extérieur.

— Pas d'argent ici, et pas de travail, lui dit Ekaterina quand il alla la voir. Dans dix ans, Niniltna sera une ville fantôme. Il n'y a rien pour nous retenir. (Elle prit un air sombre.) Et ceux qui restent oublient leur culture. Ils lisent des magazines et y découvrent la vie des autres. Ils veulent des beaux habits, des voitures rapides, un poste de télévision. Ils n'ont plus envie de chasser l'élan, de coudre des peaux et d'apprendre à danser. Ils veulent parler l'anglais et non l'athabascan, l'alutiiq ou l'eyak.

Elle marqua une pause puis reprit :

— Nous n'avons rien à leur offrir, Sam.

Avant d'aller voir Joyce, il attendit que la nouvelle de son retour se soit répandue dans tout le village. Elle le reçut avec une politesse un rien compassée, et il négocia tout un dédale de dentelles et de porcelaine avant de s'asseoir pendant qu'elle lui préparait du café sans même lui avoir demandé ce qu'il voulait. Lorsqu'il le but, il constata qu'elle se rappelait parfaitement ses doses de sucre et de crème.

— J'aurais pu arrêter de boire du café depuis la dernière fois, dit-il.

Elle était plus âgée, plus maigre, plus calme, mais son sourire était toujours aussi radieux.

— Pas toi, dit-elle d'une voix douce.

Il considéra l'armoire dans un coin.

– Ravi de voir que Heiman a pu l'acheminer depuis Valdez.

Elle suivit son regard.

– Oui. Elle est superbe, Samuel. Je te remercie. Et je te remercie aussi pour le service à thé qui se trouvait à l'intérieur.

Elle caressa sa tasse en souriant.

– Oui, bon, j'ai rencontré un type qui vendait des vieilleries, et je me suis rappelé que tu aimais ça. Et comme j'ai un bateau maintenant, j'ai pu transporter tout ça moi-même.

– Le *Freya*, dit-elle en hochant la tête.

Il n'était pas surpris. Le télégraphe du Bush était un des moyens de communication les plus efficaces qui soient. On devait déjà savoir ici tout ce qu'il avait fait depuis son départ ou presque. Il lui parla du *Freya*, du travail qu'il avait accompli, de celui qu'il allait accomplir.

– Où vas-tu aller maintenant ?

Il s'agita sur son siège.

– Le fret pour les exploitations pétrolières, ça rapporte. Mais on m'a dit que les contrats gouvernementaux dans les îles sont encore plus intéressants.

– Les îles où tu as fait la guerre ?

– Oui.

Elle fronça les sourcils.

– Il y fait mauvais temps.

Il sourit.

– Mais on y trouve du bon argent.

Léger haussement d'épaules de Joyce.

– L'argent n'est pas tout.

Il reposa doucement la tasse fragile aux motifs d'un rose délicat sur sa sous-tasse également fragile.

– Est-ce que tu es en train de me demander de rentrer à la maison, Joyce ?

Elle ne dit rien mais le fixa de ses yeux noirs qui ne cillaient pas.

– Parce que, pour ce que j'en sais, je n'ai aucune raison de le faire.

Ses yeux s'embrumèrent d'une souffrance souvenue et il eut honte de lui.

– Pardon. Je te demande pardon, Joyce.

Lorsqu'il prit congé, elle ne fit mine ni de lui ouvrir les bras ni de lui serrer la main.

Il quitta Niniltna le soir même, embarquant à bord d'un camion Heiman à destination de Valdez, où l'attendait le *Freya*.

Lorsqu'il revint à Nikiski, Emil l'attendait sur le quai, plus jovial que jamais, et il l'emmena à l'*Ace of Clubs* pour y déguster un hamburger et une bière. Il lui confia d'un air distrait qu'il comptait passer trois jours sur place pour rencontrer ses associés de l'exploitation de la Swanson River. Il s'efforça de vendre des actions à Sam – « Atlantic va nous racheter. L'affaire est entendue. » –, mais celui-ci déclina l'offre en éclatant de rire.

Ce soir-là, Tex lui demanda de récupérer un chargement de ciment débarqué à Seward et expédié à Anchorage par chemin de fer. On en avait besoin d'urgence sur le site de la Swanson River.

Le *Freya* leva l'ancre à la marée suivante.

Il attendit trois heures du matin, assis immobile derrière un épicéa, le dernier du pâté de maisons, dont les épaisses branches enveloppaient le tronc dans une poche de ténèbres. En cette nuit d'hiver, la rue était plongée dans un silence total, les trottoirs encombrés de congères. Cela faisait quatre heures qu'on avait éteint les lumières dans la maison.

Il se serait cru en train de traquer l'élan.

Ou un soldat japonais embusqué sur Attu.

Il sortit doucement de sa cachette et une douce brise fit bruire et grincer les branches de l'épicéa, qui devint de ce fait son ami car il dissimulait le bruit de sa progression. Il monta sur le perron et, sous couvert des ténèbres, crocheta la serrure. Le quartier n'était pas habitué aux effractions et la porte s'ouvrit sans difficulté. Il se dirigea vers le bureau à tâtons, ouvrit la porte et la referma derrière lui, puis s'avança vers la vitrine où, si sa mémoire était bonne, l'attendait Marie la Sainte.

Un déclic. Il pivota sur ses talons, ramassé sur lui-même, une main levée pour se protéger de la lumière.

Emil se leva de sa chaise.

– Salut, Sam.

Les pupilles de Sam mirent quelque temps à se contracter. Quand il put voir ce qui l'entourait, il comprit à son sourire qu'Emil était fort satisfait de l'avoir pris au piège.

– Je n'arrive pas à croire que tu sois entré par la porte principale. Un voleur professionnel serait passé par l'entrée de service. Mais d'un autre côté, tu n'es pas un professionnel, pas vrai ? Contrairement à ton père.

Sam se redressa. Il ne répondit pas.

– Tu crois que je n'ai pas vu la tête que tu faisais quand je te l'ai montrée ? Tu crois que je n'ai pas compris que c'était toi qui cherchais à l'acheter ? Tu crois que je n'ai pas compris pourquoi Mac avait pris la peine de séduire ma femme ?

Voyant l'expression de Sam, il partit d'un rire muet.

– Oh ! oui, je sais. J'ai toujours su.

Il fit le tour du bureau et Sam vit qu'il tenait un revolver à la main. Il se redressa, recula d'un pas et assura son équilibre, prêt à passer à l'attaque. Il ne pensait pas qu'Emil bluffait, mais il n'avait pas fait tout ce chemin pour succomber sans se battre.

– Et voilà que débarque le fils de Mac. (Emil partit d'un nouveau rire.) Mais pourquoi cette Vierge russe attire-t-elle autant les membres de ta famille, Sam ? (Sourire moqueur.) Dès que je t'ai vu, j'ai compris que tu étais toi aussi un bâtard de Mac, le demi-frère du coucou qui est né dans mon nid. Oh ! oui, Erland est au courant. J'y ai veillé. C'est pour cela qu'il ne peut pas te voir en peinture.

Il se tourna vers la vitrine, puis regarda de nouveau Sam en arquant un sourcil.

– Tu sais, je commençais à me demander si je ne devais pas t'envoyer une invitation à me cambrioler. Ça fait plus d'un an, quand même.

– C'est vous qui avez dit à Tex de m'envoyer à Anchorage.

Emil leva les yeux au ciel.

– Enfin, Sam! (Il brandit le revolver.) Est-ce vraiment important?

– Cette icône appartient à ma famille. Donnez-la-moi et laissez-moi partir. Vous ne me reverrez plus jamais, vous avez ma parole.

Le sourire d'Emil se durcit.

– Cette icône est à moi, dit-il à voix basse. Tout comme ma femme. Et mon fils aussi. (Il agita son arme.) Recule.

Sam s'exécuta sans le quitter des yeux, dans l'attente du moment propice qui ne manquerait pas de venir, car si tous les soldats japonais des Aléoutiennes avaient été incapables de le descendre avec leurs fusils Arisaka type 99, ce connard suffisant en costard trois-pièces n'avait aucune chance d'y parvenir.

– Ouvre la vitrine, ordonna Emil.

Sam obéit, puisque de toute façon il devait accéder à l'icône. Notre-Dame posa sur lui ses yeux éternellement éplorés.

Soudain, elle lui parut familière.

Elle ressemblait à Joyce.

– Prends-la, dit Emil.

– On va me retrouver mort avec elle dans les mains, c'est ça l'idée?

– Prends-la, répéta Emil, qui ne souriait plus.

Sam plongea une main dans la vitrine et attrapa une babouchka, qu'il jeta aussitôt à la tête d'Emil.

Poussant un cri de surprise, Emil leva les deux mains pour l'attraper au vol. Sam se jeta sur lui, lui heurtant le ventre de l'épaule. Emil recula d'un pas et se prit les pieds dans le tapis. Il tomba et les deux hommes atterrirent sur le bureau. On entendit un bruit écœurant, puis tous deux se retrouvèrent à terre.

– Espèce de salopard, dit Sam, haletant. (Il se redressa sur ses genoux, leva le bras droit, serra le poing.) Espèce de…

Mais Emil ne se battait plus. Emil ne bougeait plus. Emil était plongé dans l'inconscience, et une traînée de sang rouge vif lui maculait le visage, coulant du point où son crâne était entré en contact avec l'arête du bureau.

Sam entendit vaguement des cris, des hurlements et un bruit de pas précipités dans l'escalier, et son instinct lui souffla de prendre la fuite. Il se releva en chancelant, retourna devant la vitrine, s'empara de Notre-Dame et la glissa sous sa parka. Puis il releva sa capuche et fonça vers la porte.

Les bruits de pas se faisaient de plus en plus forts.

– Papa ? Papa !

Sam reconnut la voix d'Erland et poursuivit sa fuite, la porte d'entrée, les marches du perron, la rue enténébrée, serrant Marie la Sainte tout contre lui.

32

Le trajet était long mais pas désagréable, surtout lorsqu'il put quitter l'I-5 pour emprunter des routes secondaires. Il parcourut ainsi des collines doucement bombées, peuplées de forêts de pins, d'épicéas, de peupliers noirs et de séquoias. Il avait oublié qu'un arbre pouvait être aussi grand, son tronc aussi massif. Et tous ces hectares de terres cultivées, dévolues au blé, au foin et aux arbres de Noël. Il s'arrêta devant un étal de produits fermiers, acheta des tomates encore chaudes, puis du sel et du poivre dans une épicerie proche et fit halte au bord d'un ruisseau pour y pique-niquer.

C'était un cours d'eau peu profond, dont les méandres se partageaient entre tourbillons et bassins ombragés, bordé d'arbres qui y trempaient leurs branches basses pour dessiner des vaguelettes. L'eau en coulant émettait de doux gazouillis. Rien à voir avec le fracas bondissant de Zoya Creek, le torrent qui passait derrière la maison de Kate. Sans compter que truites et autres poissons devaient y être rares.

La saveur âcre des tomates lui mit les larmes aux yeux. Tous les fruits et légumes frais vendus en Alaska étaient cueillis avant maturité au Chili ou en Nouvelle-Zélande, et on n'avait pas intérêt à les laisser mûrir une fois qu'ils étaient arrivés à bon port. Si on voulait cultiver des tomates comme celles-ci, il fallait se construire une serre.

Celle de Kate avait brûlé avec sa cabane. Peut-être apprécierait-elle qu'il lui en construise une autre. Il l'imagina blottie contre lui au bord de ce paisible ruisseau. Il s'imagina lui faisant manger ces tomates, bouchée par bouchée. La tomate n'était-elle pas considérée comme aphrodisiaque dans certaines cultures ? Dans ce cas, c'était une tradition qu'il convenait de propager, et deux fois plutôt qu'une.

À travers les branchages lui apparaissait un paysage en terrasses se perdant dans un horizon brumeux. Pas une seule montagne digne de ce nom en vue. Pas un seul glacier. Pas un seul grizzly prêt à lui sauter dessus, ni un seul élan prêt à jaillir des fourrés. Un oiseau pépia, mélodie curieuse et enjouée. Rien à voir avec un aigle.

Il attrapa son portable et rappela Kate. Boîte vocale. *Merde.*

– Salut, c'est moi, toujours dans la nature. J'ai eu un pépin mécanique, ça m'a retardé d'une journée.

Il marqua un temps puis raccrocha.

Il se lava les mains dans le ruisseau, remonta dans la voiture de son père et reprit la route.

Le soir tombait quand il arriva à Medford et il prit une chambre dans un Motel 6 des faubourgs. Le lendemain, il se leva tôt, sous un soleil qui semblait la norme dans ce coin du pays. Il localisa l'office de tourisme, où on lui donna une carte de la ville, et grâce à elle il arriva dans un quartier endormi où les maisons de plain-pied étaient pourvues d'une galerie sur leurs quatre côtés. Il y avait une balancelle sous chaque porche et des chiens-assis sur chaque toit. Les rues étaient bordées d'arbres de belle taille, chênes, érables, mélèzes et ifs, les cours entourées de massifs de fleurs. Le parfum des roses se déversait dans l'habitacle de la voiture.

On se serait cru dans une série télé des années 1950.

Il trouva Oak View sans problème et s'arrêta devant une boîte aux lettres blanche portant le numéro 1120.

La porte de la maison s'ouvrit avant qu'il ait gravi les marches du perron. Un homme au visage ridé, au sourire affable et aux yeux pétillants lui dit :

– Bonjour. Puis-je vous aider ?

Jim pila. Il s'aperçut que son cœur battait la chamade et il inspira à fond par deux fois pour se calmer.

— Ces marches ne sont pourtant pas très raides, dit l'homme en s'avançant pour lui tendre la main. Je m'appelle Norman Beck.

— Jim Chopin.

La peau de Beck était chaude et sèche, sa poignée de main vigoureuse.

— En quoi puis-je vous aider, Jim Chopin ?

— Qui est-ce, mon chéri ? demanda une voix féminine.

Derrière l'épaule de Beck apparurent une paire d'yeux bleus identiques à ceux de la mère de Jim et une mâchoire identique à la sienne.

— Vous êtes Shirley, dit-il.

La gorge de la femme se noua.

— Je suis James, reprit-il. Le fils de Beverly. Mon père m'a demandé de vous retrouver, et j'espère que vous pourrez me dire pourquoi.

Norman Beck leur servit du café et des gâteaux puis les laissa sous le porche, assis côte à côte sur la balancelle.

— Pourquoi mon père m'a-t-il envoyé vers vous ? demanda Jim.

Comme il avait été long, ce soudain voyage sans boussole en quête de son passé ! À présent, il était impatient d'avoir les réponses à ses questions avant de franchir un nouveau kilomètre, un nouveau centimètre.

Près de lui, Shirley soupira, ferma les yeux et rejeta la tête en arrière. D'un coup de pied, elle mit la balancelle en mouvement. On entendit un léger grincement.

Elle ressemblait tellement à sa mère qu'on aurait dit sa sœur jumelle, longues jambes et mâchoires carrées, mais on observait néanmoins certaines différences, surtout en matière de style. Ses épais cheveux blonds étaient coupés ras, les fines rides autour de ses yeux et de ses lèvres n'avaient jamais vu ni scalpel ni botox, et elle portait un tee-shirt sans manches et un pantalon de toile couleur pêche. En guise de bijoux, elle avait des anneaux d'or aux oreilles et un bracelet tout simple au poignet gauche. Ses ongles étaient coupés court, ronds plutôt que pointus, et vierges de vernis.

Elle ouvrit les yeux comme sous le poids de son regard et lui sourit. C'était un sourire qui en disait long, qui exprimait une douleur aiguë et une fatigue ordinaire.

À moins que ce ne soit le fardeau de l'histoire.

– On ressemblait à des jumelles, mais j'avais en fait un an de plus, dit-elle. Et c'est là que tout a commencé.

Beverly était née un an à peine après Shirley, laquelle avait acquis à l'école une telle réputation de charme et d'intelligence que la cadette ne pourrait jamais être à sa hauteur. Prix d'excellence? Shirley était passée par là. Pom-pom girl? Beverly s'était blessée lors d'une répétition, et non seulement Shirley était restée meneuse, mais elle était en outre sortie avec le capitaine de l'équipe de football américain. Reine du bal de fin d'année? La couronne était allée à Shirley, il s'en était fallu d'une voix pour que Beverly soit disqualifiée. Diplôme de fin d'études, bourse universitaire? Shirley avait tout raflé, tandis que les notes de Beverly stagnaient.

– Elle aurait pu exceller en tout. Durant les premières années de lycée, elle était aussi bonne que moi, mais au bout d'un temps, elle a décidé que ça n'en valait pas la peine.

L'Université de Californie à Berkeley? Elles y rentrèrent toutes les deux, mais Shirley entama des études de médecine tandis que Beverly se contentait des lettres classiques. Shirley était la reine du campus, tandis que Beverly se concentrait sur son ascension sociale, suscitant chez ses pairs tantôt l'amusement, tantôt l'irritation. Elle atteignit le zénith de ce qu'elle appelait son cursus lorsqu'elle entra dans la sororité Kappa Alpha Thêta.

Sa coturne s'appelait Eloise Locke Chopin.

C'était bien entendu la sœur de James Brant Chopin, nettement plus âgé que Beverly mais vulnérable à la vénération d'une jeune femme qui buvait ostensiblement la moindre de ses paroles.

— Et elle l'a épousé, mon neveu, conclut Shirley.

— Qui en a eu l'idée ? Lui ?

Elle éclata de rire.

Peu après leur mariage, les parents et la sœur de James périrent lors du tremblement de terre du comté de Kern.

— Il n'avait plus que Beverly en ce monde, dit Shirley. Il voulait un enfant à tout prix. Après des années d'échec, ils ont fini par consulter un spécialiste, qui a dit à Beverly qu'elle était stérile.

Shirley se tut, comme si elle hésitait devant un obstacle.

Une femme se promenait dans la rue, tenant un terrier en laisse. Elle leur jeta un regard intrigué.

— Salut, Shirley !

— Salut, Angie.

Comme on ne les invitait pas à entrer, Angie et son chien s'éloignèrent.

Jim commençait à entrevoir la vérité, mais Shirley reprit son récit avant qu'il ait pu formuler une hypothèse.

— Si elle me détestait avant cela, imaginez un peu ses sentiments à mon égard. Encore une chose que je pouvais faire et elle pas.

— Vous avez eu des enfants ?

— Deux, répondit Shirley en souriant. L'aînée est pédiatre et travaille avec Médecins sans frontières. (Elle tourna vers lui un œil pétillant.) Le cadet est flic à San Diego.

— Vous rigolez !

Elle secoua la tête.

— Vous êtes sûr de vouloir entendre la suite, Jim ?

Il passa sur ses cuisses des mains soudain moites.

— Oui.

— Très bien. (Léger soupir.) James était prêt à adopter un enfant. Beverly s'y refusait. À ce moment-là, je venais de divorcer.

Rares sont les mariages qui survivent à des études de médecine, sans parler de l'internat et des gardes. Elle est venue me demander si j'accepterais de porter un enfant pour eux. James et moi avons passé un week-end dans un gîte de Carmel. Quand nous nous sommes séparés, j'étais enceinte.

– De moi, dit-il d'une voix blanche.

On aurait dit que le monde qui lui était familier était devenu infiniment lointain.

– De toi.

Il dut se lever et faire quelques pas sous le porche.

– Je comprends maintenant. Je comprends tout.

– Quoi donc ?

Il fit halte et braqua sur elle des yeux presque hostiles.

– Pourquoi elle n'a cessé de me haïr depuis le jour de ma naissance.

Shirley se figea.

– De te haïr ?

– Oui, de me haïr. (Il lui lança ce mot à la figure comme si c'était une arme.) La distance qu'elle mettait entre nous, sa réprobation, son absence totale d'affection. Il a fallu que j'attende dix ans et que je dorme chez un camarade pour que je découvre qu'un père, une mère, pouvaient serrer leur enfant dans leurs bras. Et elle ne se contentait pas de refuser toute relation avec moi. Elle ne cessait de gâcher la relation que je pouvais avoir avec mon père. Elle se dressait toujours entre nous. Si papa voulait m'emmener voir un match de base-ball, elle lui objectait une réception qu'ils ne pouvaient pas se permettre de rater. Untel serait là, papa devait faire sa connaissance, ce serait bon pour la firme. C'était l'intérêt de la famille qu'elle avait à cœur, bien entendu. Je comprendrais quand je serais plus grand. Mais je n'ai jamais compris. Vous savez pourquoi je suis parti en Alaska ?

Nouveau défi. Ce fut d'une voix posée qu'elle demanda :

– Pourquoi ?

– Parce que je ne pouvais pas m'éloigner davantage sans quitter le pays. Et vous savez pourquoi j'y suis resté ?

– Pourquoi ?

– Parce que le comble de la grossièreté, là-haut, c'est de demander à un *cheechako* d'où il vient. La plupart des immigrants abandonnent leur passé au poste frontière de Beaver Creek et ne reviennent jamais en arrière.

– Et tu es du nombre ?

– Foutre oui.

– Pourtant, tu es ici.

– Papa est mort. Rien d'autre n'aurait pu me faire revenir.

Elle posa sur lui des yeux compatissants. Puis tapota le siège de la balancelle. Sentant que ses jambes allaient se dérober sous lui, il se laissa choir à ses côtés. Fort heureusement, elle respecta sa dignité et ne tenta ni de le consoler ni de s'excuser. Au lieu de cela, elle reprit la parole sur un ton posé, rationnel, presque clinique. On aurait dit un docteur, songea-t-il.

– Il y a autre chose que tu dois savoir.

– Génial. Allez-y. Je suis tout ouïe.

Elle eut un petit sourire mais refusa de se laisser piéger.

– Ce week-end que j'ai passé avec ton père ? Nous avons fait bien plus que planter une petite graine. Jusque-là, nous n'avions guère passé de temps ensemble. (Un instant d'hésitation.) Mais il est possible de tomber amoureux pour la vie en quarante-huit heures.

Il revit en esprit Kate telle qu'elle lui était apparue pour la première fois, *Chez Bernie*, alors que la balafre sur sa gorge était encore rouge, encore vive, quand elle n'éprouvait pour lui qu'un mépris teinté d'hostilité, et il dit sans réfléchir :

– Il est possible de tomber amoureux pour la vie en cinq minutes.

– Alors tu me comprendras quand je te dirai que le dimanche soir, ton père et moi savions qu'il n'avait pas épousé la bonne sœur.

– Pourquoi n'a-t-il pas demandé le divorce, bon sang ?

Elle secoua la tête.

– Ce mot ne figurait pas dans le vocabulaire de ton père. C'était un homme qui prenait le mariage au sérieux. Sa parole était sacrée à ses propres yeux. Tout le monde prête serment, mais ton père le faisait avec sincérité.

– Vous l'avez revu ?

Son sourire se changea en grimace.

– Jamais, ni lui, ni elle. Beverly y a veillé, et j'ai préféré partir pour garder l'esprit tranquille. J'ai fini par me remarier, avec un homme merveilleux qui a su me rendre heureuse.

– Et Norm ?

– Quand Colin est mort, j'étais sûre d'en avoir fini avec le mariage. Puis j'ai assisté à un séminaire sur la retraite où j'ai rencontré Norm. (Sourire.) Il ne faut jamais dire jamais.

Elle redonna une impulsion à la balancelle.

Une petite brise fit frémir les feuilles de l'érable dans la cour. Un oiseau-mouche au plumage vert émeraude vint se percher sur le nichoir, ses ailes toutes floues. Norm s'approcha de la porte grillagée, leur jeta un coup d'œil et se retira.

– Elle est allée jusqu'à fouiller ma chambre, dit Jim. Elle cherchait l'écritoire de papa, car elle savait qu'il avait caché dedans quelque chose qui me mènerait à toi. Pourquoi ne voulait-elle pas que je te trouve ? Ce n'est pas comme si elle éprouvait quelque sentiment pour moi, surtout après que j'eus refusé de me soumettre à ses projets.

– À savoir ?

– Tu ne seras pas surprise. Devenir avocat pour travailler avec papa et, le moment venu, prendre la direction de la firme. (Il secoua la tête.) Aujourd'hui encore, j'ignore si je m'y suis refusé parce que je n'en avais aucune envie ou parce que je voulais la punir de ne m'avoir jamais aimé. (Il se tourna vers Shirley.) Qu'est-ce qui pouvait donc la motiver ?

Cette fois-ci, le sourire de Shirley était triste.

– Encore une chose que sa sœur a pu accomplir et qui lui a été refusée. Toute sa vie se résume à cela, Jim.

Il la regarda et se dit : *Encore une chose.*

Inspirer de l'amour à son mari.

Il resta déjeuner, puis il resta dîner, parlant davantage avec Shirley Beck en une journée qu'avec Beverly Chopin durant toute sa vie. Ce soir-là, lorsqu'ils firent leurs adieux sous le porche, elle lui dit :

— Ne sois pas trop dur avec elle. Peut-être qu'elle ne t'a pas donné la vie, mais elle t'a élevé pour faire de toi ce que tu es aujourd'hui. Ce sont nos parents qui nous façonnent.

— On ne saurait dire plus juste, dit-il en lui donnant un baiser d'adieu.

Norm le serra dans ses bras, chose que son père n'avait jamais faite.

Il regagna L.A. d'une traite, roulant toute la nuit et une partie de la journée. Beverly entendit la porte du garage s'ouvrir et vint à sa rencontre, les yeux pleins de méfiance.

— Beverly.

Il entra dans la maison sans plus de cérémonie et monta dans sa chambre. Il essaya une nouvelle fois d'appeler Kate et, quand il entendit l'annonce de sa boîte vocale, raccrocha et appela Alaska Airlines, pour réserver une place à bord du dernier vol de la soirée. Cela l'obligerait à passer la nuit en transit à SeaTac, mais même s'il devait dormir sur le sol de la salle d'attente, il s'en fichait comme d'une guigne. Ça faisait trop longtemps qu'il était parti de chez lui.

Il raccrocha et commença à faire ses bagages, conscient de la présence de Beverly sur le seuil mais apparemment indifférent.

— Tu l'as retrouvée, dit-elle.

— Oui, répondit-il d'une voix presque enjouée.

— Je suppose qu'elle t'a tout dit.

— Plus ou moins, dit-il en fermant sa valise.

— Je suppose que tu penses que j'aurais dû t'en parler.

— Pas nécessairement. (Il posa la valise par terre.) Papa non plus ne m'avait rien dit.

Elle s'attendait à une attaque, et cette absence de récriminations la déconcertait.

– Tu peux demander à Maria de m'appeler un taxi ?

Elle lui jeta un regard ébahi et descendit. Il essaya de rappeler Kate et, quand il obtint à nouveau la boîte vocale, dit :

– Je rentre, je devrais arriver demain soir. J'espère que tu ne réponds pas parce que tu es déjà à la maison.

Il descendit ses bagages. Sa mère l'attendait dans le vestibule, affichant une irrésolution comme il ne lui en avait jamais connue.

– Alors tu t'en vas, dit-elle.

– Tu n'as pas pour habitude de souligner l'évidence.

Elle plissa les lèvres.

– Quand comptes-tu revenir ?

Il parcourut le vestibule du regard, sa décoration exquise, son mobilier de prix. Son absence totale de joie et de vie. Il avait beau chercher, il ne trouvait aucun bon souvenir associé à cette maison.

Il pensa à la maison de Kate, les livres empilés sur les étagères, les coussins et les couvertures jonchant le sol, la table de dîner toute simple couverte de factures, de cahiers et de livres scolaires, et ce gant de Johnny, désespérément dépareillé. Les Beatles et les Black Eyed Peas chantant dans les haut-parleurs, les fumets incompatibles du pain chaud et de l'élan stroganoff, le vrombissement d'une motoneige annonçant l'arrivée de Chick et de Mandy, qu'ils avaient invités à dîner. La vue qu'on avait par la fenêtre : l'atelier, le garde-manger et les épicéas, les monts Quilaks dans le lointain, ligne brisée de géants sur fond de ciel oriental.

Kate.

– Jamais, sans doute, dit-il.

Elle demeura de marbre. C'était une dure à cuire.

– Tu t'es servie de ta sœur pour donner un fils à ton mari, reprit-il. Et tu ne m'as même pas demandé de ses nouvelles.

Elle ne dit rien, mais il lut de la haine dans son regard, oui, et de la peur aussi.

— Elle a pris sa retraite, elle s'est remariée et elle vit à Medford, dans l'Oregon.

Le taxi corna devant le portail.

— Tu ne demandes toujours rien, mais je te le dis quand même. Elle est devenue obstétricienne. Elle a obtenu une chaire d'endocrinologie, portant notamment sur les questions de stérilité. (Il lui parlait pour la dernière fois de sa vie et il le savait.) Elle fait partie des chercheurs qui ont inventé et perfectionné les techniques de fertilisation in vitro. (Il empoigna ses bagages.) Je n'ai pas besoin de t'exposer ses motivations, je pense.

Il se dirigea vers la porte, sachant que ce serait la dernière fois qu'il la franchirait et s'en sentant immensément soulagé.

Comme il montait dans le taxi, un Hummer couleur cuivre, avec le sticker du concessionnaire encore collé sur la vitre, entra dans l'allée au moment où il s'installait sur la banquette arrière. En se retournant, il vit le Mathusalem de la réception au club qui en descendait, vêtu de ses plus beaux atours, un joli foulard de soie autour du cou et une rose rouge à la boutonnière.

Jim se tourna vers le chauffeur.

— Vingt dollars de pourboire si vous arrivez à L.A.X. en une demi-heure.

— Cinquante et vous y êtes dans vingt minutes.

— Adjugé.

Un coup d'accélérateur, et Jim s'enfonça dans son siège tandis que les pelouses soigneusement manucurées se brouillaient dans la lunette arrière, lui laissant des souvenirs fugaces et des regrets inexistants.

Il rentrait chez lui.

33

Ben Gunn s'était traîné jusqu'au seuil de la cabane pour regarder Kate immobiliser ses nouveaux visiteurs avec des bracelets en plastique. Elle n'avait guère été surprise de découvrir Sabine, la pilote que George avait engagée l'été précédent.

– Au nom de l'amour, hein ? lui dit-elle.

La réponse de Sabine était indigne d'une dame. Elle tenta de lui décocher un coup de pied dans le genou gauche, que Kate esquiva sans peine. Mais, avant qu'elle ait achevé son geste, Mutt était sur elle, les deux pattes antérieures sur son torse et le museau au ras de son nez. Sabine se pétrifia et Kate lui eut lié poignets et chevilles avant qu'elle ait repris son souffle.

– Lâche, ordonna Kate.

Après avoir émis un jappement de dédain, Mutt sauta de côté.

– Garde, dit Kate en désignant le compagnon de Sabine.

Mutt alla se poster près de lui en trottinant.

Kate empoigna le bracelet de plastique passé autour des chevilles de la pilote et la traîna à l'intérieur de la cabane. Sabine se cogna la tête contre la porte et lâcha une nouvelle bordée de jurons.

– C'est avec cette bouche que vous embrassez votre mère tous les soirs ? lança Kate.

— Hé! Hé, nom de Dieu, rappelez votre chien!

Kate ressortit et vit que Mutt s'était accroupie au-dessus de la tête du troisième intrus et l'arrosait copieusement d'urine.

— Quel joli bruit que celui de l'eau qui coule. Vous ne trouvez pas, Pete?

La pisse de loup étant une des substances les plus puantes de l'univers connu, Peter Pilz Wheeler, *Bachelor of Arts* (Université d'Anchorage), *Master of Arts* (Université du Washington) et *Juris Doctor* (Université de l'Oregon), ne répondit pas, trop occupé qu'il était à régurgiter un petit déjeuner apparemment copieux.

Mutt retroussa les babines devant ce signe de faiblesse.

— Je sais, fit Kate en secouant la tête. Question méchants, on est loin du niveau habituel dans cette enquête.

Elle traîna Pete à l'intérieur de la cabane avec la même prévenance qu'elle avait manifestée à sa compagne. Mutt entra derrière elle et Kate referma la porte.

— Bon, dit-elle en adressant à tous un sourire rayonnant. Soyez les bienvenus à Canyon Hot Springs. En général, mes invités ne débarquent pas à l'improviste, mais comme les sources chaudes sont restées un lieu public pendant des années, je laisserai passer pour cette fois. Donnez-moi le temps de faire du feu et de mettre de l'eau à chauffer pour que nous puissions tous prendre nos aises.

Elle s'affaira à attiser les braises dans le poêle et à y enfourner des bûches. Sabine proféra un nouveau juron. Un grondement de Mutt lui répondit. Sabine se tut.

— Brave fille, dit Kate sans se retourner.

Comme les braises étaient encore chaudes, le feu reprit sans tarder et se mit à crépiter. Kate sortit remplir le seau de neige et prit tout son temps. Quand elle revint, Sabine gémissait dans son coin, l'une de ses mains pissait le sang et le gant qu'elle portait peu de temps avant gisait près d'elle, totalement réduit en pièces.

— Oui, elle est plutôt vive, dit Kate en s'arrêtant pour caresser Mutt au passage.

Mutt leva une patte et nettoya ses griffes couvertes de neige.

Lorsque la neige eut achevé de fondre, la chaleur régnait dans la cabane qu'imprégnait l'arôme du café, malheureusement pimenté d'une légère odeur d'urine de loup, qui semblait flotter autour de la tête et des épaules de l'avocat.

– Café pour tout le monde ? dit Kate. Je sais que le soleil ne se montrera pas avant plusieurs heures, mais l'avenir appartient à ceux qui se lèvent tôt, comme on dit.

Elle sourit à Pete et à Sabine. Ils ne lui rendirent pas son sourire, mais ils ne refusèrent pas son café, quoiqu'ils aient peine à tenir un mug avec les mains liées.

Comme elle s'était beaucoup activée durant l'heure écoulée, et que ça faisait longtemps qu'elle avait dîné, elle se sentait affamée. Elle mit du bacon à cuire et commença à préparer de la pâte à biscuits.

– Voici ce qui s'est passé, si j'ai bien compris, dit-elle à la cocotte tandis que le bacon grésillait doucement.

Le silence se fit derrière elle.

– Mon oncle Sam est mort. Il avait vécu très longtemps et, comme tout le monde s'y attendait, il a laissé plein de choses derrière lui. (Elle agita la fourchette qu'elle tenait à la main.) Cette concession, par exemple.

Elle se tourna vers Ben, qui semblait surpris, et hocha la tête.

– Eh oui, il a revendiqué Canyon Hot Springs alors qu'il sortait à peine de l'école. Il envisageait de se marier et de s'établir ici.

– Ici ? répéta Ben.

– Oui, je sais. Mais c'était un fils obéissant. Il faisait tout ce que lui disait sa mère, et c'est elle qui lui avait dit de revendiquer cette concession.

– Mais qu'y a-t-il ici, à part les sources chaudes ?

Elle le gratifia d'un sourire approbateur.

– Excellente question.

Elle étala un torchon propre sur le sol, le saupoudra de farine et pétrit la pâte pour former un disque d'un centimètre d'épaisseur.

Elle vida son mug, le rinça et l'utilisa pour découper des biscuits circulaires. Elle disposa le bacon sur de l'essuie-tout et mit les biscuits dans la cocotte. Elle remit le couvercle sur celle-ci et reprit son récit.

— Sans vouloir vous accabler de détails superflus, il se trouve que le père d'Old Sam était un escroc à la petite semaine et un voleur à temps partiel.

Petit coup d'œil dans la cocotte. Les biscuits cuisaient gentiment.

— Il s'avère qu'une partie de son butin était bougrement précieuse. Pour me résumer, disons qu'il a tout légué à son fils. Mon oncle Sam. Old Sam Dementieff.

Elle nettoya son mug et se resservit du café.

— Mon oncle était plutôt un dur dans son genre, et quiconque aurait tenté de lui voler son bien aurait été réduit en chair à grizzly.

» Votre père a servi avec Old Sam et Mac McCullough dans le corps des Égorgeurs de Castner, dit-elle à Ben. Il en a ramené plein d'histoires sur les aventures de Gore Vidal et de Dashiell Hammett dans les Aléoutiennes. Je parierais qu'Old Sam n'a pas été le seul à rendre visite à Mac McCullough à l'hôpital d'Adak, ni le seul de ses potes qu'il a présenté à son grand copain Pop Hammett. (Elle s'accroupit sur les talons, l'air pensif.) Pendant ce temps, à Ahtna, Old Sam a parlé à Jane d'un certain manuscrit.

Ben la regarda d'un air de défi et ne dit rien.

Kate acquiesça comme s'il avait confirmé ses propos.

— Et Jane a laissé échapper une allusion alors que vous l'interviewiez sur le bon vieux temps, comme quoi Hammett aurait écrit une histoire inspirée par l'un des Égorgeurs. Soit parce qu'elle en avait trop dit, soit parce que vous saviez qu'il faisait partie de ses clients du temps de madame Beaton, vous avez déduit que c'était Old Sam qui possédait ce fameux manuscrit. Old Sam était un adversaire trop redoutable, mais il n'était pas éternel. Vous aviez tout votre temps. Alors vous avez patienté.

Elle médita quelques instants.

— Revenons au présent. Old Sam meurt, mais avant que vous ayez eu le temps de venir au Parc, je me pointe à Ahtna. Vous paniquez. Vous craignez que je trouve le manuscrit avant vous. Donc, après que Jane est partie au bureau, vous pénétrez chez elle. Malheureusement, elle revient et vous prend sur le fait.

Elle repensa à cette redoutable Alaskienne, agonisant sur le sol de son propre salon.

— Où est-il ? demanda Ben, comme si on lui arrachait les mots avec des tenailles. Où est le manuscrit ?

— En lieu sûr, dit Kate.

— Il existe bien, alors ? dit-il avec des accents émerveillés. Pour de vrai ?

— Oui. Je l'ai lu. Il est pas mal.

— « Pas mal » ? répéta Ben d'une voix de fausset. Vous avez tenu entre vos mains un manuscrit original de Dashiell Hammett et vous le jugez « pas mal » ? Mais ce type a inventé l'un des rares genres littéraires authentiquement américains !

— J'aime lire, mais une vie sera toujours pour moi plus précieuse qu'un livre, quel que soit son auteur, déclara Kate d'une voix au calme trompeur.

Ben se tut.

— Petit retour en arrière. Il y a un mois, Old Sam a rédigé son testament. (Elle se tourna vers Pete.) Pour ce faire, il a consulté le seul avocat d'Ahtna. Et malheureusement pour la principale légataire et exécutrice testamentaire, ledit avocat est un membre de la famille Pilz.

— Hein ? fit Ben.

Elle lui décocha un regard de mépris amusé.

— Vous êtes nul comme journaliste, vous savez ? On ne peut pas faire un pas à Ahtna sans tomber sur une histoire du tonnerre, mais vous avez raté deux des plus belles.

Elle se retourna vers Pete. Le café l'avait suffisamment requinqué pour qu'il se concentre sur son récit, mais il semblait le regretter au plus haut point.

– Pete est un descendant de la royauté alaskienne, du moins de façon indirecte. C'est un petit-neveu d'Herman Pilz, un chercheur d'or du Klondike qui a fondé une entreprise de transport maritime et s'est partagé les richesses de ce pays avec les Heiman, les Bannister et les autres membres du Club « Spit and Argue ».

– Comment l'avez-vous découvert ?

Pete avait l'air vanné, ce qui n'était pas étonnant. La nuit avait été longue pour lui, et sa conclusion des plus décevante. Sans compter qu'il empestait la pisse de loup. De quoi achever n'importe qui.

– P & H a fait don d'une de leurs diligences au Musée Bell d'Anchorage. On y voit une photographie de la cérémonie avec Herman Pilz, Pete Heiman Sr et le directeur général de la compagnie. Un dénommé Fritz Wheeler. (Kate haussa les épaules et se tourna vers Ben.) Facile de deviner le reste. Tout employé ambitieux rêve d'épouser la fille du patron. Ça accélère les promotions. (Sourire.) Par ailleurs, votre second prénom figure sur tous les diplômes accrochés dans votre bureau.

Les biscuits avaient une belle couleur dorée. Elle les sortit de la cocotte avec une spatule, ajouta un peu d'huile au reste de graisse de bacon et attendit que le mélange chauffe pour casser quatre œufs. Ils se mirent à grésiller doucement.

– Je pense que vous avez étudié l'histoire du Parc, Pete. Je parierais même que vous avez consulté les archives de l'*Ahtna Adit*.

Elle se tourna vers Ben, qui hésita puis acquiesça à contrecœur.

– Je m'en doutais. À un moment donné, vous avez découvert le vol de Marie la Sainte et…

– Le quoi ?

Kate leva les yeux au ciel.

– Allons, Pete, nous n'en sommes plus là. Marie la Sainte, alias Notre-Dame de Kodiak, une icône introduite en Alaska par un missionnaire orthodoxe russe du nom de Juvenaly, à l'époque où Baranov régnait sur le pays.

— J'ignore de quoi vous parlez, protesta Pete.

— C'est quoi, une icône ? demanda Sabine.

Le regard de Kate alla de l'un à l'autre durant un si long moment qu'elle faillit en oublier ses œufs. Elle ôta la cocotte du poêle pour la poser sur un pot retourné sur le sol. Elle découpa les biscuits, les beurra et les recouvrit de bacon croustillant et d'œufs un rien trop cuits.

— Egg McShugak, annonça-t-elle. J'aimerais que vous appréciiez mon hospitalité à sa juste valeur, compte tenu du fait que vous vous êtes tous efforcés de me tuer au fil des quinze derniers jours.

Ben poussa un cri de protestation et Pete dit :

— Je n'ai rien fait de la sorte.

Kate mâcha sa bouchée et prit tout son temps pour répondre.

— Vous, dit-elle à Pete. Je pense que c'est à vous que je dois ma première agression. Comme Old Sam est venu vous consulter pour rédiger son testament, vous aviez une longueur d'avance sur nous tous. Dès que vous avez appris sa mort, vous avez foncé à Niniltna pour fouiller sa cabane.

» Vous avez volé le livre que j'étais en train de lire, le journal intime du premier juge en poste à Ahtna, à la grande époque. Old Sam en avait subtilisé deux au tribunal avant qu'on fasse don de la collection au Musée Bell.

— Deux ? dit Pete, incapable de dissimuler sa consternation.

— Le second se trouvait ici, dans cette cabane. Old Sam l'avait caché afin que je l'y retrouve, et c'est ce que j'ai fait. (Elle ne chercha pas à réprimer le large sourire qui se peignait sur son visage.) Vous savez. Celui avec la carte à l'intérieur.

D'une seule voix, Ben, Sabine et Pete demandèrent :

— La carte ?

Wheeler lâcha son petit déjeuner. Mutt se leva et trotta jusqu'à lui pour le récupérer. Comme le plus gros était tombé sur ses cuisses, il ne bougea pas d'un pouce tant qu'elle n'eut pas avalé la dernière miette et ne se fut pas recouchée devant le poêle.

Il exhala le souffle qu'il avait retenu.

– Vous avez trouvé la carte ?

– Oui.

Kate se garda de jeter un coup d'œil en direction de la cachette confectionnée par Sam avec tant d'astuce, et qui se trouvait juste au-dessus de la tête de Pete. Peut-être en aurait-elle besoin un jour.

– Au fait, je suppose qu'il y avait quelque chose dans le premier journal, quelque chose que je n'ai pas eu le temps de voir. Un indice laissé par Old Sam et censé me conduire ici. De quoi s'agissait-il ?

– D'une vieille photo en noir et blanc montrant cette cabane et les sources chaudes, avoua Pete. Je l'ai montrée à quelques personnes et l'une d'entre elles m'a dit où elle se trouvait.

Kate opina. Elle se rappela la collection de photos en noir et blanc d'Old Sam, désormais archivée dans un carton chez elle.

– Allez, Kate, dites-nous, lança Pete. Vous l'avez trouvée ?

– Est-ce que j'ai trouvé l'icône, vous voulez dire ? (Elle secoua la tête.) Pas encore, mais je l'aurai avant ce soir.

– C'est quoi, une icône ? redemanda Sabine.

Pete réussit à lui donner un méchant coup de pied.

– La ferme.

Kate fit semblant de n'avoir rien vu. Mais elle se posait des questions.

Le petit déjeuner terminé, elle s'habilla.

– Comment vous comptez nous ramener au village tous les trois ? demanda Pete.

– La ferme, dit Ben à son tour.

C'était peut-être un journaliste nul, mais il avait raconté en première page de l'*Ahtna Adit* comment Kate avait escorté les frères Johanson jusqu'au poste de police. Sans doute savait-il comment elle comptait s'y prendre avec eux.

– Elle va être obligée de nous délier, insista Sabine.

– La ferme, répéta Ben. Et pour de bon.

Kate ouvrit la porte. Mutt se leva d'un bond.

– Reste, lui dit-elle. Garde.

Personne ne semblait ravi de cette idée, surtout Mutt, dont Kate entrevit les yeux jaunes juste avant de refermer la porte.

Le petit thermomètre en plastique fixé à la tirette de sa parka affichait – 5 °C. Elle jeta un regard inquiet au ciel, qui virait au bleu pâle. L'air qui lui caressait la joue était sec. Rassurée, elle chaussa ses raquettes, passa le rouleau de corde autour de ses épaules, empoigna le pied-de-biche et suivit la piste qu'elle avait tracée derrière la cabane en direction du cañon.

Plus elle prenait de l'altitude, plus la ravine où elle s'était engagée se faisait étroite, et elle était obligée de négocier des passages difficiles, d'éviter des éperons rocheux de plus en plus acérés, comme autant de défis lancés par les Quilaks. La rumeur de la forêt – le chant des oiseaux, les bruissements émis par les lièvres et les lagopèdes – cessa quand elle se retrouva au-dessus de la cime des arbres, et son champ visuel ne fut plus peuplé que de roches et de raisins d'ours. Elle se sentait seule sans être solitaire.

Un mouvement furtif perçu du coin de l'œil : elle se tourna vivement et vit un mouflon de Dall bondir sur une crête. C'était une femelle, et sa toison blanche était aussi épaisse que de l'angora, son postérieur boursouflé par toute la graisse accumulée durant l'été.

Non, on n'était jamais seul dans ces montagnes.

La carte n'était guère précise pour ce qui était de l'emplacement de la neuvième mine. Kate se demanda si c'était à dessein ou par accident. À dessein, sûrement.

– Old Sam continue à s'amuser, dit-elle à voix haute en s'efforçant de refouler son amertume.

Mais peut-être était-ce Mac McCullough. Aucun moyen de le savoir. La neige était plus profonde et, comme elle était toute fraîche, elle n'avait pas encore eu le temps de se tasser. Ses raquettes s'enfonçaient de trente bons centimètres à chaque pas. Ce qui la ralentissait considérablement.

— J'aurais dû partir d'en haut et me laisser descendre, railla-t-elle.

Elle fit halte et inspira et expira à plusieurs reprises, jusqu'à ce que ses pulsations reviennent à la normale. Elle commençait à regretter de ne pas avoir d'altimètre sur elle. La pente s'était raidie, mais la piste demeurait praticable. À quelle altitude se trouvait-elle ? La ravine était si encaissée qu'elle n'en avait aucune idée.

Le retour serait nettement moins pénible. Elle jeta un nouveau coup d'œil au ciel, d'un bleu innocent mais trompeur, où le soleil demeurait pour l'instant invisible depuis sa position. Tant que la neige tenait…

Elle franchit une petite passe et s'arrêta net, stupéfaite.

On aurait dit un plateau en miniature. Côté nord, une falaise de granite dont la surface érodée par les intempéries semblait avoir conservé toute sa réserve de quartz depuis l'origine des temps. Côté sud… elle fit quelques pas, se pencha et découvrit un abîme si profond qu'il aurait fait hésiter Vil Coyote en personne.

— Ouaouh, fit-elle en reculant prudemment. Bon, où suis-je ?

C'était un GPS qu'elle aurait dû emporter.

Devant elle se déployaient les pics et les glaciers de la partie sud des Quilaks, une masse chaotique de roche et de glace barrée par un discret terminateur qui venait de descendre au-dessous de la cime des arbres. Quelque part dans cette direction, beaucoup trop loin pour qu'elle les voie, les montagnes perdaient de l'altitude pour se réduire à de modestes contreforts. Puis ces derniers devenaient à l'approche de la côte une plaine modelée par le limon glaciaire et l'action des marées, où l'on remarquait çà et là un bloc erratique, un toit de faille.

Elle se tourna vers le nord et éclata de rire, plus par incrédulité que parce que la vue était amusante. Juste au coin de la falaise, elle distinguait les contours du pic Angqaq, le plus haut sommet des Quilaks, situé à une quarantaine de kilomètres au nord-ouest.

Si elle n'était pas tout à fait à la même altitude que lui, elle se trouvait néanmoins suffisamment haut pour que la montagne ne l'impressionne pas par son arrogance habituelle.

– Et puis, n'oublie pas que je t'ai conquise, lui dit-elle.

Elle se demanda si elle ne souffrait pas un peu de l'ivresse des altitudes.

Elle poursuivit sa route vers l'est, puis constata avec étonnement que la piste commençait à redescendre. Comme elle ne tenait pas à la remonter, elle fit demi-tour pour essayer d'en suivre le tracé du regard.

– Là, devant toi, c'est le Canada, dit-elle à haute voix. Tu le sais, n'est-ce pas ?

Comme si elle venait de découvrir un nouveau col pour franchir les Quilaks, ce qui était tout bonnement impossible. Les habitants de la région, les membres de sa tribu, auraient forcément connu l'existence de cette route. Les chants et les récits traditionnels l'auraient mentionnée. On l'aurait utilisée pour des échanges commerciaux, ou pour des expéditions guerrières. Si Niniltna avait été bâti là où il se trouvait, c'était en partie parce que le site était protégé par une barrière rocheuse littéralement impénétrable. Les anciens savaient ce qu'ils faisaient. Ils disposaient d'un fleuve pour la pêche et le transport, et d'une chaîne de montagnes en guise de frontière.

Et si ce col avait été connu, si les Natifs l'avaient utilisé, les premiers explorateurs blancs auraient forcément appris son existence, car ces hommes aux yeux ronds et au long nez avaient pour habitude de fouiner dans tous les coins. Un lieutenant de l'US Navy parti en expédition avec quelques mules l'aurait cartographié. Le président Roosevelt aurait envoyé une équipe du Corps civil de protection de l'environnement pour l'aménager et le baliser. Il figurerait sur la carte de Dan O'Brian et les randonneurs de l'extrême l'auraient inscrit sur leur catalogue de sentiers.

Elle consulta la carte d'Old Sam, qui ne lui donna aucune indication. La piste s'arrêtait à la neuvième mine, point final.

– Sois damné, vieux brigand, dit-elle, exaspérée.

Mais connaissait-il seulement cette piste, si c'en était bien une ?

Elle chassa cette idée de son esprit. Évidemment qu'il la connaissait. Il connaissait le Parc comme sa poche.

Était-ce pour cette raison que sa mère lui avait dit de s'établir ici ? En tant que fille de chef, connaissait-elle l'existence de ce col ? Avait-elle prévu qu'il serait un jour très précieux ?

Kate considéra la falaise d'un côté, le précipice de l'autre, avec comme solution de continuité cette étroite corniche où son pick-up n'aurait pas eu la place de passer. Mais un homme chargé d'un sac à dos pouvait s'en accommoder. Et même une mule. Peut-être qu'Old Sam avait introduit de l'alcool de contrebande pendant la Prohibition. Il n'avait certes que douze ans quand on avait mis fin à cette noble expérience, mais il en aurait été capable, songea Kate.

Elle parcourut les lieux d'un regard circulaire avant de redescendre vers les sources chaudes. Pas l'ombre d'une grotte dans le coin. Peut-être n'y avait-il pas de neuvième mine. Peut-être qu'Old Sam voulait seulement la conduire au col, afin que son existence continue d'être connue de la famille.

– Vieux fou, vieux brigand.

Elle rebroussa chemin le long de la piste tout en lacets, évitant les mêmes éperons rocheux qu'à l'aller. Elle parvenait à la cime des arbres, presque à l'endroit où elle avait vu le mouflon de Dall, lorsqu'un éboulis attira son attention. Même sous sa couche de neige, il avait l'air artificiel, comme ceux qui dissimulaient les huit premières galeries.

Il se trouvait au-dessus d'une corniche à un peu moins de quatre mètres de hauteur, sur la paroi nord de la ravine, surplombant une roche particulièrement lisse et vierge de toute prise. Elle confectionna un monceau de neige juste en dessous avec l'aide de ses raquettes, puis s'y assit et attrapa un biscuit parfumé au beurre de miel et la thermos de café. Elle s'obligea à manger et à boire lentement, adossée à la paroi rocheuse.

Elle se sentait beaucoup mieux lorsqu'elle se releva et examina avec plus d'attention le pan de mur sous la corniche. Si elle n'avait rien d'une spécialiste de l'escalade, elle avait sur elle une corde et une poignée de pitons trouvés dans son garage, et elle s'y connaissait en matière de nœuds. Par ailleurs, si jamais elle tombait, la chute ne serait pas mortelle et il y aurait plein de neige pour l'amortir.

Mieux valait éviter ça, cependant.

Usant du pied-de-biche, elle enfonça les pitons à intervalles réguliers, prenant appui sur chacun d'eux pour s'occuper du suivant, et réussit ce faisant à se hisser jusqu'à la corniche. Elle y passa un genou, vit qu'elle était suffisamment large pour l'accueillir et se hissa dessus à la force du poignet.

Elle était tellement agacée par les petits jeux d'Old Sam qu'elle s'activa ensuite sans trop de soin, empoignant son outil pour détacher les rochers, qui constituaient en effet un écran conçu pour dissimuler une nouvelle galerie, les laissant choir dans la ravine où ils atterrirent en soulevant des nuées de neige.

Cette entrée n'était en fait qu'une minuscule ouverture, où les traces des coups de pioche étaient encore apparentes, le vent, la pluie et la glace n'ayant pu les éroder. La capuche de sa parka frôla la voûte du plafond. Old Sam avait dû se baisser pour passer.

Elle attrapa sa lampe torche. L'intérieur était à la mesure de l'entrée. En se plantant au milieu, il lui suffisait de tendre les bras pour toucher les parois. Mais, au bout d'une douzaine de pas, elle découvrit un espace plus vaste. En le parcourant du rayon de sa lampe, elle vit que c'était une grotte naturelle, sans doute formée lorsqu'une couche de roche tendre s'était fracturée pour tomber entre deux couches de roche plus dure. C'était du moins ce que l'on pouvait déduire des strates géologiques. Elle entendit tomber une goutte d'eau, sentit l'humidité sur sa joue. En insistant un peu, elle trouverait sûrement une source. Incroyable que l'eau n'ait pas gelé. Elle-même se sentait transformée en glaçon.

Il n'y a rien de plus corrosif que l'eau. Si Old Sam avait planqué l'icône ici, il avait intérêt à l'avoir glissée dans quelque chose d'étanche.

Elle passa une demi-heure à fouiller chaque centimètre carré de la grotte et dut s'avouer bredouille.

Elle n'y croyait pas.

Elle ne pouvait pas y croire.

Elle refusait d'y croire.

Elle fouilla la grotte une seconde fois, plus lentement, en y regardant de plus près, allant jusqu'à quadriller le plafond avec le rayon de sa lampe.

Il n'y avait rien ici, strictement rien, excepté quelques rochers datant de l'époque où la grotte s'était formée.

– J'irai danser sur ton tombeau, vieil enfoiré, dit-elle.

Et elle aurait tenu parole si le rayon lumineux ne s'était pas arrêté sur une pile de rochers, sur une pierre en particulier. Elle était de la même couleur que les autres, un gris passe-partout, du moins en apparence, mais elle était plus grosse, de la taille d'un melon, et plus lisse que celles qui l'entouraient. Kate traversa la grotte en gardant sa lampe braquée dessus et la ramassa.

Elle était d'une lourdeur anormale.

Kate cala la lampe entre ses dents pour avoir les deux mains libres. C'était nécessaire. Ce truc devait peser ses dix kilos.

Puis elle resta sans rien dire, sans bouger, comprenant ce qu'elle tenait entre ses mains. Elle revit l'histoire de Mac McCullough, relatée dans ses moindres détails, dans une prose d'une exquise sécheresse, sur ces fragiles feuillets dactylographiés. Et les pépites dans le bureau de Pete Wheeler. «C'est quoi, une icône?»

– Nom de Dieu. Pauvre Wheeler, tu n'es qu'une victime de la fièvre de l'or.

Elle était tellement perdue dans ses pensées qu'elle n'entendit que trop tard le bruit à l'entrée de la grotte. Elle se retourna et le rayon de sa lampe accrocha le visage de Bruce Abbott, encadré par la capuche de sa parka.

– Donne-moi ça, dit-il.

Il tenait un pistolet braqué sur elle.

– J'en ai marre de tous ces gens qui me mettent une arme sous le nez, dit-elle.

Il agita l'arme en question.

– Donne-moi ça, répéta-t-il.

Elle tenait la pierre contre son flanc. Il ne pouvait pas la voir distinctement. Il n'avait aucune idée de ce que c'était. Elle changea d'appui pour placer un pied derrière elle et laissa la pierre rouler le long de sa jambe et, dès qu'elle toucha le sol, se tourna en traînant les pieds en espérant étouffer le bruit de sa chute.

– Que voulez-vous que je vous donne, Bruce? dit-elle en lui montrant ses mains vides.

– L'icône. Tu as trouvé la carte. L'icône est forcément ici.

– Je suis impressionnée. Moi qui vous prenais pour un rat des villes. Et vous êtes venu jusqu'ici à deux reprises. Pas mal.

– Donne-moi l'icône.

– Comment avez-vous su pour la carte?

– Je ne savais pas.

– Ah! C'était donc Erland.

Comme il se tenait à contre-jour, elle ne voyait pas son visage, mais elle perçut le tremblement dans sa voix.

– Je ne sais pas de quoi tu parles.

– Je me demande comment il l'a appris. Par son père, peut-être?

Il agita de nouveau le pistolet.

– Recule. Tu as laissé tomber quelque chose. Je veux voir ce que c'est.

– D'accord.

Elle alla de l'autre côté de la grotte.

Il gagna l'empilement de rochers en rasant le mur, sans cesser de pointer son arme sur elle.

Amusée, elle dit :

– Je ne suis pas armée, Bruce.

Arrivé à destination, il donna un coup de pied dans les rochers. Les plus petits s'éparpillèrent. La pierre qu'elle avait lâchée ne bougea pas. Il ne remarqua rien.

– Où est-elle? demanda-t-il.

– L'icône? Je n'en sais rien, Bruce. Elle n'est pas ici, ça c'est sûr.

Le calme qu'elle manifestait le désarçonna.

– Elle est forcément ici, dit-il au bout d'un temps. Sinon, pourquoi serais-tu montée dans ce trou?

– Je crois qu'Old Sam a voulu s'amuser à nos dépens, Bruce. Il m'a bien laissé une carte. Regardez-la si ça vous chante.

Elle tira sur la fermeture à glissière de sa parka et l'ouvrit.

– Stop! Plus un geste!

Il avança d'un pas, pistolet levé.

Elle lui montra ses mains vides.

– Je veux seulement attraper la carte, Bruce. Je vous ai dit la vérité. Je ne suis pas armée.

Elle entendait son souffle court dans le silence de la grotte.

– Lentement, dit-il, très, très lentement.

Et, lentement, très, très lentement, elle pêcha la carte dans la poche intérieure de sa parka et la lui tendit.

Il fit un pas vers elle, voulut la prendre de sa main libre. Elle ne quittait pas le pistolet des yeux. Comme la main de Bruce se refermait sur la carte, le canon de l'arme s'abaissa, et, au même instant, elle fit un pas vers lui, enserra sa main armée d'une poigne de fer. Un autre pas, elle pivota sur ses talons, se pencha, une flexion des jambes, et elle l'entraîna avec elle.

Pris par surprise, il perdit l'équilibre. Commença à choir sur elle. Elle se redressa comme un ressort, sans le lâcher. Son bras fit levier et il exécuta un impeccable saut périlleux arrière, atterrissant sur le dos dans un bruit qui fit trembler les murs.

Mais il n'avait pas lâché le pistolet. Le coup partit, faisant un bruit de tonnerre dans ce minuscule espace clos, suivi par un ricochet, deux, trois, peut-être quatre. Kate resta pétrifiée, craignant de voir son plan improvisé s'achever par la mort de l'un d'eux.

Ce qui faillit se produire, car les multiples impacts de balle déclenchèrent des éboulements dans la totalité de la grotte. Des rochers tombaient derrière elle, sur sa gauche, et d'autres dans la galerie menant à la sortie. Et d'autres encore du plafond, emplissant l'air de poussière et semant sur leurs têtes des grains de sable et des cailloux. Bruce dut considérer qu'il n'était pas assez payé pour ce genre de tribulation et, émettant un son à mi-chemin entre le cri et le couinement, il se releva d'un bond et courut à cloche-pied vers la sortie.

Kate marqua une pause le temps de ramasser la pierre et de la fourrer dans la poche de sa parka, où elle vint buter contre son genou, puis se mit à courir à son tour. Derrière elle, le grondement des rochers monta en volume et en intensité, et elle eut l'impression que c'était toute la montagne qui s'effondrait. Alors qu'elle sortait de la galerie, elle se retrouva enveloppée d'un nuage de poussière qui lui piqua les yeux et obscurcit son champ visuel. Elle tendit les bras pour se guider à tâtons grâce aux murs, mais émergea de la galerie à une telle vitesse qu'elle faillit sauter de la corniche.

Elle fit halte, battant des cils et toussant comme une damnée. Lorsque la vue lui revint, elle découvrit Bruce dans la ravine, en train d'enfiler ses raquettes.

– Espèce de connard ! Il faut être cinglé pour tirer dans une grotte. Tu aurais pu nous tuer tous les deux.

Il entendit sa voix et lui jeta un regard apeuré avant de s'éloigner à vive allure. Kate admira la souplesse de ses mouvements. S'il était capable de courir en raquettes, il savait bien mieux se débrouiller dans la nature qu'elle ne l'avait supposé.

Elle sortit la pierre de sa poche, la posa près de l'entrée et la camoufla avec quelques rochers. Bruce était tellement pressé qu'il n'avait pas pris la peine d'enlever la corde ni de détacher les pitons. Elle prit tout son temps pour redescendre. Il n'y avait qu'un seul chemin pour sortir du cañon et, en dernier recours, elle n'aurait aucun mal à le retrouver à Anchorage. Elle savait pour qui il travaillait et ce qu'il recherchait. Même s'il entrait dans la clandestinité, Max était jadis arrivé à le faire sortir de son trou et elle le savait en mesure de renouveler cet exploit. Elle chaussa ses raquettes et se mit en route à une allure raisonnable.

Elle arriva bien vite à la cabane et y trouva une Mutt agitée mais montant toujours la garde.

— Brave fille, lui dit-elle. Tu as dû souffrir le martyre en l'entendant passer.

Mutt s'ébroua doucement, l'équivalent d'un haussement d'épaules. *Je suis une professionnelle.* Kate considéra ses trois prisonniers.

— Que vais-je faire de vous pendant que j'attrape l'autre méchant ?

On ne lui fit aucune suggestion. Après réflexion, elle récupéra tous les objets tranchants, les fourra dans un sac-poubelle et cloua la porte derrière elle.

— Oh ! arrêtez de râler. Ben a une main libre, il vous reste assez de bois pour tenir toute la nuit et je vous ai laissé l'extincteur au cas où vous mettriez le feu par maladresse. Je reviens vous chercher le plus tôt possible.

Elle rangea le sac-poubelle dans la remorque, qu'elle s'abstint d'attacher à sa motoneige. Elle avait débouché le réservoir en arrivant et, cette fois-ci, personne n'y avait logé une balle. Les imbéciles. Le moteur démarra du premier coup et Kate lança un sourire à Mutt, qui frissonnait d'impatience, prête à passer à l'action.

— Embarque, ma belle !

Mutt bondit derrière elle et Kate mit les gaz.

Elle négocia le premier tournant avec précaution, au cas où Bruce l'aurait attendue avec une batte de base-ball, et repéra ses traces. Elle aperçut aussi une motoneige, la Ski-Doo Rev-XP dont lui avait parlé Herbie, qui appartenait sans nul doute à l'un des détenus de la maison d'arrêt de Canyon Hot Springs. Pete, devina-t-elle. Un avocat pouvait se payer ce bijou, pas un journaliste. Elle faillit ne pas voir une seconde motoneige, une autre Ski-Doo, mais quasiment une antiquité. Celle de Ben, probablement. Il l'avait poussée sous un buisson. S'il avait neigé depuis son arrivée, elle aurait été invisible.

Elle poursuivit sa route. Bruce filait à toute vitesse. Sur certains tournants, il ne laissait la trace que d'un seul ski.

– Il fonce comme un dératé, dit-elle à Mutt. Je me demande s'il sait comment il va sortir du Parc.

Elle s'esclaffa et accéléra comme elles abordaient la dernière ligne droite avant le dernier virage.

Pas si crétin que ça, ce Bruce Abbott, car c'était derrière ce virage qu'il la guettait, pas avec une batte de base-ball mais avec une branche d'arbre de deux à trois centimètres de diamètre. Et il minuta son coup à la perfection, se débrouillant pour qu'elle fonce droit sur cet instrument contondant pendant qu'il l'abattait.

Malheureusement pour lui, le pare-brise de la motoneige dévia la trajectoire de son gourdin de fortune. Il ne rata pas sa cible, mais atteignit Kate au front plutôt qu'en plein visage, et la capuche de sa parka amortit en partie l'impact.

La force de celui-ci ne la décolla pas moins de son siège, et elle emporta Mutt avec elle. Et elle atterrit sur la pauvre bête, par-dessus le marché, leur coupant le souffle à toutes deux.

Elle resta immobile sur le dos, toujours consciente, fixant le ciel en battant des cils, puis Mutt s'extirpa de sous elle, la jetant de côté. Elle lui lança un aboiement – *Debout ! Relève-toi, soldat !* – et esquissa un bond en direction de l'ennemi. Kate entendit un moteur rugir et une machine filer plein pot.

Mutt revint près d'elle d'un bond et lui aboya à la figure. *Debout ! Ce salopard fiche le camp ! Je pourrais lui ouvrir un nouveau trou du cul et toi tu fais la sieste allongée dans la neige ! Lève-TOI !*

Étonnant le degré d'éloquence auquel parvenait Mutt avec ce bruit primal.

– Tu sais quoi ? dit Kate en contemplant le ciel gris et froid au-dessus d'elle. Je suis trop vieille pour ces conneries.

Sa tête commençait à l'élancer. Encore.

Mutt refusait de s'en laisser conter. Elle planta ses crocs dans la manche de la parka, cala son postérieur sur le sol et se mit à tirer. Kate se sentit glisser sur la neige par à-coups.

– Mutt.

Tire.

– Arrête.

Tire.

– Accorde-moi une minute. Ça va aller.

Tire.

– Mutt.

Elle n'avait même pas la force de pousser un bon gros hurlement.

Mutt, dont les pouvoirs de récupération étaient supérieurs aux siens, n'était nullement affectée de ce côté-là. Elle lâcha la parka le temps d'aboyer un nouvel ordre. *Tais-toi et respire !*

Puis c'est à la jambe de Kate qu'elle s'attaqua.

Cette fois-ci, Kate se laissa faire, contemplant les nuages voguant au-dessus d'elle, suivant du regard les branches d'aulne qui passaient, sautant sur une congère, glissant entre deux buissons qui lâchaient leur neige sur elle, apprenant à connaître intimement quelques rochers salement coupants.

– Aïe, crut-elle dire à moment donné.

Le ciel s'immobilisa et elle comprit que Mutt l'avait traînée jusqu'à sa motoneige. Aussi étonnant que cela paraisse, le moteur continuait de ronronner. Craignant d'être rattrapé par Mutt, Bruce n'avait pris le temps ni de s'emparer de la clé, ni de saboter le moteur. Kate se félicita en outre qu'il ait oublié son arme dans la grotte.

Lâchant la jambe de sa salopette, Mutt bondit sur elle, lui ôta sa capuche d'un coup de crocs et entreprit de lui nettoyer la figure tout en poussant de petits jappements aigus. Kate se lassa de ceux-ci avant de se lasser des coups de langue, et découvrit alors que ses bras étaient toujours fonctionnels. Elle repoussa Mutt.

– C'est bon, ma fille. Ça va aller.

Mutt lui glissa le museau sous le bras et la souleva. Kate réussit à se redresser sur son séant. La terre se mit à tourner autour du soleil à une vitesse sans précédent.

Elle ferma les yeux, remarquant au passage qu'ils commençaient à enfler. Lorsqu'elle les rouvrit quelques instants plus tard, le monde et elle avaient recouvré un peu de leur équilibre, assez pour qu'elle farfouille dans son sac à dos, qui était resté en place, en quête d'une bouteille d'eau. Elle la vida et s'en sentit revigorée, suffisamment pour enfourcher la motoneige.

Et une fois là, elle pouvait s'accrocher aux poignées.

Elle se palpa le visage. Une superbe bosse lui ornait le front, juste au-dessous de la racine de ses cheveux.

– Bordel de merde! fit-elle, sentant monter une bouffée de rage qui l'emplit d'une énergie sans doute illusoire. Moi qui commençais tout juste à me remettre de mes derniers coquards!

Mutt aboya.

– D'accord, en selle.

Cette fois-ci elle fonça à fond les manettes, et si quelqu'un avait cherché à la suivre à la trace, il aurait pu remarquer que sa motoneige volait dans les airs plus souvent qu'elle ne touchait terre. Chaque fois que c'était possible, elle choisissait la ligne droite aux dépens de la subtilité. Les corniches, elle les franchissait d'un bond, les zones de bosses, elle les négociait en passant d'un sommet à l'autre, les touchant à peine. Elle s'engouffrait dans les buissons comme dans les bosquets de saules, terrifiait les élans qui ruminaient paisiblement, et elle sauva toute une colonie de musaraignes des assiduités d'un renard polaire en l'embarquant sur son ski avant gauche, le transportant sur une longueur de quatre cents mètres avant qu'il retrouve ses esprits et descende d'un bond. À certains moments, songea-t-elle par la suite, elle avait dû atteindre sa vitesse de libération. En tout cas, elle établit ce jour-là un record de célérité que les dirigeants d'Arctic Cat auraient sûrement souhaité faire homologuer. Les parties de son visage exposées au vent semblaient s'être gelées. Elle n'entendait rien hormis le vrombissement de son moteur, elle ne sentait rien hormis la pression de Mutt sur son dos, Mutt qui avait planté ses crocs dans la parka pour ne pas courir le risque de s'envoler.

La couverture nuageuse s'était suffisamment déplacée vers le nord pour que le soleil couchant s'encadre entre l'horizon et la lisière des nuages filant vers le nord-ouest. Compte tenu de son éclat aveuglant, de sa blessure à la tête et de la poussière de la grotte, Kate ne bénéficiait pas de son acuité visuelle coutumière, et elle ne repéra Bruce que lorsqu'il parvint à une quinzaine de kilomètres de Niniltna. S'il disposait d'un véhicule plus rapide, elle était meilleure pilote que lui, et il ne lui fallut que sept ou huit kilomètres pour arriver à une trentaine de mètres de lui. Il se savait rattrapé et se tassa sur son siège, mais il tirait déjà le maximum de sa Polaris et il perdit même un peu de terrain en cédant à la panique.

Lentement, inexorablement, Kate remonta à son niveau.

– Go ! cria-t-elle, et Mutt bondit droit sur lui.

Il pesa sur ses manettes et obliqua sur la droite. Mutt le rata de quelques centimètres. Elle allait si vite qu'elle poursuivit sa course sur une quinzaine de mètres avant de pouvoir virer et se lancer à sa poursuite. Pendant ce temps, il avait réussi à redresser et fonçait à nouveau vers Niniltna, dont les premières maisons devenaient visibles sur la neige. Kate se demanda ce qu'il comptait faire une fois arrivé là-bas.

Elle attrapa la corde qu'elle avait récupérée après sa descente de la grotte et fourrée dans la poche de sa parka. Elle était toujours nouée à l'une de ses extrémités. Sa main droite devait rester sur la poignée. Elle ôta son gant gauche avec ses dents, le jeta derrière elle, élargit le nœud et le laissa pendre de sa main gauche.

Elle remontait Bruce sur sa gauche, l'obligeait à dévier sa trajectoire pour se placer sur celle de Mutt, qui arrivait à toute allure sur sa droite, fusée grise glissant sur la neige. Comme il était tout entier concentré sur Kate, il ne vit Mutt qu'à la toute dernière minute et vira instinctivement à gauche pour éviter de l'emboutir.

Kate, les babines retroussées sur un sourire d'une joie féroce, lui passa le nœud autour des épaules. Vite, elle enroula l'autre extrémité de la corde autour d'une poignée, serra des deux mains et se tendit tout en dépassant sa proie.

Un cri retentit derrière elle et sa motoneige sembla se figer dans les airs, le moteur rugissant comme celui d'un 737 en cherchant une prise. Puis ce fut un choc sourd lorsque Bruce se ramassa dans la neige, un autre lorsque l'Arctic Snow atterrit dans une sorte de crash contrôlé.

Kate mit plein gaz pour gagner le village et en traverser la rue principale, tandis que Bruce au bout de sa corde hurlait et pestait, et elle le fit passer devant la clinique des frères Grosdidier, devant la maison de Tante Edna, devant le *Riverside Café*, devant l'épicerie Bingley, puis elle tourna et monta la colline, laissant derrière elle les cabanes de Tante Joy, d'Emaa et d'Old Sam.

Destination : le poste de police, et une fois arrivée, elle ralentit, se gara et, finalement, coupa le moteur.

Mutt la rejoignit pour lui prendre la température du bout de la truffe et la lécha avec enthousiasme comme pour lui dire *Bien joué !* Après quoi elle se posta près de Bruce, qui continuait de jurer.

Kate mit à pied à terre et s'étira, un peu surprise de n'avoir rien de cassé. Elle se tourna vers le poste de police, dont une Maggie stupéfaite venait d'ouvrir la porte.

Kate releva sa capuche.

— Seigneur, fit Maggie en reculant d'un pas.

Kate était incapable d'imaginer à quoi elle ressemblait, mais elle savait que le sourire dont elle gratifia Maggie était complètement torve.

— « Je monte un vieux pinto, je mène une vieille mule[33] », dit-elle, et elle éclata de rire.

---

33. Premier vers de *I Ride an Old Paint*, célèbre chanson folk américaine

1965

Amchitka

Lorsque survint le Séisme du Vendredi saint, Sam était à Kodiak, occupé à décharger des crabes royaux pour Whitney-Fidalgo. Il entendit hurler sur le quai. Quand il passa la tête par la fenêtre de la timonerie pour voir qui était tombé par-dessus bord, il vit le quai en bois onduler comme un raz-de-marée, dans un sens puis dans l'autre. On aurait dit le clavier d'un piano dans un dessin animé de Tom et Jerry.

Une fois qu'il eut repris ses esprits, il se hâta de descendre sur le pont. Le filet sortait tout juste de la cale et la grue l'amenait doucement au-dessus du conteneur.

– Alerte générale! hurla-t-il à pleins poumons. Toi, largue les amarres! Toi, à ton poste sur la proue!

Un chœur de cris étonnés lui parvint comme il se dirigeait vers l'échelle.

– Qu'est-ce qui lui prend, au pacha?

– Hé, Sam! qu'est-ce qui se passe?

– Bon Dieu, regardez le quai!

Il fit un bond, tira sur une corde et vida le filet. Les crabes retombèrent en cascade dans la cale.

– C'est un tremblement de terre, et un beau! On file au large, vite!

Il écarta de son chemin un marin paralysé par la stupeur.

– C'est pour aujourd'hui, pas pour demain! Grouillez-vous le cul avant que je vous jette par-dessus bord!

Le second se matérialisa à ses côtés.

– J'habite ici, Sam. Ma femme et mes gosses sont en ville. Il faut que j'aille les retrouver.

– Si tu crois pouvoir grimper l'échelle, vas-y, répliqua Old Sam.

L'autre se retourna juste à temps pour voir l'échelle de quai perdre son dernier boulon et s'abîmer dans les flots à quelques centimètres de la coque du *Freya*.

Sam regagna la timonerie, mit le moteur en marche, et la poupe s'éloigna du quai au moment où l'amarre était détachée. Le marin qu'il avait envoyé à la proue fut moins rapide que son camarade et il se brûla les mains lorsque Sam mit les gaz.

Les navires qui les entouraient, des senneurs de dix mètres aux caseyeurs de trente mètres, s'éloignaient des flotteurs, des quais et des corps-morts pour filer au nord-nord-est. Sam ne s'autorisa à souffler que lorsqu'ils eurent dépassé Woody Island. Le *Freya* passa les vingt-quatre heures suivantes au large de Spruce Island, et tous les marins qui n'étaient pas de quart se pressaient autour de la radio fixée au mur de la salle des cartes.

Les liaisons téléphoniques étaient coupées dans tout le centre-sud de l'Alaska. La tour de contrôle de l'aéroport international d'Anchorage s'était effondrée. Le « Million Dollar Bridge » édifié quatre-vingts kilomètres au nord de Cordova n'était plus qu'un souvenir. La Seward Highway était engloutie sur trente kilomètres. Plus tard, ils apprendraient que neuf personnes avaient été tuées lors du séisme et cent six lorsqu'un raz de marée avait frappé quinze cents kilomètres de côtes alaskiennes. Pour le *Freya* et les autres bateaux qui avaient pu sortir du port de Kodiak, ce tsunami s'était réduit à une forte houle qui les avait secoués avant de poursuivre sa route, mais certaines villes côtières comme Seward et Valdez avaient subi des dégâts considérables, et quelques villages comme Chenega, sur la baie du Prince-William, et Afognak, au nord de l'île de Kodiak, avaient été rayés de la carte. Par endroits, la terre s'était effondrée sur une hauteur de deux mètres, ce qui avait causé d'importantes inondations. Ailleurs, elle s'était élevée d'une hauteur de dix mètres, rendant certaines installations portuaires totalement inutilisables.

Le dimanche matin, le second était malade d'inquiétude et les réserves de fuel atteignaient le point de non-retour. Le *Freya* regagna donc le port.

Le premier signe avant-coureur du désastre fut la maison qu'ils virent emportée par la marée. Une maison à un étage, presque intacte, que le tsunami avait tout simplement arrachée à ses fondations. Ce n'était que la première. Sam, les mâchoires serrées, resta sur le qui-vive et louvoya entre les débris de conteneurs, les rondins, les réfrigérateurs, un tricycle rouge pris dans les mailles d'un filet. On aurait dit que toute la ville avait été emportée.

Une impression qui se confirma lorsqu'ils arrivèrent près du rivage. Le séisme avait transformé la ville en jeu de mikado et le raz de marée avait entraîné la moitié des baguettes vers le large. Il ne restait plus un seul quai intact. Sam héla un harenguier dont il connaissait le capitaine pour qu'il dépose à terre le second impatient de retrouver sa famille.

Ses trois matelots venaient respectivement de Seldovia, de Valdez et de Seattle. Celui de Seattle débarqua à Kodiak avec le second capitaine. Sam acheta du fuel à un caseyeur qui avait fait le plein avant le séisme. Le *Freya* reprit la mer en mettant le cap sur Seldovia, où Sam savait pouvoir se réapprovisionner. Ils y arrivèrent deux jours plus tard. La ville semblait plus ou moins intacte, à l'exception du bassin de petit tonnage dont les navires pêcheurs s'affairaient à rassembler les flotteurs. Il refit le plein, céda sa cargaison de crabes à un prix sacrifié, débarqua un deuxième matelot et partit pour Valdez.

Le raz de marée avait causé à cette ville des dégâts si graves qu'on devait la déplacer trois ans plus tard. Il amarra le *Freya* à une bouée et autorisa son dernier matelot à faire venir sa famille à bord, leur maison ayant été détruite par le séisme puis emportée par le tsunami.

Puis il débarqua et se dirigea vers la Richardson Highway, gagnant Ahtna en stop. La ville était secouée mais plus ou moins intacte. Il passa la soirée avec Jane Silver, qui lui servit un plantureux dîner de steaks d'élan et de purée de pommes de terre, puis repartit pour Niniltna dès le lever du jour, chaussé de raquettes empruntées au banquier et chargé d'un sac rempli de poisson fumé et de pain frit. Ce fut un périple épuisant, mais on lui réserva un accueil chaleureux chaque fois qu'il frappait à une porte. Tous les habitants isolés étaient friands d'informations, et le sourire de Joyce lorsqu'elle ouvrit la porte de sa cabane lui fit oublier toutes ses épreuves. Pour la première fois depuis la guerre, elle lui démontra son affection de manière tout à fait spontanée, le prenant dans ses bras pour le serrer contre elle. Bon Dieu, que ça faisait du bien !

Il dormit chez Ekaterina, dans la chambre d'amis, et passa le mois suivant à couper du bois et à chasser pour le compte de Joy, d'Ekaterina, d'Edna, de Viola et de Balasha, mais les quelques élans qu'il rapporta étaient mal nourris et leur viande trop dure.

— Peu importe, dit Balasha. Tu la fais bouillir assez longtemps, et elle s'attendrit.

Les cinq femmes avaient toutes perdu leur mari, qu'elles soient veuves, divorcées ou tout simplement sans nouvelles. Elles s'inquiétaient de la scolarité de leurs enfants et de la désertification du village. La moitié des habitations étaient vides et commençaient à se détériorer, du fait des déprédations ou de l'absence d'entretien. Jamais il n'avait vu son village en si piteux état.

Joyce avait fréquenté la même école que lui, et elle maîtrisait l'anglais mieux que lui, mais il remarqua qu'elle se laissait influencer par la façon de parler des autres femmes. Elle commençait à se mélanger dans les règles de grammaire et de conjugaison, et, pour la première fois, il entendit un villageois qualifier de « tantes » l'ensemble des cinq femmes.

Ce fut aussi la première fois qu'il s'entendit appeler « Old Sam » depuis l'époque des Égorgeurs. Et puis zut, songea-t-il, il se sentait sacrément vieux ce printemps-là.

Autant l'avouer. Il se sentait vieux depuis cette nuit à Anchorage.

— Tu as toujours le manuscrit ? demanda-t-il un soir.

— Il n'a pas bougé de place, dit Joyce.

Ni l'un ni l'autre ne se tourna vers l'armoire en châtaignier, dépositaire de l'un des secrets les mieux gardés de Niniltna.

Et puis zut. Un de plus, un de moins…

Il partit en mai pour aller s'occuper de son bateau et fut recruté par l'US Navy pour acheminer de la marchandise dans les Aléoutiennes, mais cette fois-ci on l'envoya carrément à Amchitka, c'est-à-dire presque en Russie. Il s'y trouvait le 29 octobre 1965, jour de l'opération Longshot, le premier de trois essais thermonucléaires souterrains. Assis sur le pont du *Freya*, il se demandait si un nuage en forme de champignon allait se former au-dessus de l'île pour venir le tuer au large. Mais il s'en fichait.

À son bord se trouvait la première femme qu'il ait jamais engagée, une Eyak norvégienne de Cordova possédant un site de pêche à Alaganik. Elle s'appelait Mary Balashoff. Elle riait beaucoup et, au bout d'un temps, elle vint rire dans son lit. Il se répéta qu'il ne la méritait pas, mais cela ne l'empêcha pas de prendre du plaisir en sa compagnie. Et petit à petit, au fil des jours, cette nuit à Anchorage s'effaça de sa mémoire, et il n'y pensa plus qu'une fois par jour, puis une fois par semaine. Quand un mois se fut écoulé sans qu'il ait revu en esprit le sourire d'Emil, ni entendu la voix d'Erland criant : « Papa ? Papa ! », il commença à se dire que la vie valait la peine d'être vécue, après tout.

Il avait découvert la carte à l'intérieur de l'icône, là où Mac l'avait cachée, sans doute une seconde avant d'être arrêté par les agents de Pinkerton. Pete Pappardelle ne l'avait pas trouvée, et Emil pas davantage. Ou alors, il avait décidé de la remettre dans sa cachette, jouissant du plaisir pervers de conserver un souvenir de l'homme qu'il avait tué sans remords ni vergogne. Old Sam en fit autant, puis cacha l'icône et reprit le cours de sa vie.

Mary était toujours avec lui trois ans plus tard, lorsqu'il chargea du matériel de forage au port de Nikiski, arrimant sur le pont les pièces qui ne rentraient pas dans la cale. Il n'avait aperçu aucune connaissance, mais il n'en fut pas moins soulagé quand le *Freya* largua les amarres, bien que les eaux aient frôlé d'un peu trop près sa ligne de flottaison.

Le temps leur fut favorable. Ils voguèrent sur une mer d'huile jusqu'au détroit d'Unimak, un fait sans précédent dans son expérience, après quoi ils tournèrent à droite et passèrent les îles Pribilof, Nunivak, Saint-Matthieu, Saint-Laurent, la Grande et la Petite Diomède, poussant jusqu'au détroit de Béring et à la mer des Tchouktches, puis entrant dans l'océan Arctique pour déposer leur cargaison le 16 août à Prudhoe Bay, à deux ou trois kilomètres du gisement découvert en mars de cette année. Succombant à la curiosité, il alla faire un tour au camp de base BP, appellation bien prétentieuse pour un hameau de mobile-homes au milieu de deux ou trois foreuses, peuplé d'une poignée d'hommes qui ne s'étaient pas rasés depuis longtemps. Jamais il n'aurait cru trouver une région aussi plate en Alaska. Les seules montagnes en vue étaient celles que l'on apercevait à l'horizon au sud. Et jamais il n'avait vu autant d'oiseaux : il compta au moins dix-sept espèces différentes de canards et vit toutes les espèces d'oies de la nature. Il pensa aux congélateurs des tantes et regretta de ne pas avoir de fusil.

— Et la pêche est fantastique dans le coin, lui dit le radio.

C'était un rouquin jovial qui lui offrit une bière et une place dans le studio quand il lança « Tony's Nine O'Clock News at Ten », une émission quotidienne durant laquelle il lisait des dépêches d'agence, passait les quelques disques de sa collection sur un pick-up crachotant et racontait des blagues le plus souvent salaces. Un exemple parfait de ce que pouvaient supporter des gens isolés et mourant d'ennui loin de chez eux.

Une fois revenu à bord, Old Sam conduisit le *Freya* à Seward et le fit mettre en cale sèche afin d'y effectuer des réparations devenues nécessaires. Mary voulait aller à Anchorage. Comme il n'en avait aucune envie et ne se priva pas de le lui dire, elle prit le train sans lui. Il passait son temps sur un tabouret du *Yukon Bar*, à écluser de la bière et à réfléchir.

Lorsque Mary revint d'Anchorage, il lui annonça :

– Je rentre chez moi.

Au cours des vingt-cinq années écoulées, il avait appris à connaître toutes les côtes de l'Alaska et mis suffisamment d'argent de côté pour ne pas craindre l'avenir, même après avoir payé les réparations et l'entretien du *Freya*.

– Comme les pièges à poissons ont été interdits lors de la proclamation de l'État, dit-il, les poissons sont revenus dans la baie d'Alaganik et il y a assez de conserveries à Ahtna pour que les prix restent attractifs. Je vais transformer le *Freya* en chasse-marée, passer l'été à acheminer du poisson à Cordova et passer l'hiver bien au chaud à Niniltna.

– Oui, dit-elle. En fait, je voulais te parler. J'ai reçu une lettre de mon père. Aucun de mes frères et sœurs ne souhaite reprendre le site de pêche d'Alaganik. Moi, j'y suis décidée.

– D'accord. Eh bien, je serai au large.

– Imaginez un peu. Tu n'as pas envie de te marier, par hasard ?

– Foutre non. Et toi ?

– Je préférerais me flinguer, dit-elle en riant.

Il adorait son rire.

Il passa donc les années de boom pétrolier dans ce qu'on appelait désormais le Parc, suite à la promulgation de l'ANCSA et des décrets concomitants. Il acheta une cabane au bord de la Kanuyaq River, non loin de celle de Joyce, et y installa l'électricité afin de pouvoir lire les livres qu'il commençait à collectionner. Il passait l'été à bord du *Freya*, transportant du poisson d'Alaganik à Cordova pour un cent la livre. L'hiver, quand il n'était pas occupé à chasser, à couper du bois ou à rendre divers services aux tantes, il explorait le Parc nouvellement créé, s'aventurant dans les parties les plus reculées des monts Quilaks, descendant le cours des torrents et des rivières, traquant les hardes de caribous. Il réapprit toutes les ruses de coureur des bois qu'il avait arrêté de pratiquer en quittant Niniltna, bien des années plus tôt, et en apprit de nouvelles, perfectionnant ses talents de charpentier et d'ébéniste, et amassant des outils de plus en plus perfectionnés. C'est à cela que servent les longs hivers.

Il se rendit à Canyon Hot Springs et ajouta à la carte de Mac la cabane et ses bâtiments annexes. Par la suite, il resta à l'écart du lieu, tant l'amour et l'espoir qui avaient animé le jeune homme l'ayant fait sien étaient trop forts, trop poignants pour qu'il les supporte très longtemps.

Un beau jour, Stephan Shugak épousa Zoya Shashnikof, et il leur fut donné une fille, Ekaterina Ivana. Old Sam tomba aussitôt sous son charme, et quand ses parents moururent avant l'heure, il était prêt, ainsi qu'Abel et le reste du village, à lui apprendre à chasser, à tendre des pièges et à pêcher. C'était l'enfant qu'il n'avait jamais eu.

De temps à autre, il lui arrivait de se dire qu'il ne méritait pas toutes les joies que lui avait apportées sa vie : un bon bateau, une femme aussi forte qu'indépendante, une fille qu'il adorait et qui faisait sa fierté. De temps à autre, il était arraché au sommeil par la vision d'Emil Bannister gisant dans son bureau, son sourire suffisant noyé dans son propre sang.

Alors il s'obligeait à quitter sa couche et à descendre se faire un peu de café, pour affronter ses fantômes avec courage – et avec l'aide d'un peu de caféine – tandis que la sueur d'angoisse séchait lentement sur son échine.

Ce n'était pas trop cher payé.

34

Chez Bernie.

Les danseuses du ventre avaient vêtu leurs plus beaux atours et sorti les castagnettes, les œillades et les mantilles, certaines ayant passé un caleçon sous leur jupe vaporeuse. Le pasteur Bill et ses ouailles, qui à eux tous occupaient à peine la grande table ronde, se tenaient par la main et priaient ensemble pour que ces païennes retrouvent le droit chemin. Ce n'était pas la saison des conquérants de la Grosse Bosse, hélas. Kate aurait bien aimé voir Bernie leur servir des Doigts d'honneur.

Les quatre tantes avaient pris place à leur table habituelle, dans un coin de la salle, le patchwork en cours étalé sur leurs genoux. Une nouvelle venue s'était jointe à eux. Assise entre Tante Vi et Tante Joy, Annie Mike piquait et cousait avec assurance un carré de tissu rouge vif. Elle avait salué Kate d'un sourire à son arrivée, mais elle avait tout de suite pris sa place dans le cercle.

Une tante en formation.

Sur la télévision accrochée au plafond, des géants, noirs pour la plupart, s'activaient à lancer une balle dans un panier. Autour de la table juste au-dessous, un groupe de Rats du Parc d'âge canonique commentaient chaque phase de jeu. Privés de la présence d'Old Sam, ils semblaient moins farauds que d'habitude.

D'un autre côté, Howie Katelnikof demeurait invisible, ce qui était une excellente chose aux yeux de Kate. Elle se demanda où était Willard puis décida de ne pas chercher les ennuis.

Autre changement, et de taille : le juke-box avait disparu, exilé dans ce grand boui-boui de l'autre monde, laissant derrière lui un rectangle de plancher bien plus clair que le reste du sol. Bernie l'avait remplacé par un Sound Dock relié à un iPod, le tout connecté à un système de baffles Bose montées sur les murs, grâce auquel, même Kate devait l'admettre, Bon Jovi pouvait faire étalage de toute sa bonne foi.

– Je n'arrive pas à croire que vous l'ayez envoyé à la décharge, dit-elle.

– J'avais compris la première fois, et même la seconde, dit Bernie en pressant un citron dans son Diet Sprite, le deuxième en une demi-heure. Ce truc sonne beaucoup mieux, reconnaissez-le. Il est moins capricieux, et il prend sacrément moins de place. Et en plus, je peux faire ma propre sélection. Non, décidément, je n'y vois que des avantages.

Kate échoua à faire la moue tout en buvant. Bernie ouvrit un nouveau sachet de bœuf séché et en donna à Mutt, qui avait posé le museau sur le comptoir dans l'espoir d'une friandise. Elle le happa et se retira au pied du tabouret de Kate.

– Vous la gâtez trop, dit-elle.

Sourire de Bernie.

– Parce qu'elle le vaut bien.

Grand, mince au point d'en paraître émacié, ses cheveux rares réunis en queue-de-cheval pendant sur sa nuque, Bernie ne semblait pas avoir changé, mais les apparences étaient trompeuses. Il portait encore le deuil de sa femme et de son fils. À en croire Johnny, il continuait à entraîner les basketteurs du lycée, mais avec un peu moins de férocité qu'auparavant. Kate s'arrêta sur le panneau punaisé sur le mur derrière lui : « C'est le lancer franc qui gagne le match. »

Il suivit son regard.

– Ça reste vrai. (Il se tourna vers elle.) Ça sera toujours vrai.

La porte s'ouvrit sur Petey Jeppsen, qui entra avec une boîte sous le bras. Il aperçut Kate et louvoya entre les tables pour la rejoindre.

– J'ai quelque chose pour vous.

Il posa la boîte sur le comptoir devant elle. Bon Jovi céda la place à Foreigner et à ses saxos.

– C'est le compas ?

– Ouais. Salut, Bernie.

– Salut, Petey.

Bernie fixa le nouveau venu d'un air méfiant. Petey avait déjà visité son établissement, y échangeant des coups de feu avec sa mère. Cela faisait quatre ans aujourd'hui qu'il y était interdit de séjour.

Petey lui adressa un sourire penaud.

– Je viens en paix. Je peux avoir une bière ?

Bernie hésita puis se décida. Nul ne pouvait l'accuser d'avoir refusé une seconde chance à quiconque. Petey eut sa bière et Bernie entreprit d'énumérer à sa nouvelle serveuse tout ce qu'elle faisait de travers, c'est-à-dire tout ce qu'elle faisait, point, vu que c'était son premier soir. Cette blonde décolorée, avec une toile d'araignée tatouée sur la nuque, n'avait pas l'air trop débile, et la prochaine fois que les mineurs de Suulutaq à la table n° 5 lui pinceraient les fesses à tour de rôle, elle appellerait Bernie plutôt que d'en gifler un et de vider le pichet de bière sur la tête d'un autre.

Eric Clapton pleura le départ de Layla puis s'en fut sous la pression conjointe de Queen et de David Bowie. La piste de danse, légèrement agrandie par la disparition du juke-box, était noire de monde, la moitié des couples étant du même sexe. Nombre de ces danseurs frustrés jetaient à Kate des regards enamourés. Elle se prépara mentalement à distribuer des vestes, une nouveauté pour elle. Dans un bar où tout le monde vous connaît, vous n'avez pas besoin d'expliquer que vous ne dansez qu'aux potlatchs.

Depuis l'ouverture de Suulutaq, il y avait pénurie de Rates du Parc par rapport à la demande. Ce qui n'était pas franchement nouveau.

D'un autre côté, cela permettait à Keith Gette et à Oscar Jimenez de danser ensemble sans se faire chambrer. Ce qu'ils auraient fait de toute façon.

– J'aime le Parc, dit-elle.

Petey se tourna vers Oscar et Keith, partis dans un slow langoureux en dépit d'une musique peu appropriée. Keith avait niché sa tête au creux de l'épaule d'Oscar et celui-ci avait glissé les pouces dans ses poches revolver. Petey se fendit d'un grognement neutre, ce qui valait mieux que de les traiter de déviants contre nature, expression que le Petey de naguère n'aurait pas hésité à employer.

Kate souleva le couvercle de la boîte et jeta un coup d'œil au compas.

– Il faut que je m'achète de la cire. Old Sam n'arrêtait pas de le briquer. (Elle se tourna vers Petey.) Vous avez quelque chose pour le remplacer ?

– Hé ! j'ai un GPS. J'en ai même deux, d'ailleurs.

Il semblait plus grand, plus large d'épaules, infiniment plus mûr. Devenir propriétaire fait parfois cet effet.

– Vous aurez quand même besoin d'un compas, dit-elle en désignant la boîte d'un mouvement du menton. Chez moi, il ne fera rien à part prendre la poussière.

Il parut tenté l'espace d'un instant, puis fit « non » de la tête.

– Old Sam tenait à ce que vous en héritiez. Il me l'a dit.

– Ah bon ?

– Ouais, l'été dernier à Alaganik. Il ne m'a pas dit qu'il comptait me léguer le *Freya*, ajouta-t-il, un peu maladroit. C'est… je ne sais pas si je l'aurais cru, Kate. (Il fixa sa canette.) Je ne sais pas si je le crois vraiment.

– Il faudra vous y faire.

Sourire fugace.

— Bref, il m'a dit que ce compas devait vous revenir. Je ne peux pas l'accepter. Le fantôme d'Old Sam viendrait me voir pour me pendre à la grue par les testicules.

— C'est fort probable, dit Kate en souriant.

Il lui rendit son sourire, et ils trinquèrent en l'honneur du vieux schnoque.

La porte s'ouvrit et Susie Kompkoff entra, les joues rougies par le froid.

— Excusez-moi, dit Petey, et il descendit de son tabouret pour aller la rejoindre à sa table.

— Tiens, y aurait-il anguille sous roche? demanda Bernie.

Mais avant qu'elle ait pu lui répondre, CCR commença à descendre le fleuve, on entendit un cri de joie à décrocher le plafond et Bobby fonça sur la piste de danse dans son fauteuil roulant, sa femme assise sur ses genoux. Elle se leva d'un bond, il la prit par les mains et tous deux entamèrent une danse des plus complexe où les pas de rock se mêlaient aux tours de roues et aux freinages contrôlés.

Fondu enchaîné de CCR à Three Dog Night, qui exhorta toutes les filles à planquer leur cœur. Bobby et Dinah ne perdirent pas une mesure.

Dan O'Brian se percha sur un tabouret et gratta Mutt derrière les oreilles.

— Dan, fit Kate.

— Kate. J'ai jeté un coup d'œil à votre titre de propriété des Canyon Hot Springs.

Kate se raidit.

— Ah bon?

— Oui. Et j'ai encore deux-trois trucs à vérifier, mais je pense qu'il est valide.

Kate se détendit d'un rien.

— Je le pense aussi.

Il prit un air sérieux, qu'elle voyait souvent sur son large visage constellé de taches de rousseur.

– J'aimerais pouvoir vous convaincre de vendre le site au Service des Parcs. Laissez-nous en faire un élément du Parc.

Kate repensa à l'étroite ravine qui sinuait dans la montagne et traversait la frontière du Canada.

– Désolée, Dan. Ce site fait partie de l'histoire de ma famille. Il n'est pas question de le vendre au Service des Parcs, quel que soit le prix proposé. (Elle le regarda droit dans les yeux.) Ni à personne d'autre, d'ailleurs, je peux vous le promettre.

Il afficha un air soupçonneux.

– Que comptez-vous en faire ?

Sourire de Kate.

– Rien. Absolument rien.

Son visage se détendit et il eut un sourire de soulagement.

La serveuse à la toile d'araignée revint avec un plateau vide et repartit avec un plein.

Ruthe Bauman fit son entrée, tapant des pieds pour chasser la neige de ses bottes, puis vint s'asseoir près de Kate.

– Whiskey et bière, dit-elle à Bernie, puis elle se tourna vers Kate. Comment ça va ?

– Mieux.

– Bien. (Elle avala son whiskey d'un trait puis savoura une longue gorgée de bière.) Old Sam m'avait prévenue que vous viendriez me voir, et il m'avait dit de vous donner le nom de son père.

Kate se figea, le verre au bord des lèvres.

– Quoi ?

Ruthe opina.

– J'ai fait ce que je devais. (Elle trinqua avec Kate.) Un toast en l'honneur du vieux schnoque. Ce ne sera pas le dernier.

Elle se leva, attrapa une chaise et la posa près du cercle des tantes. Pas à l'intérieur du cercle, pas sans invitation, mais assez près pour écouter la conversation et la commenter de temps à autre. Kate vit les tantes échanger un regard.

Une nouvelle candidate? Ou bien Ruthe souhaitait-elle faire la paix, elle à qui l'on reprochait d'avoir été choisie par Dan pour écrire l'histoire du Parc? Les deux, si ça se trouvait.

Coldplay traça une ligne jaune. Kate sentit un courant d'air frais. Le brouhaha autour d'elle se calma soudain, puis cessa tout à fait. Elle se retourna pour voir qui faisait un tel effet sur l'assemblée.

Il n'était pas en uniforme mais vêtu d'un jean délavé aux coutures et d'un blouson d'aviateur d'un bleu presque identique à celui de ses yeux. Presque seulement, car rien n'était aussi bleu que ces yeux-là, qui la regardaient fixement comme pour lui poser une question.

Mutt était debout, déjà prête à lui réserver un accueil exubérant, mais quelque chose dans l'attitude de Kate la fit hésiter. Ses yeux allèrent de Jim à Kate, puis de Kate à Jim. Elle avait la queue dressée mais pétrifiée.

Kate se laissa glisser à bas du tabouret et se dirigea vers lui. La foule s'écarta devant elle.

Il disposa de quelques secondes pour se caler sur les yeux de Kate, rendus plus brillants encore par l'arc-en-ciel en technicolor qui semblait éclairer les lieux, puis, sans ralentir ni accélérer le pas, elle fit un bond prodigieux et se reçut sur lui, les jambes passées autour de sa taille. Elle lui passa les bras autour du cou et lui donna un baiser qui coupa le souffle à tous les témoins de la scène.

L'espace d'un instant de stupeur, il ne bougea pas d'un pouce, puis il l'agrippa par les fesses et la colla à lui sans interrompre leur baiser, après quoi il pivota sur ses talons et sortit avec elle.

Mutt faillit se coincer la queue dans la porte battante.

Le lendemain matin, en se réveillant, Kate le trouva penché sur elle en souriant.

— Tu es radieuse, dit-il.

— Non, protesta-t-elle en tentant de se lever.

Il l'immobilisa entre ses bras.

– Si.

Puis il l'embrassa, après quoi survinrent divers épisodes qui se prolongèrent le temps que Johnny parte pour le lycée.

– Tel était ton plan, avoue-le, dit-elle.

– Vous connaissez mes méthodes, Watson.

Il regarda son joli cul qui gagnait la salle de bains sans lui. Comme c'était inadmissible compte tenu de l'état de leurs relations, il la suivit. Lorsqu'il écarta le rideau de douche, il en voulut à l'eau de caresser d'aussi près son visage, sa peau. Pas question de laisser faire. Il entra dans la cabine. Elle sourit sans ouvrir les yeux.

Leur petit déjeuner fut plutôt humide et interrompu à de multiples reprises, tant et si bien que la saucisse de caribou crama dans la poêle. Heureusement, il y avait du pain à griller, du beurre et du miel en abondance et un sachet tout neuf de café Tsunami Blend.

– C'est toi qui l'as commandé ? demanda-t-il.

– Non, c'est la fée du café qui l'a apporté.

– Tu l'as commandé pour moi ?

– Non, pour les trois mecs qui ont squatté ici pendant ton absence.

Ils mangèrent sur le sofa, collés l'un contre l'autre, leurs jambes entrecroisées. Mutt avait brassé sa couverture pour s'en faire un siège et elle était assise le dos tourné à la cheminée, contemplant Jim de ses yeux subjugués tandis qu'il racontait à Kate son odyssée dans le Sud. Elle lui demanda d'aller chercher l'écritoire de son père.

– Pourquoi tenait-il à ce que tu saches ? demanda-t-elle en caressant le bois soyeux au toucher.

– Je ne sais pas. Sans doute voulait-il que je comprenne pourquoi ma mère me haïssait.

Elle ouvrit de grands yeux étonnés.

– Oui, Kate, elle me haïssait. Et elle me hait toujours. Elle était terriblement jalouse de la relation que j'avais avec mon père.

Elle saisissait la moindre occasion pour la gâcher. Papa n'était pas franchement affectueux. Ce n'était pas dans sa nature, mais je savais qu'il m'aimait. Et je savais qu'elle ne m'aimait pas. J'ai toujours cru que c'était parce que la grossesse avait ruiné sa silhouette. Maintenant, je sais qu'elle ne m'a même pas porté.

— Comment est-elle ? Sa sœur ? Euh… ta mère biologique ?

— Je n'ai passé qu'une journée avec elle, mais c'est une femme bien. L'image même d'un médecin. Intelligente, disciplinée, analytique. (Il se rappela son étreinte, la caresse de ses lèvres sur sa joue.) Mais elle a un cœur.

— Et elle a eu des enfants à elle.

— Une fille et un garçon.

— Ta sœur et ton frère.

Il haussa les épaules.

— Oui, si j'y tiens.

— Peut-être qu'ils viendront nous voir.

— Je ne les connais même pas, Kate.

— Il y a des gens en ce monde qui partagent ton ADN. Ce n'est pas rien.

— Je ne les connais pas. S'ils veulent venir nous voir, tant mieux. Sinon, tant pis.

Il posa son mug et sa soucoupe par terre, prit ceux de Kate et les plaça à côté, après quoi il la souleva sous les bras pour la poser sur ses genoux, lui coinçant le crâne sous son menton. Elle passa une jambe par-dessus les siennes et laissa reposer sa tête sur son torse. Le cœur de Jim battait très fort contre sa joue. Cela lui avait manqué.

— Tu m'as manqué, dit-elle.

— Pareil pour moi, et au centuple. Qu'est-ce que tu as fait pendant mon absence ? À en juger par ces plaies et ces bosses, ça a dû être sympa.

— Tiens, c'est bizarre que tu me demandes ça.

Il lui fallut près d'une heure pour tout raconter. Lorsqu'elle eut fini, ils étaient face à face, Kate assise en tailleur entre les jambes de Jim.

– Puis Nick est arrivé par avion et m'a débarrassée de toute cette racaille, et ensuite je suis allée à la clinique pour que les frangins me remettent en état. Pour la dernière fois, du moins je l'espère sincèrement.

Il fronça les sourcils.

– La première fois aux sources chaudes, rappelle-moi qui c'était.

– La première fois? Bruce Abbott.

– Qui était son complice?

– Un voyou d'Anchorage. Abbott l'avait recruté parce qu'il savait se servir d'un fusil. Il redoutait les ours, affirme-t-il.

– C'est Kate Shugak qu'il aurait dû redouter.

Large sourire de l'intéressée.

– Cette lacune est comblée, je te rassure.

– Donc, Abbott était à la recherche de…

– De l'icône.

– Pour le compte d'Erland.

– Abbott refuse de l'admettre, mais sans ça, il est incapable d'expliquer comment il en connaissait l'existence.

– Une icône que tu n'as pas encore retrouvée.

Kate, jusque-là plutôt enjouée, se rembrunit quelque peu.

– Non.

– Okay, fit Jim. Ben recherchait le manuscrit de Dashiell Hammett. Erland, par l'entremise de Bruce, recherchait l'icône. Et Pete et Sabine, qu'est-ce qu'ils cherchaient, eux?

– Ah! c'est sans doute le plus beau dans toute l'histoire. Ainsi que je l'ai découvert, le grand-père maternel de Pete était un chercheur d'or de première – un Pilz, excusez du peu –, et Pete a hérité sa fièvre de l'or. Son bureau est décoré de pioches et de batées, ainsi que d'une affiche représentant les plus grosses pépites du monde. La plupart d'entre elles ont été trouvées en Australie, au fait. La plus grosse pépite d'Alaska est la Centennial, qui pèse très précisément deux cent quatre-vingt-quatorze onces virgule un.

Il agita la main pour lui enjoindre d'accélérer.

– Il a une étagère pleine de livres sur les chercheurs d'or, des comptes rendus d'époque sur les filons de Dawson, de Circle, de Livengood et de Nome. Bref, c'est un amateur éclairé. Je n'ai aucune excuse de ne pas l'avoir remarqué. J'ai cru qu'il se montait une collection sur l'histoire de l'Alaska. Et comme l'icône était l'objet le plus précieux issu du passé d'Old Sam, j'ai supposé que c'était ce que convoitait tout le monde.

– Et? fit Jim en se félicitant intérieurement de sa patience d'ange.

– Et lorsque la plupart des habitants de Niniltna et de Kanuyaq ont succombé à l'épidémie de grippe espagnole de 1918-1919, Mac McCullough a eu toute latitude pour piller tous les bâtiments à sa portée et emporter tout ce qui n'était pas vissé sur place. Mieux : il a eu le temps de dévisser tout ce qui l'était, y compris la Croix d'or.

– La quoi ?

– La pépite dite Croix d'or, trouvée en 1917 par un mineur qui a toujours refusé de dire où. Il l'a vendue au contremaître de la mine, puis il a quitté la ville et on ne l'a plus jamais revu.

– C'était une grosse pépite ?

– Plus petite qu'un melon, quand même, dit Kate avec un large sourire. Mais plus grosse qu'un pamplemousse. Deux cent quatre-vingt-dix-sept onces virgule soixante-quatorze.

– C'est-à-dire ?

– Neuf kilos deux cent quarante.

– Ça fait gros.

– La plus grosse pépite jamais trouvée en Alaska. Encore plus grosse que la Centennial.

– Et tu penses que le père d'Old Sam l'a volée ? En même temps qu'il volait l'icône ?

– Oui.

Il hocha la tête puis dit :

– Minute. « Plus petite qu'un melon, mais plus grosse qu'un pamplemousse. » Tu as vu des photos ?

Elle secoua doucement la tête.

— Tu as vu cette pépite ?

Elle hocha doucement la tête.

— C'était à elle que menait la carte, à la pépite, devina-t-il. Pas à l'icône ni au manuscrit.

— Ouaip.

— Et où est-elle ? cette pépite ? (Il parcourut la pièce du regard.) Un bloc d'or plus gros qu'un pamplemousse, je voudrais bien voir ça.

— Je l'ai laissée dans la grotte.

— Hein ?

— Eh bien, oui. Elle était lourde et je voulais rattraper Bruce avant qu'il soit trop loin. Et elle est parfaitement camouflée. Et tous ceux qui connaissent son existence sont en taule, moi-même exceptée.

Une fois qu'il eut repris son souffle, il dit :

— Donc, je suppose qu'on ne tardera pas à aller faire un tour à Canyon Hot Springs. Bon Dieu, Kate, l'or est à plus de onze cents dollars l'once.

Elle le regarda d'un air déçu.

— J'ignorais que tu souffrais de la fièvre de l'or, toi aussi.

— Fièvre de l'or, mon cul ! Je suis flic. Si cette histoire se répand, il y a des gens qui seraient capables de s'entre-tuer pour un tel trésor.

— Oh. (Un instant de réflexion.) Tu as raison.

— Bien sûr que j'ai raison. On pourra en faire don à ce musée d'Anchorage dont tu m'as parlé.

Kate imagina la réaction de madame Sherwood et sourit.

— D'accord.

— Comment Old Sam a-t-il récupéré cette pépite ?

— Il ne l'a peut-être jamais touchée.

Jim assimila cette révélation.

— Tu crois que c'est Mac qui l'a laissée là-haut ?

— C'est la seule raison pour laquelle Elizaveta a tenu à ce qu'Old Sam s'établisse aux sources chaudes. Mac lui a écrit, rappelle-toi.

Peut-être qu'Old Sam ignorait l'existence de la pépite. Je n'arrive toujours pas à croire que je l'ai trouvée. En fait, je ne l'aurais jamais repérée si je ne m'y étais pas reprise à deux fois pour chercher l'icône.

Il s'ébroua.

– J'ai la tête qui tourne. Donc, c'est Tante Joy qui détient le manuscrit.

– Oui.

– Que comptes-tu en faire?

– Rien. Il ne m'appartient pas, Jim. Old Sam l'a donné à Tante Joy.

– Ah. (Il était à deux doigts de se trémousser sur son siège.) Tu crois qu'elle me laisserait le lire?

Elle éclata de rire. Au bout d'un instant, il en fit autant.

– Bon, alors, où elle est, cette icône? demanda-t-il.

Kate cessa de rire.

– Je ne sais pas.

– Tu crois qu'Old Sam a tué Emil Bannister pour la récupérer?

Kate se leva et alla jusqu'à la table. Elle en revint avec une feuille de papier.

– Qu'est-ce que c'est? dit-il en la regardant.

– La liste des objets dérobés au domicile d'Emil Bannister la nuit de sa mort. Victoria Muravieff me l'a fait parvenir.

– Il y a bien une icône russe, ainsi que quelques objets en ivoire et... oh! regarde, encore une pépite d'or, mais bien plus petite que la tienne.

– Erland a probablement surestimé ses pertes pour toucher un plus gros chèque de l'assurance.

– Tu penses vraiment que c'est Old Sam qui a volé l'icône, Kate?

Ça ne collait pas avec le souvenir que Jim avait du vieil homme.

Pas plus qu'avec ceux de Kate.

– Je ne l'ai pas retrouvée, dit-elle. Et en attendant...

Elle laissa sa phrase inachevée.

– Si c'est lui qui l'a volée, reprit Jim, cela expliquerait pourquoi il ne pouvait pas la restituer à la tribu. Les circonstances de sa disparition étaient connues, ainsi d'ailleurs que son apparence, vu le nombre de gens qui connaissaient Emil Bannister. Quelqu'un l'aurait reconnue tôt ou tard. (Il réfléchit.) Ce qui explique qu'il t'ait laissé le soin de décider de son sort.

– Sauf que je ne l'ai pas trouvée.

– Ah ! ne fais pas cette tête, ma chérie, dit-il en l'enveloppant de son bras. Et ne sois pas défaitiste. Tu ne l'as pas *encore* trouvée.

Elle soupira.

– Ça fait trois semaines que je n'arrête pas de courir partout : Niniltna, Ahtna, Canyon Hot Springs, Anchorage, puis re-Niniltna et re-Canyon Hot Springs. Il m'a laissé des indices, Jim. Il a parlé de la carte à Jane. Il a confié à Tony qu'il avait croisé Hammett dans les Aléoutiennes. Il a donné le nom de Mac à Ruthe. J'ai réussi à rassembler la plupart des pièces du puzzle. J'étais sûre que la carte allait me conduire à l'icône.

– Pourquoi a-t-il fait ça ? dit Jim en lui caressant distraitement le bas du dos. Pourquoi t'envoyer à la chasse au trésor ? Pourquoi ne pas te raconter toute l'histoire et en finir une bonne fois pour toutes ?

Kate se rappela une journée ensoleillée, le printemps dernier, juste avant qu'un ours ne les charge dans la clairière. « Tu es plus grincheuse que d'habitude, ma fille. Qu'est-ce qui t'arrive ? »

C'était l'une de leurs dernières conversations dignes de ce nom, dans cette clairière où ils marquaient une pause après avoir collecté des restes humains et avant de collecter des restes ursidés. Oui, elle était grincheuse, et Old Sam, comme d'habitude, avait tout de suite compris pourquoi. La mine de Suulutaq changeait le Parc, à grande vitesse et pas toujours en mieux. Elle se sentait à l'étroit, chose étonnante dans une région dont la densité de population avoisinait 0,15 habitant par kilomètre carré, en comptant les villes et les villages.

Elle pensa à l'aventure échevelée qu'il lui avait concoctée. Vu les enjeux, il savait que ça pouvait être dangereux, voire mortel. Mais elle n'aurait pas le temps de s'ennuyer, pas de doute là-dessus. Et il ne s'était pas trompé. Elle s'était fait assommer, emboutir et tirer dessus.

« Si ce vieux schnoque vous a lancée sur une chasse aux chimères, c'est sûrement parce qu'il pensait que vous en aviez besoin », avait dit Bobby.

– Jusqu'à ce que j'aille voir Erland Bannister à Spring Creek, c'était une simple course au trésor, dit-elle d'une voix traînante. Jusque-là...

– Tu t'amusais comme une folle, conclut-il.

– Oui, sans doute. Si l'on fait abstraction de mes coquards.

– Les hasards de la guerre. Tu es toujours en vie et en pleine forme.

Elle leva la tête.

– Tu n'es pas censé rouler des mécaniques et interdire à la faible femme que je suis de prendre de tels risques ?

– Je tiens trop à mes bijoux de famille, dit-il, et elle éclata de rire et enfouit la tête contre son torse.

Oui, elle s'était bien amusée, même si un frisson l'avait parcourue quand elle avait vu la tête que faisait Ranger Dan en découvrant que les sources chaudes étaient une propriété privée et en commençant à réfléchir au meilleur moyen de corriger la situation.

Elle s'était aussi instruite, en discutant avec Jane Silver, sans doute une des dernières filles de joie alaskiennes encore en vie, et une grande dame par-dessus le marché. Il n'en restait plus beaucoup comme elle.

Bon, la voir exhaler son dernier souffle n'avait rien d'amusant, d'autant que Kate était peut-être en partie responsable de son sort.

Elle avait biché comme un pou en discutant avec l'avocat. Elle se serait crue dans la peau de Thorby Rubdek(34) [34] à son retour sur Terre. Et elle jubilait quand elle réfléchissait au meilleur

---

34. Jeune héros du roman de Robert A. Heinlein, *Citoyen de la galaxie.*

moyen d'attaquer le Service des Parcs en justice, tout en redoutant la réaction de Dan O'Brian et la fin possible de leur amitié.

Le tonneau et la sortie de route, ça n'avait rien de drôle, mais quel plaisir d'utiliser ses talents de survivante pour résister à la tempête de neige. Elle s'en était tirée, et avec panache par-dessus le marché. Bon Dieu, elle était quasiment invulnérable. Elle avait survécu à deux agressions à Canyon Hot Springs et réussi à regagner le village. Indemne ou à peu près. Les hasards de la guerre. Jim avait raison. On mise et on joue, et on fait confiance à la chance. Sinon, on ne gagne jamais rien.

Mais ce matin-là, à Spring Creek, elle avait de nouveau regardé dans les yeux d'un tueur, d'un homme qui avait dissimulé un meurtre pour en tirer profit, qui en avait commandité un deuxième, et qui s'était préparé à en commettre un troisième.

Elle se rappela le jour où elle s'était réveillée dans ce pavillon de chasse des monts Chugachs, comme elle s'était sentie seule, furieuse.

Et terrifiée.

Elle ne pensait toujours pas qu'Erland Bannister serait capable de la tuer pour une icône russe, quelle que soit sa valeur historique, culturelle ou religieuse, ni même parce qu'elle avait joué un rôle dans son histoire familiale, et pas davantage parce que les pierreries enchâssées dans son cadre étaient des diamants d'une valeur équivalente au produit national brut du Cameroun. Il avait tout le fric qu'il lui fallait, suffisamment semblait-il pour échapper à une condamnation bien méritée après n'avoir passé que quelques mois derrière les barreaux.

Donc, c'était autre chose qu'il recherchait.

Mais quoi donc ?

La vérité sur son ascendance, sûrement. Impossible de signer des chèques pour se tirer de ce guêpier-là. Et peut-être était-il prêt à risquer le tout pour le tout pour préserver le secret.

Comme mobile, Kate jugeait ça bien peu crédible, mais ça n'empêchait pas que c'était peut-être le bon.

On toqua à la porte. Kate, vêtue en tout et pour tout d'une chemise de Jim, s'éclipsa à l'étage pendant que Jim, vêtu de son seul caleçon long, alla répondre. Il ouvrit la porte et fit :

– Quoi ?

Devant lui se tenait Bernie, une grande boîte en bois dans les mains.

– Euh… Kate a oublié ça au bar hier soir. J'ai pensé qu'elle voudrait le récupérer.

– Merci.

Jim lui referma la porte au nez. C'était un mec. Il comprendrait.

– C'était Bernie ! cria-t-il. Il t'a apporté quelque chose.

– Quoi ?

– Une boîte. Il dit que tu l'as oubliée au bar.

Il entendit démarrer une motoneige. Brave Bernie.

Kate mit un moment à comprendre.

– C'est le compas du *Freya*. Sam me l'a légué.

– Ah bon ? (Il s'assit sur le sofa et ouvrit le couvercle.) Joli.

Il caressa une cornière du bout du doigt. C'était aussi doux que de l'or, et ça brillait autant.

– Il en a pris soin, on dirait, remarqua-t-il.

Elle redescendit, ayant hélas enfilé un jean et un sweat-shirt, quoiqu'elle soit encore pieds nus, ce qui permettait encore d'espérer.

– Il m'a dit un jour que ça venait d'un vieil antiquaire de ses amis, à Seattle.

– Pour une antiquité, c'en est une.

– Il date de la guerre de Sécession, je crois.

Elle ramassa les mugs et les assiettes pour les porter à la cuisine, dont elle revint avec de nouvelles doses de café, découvrant Jim en train de tripoter le dessous de la boîte.

– Qu'est-ce que tu fabriques ?

– Ça ne te rappelle pas l'écritoire de mon père ?

Il glissa les doigts entre le compas et la boîte.

– Rappelle-toi, je t'ai montré le truc. Il y a un tiroir secret et il ressemble exactement à…

Un tiroir jaillit de la boîte.

Kate en resta bouche bée.

– Il y a quelque chose là-dedans, dit Jim.

Il attrapa un paquet enveloppé dans du velours noir et attaché par une ficelle des plus ordinaire.

Kate l'accepta de ses mains tremblantes. Le nœud se défit tout seul. Elle déplia le velours.

Trois plaques métalliques sur trois panneaux de bois, trois portraits de femme, la même femme, les trois panneaux reliés entre eux.

Le cadre de chaque panneau était orné de pierres enchâssées avec expertise. Certaines d'entre elles étaient manquantes. Leur éclat était terni par la poussière.

Kate se laissa glisser du sofa et posa doucement le triptyque sur le sol, repliant les deux panneaux extérieurs afin qu'il tienne debout.

– Notre-Dame de Kodiak, souffla Jim, émerveillé malgré lui.

– Marie la Sainte, dit Kate. Oh! Jim.

– Quoi?

– Tu ne comprends pas?

Sa voix se brisa et il vit que ses joues étaient mouillées de larmes.

– C'est lui qui l'a volée. C'est Old Sam qui l'a volée chez Erland. C'est lui qui est entré par effraction la nuit où Emil est mort.

Jim était un policier ayant pour mission de faire respecter la loi, mais il ne put s'empêcher de protester.

– Non, Kate, je…

Elle secoua la tête, ferma les yeux.

– C'est forcément lui. C'est lui qui a cambriolé la maison des Bannister.

Elle inspira en tremblant.

– Et s'il a volé Marie la Sainte, il a forcément tué Emil.

1959

ANCHORAGE

Sans quitter des yeux le visage de son père, Erland écouta un bruit de pas précipités résonner sur le perron puis disparaître dans la rue.

À l'étage, sa mère s'écria :

— Emil ! Emil ? Qu'est-ce que c'est ?

Il entendit s'ouvrir la porte de sa sœur.

Investissant sa voix de toute l'autorité dont il était capable, il lança :

— Ne bougez pas, fermez votre porte à clé ! Il y a un intrus dans la maison !

Le souffle court, laborieux d'Emil emplissait le silence du bureau. Le sang coulait sur sa joue, imbibait le col de sa chemise, faisait virer au bleu nuit l'épaule de sa veste.

Erland s'empara d'une chaise et la jeta à l'autre bout de la pièce. Elle atterrit sur une vitrine, fracassant le verre et le bois.

— Arrêtez ! Sortez de chez nous !

Les yeux de son père papillonnèrent, s'ouvrirent et se posèrent sur lui. Ses lèvres s'entrouvrirent.

Erland enveloppa du bras des figurines d'ivoire sur un guéridon et les envoya rouler sur le parquet.

— Maman ! Appelle la police !

Son père voulait dire quelque chose, son torse se soulevait.

Erland lui sourit et fit le tour de son bureau en bois massif.

– Maman! Appelle la police!

Il saisit le rebord du bureau, se planta devant lui et, dans un effort surhumain, renversa le lourd meuble d'acajou.

L'arête de devant atterrit en diagonale sur la poitrine de son père. Le bruit des côtes fracassées était nettement audible. Erland put voir la vie s'enfuir de ses yeux.

Il chercha à tâtons un objet, n'importe lequel, et le jeta à l'autre bout de la pièce. Il obtint un fracas tout à fait satisfaisant.

– Maman! Il va s'enfuir! Appelle les flics!

Il se dirigea vers une vitrine encore intacte et, d'un geste puissant, délibéré, fonça dessus tête baissée.

Il recula en titubant, pris de vertige, sentant un liquide chaud lui couler dans les yeux.

– Maman! Vicky!

Il courut vers la porte, dans le vestibule, vers le perron, en faisant le plus de bruit possible.

– Il s'enfuit! cria-t-il par l'embrasure de la porte que son demi-frère avait laissée entrouverte.

Les lumières s'allumaient dans les maisons voisines.

On entendit des sirènes dans le lointain. Il s'effondra contre le battant de la porte, adressa un sourire d'ivrogne à la nuit noire.

Il avait reconnu Sam, même de dos, même avec la capuche. C'était comme s'il se regardait lui-même en train de fuir.

Durant les quelques instants qui précédèrent l'arrivée de la police, il se demanda s'il devait le dénoncer. Il décida que non. Même s'il témoignait à la barre, même si sa puissante famille le soutenait, il était toujours possible que Sam prouve son innocence, et les flics chercheraient alors un autre suspect. Non, mieux valait que Sam Dementieff disparaisse dans la nuit, mieux valait qu'on considère le meurtre de son père comme la conséquence d'un cambriolage qui avait mal tourné.

Il regagna le bureau et tomba à genoux près du cadavre de son père, prenant sa main entre les siennes. Il entendit un bruit de pas derrière lui.

– Erland? Emil! Ô mon Dieu!

– Oh! maman, maman… je crois qu'il est mort.

Ses épaules étaient secouées de sanglots.

Sa sœur Victoria se figea sur le seuil, porta les mains à sa bouche pour étouffer un cri en découvrant le corps de son père écrasé sous le bureau. Sa mère la poussa par côté pour courir vers Erland et s'agenouilla près de lui.

– Tu es blessé? Erland, réponds-moi! Tu es blessé?

Avant qu'elle l'attire contre elle, il aperçut l'expression qui se peignait sur le visage de sa sœur, l'ombre du soupçon qui naissait dans son regard comme pour souligner l'horreur qui l'habitait, et il dut faire un effort pour réprimer un sourire satisfait.

Longtemps avant de rencontrer Kate Shugak, Erland Bannister était déjà un tueur né.

Achevé d'imprimer en mars 2014
N° d'impression 1402.0138
Dépôt légal, avril 2014
Imprimé en France
37072003-1